中国中药资源大典

资源大典

海南卷

②

黄璐琦　总主编

魏建和　郑希龙　主　编

北京科学技术出版社

图书在版编目（CIP）数据

中国中药资源大典. 海南卷. 2 / 魏建和，郑希龙主编. —北京：北京科学技术
出版社，2019.1
ISBN 978-7-5714-0068-2

Ⅰ.①中… Ⅱ.①魏… ②郑… Ⅲ.①中药资源—中药志—海南 Ⅳ.① R281.4

中国版本图书馆 CIP 数据核字（2019）第 011561 号

中国中药资源大典·海南卷2

主　　编：	魏建和　郑希龙
策划编辑：	李兆弟　侍　伟
责任编辑：	严　丹　周　珊
责任校对：	贾　荣
责任印制：	李　茗
封面设计：	蒋宏工作室
图文制作：	樊润琴
出 版 人：	曾庆宇
出版发行：	北京科学技术出版社
社　　址：	北京西直门南大街16号
邮政编码：	100035
电话传真：	0086-10-66135495（总编室）
	0086-10-66113227（发行部）　　0086-10-66161952（发行部传真）
电子信箱：	bjkj@bjkjpress.com
网　　址：	www.bkydw.cn
经　　销：	新华书店
印　　刷：	北京捷迅佳彩印刷有限公司
开　　本：	889mm×1194mm　　1/16
字　　数：	926千字
印　　张：	54.5
版　　次：	2019年1月第1版
印　　次：	2019年1月第1次印刷

ISBN 978-7-5714-0068-2/R·2577

定　　价：980.00元

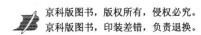

《中国中药资源大典·海南卷》

编写委员会

顾　　问　韩英伟　吴　明　周国明

主　　编　魏建和　郑希龙

副主编　李榕涛　杨新全

编　　委（以姓氏笔画为序）

丁宗妙　王　军　王士泉　王发国　王庆煌　王祝年　王清隆　王德立

邓双文　甘炳春　叶　文　田怀珍　田建平　冯锦东　邢福武　朱　平

朱　麟　全　峰　刘寿柏　刘洋洋　严岳鸿　杜小浪　李大周　李东海

李冬琳　李伟杰　李向民　李建保　李海涛　李榕涛　杨　云　杨小波

杨东梅　杨新全　杨福孙　肖　艳　肖邦森　何明军　何春梅　宋希强

张　力　张连帅　张荣京　张俊清　陈　林　陈伟平　陈红锋　陈沂章

林余霖　周亚东　周亚奎　周国明　庞玉新　郑才成　郑希龙　孟　慧

赵祥升　郝朝运　胡爱群　胡碧煌　钟捷东　钟琼芯　秦新生　徐清宁

唐　菲　黄　勃　康　勇　董安强　韩长日　曾　琳　曾　渝　曾念开

谭业华　翟俊文　戴好富　魏建和

资料收集（以姓氏笔画为序）

丁宗涨　于淑楠　马子龙　王　勇　王　捷　王　辉　王　聪　王开才

王文峰　王亚雄　王茂媛　王建荣　王雪慧　王康剑　王焕龙　王雅丽

王辉山　邓　民　邓　勤　邓开丽　龙文兴　叶才华　叶其华　叶绵元

代正福　冯里喜　吉训忠　吕晓波　农翼荣　刘凤娟　刘世植　关义芳

孙有彬　孙军微　孙蕊芬　麦贻钦　李　冰　李　阳　李　俊　李　聪

李万蕊　李立坤　李和三　李洪福　李舒畅　杨　峰　杨　浪　杨　锋
杨安安　杨海建　吴　妹　吴小萌　吴少雄　吴成春　吴坤帮　吴国明
利冬妹　邱　勇　邱燕连　何发霖　何春生　邱　明　沈日华　张　雯
张　歆　张　磊　张亚洲　张建新　张新蕊　张影波　陈　能　陈玉凯
陈业强　陈荣耀　陈昭宁　陈信吕　陈俊秀　陈道云　陈赞妃　林　君
林　密　林秀闲　林福良　罗　宇　周　干　周　晓　周世妹　郑　莎
单家林　赵玉立　赵学来　胡吟胜　钟　莹　钟星云　钟雯雯　钟燕琼
段泽林　袁　晴　莫志敏　莫茂娟　晏小霞　徐世松　郭育慧　唐小儒
黄　谨　黄卫东　黄立标　黄明忠　黄宗秀　梅文莉　戚春林　崔　杰
符传庆　符焕清　彭　超　彭小平　窦　宁　蔡于竞　鲜孟筑　廖兴德
黎　鹏　戴　波　戴水平

摄　　影（以姓氏笔画为序）

王发国　王清隆　王德立　邓双文　叶　文　邢福武　朱　平　朱鑫鑫
刘寿柏　严岳鸿　杜小浪　李冬琳　李海涛　李榕涛　杨　云　杨东梅
肖　艳　何春梅　张　力　张代贵　陈　林　林余霖　周亚奎　周喜乐
郑希龙　孟　慧　郝朝运　秦新生　袁浪兴　董安强　童　毅　曾念开

《中国中药资源大典·海南卷2》

编写人员

主　　编　魏建和　郑希龙

副 主 编　李榕涛　杨新全　李伟杰　康　勇

编　　委　（以姓氏笔画为序）

　　　　　　王　军　邓双文　甘炳春　田怀珍　冯锦东　邢福武　朱　平　刘寿柏

　　　　　　李冬琳　李伟杰　李海涛　李榕涛　杨东梅　杨新全　肖　艳　陈　林

　　　　　　陈红锋　陈沂章　林余霖　郑希龙　胡爱群　秦新生　康　勇　董安强

　　　　　　翟俊文　魏建和

资料收集　（以姓氏笔画为序）

　　　　　　杨海建　张　雯　陈俊秀　林　君　崔馨云　戴　波

摄　　影　（以姓氏笔画为序）

　　　　　　邓双文　朱　平　刘寿柏　李冬琳　李榕涛　肖　艳　何春梅　陈　林

　　　　　　林余霖　郑希龙　秦新生　董安强

主编简介

魏建和

博士，福建南平人。现任中国医学科学院药用植物研究所博士生导师、研究员、副所长，兼海南分所所长，国家药用植物种质资源库（北京、海南）、全国中药材生产技术服务平台负责人，濒危药材繁育国家工程实验室执行人，国家中医药管理局沉香可持续利用重点研究室主任，海南省南药资源保护与开发重点实验室主任，海南省中药资源普查技术负责人。第十一届国家药典委员会委员，中国野生植物保护协会药用植物保育委员会主任委员，中华中医药学会中药资源学分会秘书长，第十一届中华全国青年联合会委员。

国家"万人计划"第一批科技创新领军人才，国家创新人才推进计划首批重点领域创新团队"沉香等珍稀南药诱导形成机制及产业化技术创新团队"负责人，全国优秀科技工作者，"百千万人才工程"国家级人选及国家有突出贡献中青年专家，国务院特殊津贴专家，海南省杰出人才，海南省省委省政府直接联系专家；入选协和学者特聘教授、教育部新世纪优秀人才、北京市科技新星等人才培养计划。

多年来聚焦珍稀濒危药材再生技术和优质药材新品种选育重大创新研究，原创性解析了"伤害诱导白木香防御反应形成沉香"机制，发明了世界领先的"通体结香技术"，在全球沉香资源的利用、中国沉香产业复兴发展技术"瓶颈"的解决上，迈出了重要的一步，诱导理论与方法对"诱导型"珍稀南药降香、龙血竭等及世界性濒危植物资源的持续供应有重大理论和现实意义，为海南省"香岛"建设提供了核心技术支持；创新了根类药材及药用次生代谢产物选育理论，突破了中药材杂种优势育种技术难题，选育出柴胡、桔梗、荆芥、人参等大宗药材优良新品种16个；创建了药用植物种质资源低温干燥保存技术体系，建成了收集、保存世界药用植物种质资源最多的我国第一座药用植物专业种质库，建成了全球第一个采用超低温方式保存顽拗性药用植物种子的国家南药基因资源库。创新成果已在我国17个省市、7个东南亚国家应用，具有重大的应用价值和较广泛的学术影响，先后获国家科学技术进步奖二等奖2项、海南省科学技术奖特等奖等省部级奖7项，在国内外发表学术论文170余篇，主编专著《中国南药引种栽培学》。

通讯地址：北京市海淀区马连洼北路151号中国医学科学院药用植物研究所 // 海南省海口市秀英区药谷四路四号中国医学科学院药用植物研究所海南分所

邮政编码：100193（北京），570311（海南）

联系电话：010-57833358/0898-31589009

电子信箱：wjianh@263.net

主编简介

郑希龙

博士，广东韶关人。现任中国医学科学院药用植物研究所硕士生导师、副研究员、海南分所南药资源研究中心主任、海南省中药标本馆馆长。中华中医药学会中药资源学分会委员，中国植物学会民族植物学分会理事，第四次全国中药资源普查工作（海南省）物种鉴定专家组专家，海南省植物学会理事，海南省中医药学会中药专业委员会常务委员。

2005年毕业于广州中医药大学中药学专业，本科期间在潘超美教授的指导下开展了广东省境内的药用植物资源调查。2005—2010年于中国科学院华南植物园攻读博士学位。期间，在导师邢福武研究员的指导下，围绕"海南黎族民族植物学研究"，多次赴海南省鹦哥岭、五指山、霸王岭、黎母山、吊罗山、七仙岭等主要山区开展野外调查和标本采集工作。近年来，聚焦南药、黎药资源分类与鉴定研究，开展了中国进口药材及海外药物资源调查、海南省中药资源普查、热带珍稀濒危药用植物资源调查与保护技术研究、七洲列岛植物与植被研究、大洲岛植物物种多样性研究等多项与药用植物资源分类及鉴定密切相关的课题研究工作。曾赴柬埔寨国公省达岱河流域的原始热带雨林开展为期 1 个月的野外考察和标本采集工作；赴老挝、越南、缅甸、泰国等国开展珍稀药材沉香、龙血竭等资源的专项野外考察及合作研究。先后获得海南省科学技术奖一等奖、广东省科学技术奖一等奖各 1 项，发表论文 47 篇（其中 6 篇被 SCI 收录）。主编《海南民族植物学研究》《黎族药志（三）》等专著 2 部，副主编《中国热带雨林地区植物图鉴——海南植物》《海南植物物种多样性编目》《海南省七洲列岛的植物与植被》《中华食疗本草》等专著 4 部，参编《中国药典中药材 DNA 条形码标准序列》等专著多部。迄今已采集植物标本 1 万多个，拍摄照片 10 万多张，鉴定植物 5000 多种，发表新种 3 种，中国新记录植物 1 种，省级新记录植物 22 种。在野外调查和观测的基础上，引种驯化柬埔寨、泰国、老挝、缅甸及我国海南、云南、广西、广东等热带和亚热带地区的药用植物资源 800 多种，进一步丰富了兴隆南药植物园的物种，建成了南药荫生园及种苗繁育资源圃等专类园平台。

通讯地址：海南省海口市秀英区药谷四路四号中国医学科学院药用植物研究所海南分所

邮政编码：570311

联系电话：0898-32162051

电子信箱：zhengxl2012@sina.com

肖 序

  中华人民共和国成立后，我国先后组织开展了三次规模比较大的中药资源普查，当时普查获得的数据资料为我国中医药事业和中药产业的发展提供了重要依据。但是从第三次全国中药资源普查至今已经30余年，在此期间我国的中医药事业和中药产业快速发展，对中药资源的需求量不断加大，中药资源种类、分布、数量、品质和应用也都发生了巨大的变化。因此，自2011年开展的第四次全国中药资源普查试点工作意义重大，此次详细的摸底调查，能为制定中药资源保护措施以及环境保护措施、促进中药产业发展的政策提供可靠、翔实的依据。

  海南省是我国的热带省份，素有"天然药库"之称，蕴藏着丰富的中药资源。据我了解，省内药用植物非常丰富，海南省的槟榔、益智产量占全国90%以上。然而，此前三次普查，海南省均作为广东省的一部分参与普查，从未有过真正意义上的全省普查。此次海南省普查，内容涉及南药、黎药、动物药、海洋药等全部资源类型，可以说是海南省真正意义上的第一次全省中药资源普查，意义重大。

  魏建和研究员是中国医学科学院药用植物研究所副所长、海南分所所长，作为海南省中药资源普查的负责人之一，其带领一支专业的资源普查队伍，经过3年多的实地调查，获得了丰富的第一手资料。在此次普查获得的资料基础上，魏建和研究员主编的《中国中药资源大典·海南卷》以全高清彩图的形式全面展示海南省的中药资源情况，是收载海南省中草药品种数量最多的中药著作。同时，该丛书的出版也将为海南省中药资源的保护、利用和产业发展政策的制定提供数据支撑，为中药资源的有效利用、成果转化提供科学依据，更好地促进海南省中医药事业和中药产业的发展。

2018 年 8 月 2 日

黄 序

　　2009 年,《国务院关于扶持和促进中医药事业发展的若干意见》提出开展全国中药资源普查、加强中药资源监测和信息网络化建设的要求。同年,国家中医药管理局开始筹备第四次全国中药资源普查试点工作,并于 2011 年正式启动。自本次全国中药资源普查试点工作开展以来,在中药资源调查、动态监测体系建设、种子种苗繁育基地建设、传统知识调查等方面取得了阶段性的成果,为全面开展第四次全国中药资源普查打下了坚实的基础。海南省作为试点省份之一,其中药资源普查所取得的成果也较为丰硕。经过 3 年多的全省普查,基本摸清了海南省南药、黎药和海洋药资源现状。此次中药资源普查共调查野生药用植物 2402 种,动物药 94 种,民间传统知识 222 份,海洋药 252 种;建立了我国目前唯一以超低温方式保存顽拗性药用植物种子的国家基本药物所需中药材种质资源库(国家南药基因资源库)、第一个海南省中药标本馆、具有中国计量认证(CMA)资质的海南省中药材种子检测实验室以及海南省中药资源信息系统,为海南省丰富中药资源的开发利用奠定了基础。

　　基于海南省本次普查成果,魏建和研究员主编了《中国中药资源大典·海南卷》,该丛书收录了海南省 2000 余种中药资源,是我国首部采用彩色图片、全面反映海南省中药资源种类和特点的大型专著，具有非常重要的学术价值，也将会是认识海南省中药资源的重要工具书，具有极为广泛的社会效益。另外，该书的出版也将在中医药、民族医药的教学、科研、临床医疗、资源开发、新药研制等方面有一定的指导作用和实用价值，并将促进海南省中医药事业的发展。

2018 年 8 月 1 日

前言

　　海南省是我国的热带岛屿省份，包括海南岛和西沙群岛、中沙群岛、南沙群岛及其邻近岛屿。海南岛地形地势复杂多样，中部高、四周低，以五指山、鹦哥岭为中心，向外围逐级下降，由山地、丘陵、台地、平原构成环形层状地貌，面积 3.39 万 km^2。海南岛属于海洋性热带季风气候，年平均温度为 22~26℃，年平均降雨量在 1600mm 以上。长夏无冬，光照充足，雨量充沛，为动植物的生长提供了良好的条件，是我国岛屿型热带雨林分布面积最大、物种多样性最为丰富的热带区域，蕴藏着极为丰富的植物、动物和矿物等中药资源，素有"天然药库"之称，是我国南药的主产区之一，有维管束植物4000 多种、药用植物 2500 多种。所辖近海海域蕴藏近万种海洋生物，其中含有生物活性物质的占 3000 多种。岛内民间使用地产药材的历史悠久，是中华民族医药宝库中的重要组成部分。

　　中药资源是中药产业和中医药事业发展的重要物质基础，是国家的战略性资源，中医药的传承与发展有赖于丰富的中药资源的支撑。中药资源普查是中药资源保护和合理开发利用的前提，也是了解中药资源现状（包括受威胁现状及特有程度等）的最有效途径。我国经历了 3 次全国性的中药资源普查：1960—1962 年第一次全国中药资源普查，普查以常用中药为主；1969—1973 年第二次全国中药资源普查，调查收集各地的中草药资料；1983—1987 年第三次全国中药资源普查，由中国药材公司牵头完成，调查结果表明我国中药资源种类达 12807 种。历次中药资源普查所获得的基础数据资料，均为我国中医药事业和中药产业的发展提供了重要的依据。但自 1987 年以后未再开展过全国性的中药资源普查，30 多年间中药产业快速发展，民众对中药的需求不断加大，中药资源种类、分布、数量、质量和应用等与 30 多年前相比发生了巨大变化。许多 30 多年前的资料已成为历史资料，难以发挥其指导生产的作用，中药资源家底不清已成为当前中药资源可持续发展面临的重大问题。在这种情况下，组织开展第四次全国中药资源普查势在必行。

2012 年 6 月，在海南省政府的领导下，在全省主要相关厅局的配合下，以海南省卫生和计划生育委员会为组织单位，依托中国医学科学院药用植物研究所海南分所为技术牵头单位，正式启动了第四次全国中药资源普查工作（海南省）。此次中药资源普查工作范围覆盖海南省 18 个市县（三沙市 2018 年启动，单独成卷出版）所有乡镇，普查内容涉及南药、黎药、动物药、海洋药等全部资源类型，共实地调查 652 块样地、3260 套样方套、19560 个样方。调查野生药用植物 2402 种、动物药 94 种、民间传统知识 222 份、海洋药 252 种、民间调查数据 274 份，收集腊叶标本 22774 份、药材标本 2097 份、照片 107120 张、完成大宗芳香南药沉香、降香 18 个市县的调查工作，发现新种 1 个、中国新记录种 1 个、海南省新记录种 11 个。普查工作开展以来，已出版 5 部专著，发表 31 篇论文，并形成海南省中药资源普查报告 1 份；获得海南省科学技术进步奖一等奖及农业部、科学技术部神农中华农业科技奖一等奖各 1 项；建成了一系列国家级南药种质资源平台；共培养了 40 名专业人员及 80 名骨干普查人员，培养了一支海南省中药资源研究和工作的人才队伍，培养了专业从事南药资源研究的副教授和博士 30 多人，包括科学技术部重点领域首批创新团队 1 个，全国中药特色技术传承人才 2 人，国家"万人计划"科技领军人才及全国先进科技工作者 1 人，海南省先进科技工作者 2 人。

在普查工作开展之初，普查团队便提出要编纂一部图文并茂，全面、系统地反映海南省中药资源现状的地方性大型学术专著。2013—2014 年，数次召开工作会议，探讨专著编纂的具体事项，包括编写体例、名录整理等一系列前期准备工作，听取参会专家学者的中肯意见，逐步形成和完善专著编纂方案。2015 年，获得了海南省科学技术厅的专项支持。在 2 年时间内，补充完成了 15 个市县 25 个调查点的野外考察工作，获得大批高质量的彩色照片。同时，完成了全省中药资源普查数据资料的整理以及相关文献资料的收集、分类工作。

　　扎实的野外实地调查工作，使我们获得了大量第一手珍贵资料。结合充分的文献查阅，编写人员对本书所收载的中药资源物种进行了认真细致的整理和校对。每个物种的编写内容包括：中药名、植物形态、分布区域、资源、采收加工、药材性状、功能主治、附注等。同时附上植物形态、药材性状等彩色图片。本丛书分为六册出版，其中第一册分为上、中、下篇：上篇综述海南省中药资源概况，中篇分述白木香、降香、槟榔、益智等 4 种海南省道地中药资源，下篇分述苔藓植物（5 科 6 种）、真菌（18 科 34 种）、蕨类植物（42 科 144 种）、裸子植物（7 科 14 种）和被子植物的双子叶植物（从木兰科到紫茉莉科，45 科 273 种）等中药资源共 117 科 471 种。第二册收录被子植物的双子叶植物（从山龙眼科到含羞草科）中药资源 39 科 408 种。第三册收录被子植物的双子叶植物（从苏木科到杜鹃花科）中药资源 39 科 447 种。第四册收录被子植物的双子叶植物（从鹿蹄草科到唇形科）中药资源 32 科 426 种。第五册收录被子植物的单子叶植物中药资源约 400 种。第六册以三沙市中药资源普查工作为基础，专门记述西沙群岛、中沙群岛及南沙群岛等岛礁的中药资源物种及其现状。（第五册、第六册待出版。）

　　本书出版时，肖培根院士和黄璐琦院士亲自为其撰写了序言，这是对我们一线工作者的鼓励，谨致诚挚的谢意。本书的工作得到了国家中医药管理局中药资源普查办公室的指导，得到国家出版基金及海南省科学技术厅的资助，在此表示衷心的感谢。

　　"路漫漫其修远兮，吾将上下而求索。"本丛书仅是对海南省中药资源调查的阶段性总结，海南省独特而丰富的中药资源仍有待我们进一步去发现和了解。由于我们水平有限，工作仓促，难免存在差错与疏漏之处，敬请不吝指正，以便在今后的工作中不断改进和完善。

编　者

2018 年 12 月 6 日

凡 例

（1）本丛书共分六册，第一册分为上、中、下篇：上篇综述海南省中药资源概况，中篇分述4种海南省道地中药资源，下篇分述苔藓植物、真菌、蕨类植物、裸子植物和被子植物的双子叶植物（从木兰科到紫茉莉科）等中药资源。第二册收录被子植物的双子叶植物（从山龙眼科到含羞草科）中药资源。第三册收录被子植物的双子叶植物（从苏木科到杜鹃花科）中药资源。第四册收录被子植物的双子叶植物（从鹿蹄草科到唇形科）中药资源。第五册收录被子植物的单子叶植物中药资源。第六册以三沙市中药资源普查工作为基础，专门记述西沙群岛、中沙群岛及南沙群岛等岛礁的中药资源物种及其现状。（第五册、第六册待出版。）

（2）本丛书内容包括序言、前言、凡例、目录、正文、索引。正文介绍中药资源时，以药用植物名为条目名，包括植物科属、基原植物名。每一条目下设项目包括中药名、植物形态、分布区域、资源、采收加工、药材性状、功能主治、附注等。同时附上植物形态、药材性状等彩色图片。资料不全者项目从略。为检索方便，本丛书出版时在第四册最后附有1～4册内容的中文笔画索引、拉丁学名索引，第五册、第六册出版时也将附有索引。

（3）条目名。为药用植物的基原植物名及其所属科属名称，同时附上拉丁学名，均以《中国植物志》《中国孢子植物志》用名为准。其中，蕨类植物按秦仁昌1978年系统，裸子植物按郑万钧1975年系统，被子植物按哈钦松1934年系统。属种按照拉丁学名排列。

（4）中药名。记述该药用植物的中药名称及其药用部位。以2015年版《中国药典》用名为准，《中国药典》未收载者，以上海科学技术出版社出版的《中华本草》正名为准。部分海南省特色药材采用当地名称，若无特别名称的，则采用"基原植物＋药用部位"命名。

（5）植物形态。简要描述该药用植物的形态，突出其鉴别特征。描述顺序：习性—营养器官（根—茎—叶）—繁殖器官（花序—花的各部—果实—种子—花果期），并附以反映其形态特征的原色照片。本部分主要根据《中国植物志》所描述特征，并结合其在海南省生长环境中的实际形态特征进行描述。

（6）分布区域。记述该药用植物在海南省的分布区域，及其在我国其他省份、世界各国的分布状况。若在海南全省均有分布，则记述为"产于海南各地"或"海南各地均有分布"。我国县级以上地名以2018年版《中华人民共和国行政区划简册》为准，其他地名根据中国地图出版社出版的最新《中华人民共和国（或分省）地图集》或《中国地名录》的地名为准。

（7）资源。简要记述野生资源的生态环境、群落特征，野生资源蕴藏量情况采用"十分常见、常见、少见、偶见、罕见"等描述。简要记述栽培资源的情况。

如果只是野生资源，则栽培情况可忽略。同样，如果只有栽培资源，则野生资源情况可忽略。如果既有野生资源，也有栽培资源，则先描述野生资源，再描述栽培资源。

（8）采收加工。为保障该药用植物的安全有效应用，根据植物生长特性，记述其不同药用部位的采收季节与加工方法。

（9）药材性状。依次记述药材各部位的性状特征、药材质量状况等，附以反映药材性状特征的原色照片。重要药材还记述其品质评价或种质的优劣评价。

（10）功能主治。记述药物功能和主治病证。2015年版《中国药典》收载者，优先参考该书描述；其次以《中华本草》为主要参考资料；前两部著作未收载者，以临床实践为准，参考诸家本草。

（11）附注。记述该药用植物拉丁学名在《中国植物志》英文版（Flora of China，FOC）中的修订状况。描述该品种濒危等级、其他用途、地方用药特点；并结合本产区相关的本草、地方志书、历代贡品相关记载情况等资料撰写其传统医药知识。

（12）拉丁学名表示方法。生物学中拉丁学名的属名和种名排斜体，包括亚属、亚种、变种等，但附在属种名称中的各种标记及命名人排正体，如 *Populus tomentosa* Carr.，*Linnania lofoensis* sp. Nov.，*Saukia acamuo* var. *punctata* Sun.。

（13）数字、单位及标点符号。

1）数字用法按国家标准《出版物上数字用法的规定》（GB/T 15835—2011）执行。本书的用量、统计数字、时间、百分比、温度等数据均用阿拉伯数字表示。

2）计量单位一律按国家发布的《中华人民共和国法定计量单位》及《量和单位》（GB 3100~3102—93）执行。

3）标点符号按国家标准《标点符号用法》（GB/T 15834—2011）使用。

山龙眼科 Proteaceae　山龙眼属 Helicia

小果山龙眼 *Helicia cochinchinensis* Lour.

| 中 药 名 | 红叶树（药用部位：根、叶、种子）

| 植物形态 | 乔木或灌木，树皮灰褐色，枝和叶均无毛。叶薄革质或纸质，长圆形，长 5~12cm，宽 2.5~4cm，基部稍下延，全缘或上半部叶缘具疏生浅锯齿；叶柄长 0.5~1.5cm。总状花序腋生，长 8~14cm，无毛；花梗常双生，长 3~4mm；苞片三角形，长约 1mm；小苞片披针形；花被管长 10~12mm，白色或淡黄色；花药长 2mm；腺体 4；子房无毛。果实椭圆状，长 1~1.5cm，果皮干后薄革质，蓝黑色或黑色。花期 6~10 月，果期 11 月至翌年 3 月。

| 分布区域 | 产于海南乐东、东方、白沙、五指山、万宁、琼中、儋州、澄迈、定安、文昌。亦分布于中国长江以南各地。越南、柬埔寨、泰国等也有分布。

小果山龙眼

| 资　源 |

生于村边、山坡或山谷疏林中，常见。

| 采收加工 |

根：冬、春季采挖根，去须根，洗净，鲜用或晒干。叶：夏、秋季采收叶，洗净，鲜用或晒干。种子：冬季至翌年春季采收成熟果实，去果皮、果肉，取种子，晒干。

| 功能主治 |

根、叶：味辛、苦，性凉。祛风止痛，活血消肿，收敛止血。用于风湿骨痛、跌打瘀肿、外伤出血。种子：有毒。解毒敛疮。用于烫火伤。

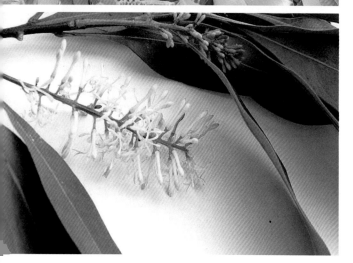

山龙眼科 Proteaceae 山龙眼属 Helicia

山龙眼
Helicia formosana Hemsl.

| 中 药 名 |

山龙眼（药用部位：叶、种子）

| 植物形态 |

乔木，树皮红褐色；嫩枝和花序均密被锈色短绒毛。叶薄革质或纸质，长椭圆形，长12~25cm，宽2.5~7cm，边缘具尖锯齿，侧脉8~10对；叶柄长0.3~1cm。总状花序生于小枝已落叶腋部，长14~24cm；花白色或淡黄色，花梗常双生，长4~5mm，基部彼此贴生；苞片三角形，长2mm；小苞片披针形，长0.5~1mm；花被管长15~20mm，被疏毛；花药长1.5~2mm，药隔突出；腺体4，卵球形，稀基部合生；子房无毛。果实球形，直径2~3cm，先端具钝尖，果皮干后树皮质，厚1~1.5mm，黄褐色，稍粗糙。花期4~6月，果期11月至翌年2月。

| 分布区域 |

产于海南乐东、东方、昌江、白沙、保亭、陵水、琼海。亦分布于中国广西、台湾。越南、老挝、泰国也有分布。

山龙眼

| 资　　源 | 生于山谷密林中，常见。 |

| 采收加工 | 叶：夏、秋季采收叶，洗净，鲜用或晒干。种子：冬季至翌年春季采收成熟果实，去果皮、果肉，取种子，晒干。 |

| 功能主治 | 同属植物小果山龙眼、网脉山龙眼等多有药用，本种也许有类似药效，其作用有待进一步研究。 |

山龙眼科 Proteaceae 山龙眼属 Helicia

海南山龙眼
Helicia hainanensis Hayata

| 中 药 名 | 海南山龙眼（药用部位：叶、种子）

| 植物形态 | 乔木或灌木，树皮灰色或浅褐色；全株无毛。叶纸质或坚纸质，倒阔披针形，长 11~20cm，宽 3.5~6.5cm，上半部叶缘具疏生锯齿；侧脉 7~8 对，网脉两面均明显；叶柄短，长 1~3mm。总状花序腋生，长 12~23cm；花梗常双生，长 3~5mm；苞片三角形，长约 1mm；小苞片长不及 0.5mm；花被管长 15~18mm，淡白色；花药长 2mm；花盘环状，4 裂；子房无毛。果实椭圆状，长 3.5~5cm，直径 2.5~4cm，先端具喙，基部骤狭呈短柄状，果皮干后树皮质，厚约 1.5mm，淡褐色。花期 4~8 月，果期 11 月至翌年 3 月。

海南山龙眼

分布区域	产于海南东方、白沙、五指山、保亭、万宁、琼中、儋州、澄迈。亦分布于中国广东、广西。越南、老挝、泰国也有分布。
资　　源	生于密林中，常见。
采收加工	叶：夏、秋季采收叶，洗净，鲜用或晒干。种子：冬季至翌年春季采收成熟果实，去果皮、果肉，取种子，晒干。
功能主治	同属植物小果山龙眼、网脉山龙眼等多有药用，本种也许有类似药效，其作用有待进一步研究。

山龙眼科 Proteaceae　山龙眼属 Helicia

倒卵叶山龙眼
Helicia obovatifolia Merr. et Chun

| 中 药 名 | 倒卵叶山龙眼（药用部位：叶）

| 植物形态 | 乔木，树皮灰褐色；嫩枝、叶、花序和花均被锈色短绒毛。叶革质，倒卵形，长 7~13cm，宽 4~7cm，边全缘或上半部具疏齿；侧脉 6~8 对，两面均突起，网脉明显；叶柄长 1.5~3.5cm，被绒毛。总状花序腋生，长 5~10cm；花黄褐色，花梗常双生；苞片卵形，长约 1.5mm；小苞片三角形；花被管长 10~12mm；花药长约 2mm；腺体 4，卵球形；子房密被柔毛。果实倒卵球形，长 3~4cm，先端具短尖，果皮革质，紫黑色。花期 7~8 月，果期 10~11 月。

| 分布区域 | 产于海南东方、五指山、万宁。亦分布于中国广西、广东。越南也有分布。

倒卵叶山龙眼

| **资　　源** | 生于林中，偶见。

| **采收加工** | 夏、秋季采收叶，洗净，鲜用或晒干。

| **功能主治** | 止咳化痰。

山龙眼科 Proteaceae　山龙眼属 *Helicia*

网脉山龙眼 *Helicia reticulata* W. T. Wang

| 中 药 名 | 网脉山龙眼（药用部位：枝、叶、果实）

| 植物形态 | 乔木或灌木，树皮灰色；芽被褐色短毛。叶革质或近革质，长圆形，长 7~27cm，宽 3~10cm，边缘具疏生锯齿或细齿；中脉和侧脉在两面均隆起；叶柄长 0.5~1.5cm。总状花序腋生，长 10~15cm，无毛；花梗常双生，长 3~5mm，基部或下半部彼此贴生；苞片披针形，长 1.5~2mm；小苞片长约 0.5mm；花被管长 13~16mm，白色或浅黄色；花药长 3mm；花盘 4 裂；子房无毛。果实椭圆状，长 1.5~1.8cm，先端具短尖，果皮干后革质，厚约 1mm，黑色。花期 5~7 月，果期 10~12 月。

| 分布区域 | 产于海南东方、陵水。亦分布于中国东南至西南各地。

网脉山龙眼

| 资　　源 | 生于低海拔山地疏林中，偶见。 |

| 采收加工 | 枝、叶：秋、冬季采收枝，夏、秋季采收叶，洗净，鲜用或晒干。果实：冬季采收成熟果实，晒干。 |

| 功能主治 | 枝、叶：外用于跌打损伤、刀伤。果实：收敛，止血，解毒，化痔。用于痔疮、小儿疳积。 |

山龙眼科　Proteaceae　假山龙眼属　*Heliciopsis*

调羹树

Heliciopsis lobata (Merr.) Sleum.

| 中 药 名 |

调羹树（药用部位：树皮、叶）

| 植物形态 |

乔木，幼枝、叶被紧贴锈色绒毛。叶二型，革质，全缘叶长圆形，长 10~25cm，宽 5~7cm，网脉明显，叶柄长 4~5cm；分裂叶轮廓近椭圆形，长 20~60cm，宽 20~40cm，通常具 2~8 对羽状深裂片，叶柄长 4~8cm。花序生于小枝已落叶腋部，雄花序长 7~12cm，被毛；雄花花梗长 1~2mm；苞片披针形；花被管长 8~12mm，淡黄色，被疏毛。雌花序长 2~5cm，被毛；雌花花梗长约 3mm；花被管长约 10mm，被疏毛；不育花药长约 1.5mm。果实椭圆状，两侧稍扁，长 7~9cm，外果皮革质，黄绿色，中果皮肉质，干后残留密生的软纤维，紧附于内果皮，内果皮木质。花期 5~7 月，果期 11~12 月。

| 分布区域 |

产于海南乐东、保亭、陵水、万宁、琼海、白沙。亦分布于中国广东、广西。

| 资　　源 |

生于林中，偶见。

调羹树

| 采收加工 | 树皮全年均可采，夏、秋季采叶，洗净，鲜用或晒干。

| 功能主治 | 树皮、叶：清热解毒，外用于腮腺炎。叶：用于痛风、皮炎。

五桠果科　*Dilleniaceae*　五桠果属　*Dillenia*

小花五桠果 *Dillenia pentagyna* Roxb.

| 中 药 名 | 小花五桠果（药用部位：果实）

| 植物形态 | 落叶乔木，树皮薄片状脱落。叶薄革质，长椭圆形，长 20~60cm，宽 10~25cm，幼态叶常更大，基部常下延成翅；边缘有浅波状齿，齿尖明显突出，侧脉 32~60 对，叶柄无毛，两侧有窄翅。花小，数朵簇生于老枝的短侧枝上，直径 2~3cm，花梗长 2~4cm，无毛，苞片有毛，小苞片早落，萼片绿色，大小不相等，长 8~12mm，边缘有睫毛；花瓣黄色，长倒卵形；雄蕊 2 轮，外轮雄蕊数目很多，长 3~4mm，常发育不全，向外弯，内轮雄蕊较少，正常发育，数目较少，长约 7mm，花药比花丝短，外向纵裂；花柱长 3~4mm。果实近球形，不开裂，直径 1.5~2cm，成熟时黄红色；种子卵圆形，黑色，无假种皮。花期 4~5 月。

小花五桠果

| 分布区域 |

产于海南东方、白沙、保亭、定安。亦分布于中国云南。越南、泰国、缅甸、尼泊尔、马来西亚、印度尼西亚、印度、不丹也有分布。

| 资　源 |

多生于干旱的灌丛中或热带草原中，少见。

| 采收加工 |

果实成熟时采收。

| 功能主治 |

止咳，利尿。用于咳嗽、感冒、水肿。

五杨果科 Dilleniaceae 五杨果属 Dillenia

大花五杨果 *Dillenia turbinata* Finet et Gagnep.

| 中 药 名 | 大花五杨果（药用部位：叶）

| 植物形态 | 常绿乔木，叶革质，倒卵形或长倒卵形，长 12~30cm，宽 7~14cm，基部两侧不等；侧脉 16~27 对；叶柄长 2~6cm，粗壮，有窄翅被褐色柔毛。总状花序生枝顶，有花 3~5，花序柄有褐色长绒毛。花直径 10~12cm，有香气；萼片厚肉质，干后厚革质，卵形，大小不相等，外侧的最大，被褐毛；花瓣薄，黄色，倒卵形，长 5~7cm，先端圆，基部狭窄；雄蕊 2 轮，外轮无数，内轮较少数，比外轮长，向外弯，花丝带红色，花药线形。果实近于圆球形，不开裂，直径 4~5cm，暗红色，每个成熟心皮有种子 1 至多个；种子倒卵形，长 6mm，无毛也无假种皮。花期 4~5 月。

大花五杨果

| 分布区域 |

产于海南三亚、白沙、万宁、琼中。亦分布于中国广西、云南。越南也有分布。

| 资　　源 |

生于低海拔至中海拔的山地林中，常见。

| 采收加工 |

果实成熟时采收。

| 功能主治 |

润肺止咳，利尿。用于肺痨、感冒、咳嗽、水肿、小便淋痛。

五桠果科 *Dilleniaceae* 锡叶藤属 *Tetracera*

锡叶藤 *Tetracera asiatica* (Lour.) Hoogl.

| 中 药 名 | 锡叶藤（药用部位：根或茎叶）

| 植物形态 | 常绿木质藤本，多分枝。叶革质，极粗糙，矩圆形，长 4~12cm，宽 2~5cm，先端钝或圆，常不等侧，侧脉 10~15 对，在下面显著地突起；叶柄长 1~1.5cm，有毛。圆锥花序生于枝顶，长 6~25cm，被贴生柔毛，花序轴常为"之"字形弯曲；苞片 1，线状披针形，被柔毛；小苞片线形，长 1~2mm；花多数，萼片 5，离生，宿存，大小不相等，长 4~5mm，边缘有睫毛；花瓣通常 3，白色，约与萼片等长；雄蕊多数，比萼片稍短，花丝线形。果实长约 1cm，成熟时黄红色，干后果皮薄革质，有残存花柱；种子 1，黑色，基部有黄色流苏状的假种皮。花期 4~5 月。

锡叶藤

| 分布区域 | 产于海南昌江、万宁、海口、文昌。亦分布于中国广东、广西。中南半岛以及印度、斯里兰卡、印度尼西亚也有分布。 |

| 资　　源 | 生于低海拔至中海拔山地林缘或灌丛中，常见。 |

| 采收加工 | 全年均可采收，洗净切段，晒干。 |

| 药材性状 | 根圆柱形，直或略弯曲，直径 0.5~1.5cm。表面灰棕色，具浅纵沟和横向裂纹，栓皮极易剥离；剥离栓皮的表面呈淡棕红色，具浅纵沟和点状细根痕。质硬，断面木质部灰棕色，射线淡黄棕色，有众多小孔。气微，味微涩。叶卷曲或皱折，平展后呈长圆形，先端尖，基部近阔楔形，边缘中部以上具锯齿，上面灰绿色，下面浅绿色，叶脉下面突出，两面密布小突起，粗糙似砂纸；叶柄长约 1.5cm，腹面具沟；薄革质。气微涩。 |

| 功能主治 | 味酸、涩，性平；归肝、大肠经。收涩固脱，消肿止痛。用于久泻久痢、便血、脱肛、遗精、白带、子宫脱垂、跌打肿痛。 |

| 附　　注 | 在 FOC 中，其学名被修订为 *Tetracera sarmentosa* (L.) Vahl.。 |

海桐花科 Pittosporaceae　海桐花属 *Pittosporum*

聚花海桐 *Pittosporum balansae* DC.

| 中 药 名 | 聚花海桐（药用部位：根、叶）

| 植物形态 | 常绿灌木，叶簇生于枝顶，呈对生或轮生状，薄革质，矩圆形，长 6~11cm，宽 2~4cm；侧脉 6~7 对，叶柄长 5~15mm。伞形花序单独或 2~3 枝簇生于枝顶叶腋内，每个花序有花 3~9，花序柄长 1~1.5cm，被褐色柔毛，或有时缺花序柄，花梗短，长 2~5mm，被柔毛；苞片狭窄披针形，比萼片稍短；萼片披针形，长 5~6mm，被短柔毛；花瓣长 8mm，白色或淡黄色；雄蕊长 6mm；子房被毛，心皮 2，侧膜胎座 2，每个胎座有胚珠 4。蒴果扁椭圆形，长 1.4~1.7cm，2 片裂开，果爿薄，胎座位于果爿中部到基部；种子 8 个，长 4~5mm，种柄长 1.5mm。

聚花海桐

| 分布区域 |

产于海南三亚、乐东、昌江、白沙、五指山、保亭、万宁、琼中、澄迈、屯昌、定安、琼海、文昌。亦分布于中国广东、广西。越南、缅甸也有分布。

| 资　　源 |

生于林中，十分常见。

| 采收加工 |

根：全年可采收，洗净，切片或段晒干。叶：鲜用或晒干。

| 功能主治 |

解毒散结，消肿止痛。用于淋巴结结核、跌打肿痛、蛇虫咬伤。

海桐花科 Pittosporaceae 海桐花属 *Pittosporum*

光叶海桐 *Pittosporum glabratum* Lindl.

| 中 药 名 | 广枝仁（药用部位：种子），光叶海桐（药用部位：叶、根）

| 植物形态 | 常绿灌木，老枝有皮孔。叶聚生于枝顶，薄革质，窄矩圆形，或为倒披针形，长 5~10cm，宽 2~3.5cm，侧脉 5~8 对，叶柄长 6~14mm。花序伞形，1~4 枝簇生于枝顶叶腋，多花；苞片披针形，长约3mm；花梗有微毛；萼片卵形，长约 2mm，通常有睫毛；花瓣分离，长 8~10mm；雄蕊长 6~7mm；子房长卵形，绝对无毛。蒴果椭圆形，长 2~2.5cm，3 片裂开，果片薄，革质，每片有种子约 6；种子大，近圆形，红色；果梗有宿存花柱。

| 分布区域 | 产于海南三亚。亦分布于中国华南其他区域，以及湖南、贵州、四川。越南也有分布。

光叶海桐

| 资　　源 |

低海拔山地疏林中，偶见。

| 采收加工 |

种子：秋季采摘果实，晒干后击破果壳，取出种仁，再晒干。叶、根：全年可采，挖出根部，剥取根皮，洗净，切片或段晒干。

| 药材性状 |

种子呈不规则的微下凹的多面体形，棱面大小各不相同，直径 3~7mm。外表呈棕色或红紫色，少数呈棕褐色，光滑。质坚硬，不易粉碎，内心白色，嗅之有油香气。以颗粒饱满、色红、香味浓、无果柄和果壳者为佳。

| 功能主治 |

种子：味苦、涩，性平；归肺、脾、大肠经。清热利咽，止泻。用于虚热心烦、口渴、咽痛、泄泻、痢疾。 叶：味苦、辛，性微温。消肿解毒，止血。用于毒蛇咬伤、痈肿疮疖、水火烫伤、外伤出血。根：味苦、辛，性微温；归心、肾经。祛风除湿，活血通络，止咳涩精。用于风湿痹痛、腰腿疼痛、跌打骨折、头晕失眠、虚劳咳嗽、遗精。

海桐花科 Pittosporaceae 海桐花属 *Pittosporum*

台琼海桐
Pittosporum pentandrum (Blanco) Merr. var. *hainanense* (Gagnep.) Li

| 中 药 名 | 七里香（药用部位：根、叶）

| 植物形态 | 常绿小乔木或灌木，叶簇生于枝顶，呈假轮生状，革质，倒卵形，长4~10cm，宽3~5cm；基部下延，窄楔形；侧脉7~10对，在近边缘处相结合，全缘或有波状皱褶；叶柄长5~12mm。圆锥花序顶生，由多数伞房花序组成，密被锈褐色柔毛，花梗长3~6mm，苞片早落，披针形；小苞片卵状披针形，长1.5~2mm，均无毛；花淡黄色，有芳香；萼片分离，或基部稍连合，长卵形，长1.5mm，先端钝，有睫毛；花瓣长5~6mm；花丝长3mm，花药长1mm；子房卵形，基部被锈色疏柔毛。蒴果扁球形，长6~8mm，宽7~9mm，秃净无毛，2片裂开，果片薄木质，内侧有横格；种子约10，不规则多角形，长3mm。花期5~10月。

台琼海桐

分布区域

产于海南三亚、乐东、东方、昌江、五指山、万宁、儋州、文昌、保亭。亦分布于中国华南其他区域，以及台湾。越南也有分布。

资　　源

生于低海拔林中，常见。

采收加工

全年均可采。

功能主治

活血消肿，解毒止痢。用于跌打损伤、痢疾。

附　　注

在 FOC 中，其学名被修订为 *Pittosporum pentandrum* (Blanco) Merr. var. *formosanum* (Hayata) Z. Y. Zhang et Turland.。

海桐花科 Pittosporaceae 海桐花属 Pittosporum

海 桐
Pittosporum tobira (Thunb.) Ait.

| 中 药 名 | 海桐（药用部位：枝、叶）

| 植物形态 | 常绿灌木或小乔木，嫩枝被褐色柔毛，有皮孔。叶聚生于枝顶，革质，倒卵形或倒卵状披针形，长 4~9cm，宽 1.5~4cm，先端圆形，常微凹入，侧脉 6~8 对，在靠近边缘处相结合，全缘，叶柄长达 2cm。伞形花序顶生或近顶生，密被黄褐色柔毛，花梗长 1~2cm；苞片披针形，小苞片长 2~3mm，均被褐毛。花白色，有芳香，后变黄色；萼片卵形，被柔毛；花瓣倒披针形，离生；雄蕊二型，正常雄蕊的花药黄色；子房长卵形，密被柔毛。蒴果圆球形，有棱或呈三角形，直径 12mm，多少有毛，3 爿裂开，果爿木质，内侧黄褐色，有光泽，具横格；种子多数，长 4mm，多角形，红色。

海桐

| **分布区域** | 产于海南海口。中国长江以南各地亦有栽培或野生。日本及朝鲜也有栽培。

| **资　　源** | 栽培，少见。

| **采收加工** | 全年可采，晒干或鲜用。

| **功能主治** | 解毒，杀虫。用于疥疮、肿毒。

大风子科 Flacourtiaceae 山桂花属 Bennettiodendron

短柄山桂花 *Bennettiodendron brevipes* Merr.

| 中 药 名 |

短柄山桂花（药用部位：全株）

| 植物形态 |

常绿灌木或小乔木，树皮灰褐色。叶纸质，长圆状披针形至倒卵状披针形，长5~12cm，宽2~5cm，两面近同色，光亮无毛，主脉在两面突起，侧脉7~9对，稍明显；叶柄长0.3~2cm，上面有沟槽，密被棕色短毛。圆锥花序顶生，长6~12cm，宽4.5cm，多分枝，被棕色短柔毛；雄花萼片椭圆状卵形，长3~3.5mm，边缘有睫毛；雄蕊多数，花丝纤细，有毛，基部有肥厚的肉质腺体，花药长圆形；雌花萼片较雄花的稍小，退化雄蕊多数；子房卵形，花柱3~4，柱头头状，稍2裂。浆果圆形，直径3~4mm，成熟时朱红色；种子1，子叶绿色。花期春季，果期7~10月。

| 分布区域 |

产于海南陵水、三亚、五指山、万宁。亦分布于中国湖南、江西、广东、广西、贵州、云南。

| 资　　源 |

生于海拔400~1800m的常绿阔叶林中。

短柄山桂花

| 采收加工 |

全年均可采。

| 功能主治 |

用于消化不良。

| 附　　注 |

在 FOC 中，其被修订为山桂花，学名为 *Bennettiodendron leprosipes* (Clos) Merr.。

大风子科 Flacourtiaceae 刺篱木属 Flacourtia

刺篱木
Flacourtia indica (Burm. f.) Merr.

| 中 药 名 | 刺篱木（药用部位：果实）

| 植物形态 | 落叶灌木或小乔木，树皮灰黄色，树干和大枝条有长刺，老枝通常无刺；幼枝有腋生单刺。叶近革质，倒卵形，长 2~4cm，宽 1.5~2.5cm，边缘中部以上有细锯齿，上面深绿色，无毛，侧脉 5~7 对；叶柄短，长3~5mm，被短柔毛。花小，总状花序短，被绒毛；萼片 5~6，长 1.5mm，边缘有睫毛；花瓣缺，雄花雄蕊多数，花丝丝状，长 2~2.5mm，着生在肉质的花盘上，花盘全缘或浅裂；雌花花盘全缘或近全缘；子房球形，柱头细长，2 裂。浆果球形或椭圆形，直径 0.8~1.2cm，有纵裂 5~6，有宿存花柱；种子 5~6。花期春季，果期夏、秋季。

| 分布区域 | 产于海南三亚、万宁、文昌。亦分布于中国华南其他区域。亚洲、非洲热带和亚热带地区，及太平洋岛屿均有栽培。

刺篱木

| 资　　源 | 生于近海沙地灌丛中，常见。 |

| 采收加工 | 夏、秋季果实未成熟前采收，鲜用或晒干。 |

| 功能主治 | 用于消化不良、湿疹、风湿、便秘。 |

大风子科 Flacourtiaceae 刺篱木属 *Flacourtia*

大叶刺篱木
Flacourtia rukam Zoll. et Mor.

| 中 药 名 |

炉甘果（药用部位：幼果、叶）

| 植物形态 |

乔木，树皮灰褐色；小枝圆柱形。叶近革质，卵状长圆形，长 10~15cm，宽 4~7cm，边缘有钝齿，侧脉 5~7 对，斜出，细脉彼此平行；叶柄长 6~8mm。花小，黄绿色；总状花序腋生，长 0.5~1cm，被短柔毛；花梗长 3~4mm；萼片 4~5，两面疏被短毛；花瓣缺；雄花雄蕊多数，花药黄色；花盘肉质，橘红至淡黄色，8 裂；雌花花盘圆盘状，边缘微波状；子房瓶状，花柱 4~6，柱头 2 裂；退化雄蕊缺。浆果球形，直径 2~2.5cm，干后有 4~6 沟槽或棱角；果梗长 5~8mm，果肉带白色，先端有宿存花柱；种子约 12。花期 4~5 月，果期 6~10 月。

| 分布区域 |

产于海南白沙、保亭。亦分布于中国广东、广西、台湾、云南等地。越南、马来西亚、泰国、印度及印度尼西亚也有分布。

| 资　源 |

生于海拔1800m以下的常绿阔叶林中，偶见。

大叶刺篱木

| **采收加工** | 幼果：8~9 月采收未成熟果实，洗净，鲜用或晒干。叶：叶在夏、秋季采收，随采随用，或晒干备用。 |

| **功能主治** | 幼果：止泻痢。用于腹泻、痢疾。 叶：清热解毒，杀虫止痒。用于眼睑炎、皮肤瘙痒、创伤。 |

大风子科 Flacourtiaceae 大风子属 Hydnocarpus

泰国大风子

Hydnocarpus anthelminthica Pierr. ex Gagnep.

| 中 药 名 | 大风子（药用部位：成熟种子、种仁的脂肪油）

| 植物形态 | 常绿大乔木，树皮灰褐色；小枝粗壮，节部稍膨大。叶薄革质，卵状披针形，长 10~30cm，宽 3~8cm，边全缘，无毛，侧脉 8~10 对，网脉细密，明显；叶柄长 1.2~1.5cm，无毛。萼片 5，基部合生，卵形，先端钝，两面被毛；花瓣 5，卵状长圆形，长 1.2~1.5cm；鳞片离生，线形，几与花瓣等长，边缘具睫毛；雄花 2~3，呈假聚伞花序或总状花序，长 3~4cm；雄蕊 5；雌花单生或 2 簇生，黄绿色或红色，有芳香；花梗无毛；退化雄蕊 5，无花药；子房卵形，被赭色刚毛，侧膜胎座 5，花柱先端有毛，柱头 5，帽状。浆果球形，直径 8~12cm，外果皮木质，性脆；种子多数。花期 9 月，果期 11 月至翌年 6 月。

泰国大风子

分布区域	海南万宁有栽培。亦分布于中国广西、云南。越南、泰国、柬埔寨也有分布。
资　　源	生于雨林或常绿阔叶林中，栽培不多。
采收加工	种子：当树上部分果实的果皮裂开时，即可全部采收，摊放至果肉软化，去皮，将种子洗净，晒干。种仁的脂肪油：将种子洗净、干燥后，打碎，取出种仁，用冷压法压油。

| 药材性状 | 种子略呈不规则卵圆形，或带 3~4 面体形，稍有钝棱；长 1~2.5cm，直径 1~2cm。表面灰棕色至黑棕色，较小一端有凹纹射出至种子 1/3 处，全体有细的纵纹。种皮坚硬，厚 1.5~2mm，内表面浅黄色至黄棕色，与外表面凹纹末端相应处有一棕色圆形环纹。种仁外被红棕色或黑棕色薄膜，较小一端略皱缩，并有一环纹，与种皮内表面圆形环纹相吻合。胚乳肥大，乳白色至淡黄色，富油质；子叶 2，浅黄色或黄棕色，心形；下接圆柱形胚根。气微，味淡，有油性。以个大、种仁饱满、色白、油足者为佳。大风子油为黄色或黄棕色脂肪油，在 20℃以下即凝结成类白色的软块，气微，味微辛烈。 |

| 功能主治 | 味辛，性热；有毒；归肝、脾、肾经。祛风燥湿，攻毒杀虫。用于麻风、杨梅疮、疥癣、痤疮。 |

大风子科 Flacourtiaceae **大风子属** Hydnocarpus

海南大风子

Hydnocarpus hainanensis (Merr.) Sleum.

| 中 药 名 | 大风子（药用部位：成熟种子），大风子油（药用部位：种仁的脂肪油）

| 植物形态 | 常绿乔木，树皮灰褐色，小枝圆柱形，无毛。叶薄革质，长圆形，长 9~13cm，宽 3~5cm，边缘有不规则浅波状锯齿，两面无毛，侧脉 7~8 对；叶柄长约 1.5cm，无毛。花 15~20，呈总状花序，长 1.5~2.5cm，腋生或顶生；花序梗短；花梗长 8~15mm，无毛；萼片 4，椭圆形，直径约 4mm，无毛；花瓣 4，肾状卵形，边缘有睫毛，内面基部有肥厚鳞片，鳞片不规则 4~6 齿裂，被长柔毛；雄花雄蕊约 12，花丝基部粗壮，有疏短毛；雌花退化雄蕊约 15；子房卵状椭圆形，密生黄棕色绒毛，花柱缺，柱头 3 裂，裂片三角形，

海南大风子

先端 2 浅裂。浆果球形，直径 4~5cm，密生棕褐色茸毛，果皮革质，果梗粗壮；种子约 20，长约 1.5cm。花期春末至夏季，果期夏季至秋季。

分布区域

产于海南三亚、东方、白沙、保亭。亦分布于中国广西、贵州、云南。越南也有分布。

资源

生于常绿阔叶林中，偶见。

采收加工

种子：当树上部分果实的果皮裂开时，即可全部采收，摊放至果肉软化，去皮，将种子洗净，晒干。种仁的脂肪油：将种子洗净、干燥后，打碎，取出种仁，用冷压法压油。

药材性状

种子：略呈四面体形，长 1~2cm，宽 0.5~1cm。表面黄白色至灰棕色，有多数隆起的纵脉纹，种脐位于种子的一端。种皮硬而脆，厚 0.5mm，易碎。种仁呈不规则长卵形，外被暗紫褐色薄膜，具微细皱纹；胚乳黑棕色，子叶心形稍尖，色较浅。种仁的脂肪油：为黄色或黄棕色脂肪油，在 20℃以下即凝结成类白色的软块，气微，味微辛烈。

功能主治

味辛，性热；有毒；归肝、脾、肾经。祛风燥湿，攻毒杀虫。用于麻风、杨梅疮、疥癣、痤疮。

大风子科 Flacourtiaceae 箣柊属 Scolopia

黄杨叶箣柊

Scolopia buxifolia Gagnep.

| 中 药 名 | 黄杨叶箣柊（药用部位：全株）

| 植物形态 | 常绿小乔木或灌木，树皮灰褐色，有短枝，有时有刺；小枝无毛。叶革质，椭圆形，长 2~2.5cm，宽 1~1.5cm，无腺体，全缘或有不明显的锯齿，两面无毛而光亮，网脉稀疏，明显；叶柄短，长约 3mm。总状花序通常生于小枝上部的叶腋，长 2~3cm，有柔毛；花小，白色，花梗长 0.5~1.1cm，无毛；萼片 4，稀 5，卵形，长 1~1.5mm，无毛，边缘有睫毛；花瓣 4，稀 5，与萼片同形，长约 2mm，无毛；雄蕊多数，花丝丝状，长约 3mm，有毛，花药小，药隔的附属物三角形，无毛；花盘 8 裂；子房卵形，无毛，长 1.5~2mm，花柱粗壮，长 3~5mm，柱头三角状卵形。浆果球形，直径 3~6mm；种子 3~5。花期夏末秋初，果期中秋至冬季。

黄杨叶箣柊

| 分布区域 |

产于海南三亚、万宁、琼海、东方、文昌。亦分布于中国广西。越南、泰国也有分布。

| 资　　源 |

生于海滨旷野沙地，十分常见。

| 采收加工 |

秋季采收全株，去净杂质和泥沙，叶片鲜用或直接晒干；根及茎切片，晒干。

| 功能主治 |

同属植物箣柊有活血祛瘀、消肿止痛的作用，本种或许有相同的药用功能，其作用有待深入研究。

大风子科 Flacourtiaceae　箣柊属 Scolopia

箣 柊　*Scolopia chinensis* (Lour.) Clos

| 中 药 名 |　箣柊（药用部位：全株）

| 植物形态 |　常绿小乔木或灌木，树皮浅灰色，枝和小枝稀有长 1~5cm 的刺，无毛。叶革质，椭圆形，长 4~7cm，宽 2~4cm，基部两侧各有腺体 1，全缘或有细锯齿，两面光滑无毛，三出脉。总状花序腋生或顶生，长 2~6cm；花小，淡黄色，直径约 4mm；萼片 4~5，卵状三角形，长约 2mm，除边缘有睫毛外，全无毛；花瓣倒卵状长圆形，比萼片长，边缘有睫毛；雄蕊多数，生于有毛的花托上，花药隔先端有三角状的附属物，先端有毛；花盘肉质，10 裂；子房无毛，花柱丝状，柱头稍呈三角形。浆果圆球形，直径 4mm；种子 2~6。花期秋末冬初，果期晚冬。

箣柊

| 分布区域 | 产于海南万宁、文昌、海口、三亚及琼海。亦分布于中国华南其他区域。越南、老挝、泰国、印度、马来西亚、斯里兰卡也有分布。 |

| 资　　源 | 生于丘陵区疏林中，十分常见。 |

| 采收加工 | 秋季采收全株，去净杂质和泥沙，叶片鲜用或直接晒干；根及茎切片，晒干。 |

| 功能主治 | 味苦、涩，性凉。活血祛瘀，消肿止痛。用于跌打损伤、骨折、痈肿、乳汁不通、风湿骨痛。 |

大风子科 Flacourtiaceae　箣柊属 Scolopia

广东箣柊
Scolopia saeva (Hance) Hance

| 中 药 名 | 广东箣柊（药用部位：全株）

| 植物形态 | 常绿小乔木或灌木，树皮浅灰色，不裂，树干有硬刺；幼枝无毛。叶革质，卵形，长 6~8cm，宽 3~5cm，两侧无腺体，边缘有疏离的浅波状锯齿，两面无毛，近三出脉，侧脉纤细，网脉明显；叶柄长约 1cm。总状花序腋生，长为叶的一半；花小；萼片 5，卵形，长约 1.2mm，边缘有睫毛；花瓣 5，倒卵状长圆形，长约 2mm，仅边缘有睫毛；雄蕊多数，花丝丝状，长约 6mm，花药卵形，药隔先端有三角状的附属物，无毛；花盘 8 裂，在雄蕊的外围；花柱粗壮，比雄蕊短。浆果红色，卵圆形，长约 8mm，先端有宿存花柱，基部有宿存的花被；种子卵状长圆形，有棱角。花期夏、秋季，果期秋、冬季。

广东箣柊

| 分布区域 |

产于海南三亚、乐东、东方、昌江、五指山、万宁、琼中、儋州、屯昌、琼海、文昌、海口。亦分布于中国南部和东部各地。越南也有分布。

| 资　　源 |

生于干燥的平原区或山坡杂木林中，十分常见。

| 采收加工 |

秋季采收全株，去净杂质和泥沙，叶片鲜用或直接晒干；根及茎切片，晒干。

| 功能主治 |

同属植物簕欓有活血祛瘀、消肿止痛的作用，本种或许有相同的药用功能，且本种在海南分布量大，其作用值得深入研究。

大风子科 Flacourtiaceae 柞木属 *Xylosma*

柞 木
Xylosma racemosum (Sieb. et Zucc.) Miq.

| 中 药 名 | 柞木（药用部位：皮、枝、叶、根）

| 植物形态 | 常绿大灌木或小乔木，树皮棕灰色，不规则地从下面向上反卷成小片，裂片向上反卷；幼时有枝刺，结果时株无刺；枝条近无毛或有疏短毛。叶薄革质，雌雄株稍有区别，通常雌株的叶有变化，菱状椭圆形，长 4~8cm，宽 2.5cm，先端渐尖，基部楔形，边缘有锯齿；叶柄短，长约 2mm，有短毛。花小，总状花序腋生，长 1~2cm；花萼 4~6，卵形，长 2.5~3.5mm，外面有短毛；花瓣缺；雄花有多数雄蕊，花药椭圆形，底着药；花盘由多数腺体组成，包围着雄蕊；雌花的萼片与雄花同形；子房无毛，花柱短，柱头 2 裂；花盘圆形，边缘稍呈波状。浆果黑色，球形，先端有宿存花柱；种子 2~3，卵形，长 2~3mm，鲜时绿色，干后褐色，有黑色条纹。花期春季，果期冬季。

柞木

| 分布区域 | 产于海南各地。亦分布于中国安徽、福建、广东、广西、贵州、湖北、湖南、江苏、江西、陕西等。印度、日本、朝鲜也有分布。 |

| 资　源 | 生于海拔 800m 以下的林边、丘陵和平原或村边附近灌丛中。 |

| 采收加工 | 皮：夏、秋季剥取树皮，晒干。枝、叶：全年均可采，晒干。根：秋季采挖根，洗净，切片晒干备用，亦可鲜用。 |

| 功能主治 | 皮：味苦、酸，性微寒；归肝、脾经。清热利湿，催产。用于湿热黄疸、痢疾、瘰疬、梅疮溃烂、鼠瘘、难产、死胎不下。枝：味苦，性平。催产。用于难产、胎死腹中。叶：味苦、涩，性平。清热解毒，散瘀消肿。用于婴幼儿泄泻、痢疾、痈疖肿毒、跌打骨折、扭伤脱臼、死胎不下。根：味苦，性平；归肝、脾经。解毒，利湿，散瘀，催产。用于黄疸、痢疾、水肿、肺结核咯血、瘰疬、跌打肿痛、难产、死胎不下。 |

| 附　注 | 在 FOC 中，其学名被修订为 *Xylosma congestum* (Lour.) Merr.。 |

天料木科　Samydaceae　脚骨脆属　Casearia

海南脚骨脆 *Casearia aequilateralis* Merr.

| 中 药 名 | 海南脚骨脆（药用部位：根、树皮）

| 植物形态 | 常绿灌木，树皮灰褐色，小枝无毛，带紫色。叶薄革质，长圆状披针形，长 6~10cm，宽 2~5cm，先端长渐尖，长 1~1.2cm，边缘中部以上有波状小圆齿，两面无毛，有橙黄色、透明的腺点和腺条，侧脉 6~8 对，稍弯拱上升；叶柄长 1~1.5cm，无毛。花两性，绿色，数朵簇生于叶腋；花直径约 3mm；花梗长约 3mm，无毛；萼片 5，近圆形，长 2~3mm，无毛；花瓣缺；雄蕊 8 或 10，花丝无毛，长约 8mm，花药椭圆形或近圆形；退化雄蕊长椭圆形，长约 6mm，上部稍有毛；子房椭圆形，无毛，侧膜胎座 2~3，每个胎座上有胚珠 4~6，花柱极短，柱头头状。花期 5~6 月，果期秋季至冬季。

海南脚骨脆

| **分布区域** | 产于海南三亚、东方、白沙、陵水、万宁、文昌、海口。亦分布于中国广东。 |

| **资　　源** | 生于低海拔疏林中，常见。 |

| **采收加工** | 秋季采挖，洗净，晒干。 |

| **功能主治** | 同属植物球花脚骨脆的根可用于风湿骨痛、跌打损伤，皮可用于腹痛、泻痢。本属内植物形态相似，同属植物或许有类似药效，其作用有待进一步研究。 |

| **附　　注** | 在 FOC 中，其被归并为膜叶脚骨脆 *Casearia membranacea* Hance。 |

天料木科 Samydaceae 脚骨脆属 *Casearia*

脚骨脆 *Casearia balansae* Gagn.

| 中 药 名 | 脚骨脆（药用部位：根、树皮）

| 植物形态 | 小乔木，高 3~13m；树皮灰黄色，通常开裂；小枝圆柱状，棕褐色，幼时有密的锈色柔毛，老时无毛而有皮孔。叶厚纸质，长椭圆形，长 10~20cm，宽 4~10cm，先端短渐尖，基部急尖至圆钝，有的偏斜，边缘全缘或有细齿，上面幼时有疏柔毛，老时无毛，或在主脉上有短柔毛，下面干后变黑色，密生黄褐色长柔毛，沿中脉上毛更密，中脉和侧脉在上面平坦，在下面突起，侧脉 8~10 对，弯拱上升，在叶缘处消失，小脉横行；叶柄长 0.5~1.5cm，密被柔毛。花淡绿色或黄绿色，小，数朵组成团伞花序，总梗短，基部有鳞片状苞片；花梗短，长 2~4mm，有疏柔毛；花萼 5，长圆状椭圆形，长 3mm，宽约 2mm，先端钝，边缘有睫毛，两面有柔毛；花瓣缺；雄蕊 8，

脚骨脆

花丝有毛，长约 1.2mm，花药卵圆形，长约 1mm；退化雄蕊 8，有疏长毛；子房椭圆状，长 3~4mm，侧膜胎座 2，每个胎座上有胚珠 2~4，花柱短，长约 1mm，柱头盘状。果实长椭圆形，长 1~1.2cm，直径 4~5mm，无毛，成熟时黄色，干后黑色；种子数粒，淡黄色；果梗长 2~3mm，有毛。花期 4~5 月，果期 6 月至翌年 3 月。

| **分布区域** | 产于海南白沙、昌江。亦分布于中国华南其他区域。

| **资　　源** | 生于海拔 650m 以下的低海拔疏林中和林缘。

| **采收加工** | 秋季采挖，洗净，晒干。

| **功能主治** | 同属植物球花脚骨脆的根可用于风湿骨痛、跌打损伤，皮可用于腹痛、泻痢。本属内植物形态相似，同属植物或许有类似药效，其作用有待进一步研究。

天料木科 Samydaceae 脚骨脆属 Casearia

膜叶脚骨脆
Casearia membranacea Hance

| 中 药 名 |

膜叶脚骨脆（药用部位：根、树皮）

| 植物形态 |

常绿乔木或灌木，树皮灰褐色，不裂；小枝无毛。叶膜质，排成2列，长椭圆形，长5~15cm，宽3~6cm，边缘浅波状，下面有橙黄色、透明的腺点和腺条，侧脉5~8对；叶柄长0.6~1.2cm。花两性，单生或数朵簇生于叶腋，绿色或黄绿色，直径3~4mm；花梗长6~9mm，有粉状毛；苞片圆形，长约1mm，有绒毛；萼片5，长椭圆状卵形，长2~3mm，外面有柔毛，边缘有睫毛；雄蕊8，花丝有柔毛，花药卵状长椭圆形；鳞片（退化雄蕊）8，与雄蕊互生，棍状；子房圆锥形，无毛，花柱短，柱头头状，2~3浅裂。蒴果卵状，长1.5~3cm，直径1~2cm，通常有8棱，成熟时带黑色，无毛；种子卵形，长4mm。花期7~8月，果期10月至翌年春季。

| 分布区域 |

产于海南三亚、东方、五指山、万宁、琼中、儋州、定安、琼海、海口。亦分布于中国华南其他区域。越南也有分布。

膜叶脚骨脆

| **资　　源** | 生于疏林中，常见。

| **采收加工** | 秋季采挖，洗净，晒干。

| **功能主治** | 同属植物球花脚骨脆的根可用于风湿骨痛、跌打损伤，皮可用于腹痛、泻痢。本属内植物形态相似，同属植物或许有类似药效，其作用有待进一步研究。

天料木科 Samydaceae　天料木属 *Homalium*

天料木
Homalium cochinchinense Druce

| 中 药 名 | 天料木（药用部位：根）

| 植物形态 | 小乔木或灌木，树皮灰褐色或紫褐色；小枝圆柱形，老枝有明显纵棱。叶纸质，宽椭圆状长圆形，长 6~15cm，宽 3~7cm，侧脉 7~9 对，叶柄短，被带黄色短柔毛。花多数，单个或簇生排成总状，总状花序长 8~15cm，被黄色短柔毛；花梗丝状，被开展黄色短柔毛；花直径 8~9mm；萼筒陀螺状，被开展疏柔毛，具纵槽；萼片线形，内面近基部有疏长柔毛，边缘有睫毛；花瓣匙形，长 3~4mm，内面中部以下有疏柔毛，边缘有睫毛；花丝长于花瓣；花盘腺体近方形，有毛；子房有毛，花柱通常 3。蒴果倒圆锥状，长 5~6mm，近无毛。花期全年，果期 9~12 月。

天料木

| 分布区域 |

产于海南陵水、万宁。亦分布于中国华南其他区域,以及湖南、福建、台湾等地。越南也有分布。

| 资　　源 |

生于海拔 400~1200m 的山地阔叶林中,常见。

| 采收加工 |

夏、秋季采挖,洗净,晒干。

| 功能主治 |

用作收敛剂。用于淋病、肝炎。

天料木科 Samydaceae 天料木属 Homalium

红花天料木

Homalium hainanense Gagnep.

| **中 药 名** | 红花天料木（药用部位：叶）

| **植物形态** | 乔木，树皮灰色；小枝圆柱形，无毛，有槽纹。叶革质，长圆形或椭圆状长圆形，稀倒卵状长圆形，长 6~10cm，宽 2.5~5cm，边缘全缘或有极疏不明显钝齿，两面无毛，中脉在上面平坦，下面突起，侧脉 8~10 对，在近边缘处网结；叶柄长 0.5~1cm，无毛。花外面淡红色，内面白色，多数，3~4 朵簇生而排成总状，总状花序长 5~15cm，花序梗密被短柔毛；花被极短，密被短柔毛，中部具节；花直径约 2.5mm，萼筒陀螺状，长约 1mm，被短柔毛；萼片线状长圆形，两面被短柔毛，边缘具短睫毛；花瓣宽匙形，长约 1.5mm，两面均被短柔毛，边缘有睫毛；雄蕊 5~6，花丝无毛，长于花瓣，花药圆形，直径 0.35mm；花盘腺体近陀螺状，先端平，微被短柔毛；子房被短

红花天料木

柔毛，花柱 5~6。蒴果倒圆锥形，长约 4mm。花期 6 月至翌年 2 月，果期 10~12 月。

| 分布区域 |

产于海南三亚、乐东、东方、白沙、保亭、琼中、澄迈、屯昌、定安。越南也有分布。

| 资　　源 |

生于林中，常见。

| 采收加工 |

夏、秋季间采收，鲜用或晒干。

| 功能主治 |

清热消肿。外用于疮毒。

| 附　　注 |

在 FOC 中，其被修订为斯里兰卡天料木，学名为 *Homalium ceylanicum* (Gardner) Benth.。

天料木科 | Samydaceae　天料木属 | Homalium

毛天料木
Homalium mollissimum Merr.

| 中 药 名 | 毛天料木（药用部位：根）

| 植物形态 | 灌木或小乔木，树皮灰色；小枝圆柱形，幼时密被短柔毛，逐渐脱落减少。叶革质，椭圆形，长 5~11cm，宽 2.5~5cm，先端急尖，边缘有疏离浅锯齿，侧脉 6~8 对；叶柄长 2~5mm，密被柔毛；托叶披针形，长约 1cm，被柔毛，早落。花白色，多数，以 2 朵簇生或单个而排成总状，总状花序顶生或生于上部的叶腋，长 4~8cm；花序梗和花梗密被苍黄色柔毛；花梗长 2~3mm；花直径 4~6mm，中部具节；萼筒狭陀螺状，长约 2mm，有明显纵槽纹，外面密被苍黄色柔毛；萼片线形，长 4~5mm，宽 1~1.5mm，先端稍钝，两面疏被长柔毛，边缘密被睫毛；花瓣倒披针形，两面被长柔毛，边缘密被睫毛；雄蕊 7，花丝与花瓣近等长，下部被开展长柔毛；子房被开

毛天料木

展长柔毛，花柱 3~4，下部被开展长柔毛。蒴果倒圆锥形，长 5~7mm，被长柔毛。花期 6~12 月，果期 7 月至翌年春季。

| 分布区域 |

产于海南三亚、乐东、东方、昌江、五指山、保亭、万宁、定安。亦分布于中国广东。越南也有分布。

| 资　源 |

生于密林中，常见。

| 采收加工 |

夏、秋季采挖，洗净，晒干。

| 功能主治 |

同属植物天料木的根有收敛作用。本种植物形态与其相似，或许有类似药效，其作用有待进一步研究。

天料木科 Samydaceae 天料木属 Homalium

广南天料木

Homalium paniculiflorum F. C. How & Ko

| 中 药 名 |　广南天料木（药用部位：根）

| 植物形态 |　乔木或灌木，小枝圆柱形，暗褐色，有不规则棱条。叶薄革质，椭圆形，长 5~10cm，宽 3~6cm，先端尾尖，基部近圆形，边缘有钝的疏齿，齿尖有腺体，腺体在下面明显，呈圆形，两面无毛，侧脉5~8 对；叶柄长 4~6mm，被短柔毛。花多数，圆锥花序顶生或腋生，长 9~11cm，密被短茸毛；花梗丝状，密被短茸毛，中部以上具节；花直径 4~6mm；萼筒短，倒圆锥形，被短茸毛；萼片狭长圆形，长2~3.5mm，宽约0.5mm，边缘有长睫毛；花瓣狭长圆形，边缘有长睫毛；雄蕊长于花被，长约 4mm；花盘的腺体与雄蕊互生，呈宽圆锥形；子房被开展疏柔毛；花柱通常3，略叉开，被开展疏毛。蒴果倒圆锥状，长 6~7mm，直径 1.5~2mm。花期秋季，果期冬季至春季。

广南天料木

| 分布区域 |

产于海南乐东、东方、昌江、万宁。亦分布于中国广东。

| 资　　源 |

生于低海拔至中海拔疏林中，常见。

| 采收加工 |

夏、秋季采挖，洗净，晒干。

| 功能主治 |

同属植物天料木的根有收敛作用。本种植物形态与其相似，或许有类似药效，其作用有待进一步研究。

天料木科 Samydaceae 天料木属 *Homalium*

显脉天料木

Homalium phanerophlebium F. C. How & Ko

| 中药名 | 显脉天料木（药用部位：根）

| 植物形态 | 常绿乔木，树皮灰色，老枝无毛，有条纹和皮孔。叶革质，椭圆状长圆形，长 3~14cm，宽 2~6cm，边缘具疏圆钝齿，在背面之齿上具圆形下陷腺体；叶柄长 8~15mm。花芳香，白色，多数，排成圆锥状，有时呈总状，圆锥花序顶生或近顶生，长 7~15cm，花序梗密被贴生柔毛；苞片披针形，长 2~3mm，被柔毛；花梗长 1.5~3mm，密被贴生柔毛，中部有关节；花直径 4~6mm；萼筒宽圆锥状，长 1~3mm，外面散生柔毛；萼片线形，长 2~3mm，宽约 0.4mm，果时长可达 1 倍半，散生柔毛，边缘有睫毛；花瓣比萼片稍长并稍宽，倒披针状线形，基部散生柔毛，边缘有长睫毛；雄蕊与花瓣对生，花丝长约 3.5mm，下部有开展长柔毛；花盘的腺体与萼片对生，陀

显脉天料木

螺状，被毛；子房被开展粗毛，花柱 2~3，下部被开展粗毛。蒴果倒圆锥状，被毛；种子少数，长 5~6mm。花期几全年，果期秋季。

| 分布区域 | 产于海南乐东、东方、昌江。亦分布于中国广东。越南也有分布。

| 资　　源 | 生于疏林中，偶见。

| 采收加工 | 夏、秋季采挖，洗净，晒干。

| 功能主治 | 同属植物天料木的根有收敛作用。本种植物形态与其相似，或许有类似药效，其作用有待进一步研究。

天料木科 | Samydaceae　天料木属 | *Homalium*

狭叶天料木

Homalium stenophyllum Merr. & Chun

| 中 药 名 | 狭叶天料木（药用部位：根）

| 植物形态 | 乔木，稀为灌木状，树皮淡灰色或褐灰色，不裂，幼枝有毛，老枝圆柱形，无毛，有槽纹和皮孔。叶薄革质，狭长圆形或长圆状披针形，长 4~8cm，宽 1.5~2.5cm，边缘有锯齿并稍向下卷，两面无毛，侧脉 4~6 对，网脉稍明显；叶柄短，长 2~3mm，无毛。花多数，圆锥花序顶生或生于上部的叶腋，长 4~8cm，被短柔毛；花梗长 1.5~2mm，被疏柔毛，近中部具关节；苞片线形；花直径约 5mm，结果时达 8mm；萼筒陀螺状，长 1.5~2mm，外面被柔毛，有纵槽纹；萼片线形，长约 3mm，有密长睫毛；花瓣窄椭圆形，长约 4mm，边缘被密长睫毛；雄蕊花丝被毛；子房略被毛，花柱 3~4，短于雄蕊，中部以上分歧。蒴果革质，倒圆锥状，长约 3.5mm；种子少数。花期秋季，果期冬季。

狭叶天料木

| 分布区域 |

产于海南三亚、东方、五指山、陵水、万宁、琼中。

| 资　　源 |

生于低海拔至中海拔林中，常见。

| 采收加工 |

夏、秋季采挖，洗净，晒干。

| 功能主治 |

同属植物天料木的根有收敛作用。本种植物形态与其相似，或许有类似药效，其作用有待进一步研究。

柽柳科 Tamaricaceae 柽柳属 Tamarix

柽 柳 *Tamarix chinensis* Lour.

| 中 药 名 | 柽柳（药用部位：嫩枝叶）

| 植物形态 | 乔木或灌木，嫩枝繁密纤细，悬垂。叶鲜绿色，先端尖，基部背面有龙骨状隆起。每年开花 2~3 次。春季开花时，总状花序侧生于去年生木质化的小枝上，长 3~6cm，花大而少，较稀疏而纤弱点垂；梗生有少数苞叶或无；苞片线状长圆形；花梗纤细，较萼短；花 5 出；萼片 5，狭长卵形，外面 2，背面具隆脊，较花瓣略短；花瓣 5，粉红色，通常卵状椭圆形，长约 2mm，较花萼微长，果时宿存；花盘 5 裂，紫红色，肉质；雄蕊 5，长于花瓣；子房圆锥状瓶形，花柱 3，棍棒状，长约为子房之半。蒴果圆锥形。夏、秋季开花。

| 分布区域 | 海南偶见栽培或野生。亦分布于中国华中、华北及西南各地。

柽柳

| 资　　源 | 栽培，少见。

| 采收加工 | 未开花时采下幼嫩枝梢，阴干。

| 药材性状 | 枝细圆柱形，直径0.5~1.5mm，表面黄绿色，节较密，叶鳞片状、钻形或卵状披针形，长1~3mm，背面有龙骨状柱。质脆，易折断，断面黄白色，中心有髓。气微，味淡。以枝叶细嫩、色绿者为佳。

| 功能主治 | 味甘、辛，性平；归肺、胃、心经。疏风解表，透疹解毒。用于风热感冒、麻疹初起、疹出不透、风湿痹痛、皮肤瘙痒。

西番莲科 Passifloraceae 蒴莲属 Adenia

蒴 莲
Adenia chevalieri Gagnep.

| 中 药 名 | 蒴莲（药用部位：根）

| 植物形态 | 草质藤本；茎圆柱形，具条纹。叶纸质，宽卵形至卵状长圆形，长7~15cm，宽8~12cm，间有3裂，无毛；叶脉羽状，侧脉4~5对；叶柄长4~7cm，无毛，先端与叶基之间具2个盘状腺体。聚伞花序有花1~2；花梗长达6cm；苞片鳞片状，细小。花单性者，雄花花梗长8~10mm；花萼管状，先端5裂，裂片小，宽三角形；花瓣5，披针形，长0.6mm，具3脉纹，生于萼管的基部，具5附属物；雄蕊5；子房退化，无胚珠，具短柄。雌花较雄花为大；花瓣5，披针形，长约5mm，生于萼管的下部，萼管基部具5膜质附属物；退化雄蕊5，基部合生；子房椭圆球形，具柄，有3粗壮柱头。蒴果纺锤形，长8~12cm，老熟红色，外果皮革质；种子多数，近圆形，扁平，直

蒴莲

径近 1cm，草黄色，种皮具网状小窝点。花期 1~7 月，果期 8~10 月。

|分布区域|

产于海南三亚、五指山、万宁、乐东、保亭、陵水、儋州及文昌。亦分布于中国广东、广西、台湾等地。越南、老挝、泰国、印度尼西亚、柬埔寨、菲律宾、澳大利亚及太平洋岛屿也有分布。

|资 源|

生于疏林下、林缘、灌丛中，偶见。

|采收加工|

冬季挖取根部，洗净，晒干。

|功能主治|

味甘、微苦，性凉。祛风通络，益气升提。用于胃脘痛、风湿痹痛、子宫脱垂。

|附 注|

在 FOC 中，其被修订为异叶蒴莲 *Adenia heterophylla* (Blume) Koord.。

西番莲科 Passifloraceae 西番莲属 *Passiflora*

鸡蛋果
Passiflora edulis Sims

| 中 药 名 | 鸡蛋果（药用部位：果实）

| 植物形态 | 草质藤本；茎具细条纹，无毛。叶纸质，长 6~13cm，宽 8~13cm，基部楔形，掌状 3 深裂，裂片边缘有内弯腺尖细锯齿，近裂片缺弯的基部有 1~2 杯状小腺体，无毛。聚伞花序退化，仅存 1 花，与卷须对生；花芳香，直径约 4cm；花梗长 4~4.5cm；苞片绿色，边缘有不规则细锯齿；萼片 5，长 2.5~3cm，外面先端具 1 角状附属器；花瓣 5，与萼片等长；外副花冠裂片 4~5 轮，外 2 轮裂片丝状，约与花瓣近等长，基部淡绿色，中部紫色，顶部白色，内 3 轮裂片窄三角形，长约 2mm；内副花冠非褶状，先端全缘或为不规则撕裂状，高 1~1.2mm；花盘膜质，高约 4mm；雌雄蕊柄长 1~1.2cm；雄蕊 5，花药淡黄绿色；子房倒卵球形，被短柔毛；花柱 3，扁棒状，柱头肾形。

鸡蛋果

浆果卵球形，直径 3~4cm，无毛，熟时紫色；种子多数，卵形，长 5~6mm。花期 6 月，果期 11 月。

| 分布区域 |

海南三亚、万宁、海口等地有栽培。中国广东、福建、云南等地亦有栽培。原产于美洲。

| 资　　源 |

栽培，常见。

| 采收加工 |

8~11 月当果皮呈紫色时即成熟，应分批采收。鲜用或晒干。

| 功能主治 |

味甘、酸，性平；归心、大肠经。清肺润燥，安神止痛，和血止痢。用于咳嗽、咽干、声嘶、大便秘结、失眠、痛经、关节痛、痢疾。

西番莲科 Passifloraceae 西番莲属 *Passiflora*

龙珠果 *Passiflora foetida* L.

|中 药 名| 龙珠果（药用部位：全株或果实）

|植物形态| 草质藤本，有臭味；茎具条纹并被平展柔毛。叶膜质，宽卵形至长圆状卵形，长 4.5~13cm，宽 4~12cm，先端 3 浅裂，基部心形，边缘呈不规则波状，通常具头状缘毛，上面被丝状伏毛，并混生少许腺毛，下面被毛且其上部有较多小腺体，叶脉羽状；叶柄长 2~6cm，密被平展柔毛和腺毛，不具腺体；托叶半抱茎，深裂，裂片先端具腺毛。聚伞花序退化，仅存 1 花，与卷须对生。花白色或淡紫色，具白斑，直径 2~3cm；苞片 3，一至三回羽状分裂，裂片丝状，先端具腺毛；萼片 5，长 1.5cm，外面近先端具 1 角状附属器；花瓣 5，与萼片等长；外副花冠裂片 3~5 轮，丝状；内副花冠非褶状，膜质；具花盘，杯状，高 1~2mm；雄蕊 5，花丝基部合生，扁平；花药长圆形，子房椭圆

龙珠果

球形，具短柄；花柱 3，长 5~6mm，柱头头状。浆果卵圆球形，直径 2~3cm，无毛；种子多数，椭圆形，长约 3mm，草黄色。花期 7~8 月，果期翌年 4~5 月。

分布区域

产于海南东方、昌江、五指山、三亚、保亭、西沙群岛。中国华南其他区域，以及福建、台湾、云南有栽培或逸为野生。原产于南美洲。

资源

生于低海拔荒山、草坡及灌丛中，常见。

采收加工

夏末秋初采收全株，洗净，鲜用或晒干。秋、冬季挖取根部，洗去泥沙，晒干。4~5 月采收果实。

功能主治

味甘、酸，性平。清热解毒，清肺止咳。用于肺热咳嗽、小便混浊、痈疮肿毒、外伤性眼角膜炎、淋巴结炎。

西番莲科 Passifloraceae   西番莲属 Passiflora

蛇王藤 *Passiflora moluccana* Reinw. ex Bl. var. *teysmanniana* (Miq.) W. J. de Wilde

| 中 药 名 | 蛇王藤（药用部位：全草）

| 植物形态 | 草质藤本；茎具条纹并被有疏柔毛。叶革质，披针形，长 6~10cm，
宽 2.5~4cm，上面无毛，下面密被短绒毛，具 4~6 腺体，叶脉羽状，
侧脉 5~6 对；叶柄长 7~10mm，从叶片基部往下 2~8mm 处具 2 腺体。
聚伞花序近无梗，单生于卷须与叶柄之间，有 2~12 花；苞片线形；
花梗长 5~25mm，被毛；花白色，直径 2.5~3.5cm；萼片 5，被柔毛，
外面先端无角状附属器；花瓣 5，长 1.2~1.6cm；外副花冠裂片 2 轮，
丝状；内副花冠褶状；花盘高 0.5mm；雄蕊 5，花丝长 6~10mm，
扁平、分离；子房近无柄，密被柔毛；花柱 3，反折。浆果球形，
直径 1~2cm，近无毛；种子多数，三角状椭圆形，暗黄色。

蛇王藤

| 分布区域 |

产于海南东方、五指山、儋州。亦分布于中国华南其他区域。越南也有分布。

| 资　　源 |

生于海拔 50~300m 的林缘或灌丛中，偶见。

| 采收加工 |

夏、秋季采收，鲜用或晒干。

| 功能主治 |

味辛、苦，性平。清热解毒，消肿止痛。用于毒蛇咬伤、疮肿痈疖、胃和十二指肠溃疡。

葫芦科　Cucurbitaceae　冬瓜属　*Benincasa*

冬 瓜
Benincasa hispida (Thunb.) Cogn.

| 中 药 名 | 冬瓜（药用部位：果实、种子、果皮、藤茎）

| 植物形态 | 一年生蔓生或架生草本；茎被黄褐色硬毛及长柔毛，有棱沟。叶柄长 5~20cm，被黄褐色的硬毛和长柔毛；叶片肾状近圆形，宽 15~30cm，5~7 浅裂或有时中裂，表面深绿色；背面粗糙，灰白色，有粗硬毛，叶脉密被毛。卷须 2~3 歧，被粗硬毛和长柔毛。雌雄同株；花单生；花梗长 5~15cm，密被黄褐色短刚毛和长柔毛，苞片卵形，长 6~10mm，有短柔毛；花萼筒宽钟形，密生刚毛状长柔毛，裂片披针形，有锯齿，反折；花冠黄色，辐状，裂片宽倒卵形，长 3~6cm，两面有稀疏的柔毛，具 5 脉；雄蕊 3，离生，花丝被毛，花药室三回折曲，雌花梗长不及 5cm，密生黄褐色硬毛和长柔毛；子

冬瓜

房卵形，密生黄褐色茸毛状硬毛；柱头3，2裂。果实长圆柱状，有硬毛和白霜，长25~60cm，直径10~25cm。种子卵形，白色或淡黄色，压扁，有边缘。

| 分布区域 | 产于海南三亚、陵水、万宁、西沙群岛。中国各地亦有栽培。亚洲热带地区广泛分布。

| 资　　源 | 栽培，常见。

| 采收加工 | 果实：夏末秋初果实成熟时采摘。种子、果皮：食用冬瓜时收集成熟种子、削下的外果皮，切块或宽丝，晒干。藤茎：夏、秋季采收藤茎，鲜用或晒干。

| 药材性状 | 冬瓜皮为不规则的碎片，常向内卷曲，大小不一。外表面灰绿色或黄白色，被有白霜；内表面较粗糙，有的可见筋脉状维管束。体轻，质脆。无臭，味淡。以片薄、条长、色灰绿、备粉霜者为佳。种子长椭圆形，扁平，长1~1.5cm，宽0.5~1cm，厚约0.2cm。表面黄白色，略粗糙。一端稍尖，有2个小突起，另一端圆钝。种皮稍硬而脆，剥去种皮，可见子叶2，白色，肥厚。体轻，富油性。气无，味微甜。以颗粒饱满、色白者为佳。

| 功能主治 | 果实：味甘、淡，性微寒；归肺、大肠、小肠、膀胱经。利尿，清热，化痰，生津，解毒。用于水肿胀满、淋病、脚气、痰喘、暑热烦闷、消渴、痈肿、痔漏，并解丹石毒、鱼毒、酒毒。种子：味甘，性微寒；

归肺、大肠经。清肺化痰，消痈排脓，利湿。用于痰热咳嗽、肺痈、肠痈、白浊、脚气、水肿、淋证。果皮：味甘，性凉；归脾、小肠经。利尿消肿。用于水肿胀满、小便不利、暑热口渴、小便短赤。藤茎：味苦，性寒；归肺、肝经。清肺化痰，通经活络。用于肺热咳痰、关节不利、脱肛、疮疥。

葫芦科 Cucurbitaceae 西瓜属 Citrullus

西 瓜 *Citrullus lanatus* (Thunb.) Matsum. et Nakai

| 中 药 名 | 西瓜（药用部位：果瓤、果皮），西瓜霜（药用部位：果皮和芒硝混合制成的白色结晶性粉末）

| 植物形态 | 一年生蔓生藤本；茎、枝具明显的棱沟，被长而密的白色或淡黄褐色长柔毛。卷须较粗壮，具短柔毛，二歧，叶柄长 3~12cm，具不明显的沟纹，密被柔毛；叶片纸质，轮廓三角状卵形，带白绿色，长8~20cm，宽 5~15cm，两面具短硬毛，脉上和背面较多，3 深裂，裂片又羽状或二重羽状浅裂或深裂，边缘波状或有疏齿，末次裂片通常有少数浅锯齿，叶片基部心形。花单性，雌雄同株，均单生于叶腋。雄花：花梗长 3~4cm，密被黄褐色长柔毛；花萼筒宽钟形，密被长柔毛，花萼裂片狭披针形；花冠淡黄色，外面带绿色，被长柔毛，裂片卵状长圆形，长 1~1.5cm，脉黄褐色，被毛；雄蕊 3，近离生，

西瓜

花药室折曲。雌花：花萼和花冠与雄花同；子房卵形，密被长柔毛，柱头 3，肾形。果实近于球形，肉质，多汁，果皮光滑，色泽及纹饰各式。种子多数，卵形，两面平滑，基部钝圆，花果期夏季。

| 分布区域 |　产于海南三亚、乐东、东方、五指山。原产于非洲热带地区，现广植于世界各地。

| 资　　源 |　栽培量大，十分常见。

| 采收加工 |　西瓜瓤：夏季采收成熟果实。西瓜皮：夏季收集西瓜皮，削去内层柔软部分，洗净晒干。也有将外面青皮削去，仅取其中间部分。西瓜霜：选取尚未熟透的西瓜，取皮切成小块，每 5kg 加芒硝 7.5kg，拌匀，装入黄沙缸内，缸底先铺一层西瓜皮作垫，待拌硝的西瓜皮装满后，上面再用一层西瓜皮铺没，将缸盖好，置通风处。数天后，黄沙缸的外面即有白色粉霜不断析出，将霜扫下，至霜析尽为止。扫下的白霜，拣去沙屑，即成纯净的西瓜霜。

| 药材性状 |　西瓜皮：外层果皮常卷成管状或不规则的片块状，大小不一，厚 0.5~1cm。外表面深绿色、黄绿色或淡黄白色，光滑或具深浅不等的皱纹，内表面色稍淡，黄白色至黄棕色，有网状筋脉（维管束），常带有果柄。质脆，易碎，无臭，味淡。以外皮青绿色、内皮近白色、无杂质者为佳。西瓜霜：本品为白色粉粒状结晶，形似盐，遇热熔化。气微，味微咸。以洁白、纯净、无泥屑、无杂质者为佳。

| 功能主治 |　果皮：清热解暑，止渴，利小便。用于暑热烦渴、水肿、口舌生疮。中果皮（西瓜翠）：清热解暑，利尿。用于暑热烦渴、水肿、小便淋痛。西瓜黑霜：用于水肿、肝病腹水。西瓜瓤：清热解暑，解烦止渴，利尿。用于暑热烦渴、热感津伤。西瓜霜：清热泻火，消肿止痛。用于热性咽喉疼痛。

葡芦科 Cucurbitaceae 红瓜属 Coccinia

红 瓜 *Coccinia grandis* (L.) Voigt

红瓜

| 中 药 名 |

红瓜（药用部位：果实和果胶）

| 植物形态 |

攀缘草本；根粗壮，茎纤细，多分枝，有棱角，光滑无毛。叶柄细，有纵条纹，长 2~5cm；叶片阔心形，常有 5 角或稀近 5 中裂，两面布有颗粒状小凸点，先端钝圆，基部有数个腺体，腺体在叶背明显，呈穴状，弯缺近圆形，深和宽均 1~2cm。卷须纤细，无毛，不分歧。雌雄异株；雌花、雄花均单生。雄花花梗细弱，长 2~4cm，光滑无毛；花萼筒宽钟形，裂片线状披针形，长 3mm；花冠白色，长 2.5~3.5cm，5 中裂，裂片卵形，外面无毛，内面有柔毛；雄蕊 3，花丝及花药合生，花丝长 2~3mm，花药近球形，长 6~7mm，药室折曲。雌花梗纤细，长 1~3cm；退化雄蕊 3，基部有短的长柔毛；子房纺锤形，花柱无毛，柱头 3。果实纺锤形，熟时深红色。种子黄色，长圆形，长 6~7mm，两面密布小疣点。

| 分布区域 |

产于海南三亚、乐东、昌江、陵水、万宁、海口。亦分布于中国华南其他区域，以及云南。非洲和亚洲的热带地区也有分布。

| 资　　源 | 生于旷野灌丛中，常见。

| 采收加工 | 果实在成熟时采收，鲜用。

| 功能主治 | 可用于糖尿病。

| 附　　注 | 本种为印度传统药用植物。

葫芦科 Cucurbitaceae 黄瓜属 Cucumis

甜 瓜 *Cucumis melo* L.

| 中 药 名 | 甜瓜（药用部位：全株）

| 植物形态 | 一年生匍匐或攀缘草本；茎、枝有棱，有黄褐色或白色的糙硬毛和疣状突起。卷须纤细，单一，被微柔毛。叶柄长 8~12cm，具槽沟及短刚毛；叶片厚纸质，近圆形，长、宽均为 8~15cm，上面被白色糙硬毛，基部截形，具掌状脉。花单性，雌雄同株。雄花：数朵簇生于叶腋；花梗纤细，长 0.5~2cm，被柔毛；花萼筒狭钟形，密被白色长柔毛，长 6~8mm，裂片近钻形，比筒部短；花冠黄色，长 2cm，裂片卵状长圆形，急尖；雄蕊 3，花丝极短，药室折曲。雌花：单生，花梗粗糙，被柔毛；子房长椭圆形，密被长柔毛和长糙硬毛，柱头靠合。果实的形状、颜色因品种而异，果皮平滑，有纵沟纹，无刺状突起，果肉白色、黄色或绿色，有香甜味；种子污白色或黄

甜瓜

白色,卵形或长圆形,先端尖,基部钝,表面光滑,无边缘。花果期夏季。

| 分布区域 |

海南本岛及南沙群岛有栽培。中国各地亦有栽培。原产于印度、巴基斯坦等地,现世界温带至热带地区广泛栽培。

| 资　源 |

栽培,常见。

| 采收加工 |

藤茎:夏、秋季采收,晒干鲜用。果实:在成熟时采收,鲜用。

| 功能主治 |

全株:味甘,性寒;归心、胃经。祛火败毒。外用于痔疮、肿毒、漏疮生管、脏毒滞热、流水刺痒。茎:用于鼻中息肉、鼾鼻。根:用于风癞。叶:生发,祛瘀血。花:用于疮毒、心痛咳逆。果柄:催吐,退黄,抗癌。用于食积不化、食物中毒、癫痫痰盛、急慢性肝炎、肝硬化、肝癌。果实:消暑热,解烦渴,利尿。

葫芦科　Cucurbitaceae　黄瓜属　Cucumis

黄 瓜 *Cucumis sativus* L.

|中 药 名|

黄瓜（药用部位：果实、藤茎、幼苗、黄瓜霜）

|植物形态|

一年生蔓生草本；茎、枝伸长，有棱沟，被白色的糙硬毛。卷须细，不分歧，具白色柔毛。叶柄稍粗糙，有糙硬毛，长 10~16cm；叶片宽卵状心形，膜质，长、宽均为 7~20cm，两面甚粗糙，被糙硬毛，3~5 角或浅裂，裂片三角形，有齿，有时边缘有缘毛，基部向后靠合。雌雄同株。雄花：常数朵在叶腋簇生；花梗纤细，长 0.5~1.5cm，被微柔毛；花萼筒狭钟状或近圆筒状，长 8~10mm，密被白色的长柔毛，花萼裂片钻形，与花萼筒近等长；花冠黄白色，长约 2cm，花冠裂片长圆状披针形；雄蕊 3，花丝近无。雌花：单生；花梗粗壮，被柔毛，长 1~2cm；子房纺锤形，粗糙，有小刺状突起。果实长圆形，长 10~30cm，熟时黄绿色，表面粗糙，有具刺尖的瘤状突起，极稀近于平滑。种子小，狭卵形，白色，无边缘，两端近急尖，长 5~10mm。花果期夏季。

黄瓜

| 分布区域 | 产于海南五指山、琼中，南沙群岛有栽培。中国各地普遍栽培。原产于印度，现广植于世界温带至热带地区。

| 资　　源 | 栽培量大，十分常见。

| 采收加工 | 果实：夏季采收，鲜用。藤茎：夏、秋季采收，晒干鲜用。黄瓜霜：将成熟的果实刮去瓜瓤，用朱砂、芒硝各 9g，两药和匀，灌入瓜内，倒吊阴干，待瓜外出霜，刮下即为黄瓜霜，晒干备用。

| 功能主治 | 果实：味甘、性凉；归肺、脾、胃经。清热解毒，利水。用于烦渴、咽喉肿痛、风热火眼、水火烫伤。黄瓜藤：消炎，祛痰，镇痉。用于腹泻、痢疾、癫痫。黄瓜秧：用于高血压。藤茎：味苦，性凉；归心、肺经。清热化痰，利湿解毒。用于痰热咳嗽、癫痫、湿热泻痢、湿痰流注、疮痈肿毒、高血压。黄瓜霜：味甘、咸，性凉。清热消肿。用于扁桃体炎。黄瓜叶、根：用于腹泻、痢疾。

葫芦科 Cucurbitaceae 南瓜属 Cucurbita

南 瓜 *Cucurbita moschata* (Duch. ex Lam.) Duch. ex Poiret

| 中 药 名 | 南瓜（药用部位：全草）

| 植物形态 | 一年生蔓生草本；茎常节部生根，伸长达 2~5m，密被白色短刚毛。叶柄粗壮，长 8~19cm，被短刚毛；叶片宽卵形，质稍柔软，有 5 角，长 12~25cm，宽 20~30cm，侧裂片较小，中间裂片较大，三角形，上面密被黄白色刚毛和茸毛，常有白斑，叶脉隆起，各裂片之中脉常延伸至先端，成一小尖头，背面色较淡，毛更明显，边缘有小而密的细齿，先端稍钝。卷须稍粗壮，3~5 歧。雌雄同株。雄花单生；花萼筒钟形，裂片条形，长 1~1.5cm，被柔毛，上部扩大成叶状；花冠黄色，钟状，长 8cm，直径 6cm，5 中裂，裂片边缘反卷，具皱褶；雄蕊 3，花丝腺体状，花药靠合。雌花单生；子房 1 室，柱头 3，膨大，先端 2 裂。果梗粗壮，有棱和槽，长 5~7cm，瓜蒂扩大成喇叭状；

南瓜

瓠果形状多样，因品种而异，外面常有数条纵沟或无。种子多数，长卵形或长圆形，灰白色，边缘薄。

分布区域

海南海口、南沙群岛、西沙群岛有栽培。中国各地普遍栽培。原产于墨西哥至中美洲一带。

资　　源

栽培量大，十分常见。

采收加工

果实：夏、秋季成熟后采收，一般鲜用。瓜蒂：切取，晒干。根：夏、秋季采挖，洗净，晒干或鲜用。花：6~7月花期采收，鲜用或晒干。茎、叶：夏、秋季采收，鲜用或晒干备用。

功能主治

根：清热解毒，渗湿，通乳。用于淋证、黄疸、痢疾、乳汁不通。藤茎：清热，和胃，通络。用于肺痨低热、胃病、月经不调、烫伤。叶：用于痢疾、疳积、创伤。花：清湿热，消肿毒。卷须：用于妇女乳缩。果实：补中益气，止痛，杀虫解毒。果瓤：用于烫伤。瓜蒂：清热，安胎。

葫芦科 Cucurbitaceae　毒瓜属 Diplocyclos

毒 瓜

Diplocyclos palmatus (L.) C. Jeffrey

| 中 药 名 |　毒瓜（药用部位：块茎或全草）

| 植物形态 |　攀缘草本；根块状；茎纤细，疏散，有明显的棱沟，光滑无毛。卷须纤细，二歧，无毛。叶柄粗糙，有棱沟，长 4~6cm，被疏散的柔毛；叶片膜质，轮廓宽卵圆形，掌状 5 深裂，中间的裂片较长，长圆状披针形，长 8~10cm，宽 2~3.5cm，边缘有疏齿或呈波状，叶片基部的弯缺圆形，两面粗糙。雌雄同株，雌花、雄花常各数朵簇生在同一叶脉。雄花：花梗细，长 0.5~1.5cm，无毛，花萼筒短，长约 2mm，裂片开展，钻形，长 0.5~1mm；花冠绿黄色，直径约 7mm，裂片卵形，先端稍钝，具明显 3 条脉，两面具小疣点；雄蕊 3，花丝离生，极短，花药卵形。雌花：花萼和花冠与雄花相同；子房卵球形，平滑，花柱细，上部 3 裂，柱头膨大，2 裂。果实球形，不

毒瓜

开裂，直径 14~18mm，果皮平滑，黄绿色至红色，并间以白色纵条纹。种子少数，卵形，褐色，两面突起，突起部分厚达 1~2mm，环以隆起的环带。花期 3~8 月，果期 7~12 月。

分布区域

产于海南三亚、乐东、东方、昌江、白沙、五指山、保亭、万宁、澄迈。亦分布于中国华南其他区域，以及台湾。东半球热带地区均有分布。

资　　源

生于灌丛中，十分常见。

采收加工

全年均可采收，鲜用或晒干。

功能主治

块茎：有毒。清热解毒。用于疮疖、无名肿毒。
全草：用于淋证。

葫芦科 | Cucurbitaceae | 金瓜属 | *Gymnopetalum*

金 瓜 *Gymnopetalum chinense* (Lour.) Merr.

| 中 药 名 |　金瓜（药用部位：全草或果实）

| 植物形态 |　草质藤本；根多年生，近木质。叶柄具毛被；叶片膜质，五角形或
3~5 中裂，长、宽均为 4~8cm，边缘有不规则的疏齿，基部心形，
深 1.5~2cm，宽 1~1.5cm。卷须纤细，近无毛。雌雄同株。雄花：单
生或 3~8 生于总状花序上，中部以上常被稀疏的黄褐色长柔毛，花
常具 1 叶状苞片；苞片常 3 中裂，苞片和花萼均被黄褐色长柔毛；
花萼筒管状，裂片近条形；花冠白色，裂片长圆状卵形，具柔毛；
雄蕊 3，花丝长 0.5mm，花药长 7mm。雌花：单生；花梗较雄花短，
长 1~4cm；子房长圆形，外面被黄褐色的长柔毛，有纵肋，柱头 3。
果实长圆状卵形，橙红色，长 4~5cm，外面光滑，具 10 条突起的纵
肋。种子长圆形，长 7mm，有网纹。花期 7~9 月，果期 9~12 月。

金瓜

|分布区域|

产于海南东方、白沙、三亚、保亭及陵水。分布于中国华南其他区域，以及云南。越南、马来西亚、印度也有分布。

|资　　源|

生于海拔 400~900m 的山坡、路旁、疏林及灌丛中，少见。

|采收加工|

全草：全年可采。果实：在成熟时采收，鲜用。

|功能主治|

全草：活血调经，舒筋通络，化痰消瘰。用于瘰疬、妇科病、全身痛、手脚萎缩。果实：用作祛风健胃药。

|附　　注|　本种果实为泰国传统药。

葫芦科 Cucurbitaceae 金瓜属 Gymnopetalum

凤 瓜 *Gymnopetalum integrifolium* (Roxb.) Kurz

| 中 药 名 | 凤瓜（药用部位：提取物）

| 植物形态 | 一年生攀缘草本；茎、枝颇纤细，有沟纹及长柔毛。叶柄长 1.5~3cm，密被黄褐色长柔毛；叶片肾形或卵状心形，长、宽均为 6~8cm，边缘有显著的三角形锯齿；基部心形，弯缺深 1~2cm。卷须纤细，被长柔毛。雌雄同株。雄花：单生或生于总状花序，花序梗长 4~6cm，花序梗、花梗、花萼及花冠外面密被黄褐色长柔毛，花基部具 1 叶状苞片；苞片撕裂，外面密被黄褐色长柔毛，花萼筒筒状，长 1.5~2cm，裂片披针形，长约 0.8cm；花冠裂片倒卵形，长 1.8~2cm，3~5 脉，中间的脉延伸至先端成尖头；雄蕊 3。雌花：单生；花梗长 1~1.5cm，密生黄褐色长柔毛；花萼和花冠与雄花同；子房长卵球形，被长柔毛，长 1cm。果实近球形，熟后橘黄色至红色，直径

凤瓜

2~3cm，外面光滑，无纵肋。种子狭长圆形，长 9mm，两面光滑。花期 6~9 月，果期 9~11 月。

| 分布区域 |

产于海南保亭、琼中、海口。亦分布于中国华南其他区域，以及云南。越南、马来西亚、印度尼西亚及印度也有分布。

| 资　　源 |

生于海拔 200m 以下的山坡及草丛中，常见。

| 采收加工 |

全年可采收，干燥以后进行提取。

| 功能主治 |

配以其他生药的提取物有抗炎、抗溃疡、抗风湿作用。用于风湿性关节炎、缺血性脑病、肿瘤、溃疡性结肠炎、胰岛素依赖型糖尿病。

葫芦科 Cucurbitaceae 绞股蓝属 Gynostemma

绞股蓝
Gynostemma pentaphyllum (Thunb.) Makino

| 中 药 名 | 绞股蓝（药用部位：全草或根茎）

| 植物形态 | 草质攀缘植物；茎具分枝，具纵棱及槽。叶膜质，鸟足状，具 3~9 小叶，叶柄长 3~7cm；小叶片卵状长圆形，边缘具波状齿或圆齿状牙齿，两面均疏被短硬毛，侧脉 6~8 对；小叶柄略叉开，长 1~5mm。卷须纤细，二歧，稀单一。雌雄异株。雄花圆锥花序，花序轴纤细，多分枝，长 10~15cm，分枝广展，长 3~4cm，有时基部具小叶，被短柔毛；花梗丝状，基部具钻状小苞片；花萼筒极短，5 裂，裂片三角形；花冠淡绿色或白色，5 深裂，裂片卵状披针形，长 2.5~3mm，宽约 1mm，具 1 脉，边缘具缘毛状小齿；雄蕊 5，花丝短，连合成柱，花药着生于柱之先端。雌花圆锥花序短小，花萼及花冠似雄花；子房球形，2~3 室，花柱 3，短而叉开，柱头 2 裂；具短小的退化雄蕊 5。

绞股蓝

果实肉质不裂，球形，直径 5~6mm，成熟后黑色，光滑无毛，内含倒垂种子 2。种子卵状心形，直径约 4mm，灰褐色或深褐色，基部心形，压扁，两面具乳突状突起。花期 3~11 月，果期 4~12 月。

| 分布区域 | 产于海南乐东、昌江、保亭、琼中、三亚及东方。亦分布于中国长江以南各地。东南亚至南亚也有分布。

| 资　　源 | 生于海拔 300~1000m 的山谷林中，少见。

| 采收加工 | 每年夏、秋季可采收 3~4 次，洗净、晒干。

| 药材性状 | 本品为干燥皱缩的全草，茎纤细，灰棕色或暗棕色，表面具纵沟纹，被稀疏毛茸，润湿展开后，叶为复叶，小叶膜质，通常 5~7，少数 9，叶柄长 3~7cm，被糙毛；侧生小叶卵状长圆形或长圆状披针形，中央 1 小叶较大，长 4~12cm，宽 1~3.5cm；先端渐尖，基部楔形，两面被粗毛，叶缘有锯齿，齿尖具芒。常可见到果实，圆球形，直径约 5mm，果梗长 3~5mm。味苦，具草腥气。

| 功能主治 | 味苦、微甘，性凉；归肺、脾、肾经。清热解毒，消炎，止咳祛痰。用于慢性支气管炎、咳嗽、传染性肝炎、肾盂肾炎、小便淋痛、梦遗滑精、胃肠炎、吐泻、癌肿。

广东丝瓜

Luffa acutangula (L.) Roxb.

| 中药名 | 粤丝瓜（药用部位：全株）

| 植物形态 | 一年生草质攀缘藤本；茎稍粗壮，具明显的棱角，被短柔毛。卷须粗壮，下部具棱，常 3 歧，有短柔毛。叶柄长 8~12cm；叶片近圆形，膜质，长、宽均为 15~20cm，常为 5~7 浅裂，边缘疏生锯齿，基部弯缺近圆形，深 2~2.5cm。雌雄同株；通常 17~20 朵花生于总梗先端，呈总状花序，有白色短柔毛；花萼筒钟形，长 0.5~0.8cm，直径约 1cm，外面有短柔毛，裂片披针形，里面密被白色短柔毛，具 1 脉，基部有 3 个明显的瘤状突起；花冠黄色，辐状，裂片倒心形，长 1.5~2.5cm，先端凹陷，外面具 3 条隆起脉，脉上有短柔毛；雄蕊 3，离生，花丝长 4~5mm，基部有髯毛，花药有短柔毛。雌花：单生，与雄花序生于同一叶腋；子房棍棒状，具 10 条纵棱，柱头 3，

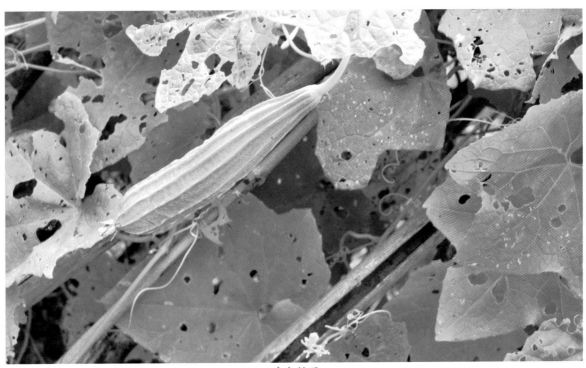

广东丝瓜

膨大，2裂。果实圆柱状，具8~10条纵向的锐棱和沟，没有瘤状突起，无毛，长15~30cm。种子卵形，黑色，有网状纹饰，无狭翼状边缘，基部2浅裂，长11~12mm，宽7~8mm，厚约1.5mm。花果期夏、秋季。

| 分布区域 | 海南各地有栽培。原产于亚洲，中国南部有栽培。

| 资　　源 | 栽培，常见。

| 采收加工 | 嫩丝瓜于夏、秋季间采摘，鲜用；老丝瓜于秋后采收，晒干；藤叶夏、秋季采收，洗净，鲜用或晒干；秋季果实成熟、果皮变黄、内部干枯时采摘，搓去外皮及果肉，除去种子，即为丝瓜络，晒干。

| 药材性状 | 丝瓜络全体由维管束纵横交错而成。多呈长圆形，略弯，两端稍细，长短不一，长可达70cm，直径5~10cm。表面黄白色，粗糙，有数条浅纵沟，有时可见残存的果皮和膜质状果肉。体轻，质韧，富弹性；横断面可有2个空腔，偶见残留黑色种子。以个大、完整、筋络清晰、质韧、色淡黄白、无种子者为佳。

| 功能主治 | 果实的维管束（丝瓜络）：清热化痰。用于风湿疼痛、肺热咳嗽。根：活血通络，消肿。用于偏头痛、腰痛、乳痈、喉风肿痛、肠风下血、痔漏。茎汁：消痰火，清内热，镇咳。藤：舒筋活络，健脾杀虫。叶：用于痈疽肿毒。花：用于肺热咳嗽。果实：清热化痰，解毒。种子：用于咳嗽痰多、便秘、蛔虫病。

葫芦科 Cucurbitaceae　**丝瓜属** *Luffa*

丝 瓜
Luffa cylindrica (L.) Roem.

| 中 药 名 | 丝瓜（药用部位：全株）

| 植物形态 | 一年生攀缘藤本；茎、枝有棱沟，被微柔毛。卷须被短柔毛，通常
2~4 歧。叶柄长 10~12cm，具不明显的沟，近无毛；叶片三角形，
长、宽均为 10~20cm，通常掌状 5~7 裂，边缘有锯齿，基部深心形，
上面有疣点，下面有短柔毛，脉掌状，具白色的短柔毛。雌雄同
株。雄花：通常 15~20 花，生于总状花序上部，花序梗稍粗壮，长
12~14cm，被柔毛；花梗长 1~2cm，花萼筒宽钟形，直径 0.5~0.9cm，
被短柔毛，裂片长 0.8~1.3cm，里面密被短柔毛，边缘尤为明显，
具 3 脉；花冠黄色，辐状，开展时直径 5~9cm，裂片长圆形，长
2~4cm，里面基部密被黄白色长柔毛，外面具 3~5 条突起的脉；
雄蕊通常 5，稀 3，花丝基部有白色短柔毛。雌花：单生，花梗长

丝瓜

2~10cm；子房长圆柱状，有柔毛，柱头3，膨大。果实圆柱状，直径5~8cm，表面平滑，常有深色纵条纹，里面呈网状纤维，由先端盖裂。种子多数，黑色，卵形，扁，平滑，边缘狭翼状。花果期夏、秋季。

| 分布区域 | 产于海南乐东、东方、昌江、白沙、万宁、琼中、南沙群岛、西沙群岛。中国各地亦普遍栽培。常栽培于世界热带和亚热带地区。

| 资　　源 | 栽培，常见。

| 采收加工 | 嫩丝瓜于夏、秋季间采摘，鲜用；老丝瓜于秋后采收，晒干；藤叶夏、秋季采收，洗净，鲜用或晒干；秋季果实成熟、果皮变黄、内部干枯时采摘，搓去外皮及果肉，除去种子，即为丝瓜络，晒干。

| 药材性状 | 丝瓜络全体由维管束纵横交错而成。多呈长圆形，略弯，两端稍细，长短不一，长可达70cm，直径5~10cm。表面黄白色，粗糙，有数条浅纵沟，有时可见残存的果皮和膜质状果肉。体轻，质韧，富弹性；横断面可有3个空腔，偶见残留黑色种子。以个大、完整、筋络清晰、质韧、色淡黄白、无种子者为佳。

| 功能主治 | 根：活血通络，消肿。用于鼻塞流涕。藤：通经络，止咳化痰。用于腰痛、咳嗽、鼻塞流涕。叶：止血，

化痰止咳，清热解毒。用于咳嗽、顿咳、暑热口渴、创伤出血、疥癣、天疱疮、
痱子。丝瓜络：清热解毒，活血通络，利尿消肿。用于筋骨痛、胸肋痛、闭经、
乳汁不通、乳痈、水肿。

葫芦科 Cucurbitaceae 苦瓜属 Momordica

苦 瓜 *Momordica charantia* L.

| 中 药 名 | 苦瓜（药用部位：全草）

| 植物形态 | 一年生攀缘状柔弱草本，多分枝；茎、枝被柔毛。卷须纤细，长达 20cm，具微柔毛，不分歧。叶片轮廓卵状肾形，膜质，长、宽均为 4~12cm，5~7 深裂，裂片卵状长圆形，边缘具粗齿。雌雄同株。雄花：单生于叶腋，花梗被微柔毛，长 3~7cm，具 1 苞片；苞片绿色，肾形，全缘，两面被疏柔毛；花萼裂片卵状披针形，被白色柔毛，长 4~6mm，宽 2~3mm，急尖；花冠黄色，裂片倒卵形，先端钝，急尖 或微凹，长 1.5~2cm，宽 0.8~1.2cm，被柔毛；雄蕊 3，离生，药室 二回折曲。雌花：单生，花梗被微柔毛，长 10~12cm，基部常具 1 苞片；子房纺锤形，密生瘤状突起，柱头 3，膨大，2 裂。果实纺锤 形或圆柱形，多瘤皱，长 10~20cm，成熟后橙黄色，由先端 3 瓣裂。

苦瓜

种子多数，长圆形，具红色假种皮，两端各具3小齿，两面有刻纹。花果期5~10月。

|分布区域|

产于海南乐东、东方、定安，南沙群岛、西沙群岛有栽培。中国各地亦普遍栽培。广泛栽培于世界热带到温带地区。

|资　　源|

栽培，常见。

|采收加工|

秋季采收果实；藤、叶、根于夏、秋季采收，洗净，切段，鲜用或晒干。

|功能主治|

根、藤、叶、果实：清热解毒，明目。用于中暑发热、牙痛、泄泻、痢疾、便血、痱子、疔疮疖肿。果肉提取物：经大鼠实验发现其有明显降糖活性。种子：甲醇提取物有镇痛作用。

|附　　注|

果实：印度用果实治疗糖尿病、肝病、风湿疼痛、痛风；土耳其用于胃溃疡。叶：圭亚那将叶浸剂作为凉血解毒药。叶汁：马来西亚用于咳嗽。

葫芦科 Cucurbitaceae **苦瓜属** Momordica

木鳖子

Momordica cochinchinensis (Lour.) Spreng.

| 中 药 名 | 木鳖子（药用部位：根、叶、种子）

| 植物形态 | 粗壮大藤本，具块状根；叶柄粗壮，长 5~10cm，在基部或中部有 2~4 个腺体；叶片卵状心形，质稍硬，长、宽均为 10~20cm，边缘有波状小齿，基部心形，基部弯缺半圆形，叶脉掌状。卷须光滑无毛，不分歧。雌雄异株。雄花：单生于叶腋或有时 3~4 着生在极短的总状花序轴上，花梗近无毛，长 3~5cm，先端生 1 大型苞片；苞片无梗，兜状，圆肾形，长 3~5cm，有缘毛；花萼筒漏斗状，有短柔毛；花冠黄色，裂片卵状长圆形，长 5~6cm，基部有齿状黄色腺体，腺体密被长柔毛，外面 2 稍大，内面 3 稍小，基部有黑斑；雄蕊 3。雌花：单生于叶腋，花梗长 5~10cm，近中部生 1 苞片；苞片兜状，长、宽均为 2mm；花冠、花萼同雄花；子房卵状长圆形，长约 1cm，密生

木鳖子

刺状毛。果实卵球形，先端有1短喙，长达12~15cm，成熟时红色，肉质，密生具刺尖的突起。种子多数，卵形，干后黑褐色，边缘有齿，两面稍拱起，具雕纹。花期6~8月，果期8~10月。

| 分布区域 |

产于海南三亚、乐东、东方、万宁、临高、文昌、澄迈、定安、琼海、海口。亦分布于中国华东、华中及西南各地中南半岛和印度半岛也有分布。

| 资　源 |

生于海拔400~1100m的山沟、林缘及路旁,常见。

| 采收加工 |

根：夏、秋季采挖块根，洗净泥土，切段，鲜用或晒干。种子：冬初采收果实，沤烂果肉，洗净种子，晒干备用。

| 功能主治 |

根、叶、种子：味甘，性温；归肝、脾、胃经。散结消肿,解毒疗疮,止痛。用于疮疡肿毒、乳痈、瘰疬、痔疮、痔漏、疥癣、头癣、秃疮。

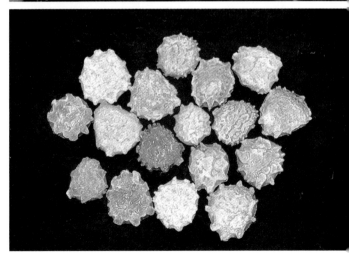

葫芦科 Cucurbitaceae 茅瓜属 Solena

茅瓜
Solena amplexicaulis (Lam.) Gandhi

| 中 药 名 | 茅瓜（药用部位：块根）

| 植物形态 | 攀缘草本，块根纺锤状。茎、枝柔弱，无毛，具沟纹。叶柄长仅0.5~1cm；叶片薄革质，多型，变异极大，边缘全缘或有疏齿。卷须纤细，不分歧。雌雄异株。雄花：10~20朵生于2~5mm长的花序梗先端，呈伞房状花序；花极小，花梗纤细，长2~8mm，几无毛；花萼筒钟状，基部圆，长5mm，直径3mm，外面无毛，裂片近钻形，长0.2~0.3mm；花冠黄色，外面被短柔毛，裂片开展，三角形，长1.5mm；雄蕊3，分离，着生在花萼筒基部，花丝纤细，无毛，长约3mm，花药近圆形，长1.3mm，药室弧状弓曲，具毛。雌花：单生于叶腋；花梗长5~10mm，被微柔毛；子房卵形，柱头3。果实红褐色，长圆状，长2~6cm，直径2~5cm，表面近平滑。种子数枚，灰白色，近圆球形，

茅瓜

直径 5mm，边缘不拱起，表面光滑无毛。花期 5~8 月，果期 8~11 月。

| 分布区域 | 产于海南三亚、乐东、昌江、白沙、五指山、万宁、澄迈。亦分布于中国华南其他区域、西南，以及台湾、福建、江西等地。南亚至东南亚也有分布。

| 资　　源 | 生于海拔 600~1200m 的疏林中，常见。

| 采收加工 | 全年或秋、冬季采挖，洗净，刮去粗皮，切片，鲜用或晒干。

| 功能主治 | 块根：味甘、苦、微涩，性寒；有毒；归肺、肝、脾经。清热化痰，利湿，散结消肿。用于热咳、痢疾、淋证、尿路感染、黄疸、风湿痹痛、喉痛、目赤、湿疹、痈肿、毒蛇咬伤、消渴、乳腺炎。

■葫芦科■ Cucurbitaceae ■栝楼属■ *Trichosanthes*

蛇 瓜
Trichosanthes anguina L.

| 中 药 名 | 蛇瓜（药用部位：根、种子、果实）

| 植物形态 | 一年生攀缘藤本；茎纤细，多分枝，具纵棱及槽，被短柔毛及疏被长柔毛状长硬毛。叶片膜质，圆形，长 8~16cm，宽 12~18cm，3~7浅裂至中裂，有时深裂，裂片极多变，通常倒卵形，两侧不对称，具短尖头，边缘具疏离细齿，叶基弯缺深心形，深约 3cm；叶柄长3.5~8cm，具纵条纹，密被短柔毛及疏被柔毛状长硬毛。卷须 2~3歧，具纵条纹，被短柔毛。雌雄同株。雄花：组成总状花序，常有1 单生雌花并生，花序梗长 10~18cm，疏被短柔毛及长硬毛，先端具 8~10 花，花梗长 5~12mm，密被短柔毛；苞片钻状披针形，长3mm；花萼筒近圆筒形，长 2.5~3cm，密被短柔毛及疏被长柔毛状硬毛，裂片狭三角形，长约 2mm，基部宽约 1mm，反折；花冠白色，

蛇瓜

裂片卵状长圆形，长 7~8mm，具 3 脉，流苏与花冠裂片近等长；花药柱卵球形；退化雌蕊具 3 纤细分离的花柱。雌花：单生，花梗长不及 1cm，密被长柔毛；花萼及花冠同雄花；子房棒状，密被极短柔毛及长柔毛状硬毛。果实长圆柱形，长 1~2m，通常扭曲，幼时绿色，具苍白色条纹，成熟时橙黄色，具种子 10 余枚。种子长圆形，藏于鲜红色的果瓤内，灰褐色，种脐端变狭，另端圆形或略截形，边缘具浅波状圆齿，两面均具皱纹。花果期夏末及秋季。

| 分布区域 | 产于海南乐东、昌江。中国各地亦普遍栽培。原产于印度。

| 资　源 | 栽培，少见。

| 采收加工 | 果实：秋季成熟后采收，鲜用或连柄摘下，防止破裂，用线将果柄串起，挂于日光下或通风处干燥。种子：在采收果实后对剖，取出种子，洗净后晒干。根：于夏、秋季间采收，鲜用或切片晒干。

| 功能主治 | 根、种子：清热化痰，散结消肿，止泻杀虫。果实：用于消渴。

葫芦科 Cucurbitaceae　栝楼属 Trichosanthes

栝　楼 *Trichosanthes kirilowii* Maxim.

| 中 药 名 | 栝楼（药用部位：果实、种子）

| 植物形态 | 攀缘藤本，块根圆柱状，粗大肥厚，淡黄褐色。茎较粗，多分枝，具纵棱及槽，被白色伸展柔毛。叶片纸质，轮廓近圆形，长、宽均为 5~20cm，常 3~5 浅裂至中裂，叶基心形，基出掌状脉 5，细脉网状；叶柄长 3~10cm，具纵条纹，被长柔毛。卷须 3~7 歧，被柔毛。雌雄异株。雄总状花序单生，或与 1 单花并生，或在枝条上部者单生，总状花序长 10~20cm，粗壮，具纵棱与槽，被微柔毛，先端有 5~8 花，单花花梗长约 15cm，小苞片倒卵形，长 1.5~2.5cm，宽 1~2cm，中上部具粗齿，基部具柄，被短柔毛；花萼筒筒状，长 2~4cm，全缘；花冠白色，裂片倒卵形，长 20mm，先端中央具 1 绿色尖头，两侧具丝状流苏，被柔毛；花药靠合，花丝分离，被长柔毛。雌花单生，

栝楼

花梗被短柔毛；花萼筒圆筒形，长 2.5cm，裂片和花冠同雄花；子房椭圆形，绿色，柱头 3。果梗粗壮，果实椭圆形或圆形，长 7~10.5cm，成熟时黄褐色或橙黄色；种子卵状椭圆形，压扁，淡黄褐色，近边缘处具棱线。花期 5~8 月，果期 8~10 月。

| 分布区域 | 海南万宁有栽培。产于中国华北、华东、中南及辽宁、陕西、甘肃、四川、贵州和云南。

| 资　　源 | 生于海拔 200~1800m 的山坡林下、灌丛中、草地或村旁田边。

| 采收加工 | 果实：成熟时采收，用剪刀在距果实 15cm 处，连茎剪下，悬挂通风干燥和晾干。
种子：果实采摘后纵剖，瓜瓤和种子放入盆内，加木灰复搓洗，取种子，冲洗干净后晒干。

| 药材性状 | 果实类球形或宽椭圆形，长 7~10.5cm，直径 6~8cm。表面橙黄色，皱缩或较光滑，先端有圆形的花柱残基，基部略尖，具残存果梗。质脆，易破开，内表面黄白色，有红黄色丝络，果瓤橙黄色，黏稠，与多数种子黏结成团。具焦糖气，味微酸甜。以个整齐、皮厚柔韧、皱缩、色杏黄或红黄、糖性足、不破者为佳。种子卵状椭圆形，扁平，长 1.1~1.8cm，宽 0.6~1.2cm，厚约 3.5mm。表面光滑，淡棕色或棕褐色。沿边缘有一圈不甚明显的棱线，先端稍尖，有一色浅的短条状种脐，基部钝圆或稍偏斜。种皮坚硬，剖开后内表面淡绿色，子叶 2。

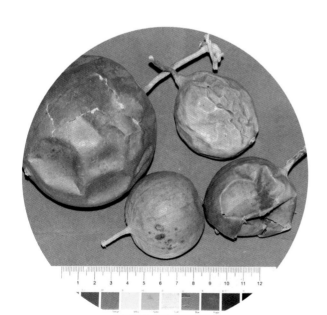

| 功能主治 |　果实：味甘、微苦，性寒；归肺、胃、大肠经。润肺，化痰，散结，滑肠。用于痰热咳嗽、胸痹、结胸、肺痿咯血、消渴、黄疸、便秘、痈肿初起。种子：味甘、微苦，性寒；归肺、胃、大肠经。润肺，化痰，滑肠。用于痰热咳嗽、燥结便秘、痈肿、乳少。

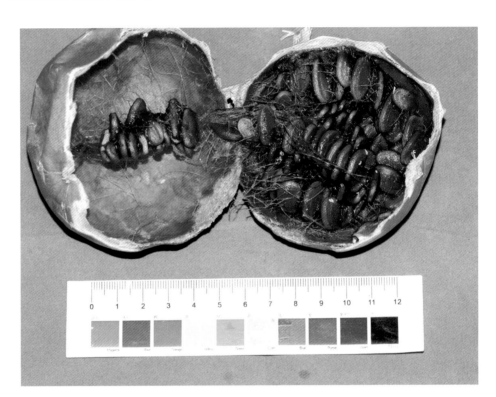

葫芦科 Cucurbitaceae 栝楼属 *Trichosanthes*

长萼栝楼
Trichosanthes laceribractea Hayata

| 中 药 名 | 长萼栝楼（药用部位：果实、种子）

| 植物形态 | 攀缘草本；茎具纵棱及槽。单叶互生，叶片纸质，形状变化较大，轮廓近圆形，长5~16cm，宽4~15cm，常3~7浅至深裂，掌状脉5~7；叶柄长1.5~9cm，具纵条纹，被短刚毛状刺毛。卷须2~3歧。雌雄异株。雄花：总状花序腋生，总梗粗壮，长10~23cm，被毛，具纵棱及槽；小苞片阔卵形，边缘具长细裂片；花梗长5~6mm；花萼筒狭线形，长约5cm，先端扩大，直径12~15mm，基部及中部宽约2mm，裂片卵形，边缘具狭的锐尖齿；花冠白色，裂片倒卵形，边缘具纤细长流苏；花药隔被淡褐色柔毛。雌花：单生，花梗长1.5~2cm，被微柔毛，基部具一线状披针形的苞片，边缘具齿裂；花萼筒圆柱状，长约4cm，萼齿线形，全缘；花冠同雄花；子房卵形，

长萼栝楼

无毛。果实球形至卵状球形，直径 5~8cm，成熟时橙黄色至橙红色，平滑。种子长方形，灰褐色，两端钝圆或平截。花期 7~8 月，果期 9~10 月。

| 分布区域 | 产于海南昌江、琼中、定安、海口。亦分布于中国华南其他区域，以及台湾、江西、湖北、四川。日本及越南也有分布。

| 资　　源 | 生于海拔 200~1000m 的山谷、山坡、路旁，偶见。

| 采收加工 | 果实：成熟时采收，用剪刀在距果实 15cm 处，连茎剪下，悬挂通风干燥或晾干。种子：果实采摘后纵剖，瓜瓤和种子放入盆内，加木灰复搓洗，取种子，冲洗干净后晒干。

| 功能主治 | 果实：润肺，化痰，散结，滑肠。用于痰热咳嗽、胸痹、结胸、肺痿咯血、消渴、黄疸、便秘、痈肿初起。种子：润肺，化痰，滑肠。用于痰热咳嗽、燥结便秘、痈肿、乳少。

■ 葫芦科 ■ Cucurbitaceae ■ 栝楼属 ■ *Trichosanthes*

中华栝楼
Trichosanthes rosthornii Harms

| 中 药 名 | 中华栝楼（药用部位：根、果实、种子）

| 植物形态 | 攀缘藤本；块根条状，肥厚，淡灰黄色，具横瘤状突起。叶片纸质，轮廓阔卵形至近圆形，长 8~12cm，宽 7~11cm，3~7 深裂，通常 5 深裂，几达基部。卷须 2~3 歧。雌雄异株。雄花：单生或为总状花序，或两者并生；先端具 5~10 花；小苞片菱状倒卵形，长 6~14mm，宽 5~11mm，先端渐尖，中部以上具不规则的钝齿，基部渐狭，被微柔毛；小花梗长 5~8mm；花萼筒狭喇叭形，先端尾状渐尖，全缘，被短柔毛；花冠白色，裂片倒卵形，长约 15mm，被短柔毛，先端具丝状长流苏；花丝被柔毛。雌花：单生，花梗长 5~8cm，被微柔毛；花萼筒圆筒形，被微柔毛，裂片和花冠同雄花；子房椭圆形，被微柔毛。果实球形，长 8~11cm，光滑无毛，成熟时果皮及果瓤均为橙黄色；果梗

中华栝楼

长 4.5~8cm。种子卵状椭圆形，扁平，褐色，距边缘稍远处具一圈明显的棱线。花期 6~8 月，果期 8~10 月。

| **分布区域** | 产于海南昌江。亦分布于中国广东、广西、江西、贵州、云南、四川等地。

| **资　　源** | 生于山谷密林、山坡灌丛或草丛中，偶见。

| **采收加工** | 根：于夏、秋季间采收，鲜用或切片晒干。果实：秋季果熟后采收，鲜用或连柄摘下，防止破裂，用线将果柄串起，挂于日光下或通风处干燥。种子：在采收果实后对剖，取出种子，洗净后晒干。

| **功能主治** | 根：清热化痰，养胃生津，解毒消肿。用于肺热燥咳、津伤口渴、消渴、疮疡疔肿。果实：味甘、微苦，性寒；归肺、胃、大肠经。润肺，化痰，散结，滑肠。用于痰热咳嗽、胸痹、结胸、肺痿咯血、消渴、黄疸、便秘、痈肿初起。种子：味甘、微苦，性寒；归肺、胃、大肠经。润肺，化痰，滑肠。用于痰热咳嗽、燥结便秘、痈肿、乳少。

葫芦科 Cucurbitaceae 马㼎儿属 Zehneria

马㼎儿
Zehneria indica (Lour.) Keraudren

| 中 药 名 | 马㼎儿（药用部位：根、叶或全草）

| 植物形态 | 攀缘或平卧草本；茎、枝纤细，疏散，有棱沟，无毛。叶柄长 2.5~3.5cm；叶片膜质，多型，脉掌状。雌雄同株。雄花：单生或稀 2~3 生于短的总状花序上；花序无毛；花梗无毛；花萼宽钟形，长 1.5mm；花冠淡黄色，有极短的柔毛，裂片长圆形；雄蕊 3，花药卵状长圆形，有毛。雌花：在与雄花同一叶腋内单生或稀双生；花梗丝状，无毛，花冠阔钟形，直径 2.5mm，裂片披针形，先端稍钝，长 2.5~3mm，宽 1~1.5mm；子房狭卵形，有疣状突起，花柱短，柱头 3 裂，退化雄蕊腺体状。果梗纤细，无毛，长 2~3cm；果实长圆形，外面无毛，成熟后橘红色或红色。种子灰白色，卵形，基部稍变狭，边缘不明显，长 3~5mm，宽 3~4mm。花期 4~7 月，果期 7~10 月。

马㼎儿

| **分布区域** | 产于海南乐东、东方、昌江、白沙。亦分布于中国长江以南各地。越南、印度尼西亚、菲律宾、印度、日本及朝鲜也有分布。

| **资　　源** | 生于海拔 500~1200m 的林中、路旁，偶见。

| **采收加工** | 根：夏、秋季采收，挖块根，去泥及细根，洗净，切厚片。茎、叶：切碎，鲜用或晒干。

| **药材性状** | 块根呈薯状，表面土黄色至棕黄色。切面粉白色至黄白色，粉性；质坚脆，易折断。茎纤细扭曲，暗绿色或灰白色，有细纵棱。卷须细丝状。单叶互生，皱缩，卷曲，多破碎，完整叶呈三角状卵形或心形，上表面绿色，密布灰白色小凸点，下表面灰绿色，叶脉明显。气微，味微涩。

| **功能主治** | 根、叶：清热解毒，消肿散结。用于咽喉肿痛、目赤、结膜炎、疮疡肿毒、瘰疬、子痈、皮肤湿疹。全草：味甘、苦，性凉；归肺、肝、脾经。清热解毒，利尿消肿，除痰散结。用于瘰疬、烫火伤、皮肤瘙痒、疮疡肿毒。

葫芦科 Cucurbitaceae 马㼎儿属 Zehneria

钮子瓜 *Zehneria maysorensis* (Wight et Arn.) Arn.

| **中 药 名** | 钮子瓜（药用部位：全草或果实、根）

| **植物形态** | 草质藤本；茎、枝细弱，伸长，有沟纹，多分枝。叶柄细，长 2~5cm，无毛；叶片膜质，宽卵形，长、宽均为 3~10cm，脉掌状。卷须丝状，单一，无毛。雌雄同株。雄花：常 3~9 生于总梗先端，呈近头状或伞房状花序，花序梗纤细，长 1~4cm，无毛；雄花梗开展，极短，长 1~2mm；花萼筒宽钟状，裂片狭三角形，长 0.5mm；花冠白色，裂片卵形，长 2~2.5mm，先端近急尖，上部常被柔毛；雄蕊 3，插生在花萼筒基部，花丝被短柔毛。雌花：单生，稀几朵生于总梗先端或极稀雌雄同序；子房卵形。果梗无毛，长 0.5~1cm；果实球状，直径 1~1.4cm，浆果状，外面光滑无毛。种子卵状长圆形，扁压，平滑，边缘稍拱起。花期 4~8 月，果期 8~11 月。

钮子瓜

| **分布区域** | 产于海南乐东、东方、五指山、保亭、陵水、琼中、澄迈、昌江、白沙。亦分布于中国华南其他区域，以及福建、江西、贵州、云南、四川。印度半岛、中南半岛，以及印度尼西亚、菲律宾及日本也有分布。 |

| **资　　源** | 生于海拔500~1000m的疏林中，常见。 |

| **采收加工** | 夏、秋季采收，洗净，鲜用或晒干。 |

| **功能主治** | 全草、果实、根：味甘，性平。清热利湿，镇痉，消肿散瘀，化痰，利尿。用于小儿高热、抽筋、痈疮肿毒。 |

秋海棠科 Begoniaceae 秋海棠属 Begonia

紫背天葵

Begonia fimbristipula Hance

| **中 药 名** | 红天葵（药用部位：块茎或全草）

| **植物形态** | 多年生无茎草本；根茎球状，直径7~8mm，具多数纤维状的根。叶均基生，具长柄；叶片两侧略不相等，边缘有大小不等的三角形重锯齿，下面淡绿色，沿脉被毛，掌状脉7，叶柄长4~11.5cm，被卷曲长毛；托叶小，卵状披针形，边撕裂状。花葶高6~18cm，无毛；花粉红色，数朵，二至三回二歧聚伞状花序，小苞片膜质，长圆形，无毛。雄花：花梗长1.5~2cm，无毛；花被片4，红色，外面2宽9~10mm，外面无毛，内面2宽4~5mm；雄蕊多数，花丝长1~1.3mm，花药长圆形，长约1mm。雌花：花梗长1~1.5cm，无毛，花被片3，外面2宽卵形至近圆形，近等宽，内面的倒卵形，宽3~4.2mm，基部楔形，子房长圆形，无毛，3室，每室胎座具2裂片，

紫背天葵

具不等 3 翅；花柱 3，长 2.8~3mm，近离生或 1/2，无毛，柱头增厚，外向扭曲呈环状。蒴果下垂，果梗长 1.5~2mm，无毛，轮廓倒卵长圆形，长约 1.1mm，直径 7~8mm，无毛，具有不等 3 翅，大的翅近舌状，长 1.1~1.4cm，宽约 1cm，其余 2 翅窄，长约 3mm；种子极多数，小，淡褐色，光滑。花期 5 月，果期 6 月。

| **分布区域** | 产于海南东方、陵水。亦分布于中国华南其他区域，以及湖南、江西、福建、浙江、贵州。

| **资　　源** | 生于阴湿岩石上，偶见。

| **采收加工** | 块茎：春、夏季挖取，洗净，晒干或鲜用。全草：夏、秋季采收，洗净，晒干。

| **功能主治** | 味甘，性凉。清热解毒，止血凉血，止咳化痰，散瘀消肿。用于暑热高热、肺热咳嗽、咯血、风湿骨痛、跌打损伤、血瘀疼痛、疮毒、疥癣、烫火伤。

秋海棠科 Begoniaceae 秋海棠属 Begonia

盾叶秋海棠 *Begonia peltatifolia* H. L. Li

| 中 药 名 | 岩蜈蚣（药用部位：全草）

| 植物形态 | 多年生草本。根茎伸长，圆柱状，扭曲，长约4cm，节密，被膜质的褐色鳞片和多数粗壮纤维状的根。叶盾形，均基生，具长柄；叶片厚纸质，两侧略不等，椭圆形，长10~11cm，宽7.5~8.5cm，先端骤然短尾尖，基部圆，边全缘，上面褐绿色，有下陷小窝孔，无毛，下面有蜂窝状突起，无毛；叶柄长10~18cm，有纵棱，无毛。花葶高可达20cm，有纵棱，无毛；花4~8，呈三至四回二歧聚伞花序，苞片早落。雄花：花梗长10~12mm，近无毛，花被片4，外面2大，近圆形，宽、长几相等，长1.2~1.5cm，内轮2小，长6~7mm，宽约2mm；雄蕊多数，花丝长1.5~1.8mm，离生，整体呈球状。雌花：花梗长1.5~1.8cm，近无毛，花被片2，近圆形，长13~15mm，宽约

盾叶秋海棠

15mm；子房倒卵状长圆形，长约 9mm，直径 4~5mm，无毛，3 室，每室胎座具 2 裂片，具不等 3 翅；花柱 3，离生，柱头 2 裂，平展，密被刺状乳头。蒴果下垂，果梗长约 2.2cm，无毛，轮廓倒卵球形，长约 1.3cm，直径 7~8mm，无毛，有不等大 3 翅，大的宽斜三角形，长 10~12mm，直径 8~9mm，其余 2 翅窄，无毛；种子极多数，小，长圆形，淡褐色，无毛。花期 6~7 月，果期 7 月。

| **分布区域** | 产于海南东方、昌江、白沙。

| **资　　源** | 生于海拔 200~1500m 的石山上，少见。

| **采收加工** | 秋季采收，洗净，晒干或鲜用。

| **药材性状** | 根茎为不规则扁圆柱形，扭曲，长约 4cm，有分枝，直径 0.3~0.8cm；表面灰棕色至红棕色，粗糙，具纵皱纹；上面有数个类圆形盘状疤痕，下面着生多数须根，节明显，节间长 2~6mm；质脆，易折断，断面不整齐，粉红色。根茎先端常有 2~4 盾状叶，纸质，两面光滑无毛，全缘或浅波状，叶柄长 10~18cm，具有明显的纵纹。花葶有花 4~8，蒴果偶见，淡红色，有 3 不等大的翅，长约 1.2cm。气微，味涩、微酸。

| **功能主治** | 全草：祛瘀止血，消肿止痛。用于骨折、跌打损伤、风湿腰腿痛、痈疖疮肿、感冒、咽喉肿痛、肺结核、颈淋巴结结核、咳嗽、食滞、吐血、血尿、闭经。

秋海棠科 Begoniaceae 秋海棠属 Begonia

粗喙秋海棠
Begonia crassirostris Irmsch.

| 中 药 名 | 红半边莲（药用部位：根茎或全草）

| 植物形态 | 多年生草本。球茎膨大，呈不规则块状，直径可达 2.5cm，有残存褐色的鳞片和多数粗壮纤维状的根。叶互生，具柄；叶片两侧极不相等，轮廓披针形至卵状披针形，长 8.5~17cm，宽 3.4~7cm，先端渐尖至尾状渐尖，基部极偏斜，呈微心形，窄侧宽楔形至微心形，宽侧向下延长 1.5~5cm，呈宽圆耳锤状，边缘有大小不等极疏的带突头之浅齿，齿尖有短芒，上面褐绿色，下面淡绿色，皆无毛，掌状脉 7，均达叶缘，中部以上呈羽状脉；叶柄长 2.5~4.7cm，近无毛；膜质托叶早落。花 2~4，白色，腋生，二歧聚伞状；花梗长 8~12mm，近无毛；膜质披针形苞片早落。雄花：花被片 4，外轮 2 呈长方形，长约 8.5mm，宽 5~6mm，内轮 2 长圆形，长约 6mm，

粗喙秋海棠

先端平；雄蕊多数，花丝离生。雌花：花被片 4，和雄花被片相似；子房近球形，先端具长约 3mm 之粗喙，3 室，中轴胎座，每室胎座具 2 裂片；花柱 3，近基部合生，柱头呈螺旋状扭曲，并带刺状乳突。蒴果下垂，果梗长约 12mm；轮廓近球形，直径 17~18mm，无毛。先端具粗厚长喙，无翅，无棱；种子极多数，小，淡褐色，光滑。花期 4~5 月，果期 7 月。

| **分布区域** | 产于海南乐东、东方、昌江、白沙、五指山、万宁。亦分布于中国华南其他区域，以及湖南、云南。越南、老挝、缅甸、泰国、马来西亚、印度、印度尼西亚、不丹也有分布。

| **资　　源** | 生于海拔 300m 左右的林下湿处或岩石上。

| **采收加工** | 全草：全年均可采收，鲜用或晒干。根茎：秋、冬季挖取，洗净泥沙，切碎，鲜用或晒干或烘干。

| **药材性状** | 全草干燥皱缩，长 90~150cm，茎直径 2~8mm，表皮显棕褐色，无毛，有膨大的节。叶多皱缩破碎，展开后呈长圆形，长 8.5~17cm，宽 3.4~7cm，暗绿色，先端渐尖，基部心形，无毛，边缘疏生小齿。聚伞花序生叶腋间，花黄色。气微，味酸涩。

| 功能主治 | 凉血解毒，消肿止痛。用于急性咽喉炎、牙龈肿痛、疮疖肿毒、热病便血、疥癣、毒蛇咬伤、烫火伤。

| 附　　注 | 在 FOC 中，其学名被修订为粗喙秋海棠 *Begonia longifolia* Blume。

| 秋海棠科 | Begoniaceae | 秋海棠属 | Begonia |

红毛香花秋海棠

Begonia handelii var. *rubropilosa* (S. H. Huang & Y. M. Shui) C. I Peng

| 中 药 名 | 红毛香花秋海棠（药用部位：根茎或全草）

| 植物形态 | 多年生草本，植株各部被红色疏柔毛。无直立茎，根茎圆柱形，常有匍匐枝，有残存褐色的鳞片，周围生出多数细长的根。叶草质，基生，具长柄；叶片两侧不相等，轮廓宽卵形，长 8~11cm，宽6~10cm，先端急尖，基部偏斜，呈心形，宽侧下延 1.6~2.1cm，呈圆耳垂状，叶边缘有不规则齿，上面为褐绿色，下面为深绿色；掌状脉 7；叶柄长 13~15cm；膜质披针形托叶，长 1.5~2cm。花葶有棱，呈伞房状聚伞花序，花序梗长约 4cm；膜质苞片长 8~15mm，花梗长 2~4.5cm，被毛；披针形小苞片长 1.2~2cm。雄花：花被片 4，外轮 2 卵形，长 3~5.5cm，宽 1.8~2.5cm，内轮花被片 2，窄长圆形或带状，长约 1.8cm，宽 5~7mm；雄蕊多数，花丝长 2~2.5mm，离生。

红毛香花秋海棠

雌花：花被片 4，外轮 2 花被片长约 3cm，宽 1.8~2.1cm，内轮 2 花被片长约 1.9mm，宽约 6mm；子房倒卵球形，4 室，每室胎座具 2 裂片；花柱 4，柱头 2 分枝，螺旋状扭曲。果实 4 棱。花期 1 月，果期 4 月。

| 分布区域 |

产于海南琼中、万宁。亦分布于中国云南。

| 资　　源 |

生于海拔 200~500m 的林下湿处或岩石上。

| 采收加工 |

全草：全年均可采收，鲜用或晒干。根茎：秋、冬季挖取，洗净泥沙，切碎，鲜用或晒干或烘干。

| 功能主治 |

同属植物多有凉血解毒、消肿止痛之效，本种或有类似功能，其功能有待进一步研究。

| 附　　注 |

本种为海南新记录植物。

秋海棠科 *Begoniaceae* 秋海棠属 *Begonia*

五指山秋海棠 *Begonia wuzhishanensis* C.-I Peng, X. H. Jin & S. M. Ku

| 中 药 名 | 五指山秋海棠（药用部位：根茎或全草）

| 植物形态 | 多年生落叶草本。茎直立，叶互生，叶柄长 2.5~4cm，托叶三角形，叶片心形，近对称，长 3.5~8cm，宽 3~7.5cm，纸质，边缘具不规则重锯齿。花序腋生，二歧聚伞花序分枝。蒴果有节，长约 1.6cm，宽 1.2cm，翅不等长，三角形，背面翅长约 1.2cm，侧翅长约 0.4cm，花柱宿存。

| 分布区域 | 产于海南五指山。海南特有种。

| 资　　源 | 生于林中溪边长满青苔的潮湿岩石上。

五指山秋海棠

| **采收加工** | 全草：全年均可采收，鲜用或晒干。根茎：秋、冬季挖取，洗净泥沙，切碎，鲜用或晒干或烘干。 |

| **功能主治** | 秋海棠属粗喙秋海棠的根茎或全草具有凉血解毒、消肿止痛的功能。本属内植物形态相似，同属植物或许有类似药效，其作用有待进一步研究。 |

秋海棠科 Begoniaceae　秋海棠属 Begonia

保亭秋海棠 *Begonia augustinei* Hemsl.

| 中 药 名 |

保亭秋海棠（药用部位：根茎或全草）

| 植物形态 |

多年生肉质草本，无地上茎，直立，高约
30cm。叶稍肉质，具长叶柄，斜圆卵形，长
10~13cm，宽 9~15cm，先端渐尖，基部阔
心形，裂片圆形，近相等，边缘具不规则的
齿，腹面暗绿色，稀被小粗硬毛或无毛，背
面少有被疏柔毛或无毛；掌状脉 7~8；叶柄
长 14~25cm；托叶膜质，阔三角形，渐尖，
长约 1cm，宽约 0.8cm。花茎和叶柄相似，
稍长，顶部具聚伞花序，少花；苞片小，早
落；雄花萼片 2，椭圆形，花瓣 2，长圆形；
雌花较小，萼片与花瓣 5~6，倒卵状长圆形，
不相等。蒴果具 3 不相等的翅，其中 1 翅较大，
大的翅先端圆形，长约 1.6cm，宽约 1cm，
具明显的脉。花期夏季。

| 分布区域 |

产于海南保亭。亦分布于中国云南。

| 资　　源 |

生于海拔 960~1500m 的灌丛下或山谷潮湿
处石上。

保亭秋海棠

采收加工

全草：全年均可采收，鲜用或晒干。根茎：秋、冬季挖取，洗净泥沙，切碎，鲜用或晒干或烘干。

功能主治

秋海棠属粗喙秋海棠的根茎或全草具有凉血解毒、消肿止痛的功能。本属内植物形态相似，同属植物或许有类似药效，其作用有待进一步研究。

秋海棠科 Begoniaceae　秋海棠属 Begonia

裂叶秋海棠
Begonia palmata D. Don

| 中 药 名 |　裂叶秋海棠（药用部位：全草）

| 植物形态 |　稍肉质草本；根茎粗而长，茎直立或匍匐。茎和叶柄均密被或被锈褐色交织的绒毛；叶片轮廓和大小变化较大，通常斜卵形，长5~16cm，宽 3.5~13cm，浅至中裂，裂片宽三角形至窄三角形，先端渐尖，边缘有齿或微具齿，基部斜心形，上面密被短小而基部带圆形的硬毛，有时散生长硬毛，下面沿脉密被或被锈褐色交织的绒毛。花玫瑰色或白色，花被片外面密被混合毛。花期 6 月，果期 7 月。

| 分布区域 |　产于海南各地。亦分布于中国广东、香港、台湾、福建、广西、湖南、江西、贵州、四川、云南等。

裂叶秋海棠

| 资　　源 |

生于河边阴处湿地、山谷阴处岩石上。

| 采收加工 |

夏、秋季挖取全草，洗净，晒干。

| 功能主治 |

清热解毒，散瘀消肿。用于肺热咳嗽、疔疮痈肿、痛经、闭经、风湿热痹、跌打肿痛、毒蛇咬伤。

番木瓜科 Caricaceae 番木瓜属 Carica

番木瓜 *Carica papaya* L.

| 中 药 名 |

番木瓜（药用部位：果实、根、叶、花）

| 植物形态 |

常绿软木质小乔木，具乳汁和螺旋状排列的托叶痕。叶大，聚生于茎先端，近盾形，通常 5~9 深裂，每个裂片再为羽状分裂；叶柄中空。花单性或两性，植株有雄株、雌株和两性株。雄花：排列成圆锥花序，长达 1m，下垂；花无梗；萼片基部连合；花冠乳黄色，冠管细管状，花冠裂片 5，披针形，长约 1.8cm，宽 4.5mm；雄蕊 10，5 长 5 短，短的几无花丝，长的花丝白色，被白色绒毛；子房退化。雌花：单生或由数朵排列成伞房花序，着生于叶腋内，近无梗，萼片 5，长约 1cm，中部以下合生；花冠裂片 5，分离，乳黄色或黄白色，长圆形；花柱 5，柱头数裂，近流苏状。两性花：雄蕊 5 或 10，排列成 2 轮，冠管长 1.9~2.5cm，花冠裂片长圆形，长约 2.8cm，宽 9mm，子房比雌株子房小。浆果肉质，成熟时橙黄色或黄色，长圆球形，倒卵状长圆球形、梨形或近圆球形，长 10~30cm 或更长，果肉柔软多汁，味香甜；种子多数，卵球形，成熟时黑色，外种皮肉质，内种皮木质，具皱纹。花果期全年。

番木瓜

分布区域

产于海南乐东、东方、白沙、五指山、琼中、儋州、南沙群岛、西沙群岛。中国华南其他区域,以及台湾、云南等地十分常见栽培。原产于美洲热带地区,现世界各热带、亚热带地区普遍种植。

资 源

栽培,十分常见。

采收加工

夏、秋季采收成熟果实,鲜用或切片晒干。

药材性状

浆果较大,长圆或矩圆形,长 10~35cm,直径 7~12cm,成熟时棕黄或橙黄色,有 10 条浅纵槽,果肉厚,黄色,有白色浆汁,内壁着生多数黑色种子,椭圆形,外方包有多浆、淡黄色假种皮,长 6~7mm,直径 4~5mm,种皮棕黄色,具网状突起。

功能主治

果实:味甘,性平。消食健胃,舒筋活络,驱虫,消肿解毒,通乳,降压。用于消化不良、绦虫病、蛲虫病、痈疖肿毒、湿疹、蜈蚣咬伤、溃疡病、产妇乳少、预防孕妇流产、痢疾、高血压、二便不畅、风湿关节痛、肢体麻木、烂脚。根、叶、花:用于骨折、肿毒溃烂、生殖功能障碍。

仙人掌科 Cactaceae 量天尺属 *Hylocereus*

量天尺
Hylocereus undatus (Haw.) Britt. et Rose

| 中 药 名 | 量天尺（药用部位：茎、花）

| 植物形态 | 攀缘肉质灌木，具气根。分枝多数，具 3 角或棱，长 0.2~0.5m，宽 3~8cm，棱常翅状，边缘波状，深绿色至淡蓝绿色，无毛，老枝边缘常胼胝体状，淡褐色，骨质；小窠沿棱排列，相距 3~5cm，直径约 2mm；每个小窠具 1~3 开展的硬刺；刺锥形，长 2~5mm，灰褐色至黑色。花漏斗状，长 25~30cm，直径 15~25cm，于夜间开放；花托及花托筒密被淡绿色或黄绿色鳞片，鳞片披针形；萼状花被片黄绿色，线形，长 10~15cm；瓣状花被片白色，长圆状倒披针形，长 12~15cm，具 1 芒尖，边缘全缘或啮蚀状，开展；花丝黄白色，长 5~7.5cm；花药长 4.5~5mm，淡黄色；花柱黄白色；柱头 20~24，线形，黄白色。浆果红色，长球形，长 7~12cm，果脐小，果肉白色。种子倒卵形，长 2mm，黑色，种脐小。花期 7~12 月。

量天尺

| 分布区域 |

产于海南乐东、万宁、琼中、儋州。中国华南其他区域亦有栽培。原产于阿根廷。

| 资　　源 |

多见于村边，有时逸生于疏林和较干燥的林缘树上，常见。

| 采收加工 |

茎：全年均可采，洗净去皮、刺，鲜用。花：在 5~8 月开后采收，鲜用或置通风处晾干。

| 药材性状 |

花纵向切开，呈不规则长条状，长 25~30cm。萼片棕色至黄棕色，萼管下部细长，扭曲，外被皱缩的鳞片；花瓣数轮，棕色或黄棕色，狭长披针形，有纵脉；雄蕊多数。气微，味稍甜。

| 功能主治 |

茎：味甘、淡，性凉。舒筋活络，解毒。外用于骨折、流行性腮腺炎、疮肿。花：味甘，性微寒；归肺经。清热润肺，止咳。用于肺痨、支气管炎、咳嗽、瘰疬。

仙人掌

Opuntia stricta (Haw.) Haw. var. *dillenii* (Ker-Gawl.) Benson

| 中 药 名 | 仙人掌（药用部位：全株或花、果实）

| 植物形态 | 丛生肉质灌木，高 1.5~3m。上部分枝宽倒卵形，边缘通常呈不规则波状，绿色至蓝绿色，无毛；小窠疏生，直径 0.2~0.9cm，成长后刺常增粗并增多，每个小窠具 3~10 根刺，密生短绵毛和倒刺刚毛；刺黄色，有淡褐色横纹，粗钻形，多少开展并内弯，基部扁，坚硬，长 1.2~4cm，宽 1~1.5mm；倒刺刚毛暗褐色，长 2~5mm，直立，多少宿存；短绵毛灰色，短于倒刺刚毛，宿存。叶钻形，长 4~6mm，绿色，早落。花辐状，直径 5~6.5cm；花先端截形并凹陷，绿色，疏生突出的小窠，小窠具短绵毛、倒刺刚毛和钻形刺；萼状花被片倒卵形，长 10~25mm，宽 6~12mm，具小尖头，黄色，具绿色中肋；瓣状花被片倒卵形，长 25~30mm，宽 12~23mm，先端圆形、截形

仙人掌

或微凹，边缘全缘；花丝淡黄色，花药黄色；花柱淡黄色；柱头 5，长 4.5~5mm，黄白色。浆果倒卵球形，先端凹陷，基部狭缩成柄状，长 4~6cm，表面平滑无毛，紫红色，每侧具 5~10 突起的小窠，小窠具短绵毛、倒刺刚毛和钻形刺。种子多数，扁圆形，边缘稍不规则，无毛，淡黄褐色。花期 6~10 月。

| 分布区域 | 产于海南三亚、乐东、万宁、南沙群岛、西沙群岛，栽培。中国南方亦常见栽培，华南其他区域以及云南、四川等地见有野生。原产于中美洲，现广布于世界热带和亚热带地区。

| 资　源 | 沿海沙滩有野生，海边常见。

| 采收加工 | 全株：全年可采，去除刺，鲜用或晒干。花、果实：花果期采收，鲜用或晒干。

| 功能主治 | 全株：味苦，性寒；归心、肺、胃经。行气活血，清热解毒，消肿止痛，健胃镇咳。用于胃痛、急性痢疾、流行性腮腺炎、痈疖肿毒、蛇咬伤、烫火伤。鲜品：捣烂后用纱布包外敷患处，用于因药物外渗而致肿痛及继发性静脉炎。花：用于吐血。果实：补脾健胃，益脚力，除久泻。肉质茎中的浆汁凝结物：用于怔忡、便血、痔血、咽喉痛、疔肿。

仙人掌科 Cactaceae 木麒麟属 *Pereskia*

樱麒麟
Pereskia bleo (Kunth) DC.

| 中 药 名 | 樱麒麟（药用部位：花、果实）

| 植物形态 | 外形呈灌木或藤本状。株高一般 6~7m，最高可达 15m。枝条较粗壮，茎部光润，节部明显，虽然多肉，但易木质化。叶基腋处生有数枚深褐色长锐刺。叶片多肉质而肥厚，有短柄，表面光滑具蜡质，全缘，叶亮绿色。总状花序顶生，花淡紫红色，辐射状，直径 5~6cm。花期 5~10 月。果期 6~10 月。

| 分布区域 | 海南海口、三亚有栽培。中国华南大部分地区均可露地栽培，北方可盆栽观赏。

| 资　　源 | 多生于温暖湿润的环境。

樱麒麟

| **采收加工** | 花果期采收，鲜用或晒干。

| **功能主治** | 同科的仙人掌全株具有行气活血、清热解毒、消肿止痛、健胃镇咳等作用。有关本种的功能主治报道较少，有待进一步研究，或与仙人掌有相似功效。

仙人掌科 Cactaceae 蟹爪属 Schlumbergera

蟹爪兰
Schlumbergera truncata (Haw.) Moran

| **中 药 名** | 蟹爪兰（药用部位：地上部分）

| **植物形态** | 肉质植物，常呈灌木状，多分枝。老茎木质化，稍呈圆柱状，幼枝及分枝扁平；茎节短，长圆形或倒卵形，长 3~6cm，宽 1.5~2.5cm，鲜绿色，嫩时或在冬季多少带紫色，先端截形，两侧各有 2~4 粗而多少内弯的锯齿，两面具肥厚的中肋。无叶。花生于嫩茎节的先端，玫瑰红色，两侧对称，长 6~9cm；花萼 1 轮，基部连合成短管状，先端有齿；花瓣数层，下部长管状，越向内管越长，上部分离，外折或背曲；雄蕊多数，2 轮，向上弯曲；花柱长于雄蕊，深红色，柱头 6~9 裂；子房梨形或广卵圆形。浆果红色，直径约 1cm。花期 1~3 月。

蟹爪兰

| **分布区域** | 海南各公园常见栽培。世界热带或亚热带地区常见栽培。原产于巴西东部。 |

| **资　源** | 栽培，常见。 |

| **采收加工** | 全年均可采收，洗净，鲜用。 |

| **功能主治** | 解毒消肿。用于疮疡肿痛、腮腺炎。 |

仙人掌科 Cactaceae **仙人柱属** *Cereus*

六角柱
Cereus peruvianus (L.) Mill

| 中 药 名 |

六角柱（药用部位：全株或花、果实）

| 植物形态 |

肉质植物，但本种的植物形态特征尚未查清。本属的植物植株呈灌丛状，分枝多而具棱角，窠孔内具刺及绵毛。花大而长，夜间开放，通常单朵生于茎之一侧，花后不久，花被即凋落，萼片通常淡绿色；花瓣白色或红色；雄蕊多数；子房外被鳞片。果实熟时红色，稀黄色，常可食，一边开裂。

| 分布区域 |

产于海南各地。原产于南美洲。

| 资　　源 |

栽培，常见。

| 采收加工 |

全株：全年可采，去除刺，鲜用或晒干。花、果实：花果期采收，鲜用或晒干。

六角柱

| 功能主治 | 本属的植物形态特征与同科的仙人掌相似，其全株具有行气活血、清热解毒、消肿止痛、健胃镇咳等作用。有关本种的功能主治报道较少，有待进一步研究。

山茶科 Theaceae 杨桐属 Adinandra

海南杨桐
Adinandra hainanensis Hayata

| 中 药 名 | 海南杨桐（药用部位：茎、叶）

| 植物形态 | 灌木或乔木，树皮深褐色或灰褐色；枝圆筒形，小枝褐色或灰褐色，无毛。叶互生，革质，长圆状椭圆形，长 6~8cm，宽 2~3cm，边缘有细锯齿；侧脉 10~13 对；叶柄被短柔毛。花单朵，稀 2 腋生，花梗长 7~10mm，通常下垂，密被灰褐色平伏短柔毛；小苞片 2，早落，卵形，长约 3mm，外面被平伏短柔毛；萼片 5，卵圆形，长 6~10mm，外面密被灰褐色平伏绢毛，外层萼片边缘常具暗红色腺点，内层的膜质，边近全缘；花瓣 5，白色，长圆形，长 7~9mm，外面中间部分密被黄褐色平伏绢毛；雄蕊 30~35，花丝长 3~4mm，无毛，花药线形，有丝毛，先端有小尖头；子房卵圆形，密被灰褐色绢毛，花柱密被绢毛。果实圆球形，熟时紫黑色，直径 1~1.5cm，被毛；

海南杨桐

种子多数，扁肾形，亮褐色，表面具网纹。花期 5~6 月，果期 9~10 月。

| **分布区域** | 产于海南三亚、乐东、东方、昌江、白沙、五指山、陵水、万宁、琼中、儋州、澄迈、定安、琼海。亦分布于中国华南其他区域。越南也有分布。

| **资　　源** | 生于低海拔的林中，十分常见。

| **采收加工** | 全年均可采收，鲜用或晒干。

| **功能主治** | 止咳，通窍。用于口疮、鼻咽癌。

山茶科 Theaceae　山茶属 Camellia

山 茶 *Camellia japonica* L.

|中 药 名|

山茶（药用部位：根、叶、花）

|植物形态|

灌木或小乔木，嫩枝无毛。叶革质，椭圆形，长 5~10cm，宽 2.5~5cm，先端略尖，基部阔楔形，无毛，侧脉 7~8 对，边缘有细锯齿。叶柄长 8~15mm，无毛。花顶生，红色，无柄；苞片及萼片约 10，组成长 2.5~3cm 的杯状苞被，半圆形至圆形，长 4~20mm，外面有绢毛，脱落；花瓣 6~7，外侧 2 近圆形，长 2cm，外面有毛，内侧 5 基部连生约 8mm，倒卵圆形，长 3~4.5cm，无毛；雄蕊 3 轮，长 2.5~3cm，外轮花丝基部连生，花丝管长 1.5cm，无毛；内轮雄蕊离生，稍短，子房无毛，花柱长 2.5cm，先端 3 裂。蒴果圆球形，直径 2.5~3cm，2~3 室，每室有种子 1~2，3 片裂开，果爿厚木质。花期 1~4 月。

|分布区域|

产于海南海口。亦分布于中国江西、福建、台湾、浙江、四川、山东。日本、朝鲜也有分布。

山茶

资　　源	生于海拔 300~1100m 的林中，少见。
采收加工	根、叶：全年均可采，洗净晒干，叶还可鲜用。花：花朵盛开期分批采收，晒干。
功能主治	根：消肿止痛。用于跌打损伤。叶、花：凉血止血，散瘀消肿。用于吐血、衄血、血崩、肠风、血痢、血淋、跌打损伤、烫火伤。

山茶科 Theaceae 山茶属 *Camellia*

油 茶
Camellia oleifera Abel.

| 中 药 名 |　油茶（药用部位：根皮、花、种子）

| 植物形态 |　灌木或中乔木；嫩枝有粗毛。叶革质，椭圆形、长圆形或倒卵形，先端尖而有钝头，有时渐尖或钝，基部楔形，长 5~7cm，宽 2~4cm，有时较长，上面深绿色，发亮，中脉有粗毛或柔毛，下面浅绿色，无毛或中脉有长毛，侧脉在上面能见，在下面不很明显，边缘有细锯齿，有时具钝齿，叶柄长 4~8mm，有粗毛。花顶生，近于无柄，苞片与萼片约 10，由外向内逐渐增大，阔卵形，长 3~12mm，背面有贴紧柔毛或绢毛，花后脱落，花瓣 5~7，白色，倒卵形，长 2.5~3cm，宽 1~2cm，有时较短或更长，先端凹入或 2 裂，基部狭窄，近于离生，背面有丝毛，至少在最外侧的有丝毛；雄蕊长 1~1.5cm，外侧雄蕊仅基部略连生，偶有花丝管长达 7mm 的，无

油茶

毛，花药黄色，背部着生；子房有黄长毛，3~5室，花柱长约1cm，无毛，先端不同程度3裂。蒴果球形或卵圆形，直径2~4cm，3室或1室，3片或2片裂开，每室有种子1或2，果爿厚3~5mm，木质，中轴粗厚；苞片及萼片脱落后留下的果柄长3~5mm，粗大，有环状短节。花期冬、春季间。

| **分布区域** | 产于海南乐东、昌江、白沙、万宁、澄迈、屯昌、定安、保亭。中国华南其他区域，以及华中、华东、西南各地有栽培或野生。越南、老挝、缅甸也有分布。

| **资　　源** | 生于林中或林缘，常见。

| **采收加工** | 根：全年均可采收，鲜用或晒干。花：冬季采收。

| **药材性状** | 花蕾倒卵形，花朵形状不规则，萼片10，类圆形，稍厚，外被灰白色绢毛；花瓣5~7，时有散落，淡黄色或黄棕色，倒卵形，先端凹入，外表面被疏毛；雄蕊多数，排成2轮，花丝基部成束；雌蕊花柱分离。气微香，味微苦。

| **功能主治** | 根皮：味苦，性平；有小毒。散瘀活血，接骨消肿。用于骨折、扭挫伤、腹痛、皮肤瘙痒、烫火伤。花：味苦，性寒。凉血止血。用于胃肠出血、咯血、鼻衄、肠风下血、崩漏。外用于烫火伤。种子：行气疏滞。用于气滞腹痛、泄泻、皮肤瘙痒、烫火伤。种子脂肪油：清热化湿，杀虫解毒。用于痧气腹痛、急性蛔虫阻塞性肠梗阻、疥癣、烫火伤。

山茶科 Theaceae 山茶属 *Camellia*

腺叶离蕊茶

Camellia paucipunctata (Merr. & Chun) Chun

| 中 药 名 |

腺叶离蕊茶（药用部位：根、叶）

| 植物形态 |

小乔木，嫩枝无毛。叶硬革质，椭圆形至倒卵形，长 5~9cm，宽 2~5cm，无毛，有散生黑腺点，侧脉 6~7 对，边缘有细钝齿，齿刻相隔 3~4mm，叶柄长 5~7mm，无毛。花单生于枝顶，近无柄，白色，直径 4~4.5cm，苞被 9，外侧数片长 2~3mm，无毛，内侧数片圆形，长 1~1.5cm，无毛，离生；花瓣 6，阔倒卵形，长 2~2.5cm，宽 1.3~1.8cm，外侧 2 片较短小，无毛；雄蕊多轮，无毛，除基部 2mm 与花瓣连生外，全部游离，长 1.5cm；子房无毛，花柱 3，长 9mm，无毛。蒴果圆球形，直径 4cm，3 室，果皮厚 6~7mm，有宿存萼片。花期 12 月。

| 分布区域 |

产于海南三亚、乐东、东方、文昌。

腺叶离蕊茶

| 资　　源 | 生于海拔 300m 的低山雨林中，偶见。

| 采收加工 | 全年均可采收，鲜用或晒干。

| 功能主治 | 同属植物多有药用，本种也许有类似药效，其作用有待进一步研究。

山茶科 Theaceae　山茶属 *Camellia*

茶
Camellia sinensis (L.) O. Kuntze

| 中 药 名 |　茶（药用部位：芽、叶、根、果实）

| 植物形态 |　灌木或小乔木，嫩枝无毛。叶革质，长圆形或椭圆形，长 4~12cm，宽 2~5cm，先端钝或尖锐，基部楔形，上面发亮，下面无毛或初时有柔毛，侧脉 5~7 对，边缘有锯齿，叶柄长 3~8mm，无毛。花 1~3 朵腋生，白色，花柄长 4~6mm，有时稍长；苞片 2，早落；萼片 5，阔卵形至圆形，长 3~4mm，无毛，宿存；花瓣 5~6，阔卵形，长 1~1.6cm，基部略连合，背面无毛；雄蕊长 8~13mm，基部连生 1~2mm；子房密生白毛；花柱无毛，先端 3 裂，裂片长 2~4mm。蒴果球形，每球有种子 1~2。花期 10 月至翌年 2 月。

茶

分布区域	产于海南乐东、东方、昌江、五指山、保亭、万宁、琼中、儋州、澄迈、屯昌、琼海。中国长江以南均有栽培。越南、印度、日本、朝鲜也有栽培。
资　　源	生于山谷、山地疏林中，十分常见。
采收加工	叶：培育 3 年即可采叶，4~6 月采春茶及夏茶。根：全年均可采挖，鲜用或晒干。果实：秋季成熟时采收。
药材性状	叶常卷编成条状或呈薄片状。完整叶片展平后，叶片披针形，长 4~12cm，宽 2~5cm，先端急尖，叶基楔形下延，边缘具锯齿，齿端呈棕红色爪状，有时脱落；上下表面均有柔毛；羽状网脉，侧脉 5~7 对，主脉在下表面较突出，纸质较厚，叶柄短，被白色柔毛；老叶革质，较大，近光滑。果实扁球形，具 3 钝棱，筠端凹陷，直径 2~5mm，黑褐色，表面被灰棕色毛茸，果皮坚硬，不易压碎。萼片宿存，5 片，广卵形，长 3~4mm，上表面灰棕色，具毛茸，下表面棕褐色，质厚，木质化。果柄圆柱形，上端稍粗，微弯曲。
功能主治	芽、叶：味苦、甘，性凉；归心、肺、胃、肝、脾、肾经。清头目，除烦渴，化痰消食，利尿解毒。用于头痛、目昏嗜睡、心烦口渴、食积痰滞、疟疾、痢疾、小便不利、水肿、烫火伤。根：味苦，性凉；归心、肾经。强心利尿，抗菌消炎，收敛止泻。用于心脏病、口疮、牛皮癣。果实：味苦，性寒；有毒；归肺经。用于痰喘、咳嗽。

山茶科 Theaceae 山茶属 Camellia

普洱茶 *Camellia assamica* (Mast.) Chang

| **中 药 名** | 普洱茶（药用部位：嫩叶），普洱茶膏（药用部位：嫩叶制成的膏）

| **植物形态** | 大乔木，高达 16m，胸径 90cm，嫩枝有微毛，顶芽有白柔毛。叶薄革质，椭圆形，先端锐尖，基部楔形，上面干后褐绿色，略有光泽，下面浅绿色，中肋上有柔毛，其余被短柔毛，老叶变秃；侧脉 8~9 对，在上面明显，在下面突起，网脉在上下两面均能见，边缘有细锯齿，叶柄 5~7mm，被柔毛。花腋生，直径 2.5~3cm，花柄长 6~8mm，被柔毛。苞片 2，早落。萼片 5，近圆形，长 3~4mm，外面无毛。花瓣 6~7，倒卵形，无毛。雄蕊长 8~10mm，离生，无毛。子房 3 室，被茸毛；花柱长 8mm，先端 3 裂。蒴果扁三角球形，直径约 2cm，3 爿裂开，果爿厚 1~1.5mm。种子每室 1，近圆形，直径 1cm。

普洱茶

| **分布区域** | 产于海南昌江、万宁、琼中。亦分布于中国华南其他区域，以及云南。越南、老挝、缅甸、泰国、印度也有分布。 |

| **资　　源** | 生于海拔 500~1500m 的常绿阔叶林中。 |

| **采收加工** | 清明后枝端初发嫩叶时采摘，干燥加工成条状。 |

| **药材性状** | 嫩叶干燥加工成条状，长 1.5~3.5cm。叶片展平后呈椭圆形、卵圆形或矩圆形，先端渐尖，基部楔形，边缘具锯齿，表面灰绿色或墨绿色，背面被灰白短柔毛；老叶长可达 15cm，宽可达 5cm，革质。气清香，味微苦、涩。 |

| **功能主治** | 嫩叶：清热生津，辟秽解毒，消食解酒，醒神透疹。用于暑热口渴、头痛目晕、痧气腹痛、痢疾、肉食积滞、酒毒、神疲多眠、麻疹透发不畅。嫩叶膏：消食化痰，清胃生津，敛疮止痛，止血。用于肉食积滞、酒后口渴、口糜、咽痛、外伤出血。 |

| **附　　注** | 在 FOC 中，其学名被修订为 *Camellia assamica* (Mast.) Chang。 |

山茶科 Theaceae 柃木属 Eurya

华南毛柃
Eurya ciliata Merr.

| 中 药 名 | 华南毛柃（药用部位：根、叶）

| 植物形态 | 灌木或小乔木；枝圆筒形，新枝黄褐色，密被黄褐色披散柔毛，小枝灰褐色或暗褐色；顶芽长锥形，被披散柔毛。叶坚纸质，披针形，长 5~8cm，宽 1.2~2.4cm，边全缘，侧脉 10~14 对；叶柄极短。花 1~3 簇生于叶腋，花梗长约 1mm，被柔毛。雄花：小苞片 2，卵形，被柔毛；萼片 5，阔卵圆形，革质，长 2~2.5mm，外面密被柔毛；花瓣 5，长圆形；雄蕊 22~28，花药具 5~8 分格；退化子房密被柔毛。雌花：小苞片、萼片、花瓣与雄花同，但略小；子房圆球形，密被柔毛，花柱 4~5，长约 4mm，离生。果实圆球形，具短梗，被柔毛，直径 5~6mm，密被柔毛，萼及花柱均宿存；种子多数，圆肾形，褐色，有光泽，表面密被网纹。花期 10~11 月，果期翌年 4~5 月。

华南毛柃

| 分布区域 | 产于海南乐东、东方、昌江、白沙、五指山、保亭、陵水、万宁、琼中、琼海。亦分布于中国华南其他区域，以及福建、云南等地。

| 资　　源 | 生于山谷溪边，十分常见。

| 采收加工 | 全年均可采收，鲜用或晒干。

| 功能主治 | 同属植物岗柃和细枝柃等的茎、叶多有祛风除湿、消肿止痛之效，本种或许有类似功能，且本种在海南常见，其作用值得深入研究。

山茶科 Theaceae　柃木属 Eurya

岗 柃
Eurya groffii Merr.

| 中 药 名 |　岗柃（药用部位：根、叶）

| 植物形态 |　灌木或小乔木，树皮灰褐色或褐黑色，平滑；嫩枝圆柱形，密被黄褐色披散柔毛，小枝红褐色或灰褐色，被短柔毛；顶芽披针形，密被黄褐色柔毛。叶革质，披针形，长 4.5~10cm，宽 1.5~2.2cm，先端渐尖，边缘密生细锯齿，上面无毛，下面密被贴伏短柔毛，侧脉 10~14 对；叶柄极短，长约 1mm，密被柔毛。花 1~9 簇生于叶腋，花梗长 1~1.5mm，密被短柔毛。雄花：小苞片 2，卵圆形；萼片 5，革质，干后褐色，卵形，长 1.5~2mm，先端钝，并有小突尖，外面密被黄褐色短柔毛；花瓣 5，白色，长圆形，长约 3.5mm；雄蕊约 20，花药不具分格，退化子房无毛。雌花：小苞片和萼片与雄花间，但较小；花瓣 5，长圆状披针形，长约 2.5mm；子房卵圆形，3 室，

岗柃

无毛，花柱长 2~2.5mm，3 裂。果实圆球形，直径约 4mm，成熟时黑色；种子稍扁，圆肾形，深褐色，有光泽，表面具密网纹。花期 9~11 月，果期翌年 4~6 月。

| 分布区域 | 产于海南乐东、白沙。亦分布于中国华南其他区域，以及福建、贵州、云南、四川、西藏等地。越南、缅甸、印度尼西亚也有分布。

| 资　　源 | 生于丘陵灌丛中，少见。

| 采收加工 | 全年均可采收，鲜用或晒干。

| 药材性状 | 叶呈披针形，长 4.5~10cm，宽 1.5~2.2cm；先端渐尖，基部楔形，边缘有细锯齿；表面灰绿或绿褐色，下面可见毛茸。叶柄极短。薄革质而脆，易破碎。

| 功能主治 | 味微苦，性平；归肺、肝经。消肿止痛，镇咳祛痰。用于肺痨、咳嗽、跌打损伤。

山茶科 Theaceae　柃木属 *Eurya*

海南柃
Eurya hainanensis (Kobuski) H. T. Chang

| 中 药 名 | 海南柃（药用部位：根、叶）

| 植物形态 | 灌木或小乔木，全株除顶芽初时疏被柔毛外，其他均无毛；树皮灰褐色，稍平滑。叶革质，椭圆形，长 6~10cm，宽 2~4.5cm，边缘密生细锯齿，干后上面黄绿色，有光泽，下面灰褐色，两面均无毛，侧脉 9~11 对；叶柄长 5~8mm。花 1~3 腋生，花梗长 3~4mm，无毛。雄花：小苞片 2，圆形或卵圆形，长约 1mm；萼片 5，近圆形，长 2~2.5mm，先端圆或有时微凹，并有小尖头，无毛，边缘通常在外层 2~3 片疏生褐色腺点；花瓣 5，白色，长圆形，长约 3.5mm；雄蕊约 20，花药不具分格，退化子房无毛。雌花：小苞片和萼片与雄花同，但较小；花瓣 5，披针形，长约 2.5mm；子房圆球形，无毛，花柱长约 3mm，先端 3 浅裂。果实圆球形，直径 4~5mm，成熟时黑色；

海南柃

种子肾圆形，稍扁，深褐色，有光泽，表面具细密网纹。花期 11~12 月，果期翌年 7~8 月。

| **分布区域** | 产于海南三亚、乐东、昌江、保亭、陵水、万宁、琼中。

| **资　　源** | 生于海拔 500~800m 的山坡沟谷河边或山顶密林及疏林中，常见。

| **采收加工** | 全年均可采收，鲜用或晒干。

| **功能主治** | 同属植物岗柃和细枝柃等的茎、叶多有祛风除湿、消肿止痛之效，本种或许有类似功能，且本种在海南常见，其作用值得深入研究。

山茶科 Theaceae 柃木属 *Eurya*

细枝柃
Eurya loquaiana Dunn

| 中 药 名 |　细枝柃（药用部位：茎、叶、果实）

| 植物形态 |　灌木或小乔木，树皮灰褐色或深褐色，平滑；嫩枝圆柱形，密被微毛，小枝几无毛；顶芽狭披针形，除密被微毛外，其基部和芽鳞背部的中脉上还被短柔毛。叶薄革质，窄椭圆形，长4~9cm，宽1.5~2.5cm，无毛，下面干后常变为红褐色，沿中脉被微毛，侧脉约10对，纤细，两面均稍明显；叶柄长3~4mm，被微毛。花1~4簇生于叶腋，花梗长2~3mm，被微毛。雄花：小苞片2，极小，卵圆形，长约1mm；萼片5，卵形或卵圆形；长约2mm，先端钝或近圆形，外面被微毛或偶有近无毛；花瓣5，白色，倒卵形；雄蕊10~15，退化子房无毛。雌花：小苞片和萼片与雄花同；花瓣5，白色，卵形，长约3mm；子房卵圆形，无毛，3室，花柱先端3裂。果实圆球形，成熟时黑色，

细枝柃

直径 3~4mm；种子肾形，稍扁，暗褐色，有光泽，表面具细蜂窝状网纹。花期
10~12 月，果期翌年 7~9 月。

| 分布区域 | 产于海南乐东、昌江、白沙、万宁、琼中、琼海。亦分布于中国华南其他区域，
以及湖南、江西、福建、台湾、浙江、安徽、湖北、贵州、云南、四川、河南等地。

| 资　　源 | 生于山地林中，常见。

| 采收加工 | 全年均可采，鲜用或晒干。

| 功能主治 | 茎、叶、果实：味微辛、微苦，性平。祛风除湿，止血，消肿止痛。用于风湿关节痛、
腹水、跌打损伤、外伤出血。

山茶科 Theaceae 枋木属 *Eurya*

细齿叶枋 *Eurya nitida* Korth.

| 中 药 名 |　细齿叶枋（药用部位：茎、叶、花、果实）

| 植物形态 |　灌木或小乔木，全株无毛；树皮灰褐色或深褐色，平滑；顶芽线状披针形，长达 1cm，无毛。叶薄革质，椭圆形，边缘密生锯齿或细钝齿，两面无毛，侧脉 9~12 对；叶柄长约 3mm。花 1~4 簇生于叶腋，花梗较纤细，长约 3mm。雄花：小苞片 2，萼片状，近圆形，长约 1mm，无毛；萼片 5，几膜质，近圆形，长 1.5~2mm，先端圆，无毛；花瓣 5，白色，倒卵形，长 3.5~4mm，基部稍合生；雄蕊 14~17，花药不具分格，退化子房无毛。雌花：小苞片和萼片与雄花同；花瓣 5，长圆形，基部稍合生；子房卵圆形，无毛，花柱先端 3 浅裂。果实圆球形，直径 3~4mm，成熟时蓝黑色；种子肾形或圆肾形，亮褐色，表面具细蜂窝状网纹。花期 11 月至翌年 1 月，果期翌年 7~9 月。

细齿叶枋

| 分布区域 |

产于海南乐东、昌江、白沙、五指山、保亭、陵水、万宁、琼中、儋州、澄迈、屯昌、琼海。亦分布于中国长江以南各地。越南、老挝、缅甸、泰国、柬埔寨、菲律宾、马来西亚、印度尼西亚、印度、斯里兰卡也有分布。

| 资　源 |

生于山地林中、沟谷溪边林缘以及山坡路旁灌丛中，十分常见。

| 采收加工 |

全年均可采收，鲜用或晒干。

| 功能主治 |

茎、叶、花：味苦、涩，性平。杀虫解毒。用于泄泻、上唇疮烂、伤口溃烂。叶、果实：祛风，消肿，止血。用于风湿性关节炎、外伤出血、无名肿毒。

| 山茶科 | Theaceae | 大头茶属 | *Gordonia*

大头茶
Gordonia axillaris (Roxb.) Dietr.

| 中 药 名 | 大头茶（药用部位：芽、叶、花、茎皮、根、果实）

| 植物形态 | 常绿乔木。叶革质，长圆形，羽状脉，全缘或有少数齿突，叶有柄。花大，白色，腋生，有短柄；苞片 2~7，早落；萼片 5，干膜质或革质，宿存或半存；花瓣 5~6，基部略连生；雄蕊多数，着生于花瓣基部，排成多轮，花丝离生，花药 2 室，背部着生；子房 3~5 室，有时 7 室，花柱连合，先端 3~5 浅裂或深裂；胚珠每室 4~8。蒴果长筒形，室背裂开，果爿木质，中轴宿存，长条形，有多数种脐断落遗下的疤痕；种子扁平，上端有长翅，胚乳缺。

| 分布区域 | 产于海南乐东、东方、昌江、白沙、五指山、保亭、陵水、万宁、琼中。亦分布于中国华南其他区域，以及台湾、云南、四川等地。越南也有分布。

大头茶

| **资　　　源** | 生于较高海拔的山顶林中，常见。 |

| **采收加工** | 茎、叶：秋季采收，晒干。茎皮：秋季采收，除去杂质，洗净，切段，晒干。 |

| **功能主治** | 芽、叶、花：味辛、涩，性温。清热解毒。茎皮、根：清热止痒，活络止痛，温中止泻。用于风湿腰痛、跌打损伤。果实：味辛，性温。用于腹泻。 |

山茶科 Theaceae 大头茶属 *Gordonia*

海南大头茶 *Gordonia hainanensis* Chang

| 中 药 名 | 海南大头茶（药用部位：茎、叶及茎皮）

| 植物形态 | 乔木，高 12m，嫩枝纤细，无毛。叶革质，狭长圆形或倒披针形，长 8~13cm，宽 2~3cm，先端尖锐而有钝尖头，基部狭窄而下延，上面干后深绿色，发亮，下面无毛，侧脉在两面均不明显，边缘有钝锯齿，叶柄长 5~10cm。花生于枝顶叶腋，直径 4cm，白色，花柄长 5mm，有毛；苞片 3，早落；萼片 5，圆形或阔卵形，长 6~7mm，有柔毛；花瓣 5，长 2~2.5cm，基部连生，外 2 较短，内 3 较长，背面有毛；雄蕊长 8~10mm，离生，花药近圆形；子房 5 室，有毛，花柱长 8~10mm，有毛，先端 5 裂。蒴果长 1.5~2.5cm，5 爿裂开；中柱宿存，长 1.5~1.8cm；种子长 1cm，翅长 7mm。花期 11 月至翌年 3 月。

海南大头茶

| 分布区域 |

产于海南乐东、陵水、万宁、文昌、三亚。

| 资　源 |

生于海拔 300~1500m 的林中，常见。

| 采收加工 |

茎、叶：秋季采收，晒干。茎皮：秋季采收，除去杂质，洗净，切段，晒干。

| 功能主治 |

本种植物形态特征与同属植物大头茶相似，后者具有清热止痒、活络止痛、温中止泻等功能。但有关本种的功能主治报道较少，有待进一步研究。

| 附　注 |

在 FOC 中，其学名被修订为 *Gordonia hainanensis* Chang。

| 山茶科 | Theaceae | 木荷属 | *Schima*

木 荷
Schima superba Gardn. et Champ.

| 中 药 名 |　木荷（药用部位：根皮、叶）

| 植物形态 |　大乔木，嫩枝通常无毛。叶革质或薄革质，椭圆形，长 7~12cm，宽 4~6.5cm，先端尖锐，有时略钝，基部楔形，上面干后发亮，下面无毛，侧脉 7~9 对，在两面明显，边缘有钝齿；叶柄长 1~2cm。花生于枝顶叶腋，常多朵排成总状花序，直径 3cm，白色，花柄长 1~2.5cm，纤细，无毛；苞片 2，贴近萼片，长 4~6mm，早落；萼片半圆形，长 2~3mm，外面无毛，内面有绢毛；花瓣长 1~1.5cm，最外 1 片风帽状，边缘多少有毛；子房有毛。蒴果直径 1.5~2cm。花期 6~8 月。

| 分布区域 |　产于海南三亚、乐东、东方、昌江、白沙、五指山、陵水、万宁、琼中、

木荷

定安。亦分布于中国长江以南各地。日本也有分布。

| 资　源 |

生于山坡林中，十分常见。

| 采收加工 |

根皮：全年均可采收，晒干。叶：春、夏季采收，鲜用或晒干。

| 功能主治 |

根皮：味辛，性温；有毒；归脾经。清热解毒，利水消肿，催吐。外敷用于疔疮、无名肿毒。叶：味辛，性温；有毒。外用于烂腿、疮毒。

五列木 *Pentaphylax euryoides* Gardn. et Champ.

| 中 药 名 |　五列木（药用部位：叶）

| 植物形态 |　常绿乔木或灌木，高 4~10m；小枝圆柱形，灰褐色，无毛。单叶互生，革质，卵形或卵状长圆形或长圆状披针形，长 5~9cm，宽 2~5cm，先端尾状渐尖，基部圆形或阔楔形，全缘，略反卷，无毛，侧脉斜升，不显；叶柄长 1~1.5cm，具皱纹，上面具槽。总状花序腋生或顶生，长 4.5~7cm，无毛或被极稀疏微柔毛；花白色，花梗长约 0.5mm；小苞片 2，小，三角形，长 1~1.5mm，外面具白色鳞片或无，里面疏被白色平伏极细微柔毛，边缘有白色睫毛；萼片 5，圆形，直径 1.5~2.5mm，先端微凹或心形，外面被细密灰白色鳞片，里面疏被白色平伏微柔毛，边缘具白色睫毛；花瓣长圆状披针形或倒披针形，长 4~5mm，宽 1.5~2mm，先端钝或微凹或浅心形，无毛；雄蕊 5，

五列木

花丝长圆形，花瓣状，长 2.5~3.5mm，宽约 1mm，花药小，2 室，分离，直径约 0.5mm；子房无毛，长约 1mm，直径约 2.5mm，花柱柱状，具 5 棱，长约 2mm，柱头 5 裂。蒴果椭圆状，长 6~9mm，直径 4~5mm，褐黑色，基部具宿存萼片，成熟后沿室背中脉 5 裂，中脉和中轴宿存，内果皮和隔膜木质；种子线状长圆形，长约 6mm，宽 1.5~2mm，红棕色，先端极压扁或呈翅状。

| 分布区域 |

产于海南乐东、昌江、五指山、陵水、万宁。亦分布于中国华南其他区域，以及湖南、江西、福建、贵州、云南。越南、马来西亚、印度尼西亚也有分布。

| 资　　源 |

生于中海拔至高海拔的林中，常见。

| 采收加工 |

春、夏季采收，鲜用或晒干。

| 功能主治 |

目前，对本种功能主治的相关报道较少，有待进一步研究。

猕猴桃科 Actinidiaceae　猕猴桃属 *Actinidia*

阔叶猕猴桃 *Actinidia latifolia* (Gardn. et Champ.) Merr.

| 中 药 名 | 阔叶猕猴桃（药用部位：茎、叶、果实）

| 植物形态 | 大型落叶藤本，着花小枝绿色至蓝绿色，一般长 15~20cm，直径约
2.5mm，基本无毛，隔年枝直径约 8mm；髓白色。叶坚纸质，通常
为阔卵形，有时近圆形，长 8~13cm，宽 5~8.5cm，边缘具疏生的突
尖状硬头小齿，背面密被星状绒毛，侧脉6~7对；叶柄长 3~7cm，无毛。
花序为 3~4 歧多花的大型聚伞花序，花序柄长 2.5~8.5cm，花柄长
0.5~1.5cm，果期伸长并增大，雄花花序远较雌花的为长，被黄褐色
短茸毛；苞片小，条形，长 1~2mm；花有香气，直径 14~16mm；
萼片 5，淡绿色，花开放时反折，两面均被污黄色短茸毛，内面较
薄；花瓣5~8，前半部及边缘部分白色，下半部的中央部分橙黄色，
长圆形，开放时反折；花丝纤弱，长 2~4mm，花药卵形箭头状，长

阔叶猕猴桃

1mm；子房圆球形，长约 2mm，密被污黄色茸毛，花柱长 2~3mm，不育子房卵形，被茸毛。果暗绿色，圆柱形，直径 2~2.5cm，具斑点，无毛或仅在两端有少量残存茸毛；种子纵径 2~2.5mm。

| 分布区域 |

产于海南白沙、五指山、儋州、三亚、临高、澄迈。亦分布于中国华南其他区域，以及湖南、江西、福建、台湾、浙江、安徽、贵州、云南、四川等地。老挝、柬埔寨、泰国、马来西亚也有分布。

| 资　　源 |

生于海拔 450~800m 的山谷、灌丛或疏林中，常见。

| 采收加工 |

茎、叶：全年可采。果实：成熟时采收，鲜用或晒干。

| 功能主治 |

茎、叶：清热解毒，除湿，消肿止痛。用于咽喉痛、泄泻。外用于疮痈肿毒。果实：用于尿道结石。

美丽猕猴桃 *Actinidia melliana* Hand.-Mazz.

| 中 药 名 | 美丽猕猴桃（药用部位：根）

| 植物形态 | 中型半常绿藤本；着花小枝距状者仅长 2~4cm，直径约 2mm，延伸长枝达 30~40cm，当年枝和隔年枝都密被长 6~8mm 的锈色长硬毛，皮孔都很显著；髓白色，片层状。叶膜质至坚纸质，隔年叶革质，长椭圆形、长披针形或长倒卵形，长 6~15cm，宽 2.5~9cm，先端短渐尖至渐尖，基部浅心形至耳状浅心形，两面的中脉和侧脉，有时扩张到腹面的横脉，被有稀疏的长硬毛，或腹面较普遍地被长硬毛，背面密被糙伏毛，背面粉绿色，边缘具硬尖小齿，上部（边缘）常向背面反卷，侧脉较稀疏，7~8 对，叶干燥后与中脉都呈瘪扁状，网状小脉不发达，但干燥了的叶面往往呈龟裂状的细小网纹；叶柄长 10~18mm，被锈色长硬毛。聚伞花序腋生，花序柄长

美丽猕猴桃

3~10mm，二回分歧，花可多达 10，被锈色长硬毛；花柄 5~12mm；苞片钻形，长 4~5mm，果期伸长至 6mm；花白色；萼片 5，长卵形，长 4~5mm，背面薄被绒毛；花瓣 5，倒卵形，长 8~9mm，宽 5~7mm，先端圆形多花丝 2.5mm，花药黄色，长 1mm；子房近球形，密被茶褐色绒毛，花柱长约 3mm。果实成熟时秃净，圆柱形，长 16~22mm，直径 11~15mm，有显著的疣状斑点，宿存萼片反折。花期 5~6 月。

| 分布区域 | 产于海南乐东、白沙、五指山。亦分布于中国华南其他区域，以及湖南、江西。

| 资　　源 | 生于山地林中，偶见。

| 采收加工 | 根全年均可采。

| 功能主治 | 止血，消炎，祛风除湿，解毒接骨。用于崩漏、泄泻、脉管炎、脱疽、风湿痹痛。外用于皮肤过敏、枪伤、毒虫咬伤、老鼠咬伤、骨折。

| 水东哥科 | Saurauiaceae | 水东哥属 | Saurauia |

水东哥
Saurauia tristyla DC.

| 中 药 名 | 水枇杷（药用部位：根、叶）

| 植物形态 | 灌木或小乔木，小枝无毛，被爪甲状鳞片或钻状刺毛。叶纸质或薄革质，倒卵状椭圆形，先端短渐尖，基部楔形，稀钝，叶缘具刺状锯齿，稀为细锯齿，侧脉 8~20 对，两面中脉、侧脉具钻状刺毛或爪甲状鳞片，腹面侧脉内具 1~3 行偃伏刺毛或无；叶柄具钻状刺毛，有绒毛或否。花序聚伞式，1~4 簇生于叶腋或老枝落叶叶腋，被毛和鳞片，分枝处具苞片 2~3，苞片卵形，花柄基部具近对生小苞片 2；小苞片披针形或卵形，长 1~5mm；花粉红色或白色，小，直径 7~16mm；萼片阔卵形或椭圆形，长 3~4mm；花瓣卵形，长 8mm，顶部反卷；雄蕊 25~34；子房卵形或球形，无毛，花柱 3~4，稀 5，中部以下合生。果实球形，白色、绿色或淡黄色，直径 6~10mm。

水东哥

| 分布区域 |

产于海南乐东、白沙、保亭、琼中、昌江及儋州。亦分布于中国华南其他区域，以及福建、台湾、贵州、云南。泰国、马来西亚、尼泊尔、印度也有分布。

| 资　　源 |

生于低海拔至中海拔的林中，常见。

| 采收加工 |

根：全年均可采。叶：春、秋季采，晒干或鲜用。

| 药材性状 |

完整叶倒卵状椭圆形，稀阔椭圆形，长10~28cm，宽4~11cm，先端短渐尖，基部阔楔形，叶缘具刺状锯齿；下面侧脉间具1~3行偃伏刺毛；叶柄长1.5~4cm。气微，味苦、凉。以叶片少破碎者为佳。

| 功能主治 |

根：味微苦，性凉；归肺经。清热解毒，止咳，止痛。用于风热咳嗽、风火牙痛、小儿麻疹、风湿冷痛、高热。叶：用于外伤、刀伤、烫伤。

金莲木科 Ochnaceae 赛金莲木属 Gomphia

齿叶赛金莲木 *Gomphia serrata* (Gaertn.) Kanis

| 中 药 名 | 齿叶赛金莲木（药用部位：根）

| 植物形态 | 灌木或小乔木，高 2.5~7m。叶近革质，长椭圆形，长 10~17cm，宽 2~5cm，先端短渐尖，基部楔形，边缘除基部 1/3 全缘外，通常有 小锯齿，中脉两面隆起；叶柄短，长约 5mm。圆锥花序腋生或顶生， 长 9~12cm；萼片阔椭圆形，长约 5mm，宽约 3mm；花瓣倒卵形， 长约 5mm，宽约 4mm，先端 2 浅裂，基部狭而具 2 耳；雄蕊无花丝， 花药条形，具 4 纵棱，长约 4mm，向内稍弯拱；子房 5 深裂，花柱 钻状，长约 3mm。核果椭圆状微肾形，长约 6mm，宽约 5mm。花 期 7 月，果期 8~12 月。

| 分布区域 | 产于海南乐东尖峰岭。越南、老挝、泰国、柬埔寨、菲律宾、马来西亚、 印度尼西亚、印度、斯里兰卡也有分布。

齿叶赛金莲木

| 资　　源 | 生于海拔 600m 左右的林中，常见。

| 采收加工 | 全年均可采收，洗净切段，晒干。

| 功能主治 | 本种与同属植物金莲木植物形态特征相似，后者具有治疗泻痢、淋巴结核等功能。但本种相关的功能主治报道较少，有待进一步研究。

| 附　　注 | 在 FOC 中，其学名被修订为 *Gomphia serrata* (Gaertn.) Kanis。

金莲木科 Ochnaceae 赛金莲木属 Gomphia

赛金莲木 *Gomphia striata* (van Tiegh.) C. F. Wei

| 中 药 名 |　赛金莲木（药用部位：根）

| 植物形态 |　灌木，高 1~3m。叶近革质，长圆形至披针形，长 9~18cm，宽 2~4.5cm，先端短渐尖或渐尖，基部楔形，边近全缘或浅波状，稀有不明显的疏细齿，中脉两面隆起；叶柄长 3~6mm。圆锥花序短，长 2~5cm，腋生或顶生；花直径约 1cm，柄长 1~2cm，近基部有关节；萼片卵状长圆形，长 4~5mm，先端短尖；花瓣长圆状披针形，长 5~6mm，先端钝，基部无耳；雄蕊无花丝，花药长约 4mm，钻状，稍弯曲；子房 5 深裂，柱头锥尖。核果近肾形，长 5~6mm，宽 6~7mm。花期 4~11 月，果期 8~12 月。

| 分布区域 |　产于海南三亚、五指山、陵水、兴隆、琼中。越南也有分布。

赛金莲木

| **资　　源** | 生于低海拔至中海拔的林中，常见。

| **采收加工** | 全年均可采收，洗净切段，晒干。

| **功能主治** | 本种与同属植物金莲木植物形态特征相似，后者具有治疗泻痢、淋巴结核等功能。但本种相关的功能主治报道较少，有待进一步研究。

| **附　　注** | 在 FOC 中，其学名被修订为 *Gomphia striata* (van Tiegh.) C. F. Wei。

金莲木科 Ochnaceae 金莲木属 Ochna

金莲木
Ochna integerrima (Lour.) Merr.

| 中 药 名 | 金莲木（药用部位：根）

| 植物形态 | 落叶灌木或小乔木，小枝灰褐色，无毛，常有明显的环纹。叶纸质，椭圆形，长 8~19cm，宽 3~5.5cm，先端急尖或钝，基部阔楔形，边缘有小锯齿，无毛；叶柄长 2~5mm。花序近伞房状，长约 4cm，生于短枝的顶部；花直径达 3cm，花柄长 1.5~3cm，近基部有关节；萼片长圆形，长 1~1.4cm，先端钝，开放时向外反卷，结果时呈暗红色；花瓣 5，有时 7，倒卵形，长 1.3~2cm；雄蕊长 0.9~1.2cm，3 轮排列，花丝宿存，长 5~8mm；子房 10~12 室，柱头盘状，5~6 裂。核果长 10~12mm，宽 6~7mm。花期 3~4 月，果期 5~6 月。

| 分布区域 | 产于海南三亚、乐东、东方、昌江、白沙、陵水、万宁、琼中、儋

金莲木

州、定安、文昌。亦分布于中国华南其他区域。越南、老挝、泰国、柬埔寨、马来西亚、印度、巴基斯坦也有分布。

| 资　　源 |

生于海拔 300~1400m 的山谷林中，常见。

| 采收加工 |

全年均可采收，洗净切段，晒干。

| 功能主治 |

用于痢疾、淋巴结核。

| 附　　注 |

同属植物细枝金莲木、大萼金莲木的根在坦桑尼亚被用于胃病、疝气。

钩枝藤科 Ancistrocladaceae   钩枝藤属 Ancistrocladus

钩枝藤
Ancistrocladus tectorius (Lour.) Merr.

| 中 药 名 | 钩枝藤（药用部位：藤茎）

| 植物形态 | 攀缘灌木，幼时常呈直立灌木状；枝具环形内弯的钩，无毛。叶常聚集于茎顶；叶片革质，长圆形，长 7~10cm，宽 3~7cm，基部渐窄而下延，全缘，两面无毛，均被白色圆形的小鳞秕和小点；通常无叶柄，在小枝上留下马鞍状的痕迹；托叶小，早落。花几朵或多数，顶生或侧生，二歧状分枝而排成圆锥状的穗状花序；小苞片卵形，先端急尖，边缘薄，流苏状；花小，直径 7~8mm；无梗；萼片 5，基部合生呈短筒状，裂片长椭圆形，长 4~5mm，边有小缘毛，内面近基部有白色圆形的小鳞秕，外面在中部以下常有 1~3 浅杯状下凹的腺体；花瓣基部合生，质厚，斜椭圆形，常内卷；雄蕊 10，5 长 5 短；子房大半下位，心皮 3；花柱直立，柱头 3。坚果红色，倒圆

钩枝藤

锥形，和萼筒合生，直径 6~9mm；萼裂片增大呈翅状，翅倒卵状匙形，不等大，最大的长达 4.5cm，宽 1.6cm，先端圆，有较明显的脉纹，最小的长 1.5~2cm，宽 5~7mm，亦有脉纹。种子近球形。花期 4~6 月，果期 6 月开始。

| 分布区域 |

产于海南三亚、乐东、东方、昌江、白沙、五指山、陵水、万宁、琼中、儋州、琼海、文昌。中南半岛，以及马来西亚、印度尼西亚、印度也有分布。

| 资　　源 |

生于海拔 500m 以下的林中，常见。

| 采收加工 |

全年均可采收，洗净切段，鲜用或晒干。

| 功能主治 |

用于荨麻疹。

| 附　　注 |

在泰国作为传统药用植物。

龙脑香科 Dipterocarpaceae 坡垒属 *Hopea*

铁 凌 *Hopea exalata* W. T. Lin

| 中 药 名 | 铁凌（药用部位：叶）

| 植物形态 | 乔木，具白色芳香树脂，高约 15m；树皮平滑，具白色斑块。枝条密被灰黄色的茸毛，后为疏被毛。叶革质，全缘，卵形至卵状披针形，长 5~12cm，宽 3~6cm，先端渐尖，基部偏斜或心形，有时为圆形，基出脉 5~6，侧脉 3~5 对，下面微突起；叶柄长 6~8mm，具灰色茸毛。圆锥花序腋生或顶生，长 6~11cm，纤细，少花，被疏毛或近于无毛；花萼裂片 5，覆瓦状排列，近于圆形，无毛；花瓣 5，粉红色，倒卵状椭圆形，长约 5mm，外面被绒毛，边缘被纤毛；雄蕊 15，2 轮排列，外轮 5，内轮 10，花药椭圆形，药隔附属体丝状；子房 3 室，每室具胚珠 2，花柱圆柱状，约与子房等长，柱头略具齿缺。果实卵圆形，壳薄，无毛；花萼裂片均不增大为翅状。花期 3~4 月，果期 5~6 月。

铁凌

|分布区域|

产于海南三亚、保亭、屯昌。

|资　　源|

生于海拔 50~400m 的丘陵、坡地、山岭的森林中，常见。

|采收加工|

全年均可采收，鲜用或晒干。

|功能主治|

本种相关的功能主治报道较少，有待进行进一步研究。

|附　　注|

在 FOC 中，其学名被修订为 *Hopea exalata* W. T. Lin。

龙脑香科 Dipterocarpaceae 坡垒属 *Hopea*

坡 垒
Hopea hainanensis Merr. et Chun

| 中 药 名 |　坡垒（药用部位：叶）

| 植物形态 |　乔木，具白色芳香树脂，高约20m；树皮灰白色或褐色，具白色皮孔。叶近革质，长圆形至长圆状卵形，长8~14cm，宽5~8cm，先端微钝或渐尖，基部圆形，侧脉9~12对，下面明显突起；叶柄粗壮，长约2cm，均无毛或具粉状鳞秕。圆锥花序腋生或顶生，长3~10cm，密被短的星状毛或灰色绒毛。花偏生于花序分枝的一侧，每朵花具早落的小苞片1；花萼裂片5，覆瓦状排列，长约2.5mm，先端圆形，外面2全部被毛；花瓣5，旋转排列，长圆形或长圆状椭圆形，长约6mm，宽约3mm，先端具不规则的齿缺，基部略收缩偏斜；雄蕊15，两轮排列，外轮的花丝呈阔卵形，内轮的花丝呈线形，花药卵圆形，药隔附属体丝状，长约1mm；子房长圆形，基部具长丝毛，花柱锥

坡垒

状，柱头明显，具花柱基。果实卵圆形，具尖头，被蜡质；增大的 2 花萼裂片为长圆形或倒披针形，长 5~7cm，宽 2.5cm，具纵脉 9~11，被疏星状毛。花期 6~7 月，果期 11~12 月。

| 分布区域 |

产于海南乐东、昌江、白沙、五指山、万宁、三亚。越南也有分布。

| 资　　源 |

生于中海拔的林中，偶见。

| 采收加工 |

全年均可采收，鲜用或晒干。

| 功能主治 |

坡垒是中国珍贵的用材树种之一，但其相关的功能主治报道较少，有待进一步研究。

龙脑香科 Dipterocarpaceae 青梅属 *Vatica*

青 梅
Vatica mangachapoi Blanco

| 中 药 名 |　青梅（药用部位：叶）

| 植物形态 |　乔木，具白色芳香树脂。小枝被星状绒毛。叶革质，全缘，长圆形，侧脉 7~12 对，两面均突起，网脉明显；叶柄长 7~15mm，密被灰黄色短绒毛。圆锥花序顶生或腋生，长 4~8cm，纤细，被银灰色的星状毛或鳞片状毛。花萼裂片 5，镊合状排列，卵状披针形，不等大，两面密被星状毛或鳞片状毛；花瓣白色，有时为淡黄色或淡红色，芳香，长圆形或线状匙形，长约 1cm，宽约 4mm，外面密被毛，内面无毛；雄蕊 15，花丝短，不等长，花药长圆形，药隔附属体短而钝；子房球形，密被短绒毛，花柱短，柱头头状，3 裂。果实球形；增大的花萼裂片中有 2 枚较长，长 3~4cm，宽 1~1.5cm，先端圆形，具纵脉 5 条。花期 5~6 月，果期 8~9 月。

青梅

| 分布区域 |

产于海南三亚、东方、昌江、白沙、五指山、保亭、陵水、万宁、琼中、屯昌、文昌。越南、泰国、菲律宾、马来西亚、印度尼西亚也有分布。

| 资　　源 |

生于中海拔林中，常见。

| 采收加工 |

全年可采，鲜用或晒干。

| 功能主治 |

外用可治疮痈。青梅乙酸乙酯提取物有较强的抗氧化活性，其作用有待进一步研究。

| 附　　注 |

本种为黎族常用药物，黎药名为"的开"。

桃金娘科　Myrtaceae　肖蒲桃属　*Acmena*

肖蒲桃
Acmena acuminatissima (Blume) Merr. et Perry

| 中 药 名 | 肖蒲桃（药用部位：叶）

| 植物形态 | 乔木，高 20m；嫩枝圆形或有钝棱。叶片革质，卵状披针形或狭披针形，长 5~12cm，宽 1~3.5cm，先端尾状渐尖，尾长 2cm，基部阔楔形，上面干后暗色，多油腺点，侧脉多而密，彼此相隔 3mm，以 65°~70° 开角缓斜向上，在上面不明显，在下面能见，边脉离边缘 1.5mm；叶柄长 5~8mm。聚伞花序排成圆锥花序，长 3~6cm，顶生，花序轴有棱；花 3 朵聚生，有短柄；花蕾倒卵形，长 3~4mm，上部圆，下部楔形；萼管倒圆锥形，萼齿不明显，萼管上缘向内弯；花瓣小，长 1mm，白色；雄蕊极短。浆果球形，直径 1.5cm，成熟时黑紫色；种子 1。花期 7~10 月。

肖蒲桃

| 分布区域 |

产于海南三亚、乐东、昌江、五指山、保亭、陵水、万宁、儋州。亦分布于中国华南其他区域。中南半岛国家、菲律宾、马来西亚、印度尼西亚、印度、巴布亚新几内亚，以及所罗门群岛也有分布。

| 资　源 |

生于低海拔至中海拔的林中，十分常见。

| 采收加工 |

夏、秋季采收，洗净，晒干。

| 功能主治 |

本种相关的功能主治报道较少，有待进行进一步研究。

| 附　注 |

在 FOC 中，其学名被修订为 *Acmena acuminatissima* (Blume) Merr. et Perry。

桃金娘科　Myrtaceae　岗松属　*Baeckea*

岗　松
Baeckea frutescens L.

| 中 药 名 | 岗松（药用部位：枝、叶、根）

| 植物形态 | 灌木，有时为小乔木；嫩枝纤细，多分枝。叶小，无柄，或有短柄，叶片狭线形或线形，长 5~10mm，宽 1mm，先端尖，上面有沟，下面突起，有透明油腺点，干后褐色，中脉 1 条，无侧脉。花小，白色，单生于叶腋内；苞片早落；花梗长 1~1.5mm；萼管钟状，长约 1.5mm，萼齿 5，细小三角形，先端急尖；花瓣圆形，分离，长约 1.5mm，基部狭窄成短柄；雄蕊 10 或稍少，成对与萼齿对生；子房下位，3 室，花柱短，宿存。蒴果小，长约 2mm；种子扁平，有角。花期夏、秋季。

| 分布区域 | 产于海南乐东、东方、昌江、白沙、陵水、万宁、儋州、澄迈、琼海。亦分布于中国华南其他区域，以及江西、福建、浙江。越南、缅甸、

岗松

柬埔寨、泰国、菲律宾、马来西亚、印度尼西亚、印度、巴布亚新几内亚也有分布。

| 资　源 |

生于旷野间、荒山坡地，常见。

| 采收加工 |

枝、叶：夏、秋季收割，洗净，晒干。根：全年均可采挖，洗净，切段，晒干或鲜用。

| 药材性状 |

本品为附有少量短嫩枝的叶。嫩枝长5~10mm，具对生叶。叶线形或线状锥形，全体黄绿色，无毛，长5~10mm，宽1mm，全缘，先端尖，基部渐狭，叶面有槽，背面突起，侧脉不明显，具透明的油腺点，无柄或具短柄。以气香、色绿者为佳。

| 功能主治 |

枝、叶：味苦、辛，性凉。祛风除湿，解毒利尿，止痛止痒。可外用于湿疹、天疱疮、脚癣。叶还可用于毒蛇咬伤、烫火伤。外用于滴虫性阴道炎、皮肤湿疹。根：味苦、辛，性寒；归肺、脾经。祛风除湿，解毒利尿，止痛止痒。可用于感冒高热、黄疸、胃痛、风湿关节痛、脚气痛、小便淋痛。

水 翁

Cleistocalyx operculatus (Roxb.) Merr. et Perry

| 中 药 名 | 水翁（药用部位：花蕾、根皮、树皮、叶）

| 植物形态 | 乔木，树皮灰褐色，颇厚，树干多分枝；嫩枝压扁，有沟。叶片薄革质，长圆形至椭圆形，长 11~17cm，宽 4.5~7cm，先端急尖，基部阔楔形，两面多透明腺点，侧脉 9~13 对，脉间相隔 8~9mm，以 45°~65° 开角斜向上，网脉明显，边脉离边缘 2mm；叶柄长 1~2cm。圆锥花序生于无叶的老枝上，长 6~12cm；花无梗，2~3 朵簇生；花蕾卵形，长 5mm，宽 3.5mm；萼管半球形，长 3mm，帽状体长 2~3mm，先端有短喙；雄蕊长 5~8mm；花柱长 3~5mm。浆果阔卵圆形，长 10~12mm，直径 10~14mm，成熟时紫黑色。花期 5~6 月。

| 分布区域 | 产于海南三亚、乐东、东方、昌江、五指山、保亭、万宁、琼中、

水翁

儋州、澄迈、琼海。亦分布于中国华南其他区域，以及云南及西藏。越南、缅甸、泰国、马来西亚、印度尼西亚、印度、斯里兰卡、澳大利亚也有分布。

| 资　源 | 生于水边，十分常见。

| 采收加工 | 花蕾：5月底至6月初，采摘带有花蕾的花枝，用水淋湿，堆叠3~5天，使花蕾自然脱落，晒至三成干，复堆闷1~2天再晒，以后晒1天，闷1天，待足干后，筛净残存枝梗。树皮：夏、秋季剥取树皮，晒干。叶：全年均可采，鲜用或晒干。

| 药材性状 | 花蕾呈卵形或球形，两端尖，长5mm，直径3.5mm。萼筒倒钟形或杯形，棕色至棕黑色，外表皱缩，有4条以上纵向棱突起，除去帽状体，见重叠的雄蕊，花丝棕黑色，中央有1锥形花柱。质干硬。气微香，味苦。干燥树皮厚约1cm，外被栓皮，除去栓皮，表面黄白色，皮部棕红色，纤维性，其间密布白色粉尘状物。易纵向撕裂成条，弹之即有粉尘飞出。叶片薄革质，长圆形至椭圆形，长11~17cm，宽4.5~7cm，先端急尖或渐尖，基部阔楔形或略圆，全缘或稍有波状弯曲，两面多透明腺点。叶柄长1~2cm。干后叶呈枯绿色，皱缩或有破碎。气微，味苦。

| **功能主治** | 花蕾、根皮、树皮、叶：清热解毒，清暑解表祛湿，消食化滞，杀虫止痒。花蕾：用于感冒发热、头痛、急性胃肠炎、痢疾、吐泻、消化不良。根皮：用于黄疸。树皮：外用于烧伤、麻风、皮肤瘙痒、脚癣。叶：外用于乳痈。 |

| **附　　注** | 在 FOC 中，其学名被修订为 *Syzygium nervosum* DC.。 |

桃金娘科 Myrtaceae 子楝树属 Decaspermum

柬埔寨子楝树

Decaspermum cambodianum Gagn.

| 中 药 名 | 柬埔寨子楝树（药用部位：叶、果实、根）

| 植物形态 | 乔木，嫩枝无毛，干后黑褐色。叶片革质，椭圆形，长 5.5~8cm，宽 2.5~5cm，两面无毛，干后上面暗褐色，有多数小腺点，下面灰褐色，侧脉 9~10 对，不明显；叶柄长 5~7mm。聚伞花序腋生，长 1.5~4cm，少花，无毛，总梗有棱；花白色，4 数；苞片披针形，长 2mm；萼管倒圆锥形，萼片卵形，宿存，无毛；花瓣卵形，长 2~3mm，无毛；雄蕊多数，花丝无毛。浆果球形，直径 4~5mm；种子 4~5。花期 4~5 月。

| 分布区域 | 产于海南三亚、乐东、昌江、白沙、五指山、陵水、琼中。中南半岛以及马来西亚也有分布。

| 资　　源 | 生于中海拔至高海拔的林中，十分常见。

柬埔寨子楝树

| **采收加工** | 叶：全年可采，鲜用或晒干。根：秋季采挖，洗净，切段，晒干。

| **功能主治** | 同属植物子楝树有理气止痛、芳香化湿等功能，本种或许有类似功能。因为子楝树在中国分布较少，用本种替代入药，也许可以解决一部分药物紧张的问题，但其具体作用还有待研究。

| **附　　注** | 在 FOC 中，其学名被修订为 *Decaspermum montanum* Ridl.。

桃金娘科 Myrtaceae 子楝树属 Decaspermum

子楝树
Decaspermum gracilentum (Hance) Merr. et Perry

| 中 药 名 | 子楝树（药用部位：叶、果实、根）

| 植物形态 | 灌木至小乔木；嫩枝被灰褐色或灰色柔毛，有钝棱。叶片纸质或薄革质，椭圆形，长 4~9cm，宽 2~3.5cm，先端急锐尖，上面干后变黑色，有光泽，下面黄绿色，有细小腺点，侧脉 10~13 对，不很明显，有时隐约可见；叶柄长 4~6mm。聚伞花序腋生，长约 2cm，有时为短小的圆锥状花序，总梗有紧贴柔毛；小苞片细小，锥状；花梗长 3~8mm，被毛；花白，3 数，萼管被灰毛，萼片卵形，长 1mm，先端圆，有睫毛；花瓣倒卵形，长 2~2.5mm，外面有微毛；雄蕊比花瓣略短。浆果直径约 4mm，有柔毛，有种子 3~5。花期 3~5 月。

| 分布区域 | 产于海南三亚、昌江、白沙、五指山、保亭、陵水、万宁、儋州、

子楝树

临高、澄迈、屯昌、琼海、海口。亦分布于中国华南其他区域，以及湖南、台湾、贵州等地。越南也有分布。

| **资　源** | 生于低海拔至中海拔的林中，十分常见。

| **采收加工** | 叶：全年可采，鲜用或晒干。根：秋季采挖，洗净，切段，晒干。

| **功能主治** | 叶、果实：理气止痛，芳香化湿。根：止痛，止痢。

桃金娘科 Myrtaceae 子楝树属 Decaspermum

白毛子楝树

Decaspermum albociliatum Merr. et Perry

白毛子楝树

| 中 药 名 |

白毛子楝树（药用部位：叶、根）

| 植物形态 |

灌木；嫩枝纤细，被白色长茸毛。叶片纸质或薄革质，披针形，长 3~6.5cm，宽 1~2.5cm，先端尾状渐尖，基部近圆形或钝，初时上下两面被毛，以后变无毛，在两面有多数细小的腺点，侧脉 1~2 对，不明显；叶柄极短，长约 2mm。花单生或 2 朵呈聚伞状，腋生；花梗长 3~10mm，被长丝毛；小苞片线形，长 5~7mm，被毛；萼管被长丝毛，萼片 5，线状披针形，长约 5mm，宿存，被毛；花瓣披针形，长 5~6mm，被毛，先端长尖；雄蕊比花瓣短，花丝无毛；花柱约与雄蕊等长。浆果球形，被毛，直径 4~5mm。花期 6~9 月。

| 分布区域 |

产于海南万宁、定安。亦分布于中国广东。

| 资　　源 |

生于海拔 200~400m 的林中和山谷溪边，少见。

| **采收加工** | 叶：全年可采，鲜用或晒干。根：秋季采挖，洗净，切段，晒干。

| **功能主治** | 白毛子楝树与同属植物子楝树植物形态特征相似，其具有理气止痛、芳香化湿等作用。但本种药效少有报道，有待进一步研究。

桃金娘科 Myrtaceae 桉属 *Eucalyptus*

柠檬桉 *Eucalyptus citriodora* Hook. f.

柠檬桉

| 中 药 名 |

柠檬桉（药用部位：叶、精油）

| 植物形态 |

大乔木，树干挺直；树皮光滑，灰白色，大片状脱落。幼态叶片披针形，有腺毛，基部圆形，叶柄盾状着生；成熟叶片狭披针形，宽约 1cm，长 10~15cm，稍弯曲，两面有黑腺点，揉之有浓厚的柠檬气味；过渡型叶阔披针形，宽 3~4cm，长 15~18cm；叶柄长 1.5~2cm。圆锥花序腋生；花梗长 3~4mm，有 2 棱；花蕾长倒卵形，长 6~7mm；萼管长 5mm，上部宽 4mm；帽状体长 1.5mm，比萼管稍宽，先端圆，有 1 小尖突；雄蕊长 6~7mm，排成 2 列，花药椭圆形，背部着生，药室平行。蒴果壶形，长 1~1.2cm，宽 8~10mm，果瓣藏于萼管内。花期 4~9 月。

| 分布区域 |

产于海南乐东、海口。中国华南其他区域，以及湖南、江西、福建、浙江、贵州、云南、四川等地亦有栽培。原产于澳大利亚。

| 资　　源 |

栽培，少见。

采收加工

秋季晴天采收，晒干或鲜用。

功能主治

叶：味辛、苦，性平。消肿散毒。用于腹泻肚痛、皮肤病。外用于疮疖、皮肤诸病、风湿痛。民间用于痢疾、驱蚊。叶及精油：消炎杀菌，祛风止痛。

桃金娘科 Myrtaceae 桉属 Eucalyptus

窿缘桉 *Eucalyptus exserta* F. V. Muell.

窿缘桉

中药名

窿缘桉（药用部位：叶）

植物形态

中等乔木，树皮宿存，粗糙，有纵沟，灰褐色；嫩枝有钝棱，纤细，常下垂。幼态叶对生，叶片狭窄披针形，宽不及 1cm，有短柄；成熟叶片狭披针形，长 8~15cm，宽 1~1.5cm，稍弯曲，两面多微小黑腺点，侧脉以 35°~40° 开角急斜向上，边脉很靠近叶缘；叶柄长 1.5cm，纤细。伞形花序腋生，有花 3~8，总梗圆形，长 6~12cm；花梗长 3~4mm；花蕾长卵形，长 8~10mm；萼管半球形，长 2.5~3mm，宽 4mm；帽状体长 5~7mm，长锥形，先端渐尖；雄蕊长 6~7mm，药室平行，纵裂。蒴果近球形，直径 6~7mm，果缘突出萼管 2~2.5mm，果瓣 4，长 1~1.5mm。花期 5~9 月。

分布区域

产于海南乐东、万宁、儋州、澄迈、海口。中国华南其他区域，以及湖南、江西、福建、浙江、贵州、四川等地亦有栽培。原产于澳大利亚。

资　　源	栽培，常见。
采收加工	全年均可采，多鲜用。
药材性状	干燥叶片呈镰刀状披针形，表面灰绿色，散有赤褐色或暗褐色的木栓斑点，主脉干缩成一条沟槽。叶柄棕褐色，多扭转。革质，质脆，易折碎。
功能主治	味辛、苦，性温。祛风除湿，杀虫止痒，解毒防腐。用于风湿病、皮肤病、皮肤湿疹、慢性皮炎、疥疮、手足癣、灭蚊虫。

桃金娘科 Myrtaceae 桉属 *Eucalyptus*

桉

Eucalyptus robusta Smith

| 中 药 名 | 桉（药用部位：叶）

| 植物形态 | 密荫大乔木，树皮宿存，深褐色，有不规则斜裂沟；嫩枝有棱。幼态叶对生，叶片厚革质，卵形，长 11cm，宽达 7cm，有柄；成熟叶卵状披针形，厚革质，不等侧，长 8~17cm，宽 3~7cm，侧脉多而明显，以 80° 开角缓斜走向边缘，两面均有腺点，边脉离边缘 1~1.5mm；叶柄长 1.5~2.5cm。伞形花序粗大，有花 4~8，总梗压扁，长 2.5cm 以内；花梗短，长不过 4mm，有时较长，粗而扁平；花蕾长 1.4 ~2cm，宽 7~10mm；萼管半球形或倒圆锥形，长 7~9mm，宽 6~8mm；帽状体约与萼管同长，先端收缩成喙；雄蕊长 1~1.2cm，花药椭圆形，纵裂。蒴果卵状壶形，长 1~1.5cm，上半部略收缩，蒴口稍扩大，果瓣 3~4，深藏于萼管内。花期 4~9 月。

桉

| **分布区域** | 产于海南海口。中国华南其他区域，以及湖南、江西、福建、台湾、浙江、安徽、贵州、云南、四川等地亦有栽培。原产于澳大利亚。

| **资　　源** | 栽培，常见。

| **采收加工** | 叶：全年均可采，一般鲜用；或制成桉叶油使用。果实：于夏季或冬季成熟时采收，晒干。

| **功能主治** | 疏风解热，防腐止痒。用于预防流行性感冒、流行性脑脊髓膜炎、咽喉痛、肺炎、急慢性肾盂肾炎、泄泻、痢疾、丝虫病。外用于烫火伤、痈疽疔肿、丹毒、稻田性皮炎、皮肤湿疹、脚癣、皮肤消毒。

桃金娘科 Myrtaceae 桉属 Eucalyptus

细叶桉 *Eucalyptus tereticornis* Smith

细叶桉

| 中 药 名 |

细叶桉（药用部位：叶、果实）

| 植物形态 |

大乔木，树皮平滑，灰白色，长片状脱落，干基有宿存的树皮；嫩枝圆形，纤细，下垂。幼态叶片卵形至阔披针形，宽达10cm；过渡型叶阔披针形；成熟叶片狭披针形，长10~25cm，宽1.5~2cm，稍弯曲，两面有细腺点，侧脉以45°角斜向上，边脉离叶缘0.7mm；叶柄长1.5~2.5cm。伞形花序腋生，有花5~8，总梗圆形，粗壮，长1~1.5cm；花梗长3~6mm；花蕾长卵形，长1~1.3mm或更长；萼管长2.5~3mm，宽4~5mm；帽状体长7~10mm，渐尖；雄蕊长6~9mm，花药纵裂。蒴果近球形，宽6~8mm，果缘突出萼管，果瓣4。

| 分布区域 |

海南有分布记录。中国华南其他区域，以及江西、福建、浙江、安徽、贵州、四川、云南等地亦有栽培。原产于澳大利亚。

| 资　　源 |

栽培，少见。

| 采收加工 | 叶：全年均可采，阴干或鲜用。果实：春、冬季采收，晒干。 |

| 药材性状 | 幼嫩叶卵形，厚革质，长 11cm，宽达 10cm，有柄；成熟叶卵状披针形，厚革质，不等侧，长 10~25cm，宽 1.5~2cm，侧脉多而明显，以 45° 开角缓斜走向边缘。两面均有腺点。叶柄长 1.5~2.5cm。叶片干后呈枯绿色。揉碎后有强烈香气，味微苦而辛。 |

| 功能主治 | 叶、果实：味辛、微苦，性平；归肺、胃、大肠经。抗菌消炎，祛痰止咳，收敛杀虫。用于预防流行性感冒、流行性乙型脑炎、疟疾、肺炎、腹泻、痢疾、皮肤溃烂、痈疮红肿、丹毒、乳腺炎、外伤感染、皮癣、神经性皮炎。 |

桃金娘科 Myrtaceae 番石榴属 Psidium

番石榴 *Psidium guajava* L.

番石榴

| 中 药 名 |

番石榴（药用部位：成熟果实、叶、根皮、树皮）

| 植物形态 |

乔木，树皮平滑，灰色，片状剥落；嫩枝有棱，被毛。叶片革质，长圆形至椭圆形，长 6~12cm，宽 3.5~6cm，先端急尖或钝，基部近于圆形，上面稍粗糙，下面有毛，侧脉 12~15 对，常下陷，网脉明显；叶柄长 5mm。花单生或 2~3 排成聚伞花序；萼管钟形，长 5mm，有毛，萼帽近圆形，长 7~8mm，不规则裂开；花瓣长 1~1.4cm，白色；雄蕊长 6~9mm；子房下位，与萼合生，花柱与雄蕊同长。浆果球形、卵圆形或梨形，长 3~8cm，先端有宿存萼片，果肉白色及黄色，胎座肥大，肉质，淡红色；种子多数。

| 分布区域 |

产于海南三亚、乐东、昌江、白沙、万宁、琼中、儋州、澄迈、琼海、西沙群岛、南沙群岛。中国华南其他区域，以及福建、台湾、贵州、四川、云南等地亦有栽培，或逸为野生。原产于南美洲热带地区。

│资　　源│

栽培，常见。

│采收加工│

成熟果实：秋季果实成熟时采收，一般鲜用。叶：春、夏季采收树叶，晒干或鲜用。树皮：树皮全年均可采，洗净，切段，晒干。

│药材性状│

叶呈矩圆状椭圆形至卵圆形，多皱缩卷曲或破碎，长 6~12cm，宽 3.5~6cm，先端圆或短尖，基部钝至圆形，边缘全缘，上表面淡棕褐色，无毛，下表面灰棕色，密被短柔毛，主脉和侧脉均隆起，侧脉在近叶缘处连成边脉。叶柄长5mm。革质而脆，易折断。嫩茎扁四棱形，被短柔毛。气清香。

│功能主治│

干燥幼果：味甘、涩，性平。用于止泻、止痢疾、解巴豆毒。叶：味苦、涩，性平。收敛止泻。用于泄泻、久痢、湿疹、创伤出血、瘙痒、热痱。根皮及树皮：味苦、涩，性平。用于湿毒疥疮、牙痛。

桃金娘科 Myrtaceae 玫瑰木属 Rhodamnia

玫瑰木
Rhodamnia dumetorum (Poir.) Merr. et Perry

| 中 药 名 | 玫瑰木（药用部位：叶）

| 植物形态 | 小乔木，高达 6m；嫩枝有灰色短柔毛，圆形，老枝无毛，褐色。叶片革质，狭窄椭圆形或狭卵形，长 6~10cm，宽 2.5~3.5cm，先端渐尖，基部钝或近圆形，上面初时有柔毛，以后变无毛，下面有灰白色柔毛，以后亦变无毛，离基三出脉离基部 3~4mm，直达叶尖，与纤细而平行的小脉在两面均明显；叶柄长 5~10mm，被毛。花白色，常 3 朵排成聚伞花序或单生，总梗长 1cm；花梗长短不一；花蕾梨形，长 7mm，上部宽 3.5mm；萼管卵形，长 4mm，有白茸毛，萼齿卵形，长 1.5~2mm，有毛；花瓣倒卵形，长 6mm，外面有灰白毛；雄蕊多数，黄色，长 4~5mm；子房下位，与萼管合生。浆果卵球形，长 8mm，宽 6mm，顶部有宿存萼片，外面有毛。花期 6~7 月。

玫瑰木

| **分布区域** | 产于海南万宁、琼海。中国华南其他区域亦有栽培。马来西亚及中南半岛也有分布。

| **资　　源** | 生于低海拔至中海拔的山地林中，少见。

| **采收加工** | 春、夏季采收树叶，晒干或鲜用。

| **功能主治** | 本种相关的功能主治报道较少，有待进一步研究。

海南玫瑰木 (变种)

Rhodamnia dumetorum (Poir.) Merr. et Perry var. *hainanensis* Merr. et Perry

| 中 药 名 | 海南玫瑰木（药用部位：叶）

| 植物形态 | 乔木。叶卵形或狭卵形，长 4~6.5cm，宽 2.5~3.5cm，先端急尖，下面有宿存的灰白色毛被。花白色，常 3 朵排成聚伞花序或单生，总梗长 1cm；花梗长短不一；花蕾梨形，长 7mm，上部宽 3.5mm；萼管卵形，长 4mm，有白茸毛，萼齿卵形，长 1.5~2mm，有毛；花瓣倒卵形，长 6mm，外面有灰白毛；雄蕊多数，黄色，长 4~5mm；子房下位，与萼管合生。浆果卵球形，长 8mm，宽 6mm，顶部有宿存萼片，外面有毛。花期 6~7 月。

| 分布区域 | 产于海南三亚、乐东、保亭、陵水。亦分布于中国广东。仅见于南部森林里。

海南玫瑰木（变种）

| **资　　源** | 生于低海拔至中海拔的林中，常见。

| **采收加工** | 春、夏季采收树叶，晒干或鲜用。

| **功能主治** | 本种相关的功能主治报道较少，有待进一步研究。

桃金娘科 Myrtaceae 桃金娘属 Rhodomyrtus

桃金娘
Rhodomyrtus tomentosa (Ait.) Hassk.

| 中 药 名 | 桃金娘（药用部位：果实、叶、根、花）

| 植物形态 | 灌木，嫩枝有灰白色柔毛。叶对生，革质，叶片椭圆形，长3~8cm，宽1~4cm，下面有灰色茸毛，离基三出脉，直达先端且相结合，边脉离边缘3~4mm，中脉有侧脉4~6对，网脉明显；叶柄长4~7mm。花有长梗，常单生，紫红色，直径2~4cm；萼管倒卵形，长6mm，有灰茸毛，萼裂片5，近圆形，长4~5mm，宿存；花瓣5，倒卵形，长1.3~2cm；雄蕊红色，长7~8mm；子房下位，3室，花柱长1cm。浆果卵状壶形，长1.5~2cm，宽1~1.5cm，熟时紫黑色；种子每室2列。花期4~5月。

| 分布区域 | 产于海南三亚、乐东、昌江、五指山、保亭、陵水、万宁、琼中、

桃金娘

儋州、澄迈、琼海。亦分布于中国华南其他区
域，以及湖南、江西、福建、台湾、浙江、贵州、
云南等地。越南、老挝、缅甸、菲律宾、马来
西亚、印度尼西亚、斯里兰卡也有分布。

| 资　　源 |

生于丘陵坡地，十分常见。

| 采收加工 |

果实：于秋季果实成熟时采收。花：4~5 月采收。
根、叶：全年可采。鲜用或阴干。

| 功能主治 |

果实：补血，滋养，安胎。用于贫血、吐血、
鼻衄、便血、痢疾、脱肛、病后体虚、神经衰弱、
耳鸣、遗精、血崩、带下。叶、根：用于肝炎、
血崩、胃痛、心痛、头痛、急性胃肠炎、消化
不良、伤寒、痢疾、腰肌劳损、功能性子宫出血、
脱肛、风湿关节痛、疝气、痔疮、烫火伤。花：
用于跌打损伤、瘀血、咳痰咯血。

桃金娘科 Myrtaceae 蒲桃属 Syzygium

丁子香
Syzygium aromaticum (L.) Merr. & L. M. Perry

丁子香

| 中 药 名 |

丁香（药用部位：花蕾、果实、根、树皮、树枝）

| 植物形态 |

常绿乔木，树皮黄褐色。单叶，对生；叶柄明显；叶片长卵形，长 5~10cm，宽 2.5~5cm，先端渐尖，基部狭窄，常下展成柄，全缘，革质，密布油腺。花芳香，成顶生聚伞圆锥花序，花直径约 6mm；花萼肥厚，筒状，绿色后转紫色，长管状，先端 4 裂，裂片三角形；花冠白色，稍带淡紫色，短管状，4 裂，花芳香。雄蕊多数，花药纵裂；子房下位，与萼管合生，花柱粗厚，柱头不明显。浆果红棕色，长椭圆形，稍有光泽，长 1~1.5cm，直径 5~8mm，先端宿存萼片。种子数粒，卵状椭圆形。花期 3~6 月，果期 6~9 月。

| 分布区域 |

产于海南万宁、儋州、屯昌。中国华南其他区域亦有栽培。原产于东南亚、南亚地区。

| 资 源 |

栽培，少见。

| 采收加工 |

花蕾：定植后 5~6 年，花蕾开始呈白色，渐次变绿色，最后呈鲜红色时采收，除去花梗，晒干。
根：秋季挖根，洗净，切片，晒干。

| 药材性状 |

花蕾略呈研棒状，长 1~2cm。花冠圆球形，直径约 6mm。花瓣 4，覆瓦状抱合，棕褐色或黄褐色，花瓣内为雄蕊和花柱，搓碎后可见众多黄色细粒状的花药。萼筒圆柱状，略扁，有的稍弯曲，长 0.7~1.4cm，直径 0.3~0.6cm，红棕色或棕褐色，上部有 4 枚三角状的萼片，十字状分开。质坚实，富油性。气芳香浓烈，味辛辣，有麻舌感。以个大粗壮、鲜紫棕色、香气浓郁、富有油性者为佳。

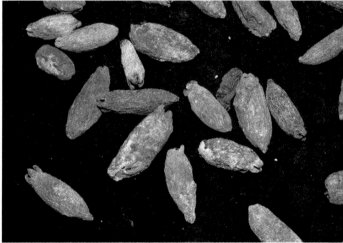

| 功能主治 |

花蕾：味辛，性温；归脾、胃、肾经。温中暖肾，降逆。用于呃逆、呕吐、反胃、泻痢、心腹冷痛、疝瘕、癣疾。果实：温中散寒。用于暴心气痛、胃寒呕逆、风冷齿痛、妇女阴冷、小儿疝气。根：味辛，性平；有小毒；归肺经。用于风热肿毒。树皮：温中散寒，消胀止痛。用于中寒脘腹痛胀、泄泻、齿痛。树枝：温中止泻。用于一切冷气、心腹胀满。

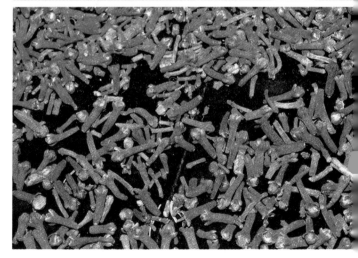

桃金娘科 Myrtaceae 蒲桃属 Syzygium

黑嘴蒲桃
Syzygium bullockii (Hance) Merr. et Perry

| 中 药 名 | 黑嘴蒲桃（药用部位：果实、叶）

| 植物形态 | 灌木至小乔木，嫩枝稍压扁，干后灰白色。叶片革质，椭圆形至卵状长圆形，长4~12cm，宽2.5~5.5cm，先端渐尖，尖头钝，基部圆形或微心形，上面干后暗褐色，发亮，下面稍浅，侧脉多数，以70°开角斜向上，离边缘1~2mm处相结合成边脉，脉间相隔1~2mm；叶柄极短，近于无柄。圆锥花序顶生，长2~4cm，多分枝，多花，总梗长不及1cm；花梗长1~2mm，花小；萼管倒圆锥形，长约4mm，萼齿波状；花瓣连成帽状体；花丝分离，长4~6mm；花柱与雄蕊同长。果实椭圆形，长约1cm，宽8mm。花期3~8月。

| 分布区域 | 产于海南三亚、乐东、保亭、万宁、澄迈、琼海、文昌。亦分布于中国华南其他区域。越南、老挝也有分布。

黑嘴蒲桃

| 资　源 |

生于低海拔平地、溪边次生林中，十分常见。

| 采收加工 |

叶：全年可采。果实：成熟时采收，鲜用或晒干。

| 功能主治 |

果实、叶：温补虚寒。用于脾肺虚寒、脘腹冷痛、腹胀、纳呆、呕吐、腹泻、咳嗽、喘逆、音低、乏力、自汗、怯冷。叶：外用于接骨、消肿痛。根：用于烧伤、烫伤、跌打损伤。

桃金娘科 Myrtaceae 蒲桃属 *Syzygium*

密脉蒲桃
Syzygium chunianum Merr. & Perry

| 中 药 名 | 密脉蒲桃（药用部位：果实、茎皮、根）

| 植物形态 | 乔木。叶片薄革质，椭圆形，长 4~10cm，宽 1.5~4.5cm，先端宽而急渐尖，尖头长 1~1.5cm，下面黄褐色，两面均有细小腺点，侧脉多而密，彼此相隔不到 1mm，近于水平缓斜向边缘，边脉极靠近边缘；叶柄长 7~12mm。圆锥花序顶生或近顶生，长 1.5~3cm，少分枝，有花 3~9，常 3 朵簇生；花梗长 1.5mm，中央花朵无柄；花蕾长约 2.5mm；萼管长 2mm，先端平截，萼齿不明显；花瓣连合成帽状；雄蕊和花柱极短。果实球形，直径 6~7mm。花期 6~7 月。

| 分布区域 | 产于海南乐东、东方、昌江、白沙、五指山、保亭、万宁、琼中、琼海、三亚。亦分布于中国广西。

密脉蒲桃

| 资　　源 | 生于中海拔的疏林中，十分常见。

| 采收加工 | 果实：成熟时采收，鲜用或晒干。茎皮、根：全年均可采，洗净，切片，晒干。

| 功能主治 | 同属植物的果实、茎皮、根多有药用，有清热、润肺、止痒等功能，本种或许有类似作用，其功能有待进一步研究。

桃金娘科 Myrtaceae 蒲桃属 Syzygium

棒花蒲桃 Syzygium claviflorum (Roxb.) Wall. ex Steud.

| 中 药 名 | 棒花蒲桃（药用部位：果实、茎皮、根）

| 植物形态 | 灌木至小乔木；叶片薄革质，狭长圆形至椭圆形，长 12~21cm，宽 4~8cm，侧脉 18~25 对，网脉明显，边脉离边缘 1~1.5mm；叶柄长 5~7mm，干后皱缩。聚伞花序或伞形花序腋生及生于无叶老枝上，有花 3~9，总梗长 3~5mm；花白色，花梗长 2mm，与萼管相接；萼管长约 1.5cm，棒状，表面有多数浅直沟，先端稍扩大，萼齿短，短半圆形；花瓣圆形，长 3mm；雄蕊长 4~7mm；花柱长 1.5~2cm，先端尖。果实长椭圆形或长壶形，长 1.5~2cm，宽 6~8mm。花期 4 月。

| 分布区域 | 产于海南乐东、昌江、五指山、保亭、陵水、万宁。亦分布于中国云南。越南、缅甸、泰国、菲律宾、马来西亚、印度尼西亚、不丹、印度、澳大利亚、巴布亚新几内亚也有分布。　　.

棒花蒲桃

| 资　源 |

生于常绿林中，常见。

| 采收加工 |

果实：成熟时采收，鲜用或晒干。茎皮、根：全年均可采，洗净，切片，晒干。

| 功能主治 |

同属植物的果实、茎皮、根多有药用，有清热、润肺、止痒等功能，本种或许有类似作用，其功能有待进一步研究。

桃金娘科 Myrtaceae 蒲桃属 Syzygium

乌 墨
Syzygium cumini (L.) Skeels

| 中 药 名 | 乌墨（药用部位：果实、茎皮、叶）

| 植物形态 | 乔木，嫩枝圆形，干后灰白色。叶片革质，阔椭圆形至狭椭圆形，长 6~12cm，宽 3.5~7cm，先端圆，有一个短的尖头，稀为圆形，上面干后褐绿色或为黑褐色，略发亮，下面稍浅色，两面多细小腺点，侧脉多而密，脉间相隔 1~2mm，缓斜向边缘，离边缘 1mm 处结合成边脉；叶柄长 1~2cm。圆锥花序腋生或生于花枝上，偶有顶生，长可达 11cm；有短花梗，花白色，3~5 朵簇生；萼管倒圆锥形，长 4mm，萼齿很不明显；花瓣 4，卵形略圆，长 2.5mm；雄蕊长 3~4mm；花柱与雄蕊等长。果实卵圆形或壶形，长 1~2cm，上部有长 1~1.5mm 的宿存萼筒；种子 1。花期 2~3 月。

乌墨

| 分布区域 |

产于海南三亚、东方、昌江、保亭、陵水、万宁、琼中、儋州、临高、澄迈、屯昌、文昌。亦分布于中国华南其他区域，以及福建、云南。越南、老挝、泰国、马来西亚、印度尼西亚、不丹、尼泊尔、印度、斯里兰卡、澳大利亚也有分布。

| 资　　源 |

生于低海拔的林中或旷野，十分常见。

| 采收加工 |

果实：成熟时采收。叶：全年可采，鲜用或晒干。茎皮：全年均可采收，洗净，切片，晒干。

| 功能主治 |

果实、茎皮、叶：润肺，止咳，平喘。用于肺结核、寒性哮喘、过敏性哮喘。种子：从中分离出的多酚类和甾类化合物与草氨酸钠合用，可防治糖尿病及其并发症。果实：藏医用于肾脏病、三灾病。

桃金娘科 Myrtaceae 蒲桃属 Syzygium

水竹蒲桃 Syzygium fluviatile Merr. & Perry

| 中 药 名 | 水竹蒲桃（药用部位：果实、茎皮、根）

| 植物形态 | 灌木。叶片革质，线状披针形，长 3~8cm，宽 7~14mm，上面有多数下陷腺点，下面黄褐色，多突起小腺点，侧脉多而密，以 40°角急斜向上，在离边缘约 0.3mm 处结合成边脉；叶柄极短，长约 2mm。聚伞花序腋生，长 1~2cm；花蕾倒卵形，长 4mm；花梗长 2~3mm，有时无柄；萼管倒圆锥形，长 3.5mm，萼齿 4，极短；花瓣分离，圆形，长 4mm；雄蕊长 4~5mm；花柱与雄蕊等长。果实球形，宽 6~7mm，成熟时黑色。花期 4~7 月。

| 分布区域 | 产于海南三亚、乐东、东方、昌江、白沙、五指山、保亭、琼中、临高、澄迈、屯昌。亦分布于中国广西、贵州等地。

水竹蒲桃

| 资　源 |

生于低海拔的林中溪边，十分常见。

| 采收加工 |

果实：成熟时采收，鲜用或晒干。茎皮、根：全年均可采，洗净，切段，晒干。

| 功能主治 |

同属植物的果实、茎皮、根多有药用，有清热、润肺、止痒等功能，本种或许有类似作用，其功能有待进一步研究。

桃金娘科 Myrtaceae 蒲桃属 Syzygium

红鳞蒲桃
Syzygium hancei Merr. & L. M. Perry

| 中 药 名 | 红鳞蒲桃（药用部位：果实、茎皮、根）

| 植物形态 | 灌木或中等乔木。叶片革质，狭椭圆形至长圆形，长 3~7cm，宽 1.5~4cm，上面有多数细小而下陷的腺点，以 60° 开角缓斜向上，边脉离边缘约 0.5mm；叶柄长 3~6mm。圆锥花序腋生，长 1~1.5cm，多花；无花梗；花蕾倒卵形，长 2mm，萼管倒圆锥形，长 1.5mm，萼齿不明显；花瓣 4，分离，圆形，长 1mm，雄蕊比花瓣略短；花柱与花瓣同长。果实球形，直径 5~6mm。花期 7~9 月。

| 分布区域 | 产于海南三亚、乐东、昌江、白沙、五指山、保亭、陵水、万宁、琼中、澄迈、琼海、文昌。亦分布于中国华南其他区域，以及福建。越南也有分布。

红鳞蒲桃

| 资　源 |

生于低海拔的疏林中，十分常见。

| 采收加工 |

果实：成熟时采收，鲜用或晒干。茎皮、根：
全年均可采，洗净，切段，晒干。

| 功能主治 |

同属植物的果实、茎皮、根多有药用，有清热、
润肺、止痒等功能，本种或许有相同作用，其
功能有待进一步研究。

桃金娘科 Myrtaceae 蒲桃属 Syzygium

蒲 桃 *Syzygium jambos* (L.) Alston

| **中 药 名** | 蒲桃（药用部位：果皮、根皮）

| **植物形态** | 乔木，主干极短，广分枝；小枝圆形。叶片革质，披针形或长圆形，长 12~25cm，宽 3~4.5cm，先端长渐尖，基部阔楔形，叶面多透明细小腺点，侧脉 12~16 对，以 45° 开角斜向上，在靠近边缘 2mm 处结合成边脉；叶柄长 6~8mm。聚伞花序顶生，有花数朵，总梗长 1~1.5cm；花梗长 1~2cm，花白色，直径 3~4cm；萼管倒圆锥形，长 8~10mm，萼齿 4，半圆形，长 6mm，宽 8~9mm；花瓣分离，阔卵形，长约 14mm；雄蕊长 2~2.8cm，花药长 1.5mm；花柱与雄蕊等长。果实球形，果皮肉质，直径 3~5cm，成熟时黄色，有油腺点；种子 1~2，多胚。花期 3~4 月，果实 5~6 月成熟。

蒲桃

分布区域

产于海南白沙、五指山、保亭、万宁、琼中、
儋州、澄迈、琼海。亦分布于中国华南其他区域，
以及福建、台湾、贵州、云南、四川等地。中
南半岛，以及马来西亚、印度尼西亚也有分布。

资　源

生于河边湿地、混交林中、河谷，或栽培，十
分常见。

采收加工

根全年均可采，洗净后剥取根皮，切片，晒干。

功能主治

果皮：用于肺虚寒咳、血积疝瘤、呃逆。根皮：
凉血，消肿，杀虫，收敛。用于痢疾、腹泻、
刀伤出血。

桃金娘科 Myrtaceae 蒲桃属 Syzygium

阔叶蒲桃 *Syzygium latilimbum* Merr. & Perry

| 中 药 名 | 阔叶蒲桃（药用部位：果实、茎皮、根）

| 植物形态 | 乔木，嫩枝稍压扁。叶片狭长椭圆形至椭圆形，长 14~30cm，宽 6~13cm，下面无明显腺点，侧脉 15~22 对，在离边缘 4~5mm 处互相结合成边脉，网脉明显；叶柄长 5~10mm。聚伞花序顶生，有花 2~6，总梗极短；花大，白色，花梗长 6~8mm；萼管长倒锥形，长 1.5~2cm，上部宽 1.5cm，萼齿 4，圆形，长 6~7mm，宽 8~9mm；花瓣分离，圆形，长 2cm；雄蕊极多，长 2.5~3cm；花柱长约 4cm。果实卵状球形，长 5cm。花期 4 月。

| 分布区域 | 产于海南三亚、乐东、五指山、保亭。亦分布于中国华南其他区域，以及云南。越南、泰国、缅甸、孟加拉国也有分布。

阔叶蒲桃

| **资　　源** | 生于低海拔的林中、河边，常见。

| **采收加工** | 果实：成熟时采收，鲜用或晒干。茎皮、根：全年均可采收，洗净，切段，晒干。

| **功能主治** | 同属植物的果实、茎皮、根多有药用，有清热、润肺、止痒等功能，本种或许有类似作用，其功能有待进一步研究。

| **附　　注** | 在 FOC 中，其学名被修订为 *Syzygium megacarpum* (Craib) Rathakr. et N. C. Nair。

桃金娘科 Myrtaceae 蒲桃属 Syzygium

山蒲桃
Syzygium levinei Merr. & Perry

| 中 药 名 | 山蒲桃（药用部位：果实、茎皮、根）

| 植物形态 | 常绿乔木，嫩枝圆形，有糠秕，干后灰白色。叶片革质，椭圆形，长 4~8cm，宽 1.5~3.5cm，两面有细小腺点，侧脉以 45° 开角斜向上，在靠近边缘 0.5mm 处结合成边脉；叶柄长 5~7mm。圆锥花序顶生和上部腋生，长 4~7cm，多花，花序轴多糠秕或乳状突；花蕾倒卵形，长 4~5mm；花白色，有短梗；萼管倒圆锥形，长 3mm，萼齿极短，有 1 小尖头；花瓣 4，分离，圆形，长 2.5~3mm；雄蕊长 5mm；花柱长 4mm。果实近球形，长 7~8mm；种子 1。花期 8~9 月。

| 分布区域 | 产于海南三亚、东方、昌江、保亭、陵水、儋州、澄迈、文昌。亦分布于中国华南其他区域。越南也有分布。

山蒲桃

资　　源	生于低海拔的疏林中，十分常见。
采收加工	果实：成熟时采收，鲜用或晒干。茎皮、根：全年均可采，洗净，切片，晒干。
功能主治	同属植物的果实、茎皮、根多有药用，有清热、润肺、止痒等功能，本种或许有类似作用，其功能有待进一步研究。

桃金娘科 Myrtaceae 蒲桃属 Syzygium

马六甲蒲桃 Syzygium malaccense (L.) Merr. & Perry

| **中 药 名** | 马六甲蒲桃（药用部位：树皮、叶、根）

| **植物形态** | 乔木，嫩枝圆形，干后灰褐色。叶片革质，狭椭圆形至椭圆形，长16~24cm，宽6~8cm，先端尖锐，基部楔形，上面干后暗绿色，无光泽，下面黄褐色，侧脉11~14对，以45°开角斜行向上，在离边缘3~5mm处结合成边脉，另在靠近边缘1mm处有1条不明显的边脉，侧脉间相隔1~1.5cm，有明显网脉；叶柄长约1cm。聚伞花序生于无叶的老枝上，花4~9簇生，总梗极短；花梗长5~8mm，粗大，有棱；花红色，长2.5cm；萼管阔倒锥形，长与宽均约1cm，萼齿4，近圆形，长5~6mm，宽7~8mm，先端圆；花瓣分离，圆形，长1cm，宽1cm；雄蕊长1~1.3cm，完全分离；花柱与雄蕊等长。果实卵圆形或壶形，长约4cm；种子1。花期5月。

马六甲蒲桃

| **分布区域** | 海南偶见栽培。亦分布于中国台湾、云南。印度、老挝和越南也有分布。原产于马来西亚。 |

| **资　　源** | 东南亚一带广泛栽培，供食用。 |

| **采收加工** | 叶、树皮：全年均可采。根：全年均可采挖，洗净，切片，鲜用或晒干。 |

| **功能主治** | 树皮：用于鹅口疮。叶：用于舌头疾患。根：用于皮肤瘙痒、灭虱。中美洲尼加拉瓜民族药。树皮、叶：煎制泥敷剂，局部止痛，用于皮肤病。 |

桃金娘科 Myrtaceae 蒲桃属 *Syzygium*

香蒲桃 *Syzygium odoratum* DC.

香蒲桃

中药名

香蒲桃（药用部位：果实、茎皮、根）

植物形态

常绿乔木，高达 20m；嫩枝纤细，圆形或略压扁，干后灰褐色。叶片革质，卵状披针形或卵状长圆形，长 3~7cm，宽 1~2cm，先端尾状渐尖，基部钝或阔楔形，上面干后橄榄绿色，有光泽，多下陷的腺点，下面同色，侧脉多而密，彼此相隔约 2mm，在上面不明显，在下面稍突起，以 45° 开角斜向上，在靠近边缘 1mm 处结合成边脉；叶柄长 3~5mm。圆锥花序顶生或近顶生，长 2~4cm；花梗长 2~3mm，有时无花梗；花蕾倒卵圆形，长约 4mm；萼管倒圆锥形，长 3mm，有白粉，干后皱缩，萼齿 4~5，短而圆；花瓣分离或帽状；雄蕊长 3~5mm；花柱与雄蕊同长。果实球形，直径 6~7mm，略有白粉。花期 6~8 月。

分布区域

产于海南三亚、乐东、保亭、万宁、屯昌、文昌。亦分布于中国华南其他区域。越南也有分布。

| 资　源 |

生于低海拔疏林或林谷中，十分常见。

| 采收加工 |

果实：成熟时采收，鲜用或晒干。茎皮、根：全年均可采收，洗净，切段，晒干。

| 功能主治 |

同属植物的果实、茎皮、根多有药用，有清热、润肺、止痒等功能，本种或许有类似作用，其功能有待进一步研究。

桃金娘科 Myrtaceae 蒲桃属 Syzygium

洋蒲桃
Syzygium samarangense Merr. & Perry

| 中 药 名 |　莲雾（药用部位：根、叶、树皮）

| 植物形态 |　乔木。叶片薄革质，椭圆形至长圆形，长 10~22cm，宽 5~8cm，先端钝，基部变狭，圆形，上面干后变黄褐色，下面多细小腺点，侧脉 14~19 对，以 45° 开角斜行向上，在离边缘 5mm 处互相结合成明显边脉，另在靠近边缘 1.5mm 处有 1 条附加边脉，侧脉间相隔 6~10mm，有明显网脉；叶柄极短，长不过 4mm，有时近于无柄。聚伞花序顶生或腋生，长 5~6cm，有花数朵；花白色，花梗长约 5mm；萼管倒圆锥形，长 7~8mm，宽 6~7mm，萼齿 4，半圆形，长 4mm，宽加倍；雄蕊极多，长约 1.5cm；花柱长 2.5~3cm。果实梨形或圆锥形，肉质，洋红色，发亮，长 4~5cm，顶部凹陷，有宿存的肉质萼片；种子 1。花期 3~4 月，果实 5~6 月成熟。

洋蒲桃

分布区域	产于海南各地。中国华南其他区域，以及福建、台湾、四川、云南等地亦有栽培。原产于泰国、马来西亚、印度尼西亚、印度、巴布亚新几内亚。
资　　源	栽培，十分常见。
采收加工	叶、树皮：全年均可采。根：全年均可采挖，洗净，切片，鲜用或晒干。
功能主治	叶、树皮：味苦，性寒；归心、肝经。泻火解毒，燥湿止痒。用于口舌生疮、疮疡溃烂、阴痒。根：利湿止痒。用于小便不利、皮肤湿痒。

桃金娘科 Myrtaceae 蒲桃属 Syzygium

方枝蒲桃
Syzygium tephrodes Merr. & Perry

| 中 药 名 | 方枝蒲桃（药用部位：果实、茎皮、根）

| 植物形态 | 灌木至小乔木，小枝有 4 棱，干后灰白色，老枝圆形，灰褐色。叶
片革质，近于无柄，细小，卵状披针形，长 2~5cm，宽 1~1.5cm，
侧脉 12~16 对，近于水平斜出，边脉极靠近边缘。圆锥花序顶生，
长 3~4cm，总梗有棱，灰白色；花梗长 1~2mm，花白色，有香气；
萼管窄倒圆锥形，长约 4mm，灰白色，干后纵向皱褶，萼齿 4，近
圆形，长约 1mm；花瓣连合，圆形，长 2mm；雄蕊长 3~4mm；花
柱长 6~7mm。果实卵圆形，长 3~4mm，灰白色，上部较狭，顶部
有宿存萼齿。花期 5~6 月。

| 分布区域 | 产于海南三亚、乐东、保亭、陵水、万宁、琼中、儋州、澄迈、定安、
琼海、文昌。

方枝蒲桃

| 资　源 |

生于海拔 300m 的常绿阔叶林、山谷中，十分常见。

| 采收加工 |

果实：成熟时采收，鲜用或晒干。茎皮、根：全年均可采收，洗净，切段，晒干。

| 功能主治 |

同属植物的果实、茎皮、根多有药用，有清热、润肺、止痒等功能，本种或许有类似作用，其功能有待进一步研究。

桃金娘科 Myrtaceae 蒲桃属 Syzygium

四角蒲桃
Syzygium tetragonum Wall.

| **中 药 名** | 四角蒲桃（药用部位：根、根皮）

| **植物形态** | 乔木，嫩枝四角形，有明显的棱。叶片革质，椭圆形，长12~18cm，宽 6~8cm，先端圆或钝，有一个长约 1cm 的尖头，上面干后暗褐色，无光泽，下面稍淡，侧脉 9~13 对，脉间相隔7~10mm，边脉离边缘 2~3mm，网脉明显；叶柄长 1~1.6cm，粗壮。聚伞花序组成圆锥花序，生于无叶的枝上，长 3~5cm；花无梗；花蕾长 6~7mm；萼管短，倒圆锥形，萼齿钝而短；花瓣连合成帽状；雄蕊长 3mm。果实球形，直径约 1cm。花期 7~8 月。

| **分布区域** | 产于海南三亚、五指山、保亭、陵水、万宁。亦分布于中国广西、云南、西藏等地。缅甸、泰国、不丹、尼泊尔、印度也有分布。

四角蒲桃

| 资 源 |

生于中海拔的山谷或溪边，偶见。

| 采收加工 |

全年可采挖，洗净后剥皮，切片，晒干。

| 功能主治 |

祛风除湿。用于风湿、关节炎、跌打损伤。

桃金娘科 Myrtaceae 蒲桃属 Syzygium

狭叶蒲桃
Syzygium tsoongii (Merr.) et Perry

| 中 药 名 | 狭叶蒲桃（药用部位：果实、茎皮、根）

| 植物形态 | 灌木或小乔木，嫩枝纤细，四方形，干后灰褐色。叶片革质，细小，线形至狭长圆形，长 1.5~4.5cm，宽 4~12mm，上面多细小腺点，下面稍呈灰白色，边脉很靠近边缘；叶柄极短，长不过 2mm。圆锥花序顶生，长 3cm，花序轴有 4 棱；花梗长 1~2mm，花白色，开放时长 1.2cm；花蕾圆锥形，长 5~7mm；萼管倒圆锥形，长 4mm，干后皱缩，有灰白色粉，萼齿 4~5，近圆形，长约 1mm，宿存；花瓣 4~5，圆形，直径 2mm；雄蕊长 5~7mm；花柱长 8mm。果实球形，直径 5~7mm，成熟时白色。花期 5~8 月。

狭叶蒲桃

| **分布区域** | 产于海南乐东、东方、五指山、万宁、琼中、定安。亦分布于中国广西、湖南等地。越南也有分布。

| **资　　源** | 生于海拔 400~600m 的山谷，常见。

| **采收加工** | 果实：成熟时采收，鲜用或晒干。茎皮、根：全年均可采收，洗净，切段，晒干。

| **功能主治** | 同属植物的果实、茎皮、根多有药用，有清热、润肺、止痒等功能，本种或许有类似作用，其功能有待进一步研究。

玉蕊科 Lecythidaceae 玉蕊属 Barringtonia

滨玉蕊
Barringtonia asiatica (L.) Kurz

| 中 药 名 | 滨玉蕊（药用部位：果实、种子、树皮）

| 植物形态 | 常绿乔木，小枝有大的叶痕。叶丛生于枝顶，有短柄，近革质，倒卵形，甚大，微凹头而有一小凸尖，全缘，两面无毛，侧脉常 10~15 对。总状花序直立，顶生，稀侧生，长 2~15cm；苞片卵形，无柄，长 8~15mm；小苞片三角形，长 1.5~5mm；花梗长 4~6cm；花芽直径 2~4cm；萼撕裂为 2 个不等大的裂片，长 3~4cm，纸质；花瓣 4，椭圆形，长 5.5~8.5cm；雄蕊 6 轮，内轮退化，花丝长 8~12cm，退化雄蕊长 2~3.5cm；子房近球形或有 4 棱，4 室，隔膜不完全，胚珠每室 4~5。果实卵形或近圆锥形，长 8.5~11cm，直径 8.5~10cm，常有 4 棱，外果皮薄，外面有腺点，中果皮厚 2~2.5cm，海绵质，内果皮富含纵向交织的纤维；种子矩圆形，长 4~5cm，向上渐狭，凹头。

滨玉蕊

| 分布区域 | 产于海南万宁、南沙群岛。亦分布于中国台湾。日本、菲律宾及大洋洲的热带、亚热带海岸也有分布。 |

| 资　源 | 生于海边林中，偶见。 |

| 采收加工 | 树皮：全年可采，洗净切段。种子：果实成熟时采收，取出种子，鲜用或晒干。 |

| 功能主治 | 有毒，可毒鱼。 |

玉蕊科 Lecythidaceae 玉蕊属 Barringtonia

玉 蕊
Barringtonia racemosa (L.) Spreng.

玉蕊

中 药 名

水茄冬（药用部位：根、果实）

植物形态

乔木，稀灌木状。叶常丛生于枝顶，有短柄，纸质，倒卵形至倒卵状椭圆形，长 12~30cm 或更长，宽 4~10cm，先端短尖至渐尖，边缘有圆齿状小锯齿；侧脉 10~15 对。总状花序顶生，稀在老枝上侧生，下垂，长达 70cm 或更长，总梗直径 2~5mm；花疏生，花梗长 0.5~1.5cm 或稍过之；苞片小而早落；萼撕裂为 2~4 片，裂片等大或不等大，椭圆形至近圆形，长 0.7~1.3cm；花瓣 4，椭圆形至卵状披针形，长 1.5~2.5cm；雄蕊通常 6 轮，最内轮为不育雄蕊，发育雄蕊花丝长 3~4.5cm；子房常 3~4 室，隔膜完全，胚珠每室 2~3 颗。果实卵圆形，长 5~7cm，直径 2~4.5cm，微具 4 钝棱，果皮厚 3~12mm，稍肉质，内含网状交织纤维束；种子卵形，长 2~4cm。花期几全年。

分布区域

产于海南万宁、文昌。亦分布于中国台湾。亚洲、大洋洲、非洲的热带和亚热带地区也有分布。

| 资　　源 |

生于海滨林中，常见。

| 采收加工 |

根：全年均可采，挖出根部，洗净，切片，晒干。
果实：成熟时摘取，鲜用或晒干。

| 功能主治 |

根：味苦，性凉。清热。用于热病发热。果实：
止咳平喘，止泻。用于咳嗽、哮喘、腹泻。

玉蕊科 Lecythidaceae 炮弹树属 *Couroupita*

炮弹树

Couroupita guianensis Aubl.

炮弹树

| 中 药 名 |

炮弹树（药用部位：根、叶、果实）

| 植物形态 |

软木质大乔木，果球形，直径达20cm，木质，形似生锈的炮弹，果肉厚，含多数种子，外壳坚硬，当地常用作器皿。总状花序簇发自茎干，长60~90cm；花色艳丽，花瓣6，浅碟状，长约5cm，外侧黄色或红色，内侧深红色或淡紫色；雄蕊聚生，雄蕊管弯曲伸展。

| 分布区域 |

海南有栽培。原产于南美洲东北部。

| 资　源 |

栽培，常见。

| 采收加工 |

根：全年均可采，挖出根部，洗净，切片，晒干。叶：全年均可采收。果实：成熟时摘取，鲜用或晒干。

| 功能主治 |

缅甸常用草药。根、叶、果实：用于感冒、发热、咳嗽。

野牡丹科 Melastomataceae 柏拉木属 Blastus

柏拉木 *Blastus cochinchinensis* Lour.

柏拉木

中药名

崩疮药（药用部位：根或全株）

植物形态

灌木，茎分枝多，幼时密被黄褐色小腺点，以后脱落。叶片纸质，披针形，狭椭圆形至椭圆状披针形，先端渐尖，基部楔形，长 6~12cm，宽 2~4cm，基出脉 3；叶柄长 1~2cm，被小腺点。伞状聚伞花序，腋生，总梗长约 2mm 至几无，密被小腺点；花梗长约 3mm，密被小腺点；花萼钟状漏斗形，长约 4mm，密被小腺点，钝四棱形，裂片 4，广卵形，长约 1mm，具小尖头；花瓣 4，白色至粉红色，卵形，长约 4mm，于右上角突出一小片；雄蕊 4，等长，花丝、花药长约 4mm，粉红色，呈曲膝状，药隔微膨大，下延直达花药基部；子房坛形，下位，4 室，先端具 4 个小突起，被疏小腺点。蒴果椭圆形，4 裂，为宿存萼所包；宿存萼与果等长，檐部平截，被腺点。花期 6~8 月，果期 10~12 月。

分布区域

产于海南乐东、东方、昌江、五指山、保亭、万宁、琼中、儋州、澄迈。亦分布于中国华南其他区域，以及湖南、福建、台湾、贵州、云南等地。越南、老挝、缅甸、柬埔寨、印度也有分布。

| 资　　源 |

生于阔叶林中，常见。

| 采收加工 |

秋、冬季挖取根部，洗净，切片，晒干。秋季采叶，鲜用或晒干研粉备用。

| 功能主治 |

根：味苦、涩，性凉。收敛止血，消肿解毒。用于产后流血不止、月经过多、泄泻、跌打损伤、外伤出血、疮疡溃烂。全株：清热解毒，消肿止痛，拔毒生肌。用于小儿头疮、皮肤溃烂、疮疡肿毒、风湿骨痛。

野牡丹科 Melastomataceae 酸脚杆属 Medinilla

附生美丁花
Medinilla arboricola F. C. How

| 中 药 名 | 附生美丁花（药用部位：叶）

| 植物形态 | 攀缘灌木，附生于树上；茎灰黄色，四棱形，无毛，表皮木栓化，老时具皱纹及皮孔。叶 3~5 轮生，叶片坚纸质或近革质，椭圆形，长 6~8cm，宽 3~4.5cm，全缘，离基三出脉，两面无毛；叶柄长 8~15mm，无毛。花 4 数，聚伞花序，花 3~5 聚生于已落叶的叶腋，长 2~3cm，总梗长 4~8mm，无毛；花萼管状，长 8~12mm，先端平截，裂片不明显，从基部至中部有明显的小瘤体，无毛；花瓣白色，长椭圆形，先端圆形，偏斜，基部渐狭，长约 2cm，宽 8~10mm，无毛；雄蕊 8~10，花丝近等长，花药线状披针形，镰状弯曲，不等长，长者长约 15mm，短者长约 7mm，基部具小瘤，药隔下延成短距，距长 1~2mm；子房下位，近球形。浆果近球状壶形，为宿存萼

附生美丁花

所包；宿存萼长约 14mm，具小瘤体，萼檐长约 4mm。花期 6~7 月，果期 8~9 月。

｜分布区域｜

产于海南三亚、东方、五指山、保亭、陵水、万宁、琼中、儋州。

｜资　　源｜

生于低海拔至中海拔的林中，常见。

｜采收加工｜

全年均可采收，鲜用或晒干。

｜功能主治｜

收载于《中国民族药志》（第一卷）622 页。叶：药用。

野牡丹科 Melastomataceae 野牡丹属 Melastoma

野牡丹
Melastoma candidum D. Don

| 中 药 名 | 野牡丹（药用部位：根、叶）

| 植物形态 | 灌木，分枝多；茎钝四棱形，密被紧贴的鳞片状糙伏毛，毛扁平、边缘流苏状。叶片坚纸质，卵形，长4~10cm，宽2~6cm，全缘，基出脉7，两面被糙伏毛及短柔毛；叶柄长5~15mm，密被鳞片状糙伏毛。伞房花序生于分枝先端，近头状，有花3~5，稀单生，基部具叶状总苞2；苞片披针形，密被鳞片状糙伏毛；花梗长3~20mm，密被鳞片状糙伏毛；花萼长约2.2cm，密被鳞片状糙伏毛及长柔毛，裂片卵形，与萼管等长，先端渐尖，具细尖头，两面均被毛；花瓣玫瑰红色，倒卵形，长3~4cm，先端圆形，密被缘毛；雄蕊长者药隔基部伸长，弯曲，末端2深裂，短者药隔不伸延，药室基部具1对小瘤；子房半下位，密被糙伏毛，先端具1圈刚毛。蒴果坛

野牡丹

状球形，与宿存萼贴生，长 1~1.5cm，直径 8~12mm，密被鳞片状糙伏毛；种子镶于肉质胎座内。花期 5~7 月，果期 10~12 月。

| 分布区域 |

产于海南三亚、乐东、昌江、白沙、五指山、保亭、陵水、万宁、琼中、儋州、澄迈、屯昌、琼海、文昌。亦分布于中国华南其他区域、西南，以及湖南、江西、福建、台湾、浙江等地。越南、老挝、缅甸、柬埔寨、泰国、马来西亚、菲律宾、尼泊尔、印度、日本及太平洋岛屿也有分布。

| 资　　源 |

生于松林、灌丛、荒野、山谷、疏林下，十分常见。

| 采收加工 |

根：全年均可采挖，洗净，切片，晒干。叶：于 6~7 月采收，鲜用或晒干。

| 功能主治 |

味酸、涩，性平。清热利湿，消肿止痛，散瘀止血。用于消化不良、肠炎、泄泻、痢疾、衄血、便血、脱疽、血栓闭塞性脉管炎。叶：外用于跌打损伤、外伤出血。

野牡丹科 Melastomataceae 野牡丹属 Melastoma

展毛野牡丹

Melastoma normale D. Don

| 中 药 名 | 大金香炉（药用部位：根、叶）

| 植物形态 | 灌木；茎分枝多，密被平展的长粗毛及短柔毛，毛常为褐紫色，长不过 3mm。叶片坚纸质，卵形至椭圆形，先端渐尖，基部圆形，长 4~10.5cm，宽 1.4~3.5cm，全缘，基出脉 5，叶面密被糙伏毛；叶柄长 5~10mm，密被糙伏毛。伞房花序生于分枝先端，具花 3~7，基部具叶状总苞片 2；苞片披针形至钻形，长 2~5mm，密被糙伏毛；花梗长 2~5mm，密被糙伏毛，毛扁平，边缘流苏状，裂片披针形，先端渐尖，里面上部、外面及边缘具鳞片状糙伏毛及短柔毛，裂片间具 1 小裂片；花瓣紫红色，倒卵形，长约 2.7cm，先端圆形，仅具缘毛；雄蕊长者药隔基部伸长，末端 2 裂，常弯曲，短者药隔不伸长，花药基部两侧各具 1 小瘤，子房半下位，密被糙伏毛，先端具 1 圈密

展毛野牡丹

刚毛。蒴果坛状球形，先端平截，宿存萼与果贴生，长 6~8mm，直径 5~7mm，密被鳞片状糙伏毛。

| 分布区域 | 产于海南五指山、保亭、琼海、陵水。亦分布于中国西南部、南部至东南部。缅甸、菲律宾、马来西亚、尼泊尔及印度也有分布。

| 资　　源 | 生于开朗山坡灌丛中或疏林下，少见。

| 采收加工 | 根：全年均可采挖，洗净，切片，晒干。叶：于 6~7 月采收，鲜用或晒干。

| 药材性状 | 本品为不规则的块片，大小厚薄不一，外皮浅棕红色或棕褐色，平坦，有纵沟纹。皮薄，厚 0.5~2mm，易脱落，脱落处呈浅棕色，有细密弯曲的纵纹。质硬而致密，不易折断，断面浅黄棕色或浅棕色，中部颜色较深。气微，味涩。

| 功能主治 | 味苦、涩，性凉。清热解毒，收敛利湿，消肿止痛，散瘀止血。用于消化不良、泄泻、痢疾、肝炎、衄血、便血、崩漏、带下、脱疽、跌打损伤、内外伤出血。

| 附　　注 | 在 FOC 中，本种被归为野牡丹 *Melastoma candidum* D. Don。

野牡丹科 *Melastomataceae* 野牡丹属 *Melastoma*

紫毛野牡丹
Melastoma penicillatum Naud.

| 中 药 名 | 紫毛野牡丹（药用部位：根、叶）

| 植物形态 | 灌木，高达 1m；茎、小枝、花梗、花萼及叶柄均密被外反的淡紫色长粗毛，毛基部略膨大。叶片坚纸质或略厚，卵状长圆形至椭圆形，先端急尖或渐尖，基部圆形或微心形，长 7~14cm，宽 2.5~6cm，全缘，具缘毛，基出脉 5，叶面被紧贴的糙伏毛，毛基部隐藏于表皮下，基出脉下凹，侧脉不明显，背面被糙伏毛，基出脉及侧脉均隆起，侧脉互相平行；叶柄长 1~3cm。伞房花序，轴极短或几无，有花 3~5，基部具总苞 2，披针形，外面密被糙伏毛，里面仅上半部被糙伏毛，花梗长约 1cm，花萼管长约 1cm，裂片线状披针形，长12~14mm，裂片间具钻形小裂片，裂片被长粗毛，顶部具 1 束髯毛，花后长粗毛和髯毛均与花瓣同时脱落；花瓣紫红色，菱状倒卵形，

紫毛野牡丹

上部偏斜，长约 2.5cm，宽约 1.8cm；雄蕊未详，子房先端被毛。蒴果坛状球形，长 1~1.3cm，直径 0.8~1.2cm；宿存萼近先端缢缩成短颈，被平展的疏长硬毛，紫红色或紫色。花期 3~4 月，果期 11 月至翌年 1 月。

| 分布区域 | 产于海南昌江、白沙、东方、琼中、乐东、保亭、三亚。菲律宾也有分布。

| 资　　源 | 生于海拔 400~1300m 的密林中。

| 采收加工 | 根：全年均可采挖，洗净，切片，晒干。叶：于 6~7 月采收，鲜用或晒干。

| 功能主治 | 同属植物的根和叶多有清热解毒、收敛利湿、消肿止痛、散瘀止血等功能。但本种的药效作用少有报道，有待进一步研究。

野牡丹科 Melastomataceae 野牡丹属 Melastoma

细叶野牡丹
Melastoma intermedium Dunn

| 中 药 名 | 细叶野牡丹（药用部位：全株）

| 植物形态 | 小灌木和灌木，直立或匍匐上升，高 30~60cm，分枝多，披散，被紧贴的糙伏毛。叶片坚纸质或略厚，椭圆形或长圆状椭圆形，先端广急尖或钝，基部广楔形或近圆形，长 2~4cm，宽 8~20mm，全缘，具糙伏毛状缘毛，基出脉 5，叶面密被糙伏毛，毛隐藏于表皮下，仅尖端露出，有时夹有微柔毛，基出脉下凹，背面沿脉上被糙伏毛，有时其余被微柔毛，侧脉互相平行；叶柄长 3~6mm，被糙伏毛。伞房花序，顶生，有花（1~）3~5，基部有叶状总苞 2，常较叶小；花梗长 3~5mm，密被糙伏毛，苞片 2，披针形，长 5~10mm，宽 2~4mm，被糙伏毛；花萼管长约 7mm，直径约 5mm，密被略扁的糙伏毛，毛有时具极少分枝，裂片披针形，长约 7mm，外面被糙

细叶野牡丹

伏毛，里面无毛，具缘毛，裂片间具 1 小裂片，棒状，较裂片短；花瓣玫瑰红色至紫色，菱状倒卵形，上部略偏斜，长 2~2.5cm，宽约 1.5cm，先端微凹，具 1 束刺毛，被疏缘毛；雄蕊长者药隔基部伸长，弯曲，末端具 2 小瘤，花丝较伸长的药隔略短，雄蕊短者药隔不伸延，花药基部具 2 小瘤；子房半下位，先端被刚毛。果实坛状球形，平截，先端略缢缩成颈，肉质，不开裂，长约 8mm，直径约 1cm；宿存萼密被糙伏毛。花期 7~9 月，果期 10~12 月。

| **分布区域** | 产于海南东方、三亚、陵水、万宁。中国台湾亦有分布。

| **资　　源** | 生于海拔 1300m 以下的旷野。

| **采收加工** | 春、夏季开花时采收全株。

| **功能主治** | 解毒止痢。用于痢疾、口腔炎、口腔破溃；外用于毒蛇咬伤。

野牡丹科 Melastomataceae 野牡丹属 Melastoma

毛菍
Melastoma sanguineum Sims

| **中药名** | 毛稔（药用部位：根、叶）

| **植物形态** | 大灌木，茎、小枝、叶柄、花梗及花萼均被平展的长粗毛，毛基部膨大。叶片坚纸质，卵状披针形至披针形，长 8~15cm，宽 2.5~5cm，全缘，基出脉 5，两面被隐藏于表皮下的糙伏毛，通常仅毛尖端露出；叶柄长 1.5~2.5cm。伞房花序，顶生，常仅有花 1，有时 3；苞片戟形，膜质，背面被短糙伏毛，具缘毛；花梗长约 5mm，花萼管长 1~2cm，直径 1~2cm，有时毛外反，裂片 5，三角形至三角状披针形，较萼管略短，脊上被糙伏毛，裂片间具线形小裂片，通常较裂片略短，花瓣 5，粉红色，广倒卵形，长 3~5cm，宽 2~2.2cm；雄蕊长者药隔基部伸延，末端 2 裂，花丝较伸长的药隔略短，雄蕊短者药隔不伸延，花药长 9mm，基部具 2 小瘤；子房密被刚毛。果实杯状球

毛菍

形，胎座肉质，为宿存萼所包；宿存萼密被红色长硬毛，长 1.5~2.2cm，直径 1.5~2cm。花果期几全年，通常在 8~10 月。

| 分布区域 |

产于海南三亚、乐东、东方、昌江、白沙、五指山、保亭、万宁、琼中、儋州、澄迈、定安、琼海。亦分布于中国华南其他区域，以及福建。印度、马来西亚、印度尼西亚也有分布。

| 资　　源 |

生于海拔 400m 以下的草丛或矮灌丛中，十分常见。

| 采收加工 |

根：冬季采挖，洗净，切片，晒干。叶：夏季采收，鲜用。

| 功能主治 |

味苦、涩，性凉；归脾、肝经。止血，止痢。用于便血、月经过多、泄泻、创伤出血。

野牡丹科 Melastomataceae 谷木属 Memecylon

谷 木 *Memecylon ligustrifolium* Champ.

| 中 药 名 | 谷木（药用部位：枝叶）

| 植物形态 | 大灌木或小乔木，分枝多。叶片革质，椭圆形至卵形，长 5.5~8cm，宽 2.5~3.5cm，全缘，两面无毛，粗糙；叶柄长 3~5mm。聚伞花序，腋生或生于落叶的叶腋，长约 1cm，总梗长约 3mm；苞片卵形，长约 1mm；花梗长 1~2mm，基部及节上具髯毛；花萼半球形，长 1.5~3mm，边缘浅波状 4 齿；花瓣白色、淡黄绿色或紫色，半圆形，长约 3mm，宽约 4mm，边缘薄；雄蕊蓝色，长约 4.5mm；子房先端平截。浆果状核果球形，直径约 1cm，密布小瘤状突起，先端具环状宿存萼檐。花期 5~8 月，果期 12 月至翌年 2 月。

| 分布区域 | 产于海南三亚、乐东、东方、昌江、白沙、五指山、陵水、万宁、琼中、定安。亦分布于中国华南其他区域，以及福建、云南等地。

谷木

| 资　　源 | 生于海拔 150~1500m 的密林下，十分常见。

| 采收加工 | 全年均可采，晒干或鲜用。

| 功能主治 | 味苦、微辛，性平。活血祛瘀，止痛。用于跌打损伤、腰背疼痛。

野牡丹科 *Melastomataceae* 谷木属 *Memecylon*

黑叶谷木
Memecylon nigrescens Hook. & Arn.

| 中 药 名 | 黑叶谷木（药用部位：枝叶）

| 植物形态 | 灌木或小乔木，小枝圆柱形，无毛，分枝多，树皮灰褐色。叶片坚纸质，椭圆形，长 3~6.5cm，宽 1.5~3cm，全缘，两面无毛；叶柄长 2~3mm。聚伞花序极短，近头状，有二至三回分枝，长小于 1cm，总梗极短，多花；苞片极小，花梗长约 0.5mm，无毛；花萼浅杯形，先端平截，长约 1.5mm，直径约 2mm，无毛，具 4 个浅波状齿；花瓣蓝色或白色，广披针形，先端渐尖，边缘具不规则裂齿 1~2，长约 2mm，宽约 1mm，基部具短爪；雄蕊长约 2mm，脊上无环状体；花丝长约 1.5mm。浆果状核果球形，直径 6~7mm，干后黑色，先端具环状宿存萼檐。花期 5~6 月，果期 12 月至翌年 2 月。

黑叶谷木

| 分布区域 |

产于海南三亚、乐东、东方、昌江、五指山、陵水、万宁、屯昌、文昌、儋州。亦分布于中国广东。

| 资　　源 |

生于海拔 450~1700m 的山坡疏密林或灌丛中，常见。

| 采收加工 |

全年均可采，晒干或鲜用。

| 功能主治 |

同属植物谷木的枝叶可活血祛瘀、止痛，本种或许有类似作用，其功能有待进一步研究。

野牡丹科 Melastomataceae 谷木属 Memecylon

棱果谷木
Memecylon octocostatum Merr. & Chun

| **中 药 名** | 棱果谷木（药用部位：枝叶）

| **植物形态** | 灌木，分枝多，树皮灰褐色；小枝四棱形，棱上略具狭翅，以后渐钝。叶片坚纸质，椭圆形，先端具小尖头，长 1.5~3.5cm，宽 7~18mm，全缘，两面无毛；叶柄长 1~2mm。聚伞花序，腋生，极短，长 6~8mm，花少，无毛，总梗长 2~4mm，苞片钻形，长约 1mm；花梗长 1~2mm，无毛；花萼钟状杯形，四棱形，长 2~2.8mm，无毛，裂片三角形或卵状三角形，长约 0.8mm；花瓣淡紫色，卵形，近基部具不规则的小齿，长约 3mm，宽约 1.5mm；雄蕊 2.5~3mm，脊上具 1 环状体；花丝长约 2.5mm。果实扁球形，直径约 7mm，有 8 条隆起且极明显的纵肋，肋粗达 1mm，先端冠以明显的宿存萼檐。花期 5~6 月或 11 月，果期 11 月至翌年 1 月。

棱果谷木

| **分布区域** | 产于海南三亚、东方、昌江、五指山、万宁、琼中、海口。亦分布于中国广东。

| **资　　源** | 生于低海拔的山谷、山坡疏密林中，常见。

| **采收加工** | 全年均可采，晒干或鲜用。

| **功能主治** | 同属植物谷木的枝叶可活血祛瘀、止痛，本种或许有类似作用，其功能有待进一步研究。

野牡丹科 Melastomataceae 谷木属 Memecylon

细叶谷木
Memecylon scutellatum (Lour.) Hook. et Arn

| 中 药 名 | 细叶谷木（药用部位：叶）

| 植物形态 | 灌木，稀为小乔木，树皮灰色，分枝多。叶片革质，椭圆形至卵状披针形，先端钝，圆形或微凹，基部广楔形，长 2~5cm，宽 1~3cm，两面密布小突起，粗糙，无光泽，无毛，全缘，边缘反卷。叶柄长 3~5mm。聚伞花序腋生，长约 8mm 或略短，花梗基部常具刺毛；花梗长 1~2mm，无毛；花萼浅杯形，长约 2mm，直径约 3mm，无毛，檐部平截，微波状，具 4 点尖头；花瓣紫色或蓝色，广卵形，长约 2.5mm，宽 3mm，一侧上方具小裂片，背面具棱脊，脊具小尖头；雄蕊长约 3mm，药室脊上具 1 环状体。浆果状核果球形，直径 6~7mm，密布小疣状突起，先端具环状宿存萼檐。花期 6~8 月，果期 1~3 月。

细叶谷木

分布区域

产于海南三亚、乐东、昌江、白沙、五指山、保亭、万宁、琼中、儋州、澄迈、琼海。亦分布于中国华南其他区域。越南、老挝、缅甸、柬埔寨、泰国、马来西亚也有分布。

资　　源

生于山坡、平地或缓坡的疏密林中或灌丛中阳处及水边，常见。

采收加工

全年均可采，鲜用或晒干。

功能主治

解毒消肿。外用于疮痈肿毒、溃疡。

野牡丹科 Melastomataceae 谷木属 *Memecylon*

海南谷木 *Memecylon hainanense* Merr. et Chun

| 中 药 名 | 海南谷木（药用部位：叶）

| 植物形态 | 大灌木或乔木，高 3~15m；小枝圆柱形，无毛，分枝多。叶片革质或薄革质，椭圆形至长圆状椭圆形，先端短渐尖，基部楔形，长 6~8（~15）cm，宽 3~3.8（~6.5）cm，全缘，具侧脉约 9 对，两面无毛，叶面中脉下凹，侧脉不明显，背面中脉隆起，侧脉微凸，细脉不明显；叶柄长约 5mm。聚伞花序，腋生或生于落叶的叶腋，长 2~3cm，无毛，总梗长 1~2cm，略四棱形；小苞片披针形，长约 1.5mm，早落；花梗长达 2mm；花萼宽杯形，长 2~3.5mm，无毛，边缘浅波状 4 裂；花瓣白色，卵形，一侧偏斜，边缘较薄，长约 3.5mm，先端急尖，基部具爪，长约 0.5mm；雄蕊蓝色，长约 3.5mm；药室及膨大的圆锥形药隔长约 1.5mm，脊上具 1 环状体；子房下位，杯形，先端具

海南谷木

8 条放射状的槽，槽边缘隆起。浆果状核果球形，直径 7~9mm，密布小瘤状突起，先端具环状宿存萼檐。花期约 5 月，果期约 2 月。

| **分布区域** | 产于海南乐东、东方、昌江、白沙、保亭、琼中、澄迈。亦分布于中国云南。

| **资　　源** | 生于高海拔的山坡脚灌丛中，常见。

| **采收加工** | 全年均可采，鲜用或晒干。

| **功能主治** | 同属植物细叶谷木具有解毒消肿等作用。但是本种的功能主治鲜有报道，有待进一步研究。

野牡丹科 Melastomataceae 金锦香属 Osbeckia

金锦香
Osbeckia chinensis L.

| 中 药 名 | 天香炉（药用部位：全草）

| 植物形态 | 直立草本或亚灌木，茎四棱形，具紧贴的糙伏毛。叶片坚纸质，线形，全缘，两面被糙伏毛，基出脉 3~5；叶柄几无，被糙伏毛。头状花序，顶生，有花 2~8，基部具叶状总苞 2~6，苞片卵形，被毛，无花梗，萼管长约 6mm，通常带红色，无毛或具 1~5 刺毛突起，裂片 4，三角状披针形，与萼管等长，具缘毛，各裂片间外缘具 1 刺毛突起，果熟时随萼片脱落；花瓣 4，淡紫红色或粉红色，倒卵形，长约 1cm，具缘毛；雄蕊常偏向一侧，花丝与花药等长，花药顶部具长喙，喙长为花药的 1/2，药隔基部微膨大，呈盘状；子房近球形，先端有刚毛 16。蒴果紫红色，卵状球形，4 纵裂，宿存萼坛状，直径约 4mm，外面无毛或具少数刺毛突起。花期 7~9 月，果期 9~11 月。

金锦香

| **分布区域** | 产于海南三亚、乐东、五指山、万宁、琼中、儋州、澄迈、屯昌。亦分布于中国广东、广西、湖南、江西、福建、台湾、浙江、江苏、安徽、湖北、贵州、四川、云南、吉林等地。越南、老挝、缅甸、柬埔寨、泰国、菲律宾、马来西亚、印度尼西亚、尼泊尔、印度、日本、澳大利亚也有分布。 |

| **资　源** | 生于草坡、路旁、旷野,十分常见。 |

| **采收加工** | 夏、秋季采挖全草,或去掉地上部分,留根,洗净,鲜用或晒干。 |

| **药材性状** | 全草长约60cm。根圆柱形,灰褐色,木质较硬而脆。茎方柱形,老茎略呈圆柱形,直径2~4mm,黄绿色或紫褐色,被紧密的黄色粗伏毛,质脆易断,髓白色或中空。叶对生,有短柄,线形至线状披针形,长2~5cm,宽2~6mm,先端尖,基部钝圆,上表面黄绿色,下表面色较浅,两面均被金黄色毛;基出脉3~5,侧脉不明显。头状花序球状;萼黄棕色,花冠暗紫红色,皱缩,易脱落。蒴果钟状,具杯状宿萼,浅棕色或棕黄色,先端平截。以叶多、带果者为佳。 |

| **功能主治** | 味辛、淡,性平;归肺、脾、肝、大肠经。清热利湿,消肿解毒,止咳化痰。用于痢疾、肠炎、急性细菌性痢疾、阿米巴痢疾、阿米巴肝脓肿、肝痛、感冒咳嗽、咽喉肿痛、小儿支气管哮喘、肺痨、咯血、阑尾炎、肠痈、毒蛇咬伤、疔疮疖肿。 |

野牡丹科 Melastomataceae 锦香草属 *Phyllagathis*

海南锦香草
Phyllagathis hainanensis (Merr. & Chun) C. Chen

| 中 药 名 | 海南锦香草（药用部位：全株）

| 植物形态 | 小灌木，茎钝四棱形，分枝多；小枝四棱形，棱上有肋。叶片纸质，长圆状椭圆形至椭圆形，长 3~7cm，宽 1.5~3.5cm，边缘具细锯齿，基出脉 5~7，叶面仅基出脉间具 1 行疏刺毛，背面被微柔毛，且被极疏的短刺毛；叶柄长 5~20mm，被微柔毛及疏腺毛。聚伞花序紧缩呈近伞形花序，顶生，长 4~5cm，总梗长 2.5~3cm，与花梗、花萼均被微柔毛及腺毛；苞片长 1~2mm，长圆形；花梗长 6~7mm；花萼钟状漏斗形，管长约 4mm，四棱形，裂片短三角形，长约 1mm；花瓣粉红色至紫红色，倒卵形，上部一侧偏斜，长 8~11mm，宽 6~8mm；雄蕊 8，等长，花药披针形，长约 4mm，药隔膨大，下延成短距，前面小瘤极小，不甚明显；子房卵形，先端具冠，微四裂，

海南锦香草

边缘具腺毛。蒴果杯形，长和直径均约 4mm，为宿存萼所包；宿存萼与果同形，较果略长，颈部微缢缩，冠以宿存萼片，被微柔毛及疏腺毛，具明显的 8 肋。花期 5~8 月，果期 8~12 月；有时 12 月也开花。

| **分布区域** | 产于海南白沙、陵水。

| **资　　源** | 生于海拔 600~800m 的山坡上、林谷中、湿地上，常见。

| **采收加工** | 全年均可采收，鲜用或晒干。

| **功能主治** | 清热利湿，消肿解毒，止咳化痰。用于痢疾、肠炎、急性细菌性痢疾、阿米巴痢疾、阿米巴肝脓肿、肝痛、感冒咳嗽、咽喉肿痛、小儿支气管哮喘、肺痨、咯血、阑尾炎、肠痈、毒蛇咬伤、疔疮疖肿。

野牡丹科 Melastomataceae 锦香草属 Phyllagathis

短柄毛锦香草

Phyllagathis melastomatoides (Merr. et Chun) Ko var. *brevipes* Ko

| 中 药 名 | 短柄毛锦香草（药用部位：全株）

| 植物形态 | 小灌木，高约 1m；茎圆柱形，节通常膨大，分枝多，小枝毛较粗且密。叶片坚纸质或纸质，长圆形、长圆状椭圆形或长圆状卵形，先端短渐尖或渐尖，基部楔形，长 6~14cm，宽 2~6cm，边缘具细锯齿，齿尖具刺毛，基出脉 5~7，基出脉为 7 时，最外侧的 1 对极近边缘，叶面密布细泡状突起，基出脉微凹，脉间具 1 行疏刺毛，侧脉微隆起，背面基出脉、侧脉隆起，被紧贴的疏刺毛，有时细脉具极少的刺毛；叶柄长 1~5（~10）cm，密被紧贴的刺毛。聚伞花序，常 1（~3）花，生于小枝先端叶腋，总梗短，长约 2mm，与花梗、花萼均被紧贴的刺毛；苞片披针形，先端长渐尖，长约 4mm；花瓣红色或玫瑰色，倒卵形，一侧偏斜，先端圆形，上半部具腺状缘毛，长约 14mm，

短柄毛锦香草

宽约 9mm；雄蕊等长，花丝长约 7mm，花药
披针形，长约 7mm，药隔膨大，下延向前成小
瘤，向后成短距；子房半下位，卵形，先端具
腺毛。蒴果杯形、四棱形，先端平截，4 裂，
长约 7mm，直径约 5mm，下部为宿存萼所包；
宿存萼具 8 纵肋；果柄较短，长 8mm 以下。花
期 10~12 月，果期 12 月至翌年 2 月。

| 分布区域 |

产于海南保亭、陵水、万宁、琼中。海南特有种。

| 资　源 |

生于山谷溪边，偶见。

| 采收加工 |

全年均可采收，鲜用或晒干。

| 功能主治 |

同属植物多具有清热利湿、消肿解毒、止咳化
痰等作用。但本种的功能主治报道较少，有待
进一步研究。

野牡丹科 Melastomataceae 蜂斗草属 Sonerila

蜂斗草
Sonerila cantonensis Stapf

蜂斗草

| 中 药 名 |

喉痧药（药用部位：全草）

| 植物形态 |

草本或亚灌木，茎钝四棱形，常具皮孔，有时具匍匐茎。叶片纸质或近膜质，卵形，先端短渐尖，基部楔形，有时微偏斜，长 3~5.5cm，宽 1.3~2.2cm，边缘具细锯齿，齿尖具刺毛，背面有时紫红色，仅脉上被粗毛；叶柄长 5~18mm，密被长粗毛及柔毛。蝎尾状聚伞花序或二歧聚伞花序，顶生，有花 3~7；总梗长 1.5~3cm，被微柔毛及疏腺毛；苞片极小，早落；花梗长 1~3mm；花萼钟状管形，长约 7mm，被微柔毛及疏腺毛，略具三棱，具 6 脉，裂片短，广三角形，长不到 1mm，先端急尖；花瓣粉红色或浅玫瑰红色，长圆形，长约 7mm，先端急尖，外面中脉具星散的腺毛；雄蕊 3，等长，常偏向一侧，花丝长约 7mm，花药长约 8mm，微叉开；子房瓶形，先端具膜质冠，具 3 个缺刻。蒴果倒圆锥形，略具三棱，长 5~7mm，直径 4~5mm，3 纵裂，与宿存萼贴生；宿存萼无毛，具 6 脉。花期 9~10 月，果期 12 月至翌年 2 月。

| 分布区域 |

产于海南乐东、昌江、白沙、五指山、保亭、陵水、万宁、琼中。亦分布于中国华南其他区域，以及云南。越南也有分布。

| 资　源 |

生于海拔 1000~1500m 的山谷、山坡密林下，常见。

| 采收加工 |

秋季开花前，挖取全草，洗去泥土，鲜用或晒干。

| 功能主治 |

味苦，性平。清热解毒。用于痢疾、喉痧、产后流血不止。外用于创伤、毒蛇咬伤。

| 附　注 |

在 FOC 中，其被修订为毛蜂斗草 *Sonerila cantonensis* Stapf var. *strigosa* C. Chen。

野牡丹科 Melastomataceae 蜂斗草属 Sonerila

海南桑叶草
Sonerila hainanensis Merr.

| 中 药 名 | 海南桑叶草（药用部位：全株）

| 植物形态 | 亚灌木或草本，基部木质化，高 10~20cm；茎幼时被疏细腺毛，以后无毛，分枝多，具匍匐茎。叶片膜质，卵状椭圆形至椭圆形，先端急尖、钝，基部圆形，长 1.5~3cm，宽 1~2.3cm，基出脉 3，若为 5，则近边缘的两条不明显，边缘具疏锯齿，齿尖具 1 腺毛，两面无毛或叶面被疏短糙伏毛，背面被疏糠秕；叶柄长 5~10mm，具槽，两侧具疏腺毛，与叶片连接处的背面具疏腺毛。短缩的蝎尾状聚伞花序，几成伞形花序，顶生或近顶生，有花 2~5；总花梗长 5~8mm，与花梗、花萼常具 3~5 腺毛；小苞片钻形，长约 1.5mm；花梗长 2~4.5mm；花萼管状漏斗形，具三棱，长约 5mm，多少具糠秕，裂片短三角状半圆形，长约 1mm，先端点尖，里面具腺状糠秕；花瓣粉红色，长

海南桑叶草

圆形或长圆状椭圆形，先端急尖，有时外面近基部中脉上有 1~2 腺毛；雄蕊 3，偏向一侧，长约 8.5mm，花药几长约 3.5mm，基部无瘤，药隔不伸延；子房瓶形，先端具膜质冠，冠檐具啮蚀状细齿。蒴果倒圆锥形，具 3 棱，先端平截，为宿存萼所包；宿存萼无毛，长约 6mm，直径约 4mm。花期约 4 月，果期约 5 月。

| 分布区域 | 产于海南乐东、五指山、琼中。海南特有种。

| 资 源 | 生于林中岩石积土上，偶见。

| 采收加工 | 秋季开花前，挖取全株，洗去泥土，鲜用或晒干。

| 功能主治 | 同属植物蜂斗草具有清热解毒等作用。但本种功能主治鲜有报道，有待进一步研究。

使君子科 Combretaceae 风车子属 Combretum

风车子
Combretum alfredii Hance

| **中 药 名** | 华风车子（药用部位：根、叶）

| **植物形态** | 多枝直立或攀缘状灌木，幼嫩部分具鳞片；小枝近方形，有纵槽，密被棕黄色的绒毛，有橙黄色鳞片。叶对生或近对生，叶片长椭圆形至阔披针形，长 12~16cm，宽 4.8~7.3cm，全缘，两面无毛而稍粗糙，具突起的小斑点，背面具有黄褐色或橙黄色的鳞片，侧脉 6~10 对，脉腋内有丛生的粗毛；叶柄长 1~1.5cm，有槽，具鳞片或被毛。穗状花序腋生和顶生或组成圆锥花序，总轴被棕黄色的绒毛及金黄色与橙色的鳞片；小苞片线状，长约 1mm；花长约 9mm；萼钟状，外面有黄色而有光泽的鳞片且被粗毛，长约 3.5mm，约为子房的 2 倍，萼齿 4 或 5，三角形，直立，内面具一柠檬黄色而有光泽的大粗毛环，毛生于广展的环带上，稀突出萼喉之上；花瓣长约 2mm，黄白色，

风车子

长倒卵形，基部渐狭成柄；雄蕊 8，花丝长，伸出萼外甚长，生于萼管之基部，花丝大部分与萼管合生；子房圆柱状，基部略狭而平截，稍四棱形，有鳞片。果实椭圆形，有 4 翅，轮廓圆形、近圆形或梨形，长 1.7~2.5cm，被黄色鳞片，翅纸质，等大，成熟时红色或紫红色，阔 0.7~1.2cm；果柄长 2~4mm；种子 1，纺锤形，有纵沟 8，通常直径约 4mm。花期 5~8 月，果期 9 月开始。

| 分布区域 |

产于海南三亚、乐东、东方、昌江、白沙、五指山、陵水、万宁。亦分布于中国广东、云南。中南半岛，以及印度也有分布。

| 资　　源 |

生于低海拔丛林中，常见。

| 采收加工 |

春、夏季采收树叶，鲜用或晒干。秋后挖根，切片晒干。

| 功能主治 |

根：味甘、微苦，性微寒。清热利胆。用于黄疸型肝炎。叶：味甘、微苦，性平。用于蛔虫病、鞭虫病。鲜叶外用于烫火伤。

盾鳞风车子 *Combretum punctatum* Bl.

| **中 药 名** | 盾鳞风车子（药用部位：根、叶）

| **植物形态** | 攀缘灌木或藤本；小枝纤细，黄褐色，密被锈色或灰色鳞片，个别鳞片常极清晰。叶对生，叶片近革质，披针形、卵状披针形或狭椭圆形，长 5~10cm，宽 3~6（~7）cm，先端通常突渐尖，基部钝圆，无毛，两面密被鳞片，背面尤密；叶柄长 5~12mm。假头状穗状花序组成顶生及腋生的圆锥花序，长仅达 7cm，被灰色或锈色鳞片，苞片叶状，椭圆形，长 1~4cm；花 4 数，无柄，无小苞片，黄色，芳香，萼管上部杯状，长 3~5mm，外面密被锈色鳞片，下部漏斗状，长 1.5~2mm；萼齿 4，三角形，长不及 1mm，无毛；花盘漏斗状，边缘分离，长约 1mm，被髯毛；雄蕊 8，花丝长约 3.5mm。果实通常近圆形，有时倒梨形，形态大小变异很大，长达 3.5cm，宽达 2.5cm，

盾鳞风车子

先端内凹或平截，有或无小突尖，基部渐狭成短柄，有 4 翅，茶褐色，疏或密被鳞片。花期 4 月，果实至翌年 4 月尚存。

| 分布区域 | 产于海南澄迈、白沙、琼中。亦分布于中国广东、云南。越南、泰国、缅甸、孟加拉国、马来西亚、印度、印度尼西亚、菲律宾、尼泊尔也有分布。

| 资　　源 | 多生于中海拔的山地密林或疏林中。

| 采收加工 | 叶：春、夏季采收树叶，鲜用或晒干。根：秋后挖根，切片晒干。

| 功能主治 | 同属植物风车子具有清热利胆等作用。但该属功能主治鲜有报道，有待进一步研究。

使君子科 Combretaceae 使君子属 Quisqualis

使君子 *Quisqualis indica* L.

| 中 药 名 | 使君子（药用部位：成熟果实、叶、根）

| 植物形态 | 攀缘状灌木，小枝被棕黄色短柔毛。叶对生或近对生，叶片膜质，卵形，表面无毛，背面有时疏被棕色柔毛，侧脉7或8对；叶柄长5~8mm，无关节，幼时密生锈色柔毛。顶生穗状花序，组成伞房花序式；苞片卵形至线状披针形，被毛；萼管长5~9cm，被黄色柔毛，先端具广展、外弯、小形的萼齿5；花瓣5，长1.8~2.4cm，宽4~10mm，初为白色，后转淡红色；雄蕊10，不突出冠外，外轮着生于花冠基部，内轮着生于萼管中部，花药长约1.5mm；子房下位，胚珠3。果实卵形，短尖，长2.7~4cm，直径1.2~2.3cm，无毛，具明显的锐棱角5，成熟时外果皮脆薄，呈青黑色或栗色；种子1，白色，直径约1cm，圆柱状纺锤形。花期初夏，果期秋末。

使君子

| 分布区域 |

产于海南三亚、东方、万宁、澄迈、琼海、海口。分布于中国长江以南各地。缅甸、菲律宾、印度也有分布。

| 资　　源 |

生于平地、山坡、路旁，常见。

| 采收加工 |

成熟果实：当果壳由绿变棕褐或黑褐色时采收，晒干或烘干。叶：随时可采，切碎鲜用。根：秋后采根，洗净，切片晒干。

| 药材性状 |

果实椭圆形或卵圆形，具 5 纵棱，偶有 4~9 棱，长 2.7~4cm，直径约 2cm，表面黑褐色至紫褐色，平滑，微具光泽，先端狭尖，基部钝圆，有明显、圆形的果梗痕；质坚硬，横切面多呈五角星形，棱角外壳较厚，中间呈类圆形空腔。种子长椭圆形或纺锤形，长约 2cm，直径约 1cm，表面棕褐色或黑褐色，有多数纵皱纹；种皮薄，易剥离；子叶 2，黄白色，有油性，断面有裂纹。

| 功能主治 |

成熟果实：味甘，性温；有小毒；归脾、胃经。杀虫，消积，健脾。用于蛔虫腹痛、小儿疳积、乳食停滞、腹胀、泻痢。树皮：味辛，性平；归脾、胃经。用于小儿疳积、杀虫、消五疳、开胃。根：味辛、苦，性平；归脾、肺经。杀虫健脾，开胃消积，宣肺止咳。用于咳嗽、呃逆、胸闷气喘、腹胀便秘。

使君子科 Combretaceae 词子属 Terminalia

榄仁树
Terminalia catappa L.

| **中 药 名** | 榄仁树（药用部位：果实、树皮）

| **植物形态** | 大乔木，树皮褐黑色，纵裂而呈剥落状；枝平展，近顶部密被棕黄色的绒毛，具密而明显的叶痕。叶大，互生，常密集于枝顶，叶片倒卵形；叶柄长 10~15mm，被毛。穗状花序长而纤细，腋生，长15~20cm，雄花生于上部，两性花生于下部；苞片早落；花多数，绿色或白色，长约 10mm；花瓣缺；萼筒杯状，长 8mm，外面无毛，内面被白色柔毛，萼齿 5，三角形，与萼筒几等长；雄蕊 10，长约2.5mm，伸出萼外；花盘由 5 腺体组成，被白色粗毛；子房圆锥形，幼时被毛，成熟时近无毛；花柱单一。果实椭圆形，常稍压扁，具2 棱，棱上具翅状的狭边，长 3~4.5cm，果皮木质，坚硬，无毛，成熟时青黑色；种子 1，矩圆形，含油质。花期 3~6 月，果期 7~9 月。

榄仁树

|分布区域|

产于海南三亚、乐东、万宁、文昌、海口、南沙群岛、西沙群岛。亦分布于中国华南其他区域，以及台湾、云南等地。中南半岛国家、马来西亚、印度尼西亚、波利尼西亚也有分布。

|资　　源|

常生于海边沙滩，常见。

|采收加工|

果实：在7~9月成熟后采收，晒干。树皮：在春、秋季采收，洗净晒干。

|功能主治|

果实：味苦、涩，性凉。敛肺，润肠，下气。用于久咳失音、久泻、久痢、脱肛、便血、崩漏、带下、遗精、尿频。树皮：味苦，性凉。用于痢疾、肿毒。

使君子科 Combretaceae 诃子属 Terminalia

诃 子
Terminalia chebula Retz.

诃子

中药名

诃子（药用部位：果实）

植物形态

乔木，树皮灰黑色至灰色，枝无毛，皮孔细长，明显，白色或淡黄色；幼枝黄褐色，被绒毛。叶互生或近对生，叶片卵形，长7~14cm，宽4.5~8.5cm，基部偏斜，两面无毛，密被细瘤点，侧脉6~10对；叶柄粗壮，长1.8~2.3cm，稀达3cm，距先端1~5mm处有2腺体。穗状花序腋生或顶生，长5.5~10cm；花多数，两性，长约8mm；花萼杯状，长约3.5mm，5齿裂，三角形，内面被黄棕色的柔毛；雄蕊10，高出花萼之上；花药小，椭圆形；子房圆柱形，长约1mm，被毛，干时变黑褐色；花柱长而粗，锥尖；胚珠2，长椭圆形。核果坚硬，卵形或椭圆形，长2.4~4.5cm，直径1.9~2.3cm，粗糙，青色，无毛，成熟时变黑褐色，通常有5钝棱。花期5月，果期7~9月。

分布区域

产于海南万宁。亦分布于中国云南、广东、广西等地。越南、老挝、柬埔寨、泰国、缅甸、马来西亚、尼泊尔、印度也有分布。

| 资　　源 |

栽培，量少。

| 采收加工 |

秋末冬初果实成熟时，选晴天采摘，采收的成
熟果实，晒干或烘干即是诃子；采收未木质化
的幼果，放入水中烫 2~3 分钟后，取出晒干即
为藏青果。

| 药材性状 |

果实呈长圆形或卵圆形，长 2.4~4.5cm，直径
1.9~2.3cm。表面黄棕色或暗棕色，略具光泽，
有 5~6 纵棱线及不规则的皱纹，基部有圆形果
梗痕。质坚实。果肉厚 0.2~0.4cm，黄棕色或黄
褐色。果核长 1.5~2.5cm，直径 1~1.5cm，浅黄色，
粗糙，坚硬。种子狭长纺锤形，长约 1cm，直
径 0.2~0.4cm；种皮黄棕色，子叶 2，白色，相
互重叠卷旋。以肉厚、质坚、表面黄棕色者为佳。

| 功能主治 |

果实：味苦、酸、涩，性平；归肺、大肠、胃经。
敛肺，润肠，下气。用于久咳失音、久泻、久痢、
脱肛、便血、崩漏、带下、遗精、尿频。

使君子科 Combretaceae 诃子属 Terminalia

海南榄仁

Terminalia hainanensis Exell

| 中 药 名 | 海南榄仁（药用部位：叶）

| 植物形态 | 乔木或灌木，树皮灰白色或褐色，有斑点；小枝柔弱，无毛，棕色，有纵皱纹，皮孔圆形，黄色。叶互生或枝端近对生，半革质，叶片卵形，长 4~11cm，宽 2.5~5.5cm，全缘，近叶基边缘有腺体；叶柄长 1~2.4cm。花序顶生或腋生，由多数穗状花序组成圆锥花序式，长 6~8cm，密被深黄而带红色的柔毛；苞片卵形，长约 4.5mm，密被深黄色的柔毛，早落；花细小，4~5 数，白色，有香气；小苞片披针形，长 1.5mm，被白色柔毛；萼筒杯状，长 1.5mm，裂齿三角形，外面无毛，内面密被纤维状白色长毛；花盘小，无毛；雄蕊 8~10，插生于萼筒上，伸出花萼约 2 倍，花丝纤细，长 4.5mm，花药黄色，药隔突出；子房卵形，无毛。果实椭圆形，有 3 翅，连翅长 2.5~3.5cm，

海南榄仁

宽 1.5~2cm，翅半革质，有横条纹，无毛，边缘浅波状，成熟时变黑而带紫或青紫色。花期7~9 月，果期 10 月。

| 分布区域 |

产于海南三亚、乐东、昌江、东方、保亭。越南、老挝、柬埔寨、泰国、马来西亚也有分布。

| 资　　源 |

生于中海拔至高海拔的次生林中，常见。

| 采收加工 |

全年可采，鲜用或晒干。

| 功能主治 |

外敷可用于肿痛、外伤。

| 附　　注 |

在 FOC 中，其学名被修订为 *Terminalia nigrovenulosa* Pierre ex Lanessen.。

使君子科 Combretaceae 榄李属 Lumnitzera

榄 李 *Lumnitzera racemosa* Willd.

| 中 药 名 | 榄李（药用部位：叶）

| 植物形态 | 常绿灌木或小乔木，高约 8m，直径约 30cm，树皮褐色或灰黑色，粗糙，枝红色或灰黑色，具明显的叶痕，初时被短柔毛，后变无毛。叶常聚生枝顶，叶片厚，肉质，绿色，干后黄褐色，匙形或狭倒卵形，长 5.7~6.8cm，宽 1.5~2.5cm，先端钝圆或微凹，基部渐尖，叶脉不明显，侧脉通常 3~4 对，上举；无柄，或具极短的柄。总状花序腋生，花序长 2~6cm；花序梗压扁，有花 6~12；小苞片 2，鳞片状三角形，着生于萼管的基部，宿存；萼管延伸于子房之上，基部狭，渐上则阔而呈钟状或为长圆筒状，长约 5mm，宽约 3mm，裂齿 5，短，三角形，长 1~2mm；花瓣 5，白色，细小而芳香，长椭圆形，长 4.5~5mm，宽约 1.5mm，与萼齿互生；雄蕊 10 或 5，插生于萼管

榄李

上，约与花瓣等长，花丝长 4~5mm，基部略宽扁，上部收缩，先端弯曲，花药小，椭圆形，药隔凸尖；子房纺锤形，长 6~8mm；花柱圆柱状，上部渐尖，长 4mm；胚珠 4，扁平，长椭圆形，倒悬于子房室之先端，珠柄大部分合生而不等长。果实成熟时褐黑色，木质，坚硬，卵形至纺锤形，长 1.4~2cm，直径 5~8mm，每侧各有宿存的小苞片 1，上部具线纹，下部平滑，一侧稍压扁，具 2 或 3 棱，先端有萼片宿存；种子 1，圆柱状，种皮棕色。花果期 12 月至翌年 3 月。

| 分布区域 |

产于海南三亚、万宁、澄迈、文昌。亦分布于中国华南其他区域，以及台湾。亚洲热带地区、波利尼西亚、澳大利亚、非洲热带地区也有分布。

| 资　　源 |

为红树林树种之一，常见。

| 采收加工 |

全年可采，鲜用或晒干。

| 功能主治 |

树叶熬汁：用于鹅口疮（雪口疮）。

红树科 Rhizophoraceae 木榄属 Bruguiera

木 榄
Bruguiera gymnorrhiza (L.) Savigny

| 中 药 名 | 红树皮（药用部位：树皮），红树叶（药用部位：叶），红树果（药用部位：果实）

| 植物形态 | 乔木或灌木；树皮灰黑色，有粗糙裂纹。叶椭圆状矩圆形，长 7~15cm，宽 3~5.5cm，先端短尖，基部楔形；叶柄暗绿色，长 2.5~4.5cm；托叶长 3~4cm，淡红色。花单生，盛开时长 3~3.5cm，有长 1.2~2.5cm 的花梗；萼平滑无棱，暗黄红色，裂片 11~13；花瓣长 1.1~1.3cm，中部以下密被长毛，上部无毛或几无毛，2 裂，裂片先端有 2~3（~4）刺毛，裂缝间具刺毛 1；雄蕊略短于花瓣；花柱 3~4 棱柱形，长约 2cm，黄色，柱头 3~4 裂。胚轴长 15~25cm。花果期几全年。

| 分布区域 | 产于海南三亚、澄迈、琼海、海口、文昌。亦分布于中国华南其他区域，以及福建、台湾。马来西亚、印度、澳大利亚，以及非洲也有分布。

木榄

| 资　源 |

生于海边泥滩，常见。

| 采收加工 |

树皮：在栽种 10~15 年后，夏、秋季采剥树皮，晒干。秋季挖根，洗净泥土，剥取根皮，晒干。叶：夏、秋季采收，晒干。果实：全年均可采，鲜用或晒干。

| 功能主治 |

根及根皮：收敛，止泻，止血。用于疟疾。树皮：清热解毒，止泻止血。用于咽喉肿痛、疮肿、热毒泻痢、多种出血。叶：用于疟疾。果实：收敛止泻。用于肠胃久泻。

红树科 Rhizophoraceae 木榄属 Bruguiera

海 莲
Bruguiera sexangula (Lour.) Poir.

| 中 药 名 | 海莲叶（药用部位：叶），海莲果（药用部位：果实）

| 植物形态 | 乔木或灌木，高 1~4m，稀达 8m，胸径 20~25cm，树皮平滑，灰色。叶矩圆形或倒披针形，长 7~11cm，宽 3~4.5cm，两端渐尖，稀基部阔楔形，中脉橄榄黄色，侧脉上面明显，下面不明显；叶柄长 2.5~3cm，与中脉同色。花单生于长 4~7mm 的花梗上，盛开时长 2.5~3cm，直径 2.5~3cm；花萼鲜红色，微具光泽，萼筒有明显的纵棱，常短于裂片，裂片 9~11，常为 10；花瓣金黄色，长 9~14mm，边缘具长粗毛，2 裂，裂片先端钝形，向外反卷，无短刺毛，裂缝间有刺毛 1，常短于裂片；雄蕊长 7~12mm；花柱红黄色，有 3~4 纵棱，长 12~16mm，柱头 3~4 裂。胚轴长 20~30cm。花果期秋、冬季至翌年春季。

海莲

｜分布区域｜

产于海南三亚、五指山、万宁、儋州、文昌、海口。越南、泰国、马来西亚、印度、斯里兰卡也有分布。

｜资　　源｜

生于滨海盐滩或潮水到达的沼泽地，常见。

｜采收加工｜

叶：全年均可采，鲜用或晒干。果实：秋季果实成熟时采收，鲜用或晒干。

｜功能主治｜

果实、胚轴：用作腹泻的收敛剂。叶：用于疟疾。

红树科 Rhizophoraceae 竹节树属 Carallia

竹节树 *Carallia brachiata* (Lour.) Merr.

中 药 名	竹节树（药用部位：果实），竹节树皮（药用部位：树皮）
植物形态	乔木，高 7~10m，胸径 20~25cm，基部有时具板状支柱根；树皮光滑，很少具裂纹，灰褐色。叶形变化很大，矩圆形、椭圆形至倒披针形或近圆形，先端短渐尖或钝尖，基部楔形，全缘，稀具锯齿；叶柄长 6~8mm，粗而扁。花序腋生，有长 8~12mm 的总花梗，分枝短，每一分枝有花 2~5，有时退化为 1；花小，基部有浅碟状的小苞片；花萼 6~7 裂，稀 5 或 8 裂，钟形，长 3~4mm，裂片三角形，短尖；花瓣白色，近圆形，连柄长 1.8~2mm，宽 1.5~1.8mm，边缘撕裂状；雄蕊长短不一；柱头盘状，4~8 浅裂。果实近球形，直径 4~5mm，先端冠以短三角形萼齿。花期冬季至翌年春季，果期春、夏季。

竹节树

| **分布区域** | 产于海南乐东、东方、昌江、五指山、陵水、万宁、儋州、澄迈、琼海、海口。亦分布于中国华南其他区域。马来西亚、印度、斯里兰卡、澳大利亚也有分布。 |

| **资　　源** | 生于低海拔林中，常见。 |

| **采收加工** | 春、夏季果实成熟时采收，鲜用或晒干。 |

| **功能主治** | 果实：用于溃疡。树皮：截疟。用于疟疾。 |

红树科 Rhizophoraceae 红树属 Rhizophora

红 树
Rhizophora apiculata Blume

| 中 药 名 | 红树（药用部位：树皮）

| 植物形态 | 乔木或灌木，高 2~4m；树皮黑褐色。叶椭圆形至矩圆状椭圆形，长 7~12（~16）cm，宽 3~6cm，先端短尖或凸尖，基部阔楔形，中脉下面红色，侧脉干燥后在上面稍明显；叶柄粗壮，淡红色，长 1.5~2.5cm；托叶长 5~7cm。总花梗着生于已落叶的叶腋，比叶柄短，有花 2；无花梗，有杯状小苞片；花萼裂片长三角形，短尖，长 10~12mm；花瓣膜质，长 6~8mm，无毛；雄蕊约 12，4 枚瓣上着生，8 枚萼上着生，短于花瓣；子房上部钝圆锥形，长 1.5~2.5mm，为花盘包围，花柱极不明显，柱头浅 2 裂。果实倒梨形，略粗糙，长 2~2.5cm，直径 1.2~1.5cm；胚轴圆柱形，略弯曲，绿紫色，长 20~40cm。花果期几全年。

红树

| **分布区域** |

产于海南三亚、乐东、陵水、儋州、海口、南沙群岛。马来西亚、印度尼西亚、印度也有分布。

| **资　　源** |

生于海边泥滩，常见。

| **采收加工** |

夏、秋季采剥树皮，晒干。

| **功能主治** |

用作收敛剂，亦可提取栲胶。

角果木
Ceriops tagal (Perr.) C. B. Rob.

| 中 药 名 | 角果木（药用部位：树皮、叶、种子脂肪油）

| 植物形态 | 灌木或乔木，高 2~5m；树干常弯曲；树皮灰褐色，几平滑，有细小的裂纹；枝有明显的叶痕。叶倒卵形至倒卵状矩圆形，长 4~7cm，宽 2~3（~4）cm，先端圆形或微凹，基部楔形，边缘骨质，干燥后反卷，中脉在两面突起，侧脉不明显；叶柄略粗壮，长 1~3cm；托叶披针形，长 1~1.5cm。聚伞花序腋生，具总花梗，长 2~2.5cm，分枝，有花 2~4（~10）；花小，盛开时长 5~7mm；花萼裂片小，革质，花时直，果时外反或扩展；花瓣白色，短于萼，先端有 3 或 2 微小的棒状附属体；雄蕊长短相间，短于花萼裂片。果实圆锥状卵形，长 1~1.5cm，基部直径 0.7~1cm；胚轴长 15~30cm，中部以上略粗大。花期秋、冬季，果期冬季。

角果木

| **分布区域** | 产于海南三亚、儋州、文昌、海口。亦分布于中国台湾、浙江。非洲也有分布。 |

| **资　　源** | 生于海边泥滩，常见。 |

| **采收加工** | 树皮：全年均可采，鲜用或晒干。叶：全年均可采，鲜用或晒干。种子脂肪油：冬季采收成熟果实，晒干，压碎，去壳，榨油。 |

| **功能主治** | 树皮：止血，收敛，通便。用于恶疮、溃疡。叶：曾作为奎宁代用品，用于疟疾。种子脂肪油：止痒。用于疥癣、冻疮。 |

红树科 Rhizophoraceae 秋茄树属 Kandelia

秋茄树
Kandelia candel (L.) Druce

| 中 药 名 | 秋茄树（药用部位：树皮）

| 植物形态 | 灌木或小乔木，高 2~3m；树皮平滑，红褐色；枝粗壮，有膨大的节。叶椭圆形、矩圆状椭圆形或近倒卵形，长 5~9cm，宽 2.5~4cm，先端钝形或浑圆，基部阔楔形，全缘，叶脉不明显；叶柄粗壮，长 1~1.5cm；托叶早落，长 1.5~2cm。二歧聚伞花序，有花 4（~9）；总花梗长短不一，1~3 个着生于上部叶腋，长 2~4cm；花具短梗，盛开时长 1~2cm，直径 2~2.5cm；花萼裂片革质，长 1~1.5cm，宽 1.5~2mm，短尖，花后外反；花瓣白色，膜质，短于花萼裂片；雄蕊无定数，长短不一，长 6~12mm；花柱丝状，与雄蕊等长。果实圆锥形，长 1.5~2cm，基部直径 8~10mm；胚轴细长，长 12~20cm。花果期几全年。

秋茄树

| 分布区域 | 产于海南三亚、儋州、澄迈、文昌、海口。亦分布于中国广东、福建、台湾。亚洲东部也有分布。

| 资　　源 | 生于海边泥滩，常见。

| 采收加工 | 树皮：全年均可采，鲜用或晒干。

| 功能主治 | 树皮：含鞣质 12%~27%, 有收敛功能，亦用作染料。

| 附　　注 | 在 FOC 中，其学名被修订为 *Kandelia obovata* Sheue。

藤黄科 Guttiferae 黄牛木属 Cratoxylum

黄牛木

Cratoxylum cochinchinense (Lour.) Bl.

| 中药名 | 黄牛茶（药用部位：根、茎皮、嫩叶）

| 植物形态 | 落叶灌木或乔木，高 1.5~18（~25）m，全体无毛，树干下部有簇生的长枝刺；树皮灰黄色或灰褐色，平滑或有细条纹。枝条对生，幼枝略扁，无毛，淡红色，节上叶柄间线痕连续或间有中断。叶片椭圆形至长椭圆形或披针形，长 3~10.5cm，宽 1~4cm，先端骤然锐尖或渐尖，基部钝形至楔形，坚纸质，两面无毛，上面绿色，下面粉绿色，有透明腺点及黑点，中脉在上面凹陷，下面突起，侧脉每边 8~12，两面突起，斜展，末端不呈弧形闭合，小脉网状，两面突起；叶柄长 2~3mm，无毛。聚伞花序腋生或腋外生及顶生，有花（1~）2~3，具梗；总梗长 3~10mm 或 10mm 以上。花直径 1~1.5cm；花梗长 2~3mm。萼片椭圆形，长 5~7mm，宽 2~5mm，

黄牛木

先端圆形，全面有黑色纵腺条，果时增大。花瓣粉红色、深红色至红黄色，倒卵形，长5~10mm，宽 2.5~5mm，先端圆形，基部楔形，脉间有黑腺纹，无鳞片。雄蕊束 3，长4~8mm，柄宽扁至细长。下位肉质腺体长圆形至倒卵形，盔状，长达 3mm，宽 1~1.5mm，先端增厚反曲。子房圆锥形，长 3mm，无毛，3 室；花柱 3，线形，自基部叉开，长 2mm。蒴果椭圆形，长 8~12mm，宽 4~5mm，棕色，无毛，被宿存的花萼包被达 2/3 以上。种子每室（5~）6~8，倒卵形，长 6~8mm，宽 2~3mm，基部具爪，不对称，一侧具翅。花期 4~5 月，果期 6 月以后。

| 分布区域 |

产于海南乐东、东方、昌江、五指山、万宁、三亚及保亭。亦分布于中国华南其他区域，以及云南。中南半岛，以及菲律宾、印度尼西亚也有分布。

| 资　源 |

生于丘陵或山地，次生林或疏林中，常见。

| 采收加工 |

根、树皮：全年均可采，洗净，切碎，鲜用或晒干。叶：春、夏季采收，鲜用或晒干。

| 功能主治 |

根、茎皮、嫩叶：止血消肿，清热解暑，化湿消滞。用于急性胃肠炎、泄泻、黄疸、咳嗽、音哑、感冒发热、中暑。嫩叶：代茶饮预防感冒，亦用于痢疾。

藤黄科 Guttiferae 金丝桃属 Hypericum

地耳草
Hypericum japonicum Thunb. ex Murray

| 中 药 名 | 地耳草（药用部位：全株）

| 植物形态 | 灌木或一年生至多年生草本，无毛或被柔毛，具透明或常为暗淡、黑色或红色的腺体。叶对生，全缘，具柄或无柄。花序为聚伞花序，1至多花，顶生或有时腋生，常呈伞房状。花两性。萼片（4~）5，等大或不等大，覆瓦状排列。花瓣（4~）5，黄色至金黄色，偶有白色，有时脉上带红色，通常不对称，宿存或脱落。雄蕊联合成束或明显不规则且不联合成束，前种情况或为5束而与花瓣对生，或更有合并成3~4束的，此时合并的束与萼片对生，每束具多至80枚的雄蕊，花丝纤细，几分离至基部，花药背着或多少基着，纵向开裂，药隔上有腺体；无退化雄蕊及不育的雄蕊束。子房3~5室，具中轴胎座，或全然为1室，具侧膜胎座，每个胎座具多数胚珠；花柱（2~）

地耳草

3~5，离生或部分至全部合生，多少纤细；柱头小或多少呈头状。果实为一室间开裂的蒴果，果爿常有含树脂的条纹状或囊状腺体。种子小，通常两侧或一侧有龙骨状突起或多少具翅，表面有各种雕纹，无假种皮；胚纤细、直。

| **分布区域** | 产于海南三亚、乐东、昌江、白沙、陵水、万宁、儋州、海口、文昌。亦分布于中国长江以南其他区域。东亚其他国家、东南亚、南亚、澳大利亚、新西兰及美国也有分布。

| **资　　源** | 生于田边、沟边、草地，常见。

| **采收加工** | 春、夏季开花时采收全株，晒干或鲜用。

| **药材性状** | 全株长 10~40cm。根须状，黄褐色。茎单一或基部分枝，光滑，具 4 棱，表面黄绿色或黄棕色；质脆，易折断，断面中空。叶对生，无柄；完整叶片卵形或卵圆形，全缘，具细小透明腺点，基出脉 3~5。聚伞花序顶生，花小，橙黄色，气无，味微苦。

| **功能主治** | 清热解毒，祛风利湿，散瘀消肿，止痛。用于肝炎、早期肝硬化、肠痈、痛疖、目赤、眼结膜炎、扁桃体炎、口疮。外用于痈疖肿毒、带状疱疹、蛇虫咬伤、烫火伤。

藤黄科 Guttiferae　红厚壳属 Calophyllum

红厚壳
Calophyllum inophyllum L.

| 中 药 名 | 红厚壳（药用部位：根、叶）

| 植物形态 | 乔木，高 5~12m；树皮厚，灰褐色或暗褐色，有纵裂缝，创伤处常渗出透明树脂；幼枝具纵条纹。叶片厚革质，宽椭圆形或倒卵状椭圆形，稀长圆形，长 8~15cm，宽 4~8cm，先端圆或微缺，基部钝圆或宽楔形，两面具光泽；中脉在上面下陷，下面隆起，侧脉多数，几与中脉垂直，两面隆起；叶柄粗壮，长 1~2.5cm。总状花序或圆锥花序近顶生，有花 7~11，长 10cm 以上，稀短；花两性，白色，微香，直径 2~2.5cm；花梗长 1.5~4cm；花萼裂片 4，外方 2 较小，近圆形，先端凹陷，长约 8mm，内方 2 较大，倒卵形，花瓣状；花瓣 4，倒披针形，长约 11mm，先端近平截或浑圆，内弯；雄蕊极多数，

红厚壳

花丝基部合生成 4 束；子房近圆球形，花柱细长，蜿蜒状，柱头盾形。果实圆球形，直径约 2.5cm，成熟时黄色。花期 3~6 月，果期 9~11 月。

| 分布区域 |

产于海南三亚、乐东、东方、万宁、琼中、澄迈、文昌、海口、西沙群岛、南沙群岛。亦分布于中国广东、台湾。东南亚、南亚、大洋洲、马达加斯加也有分布。

| 资　源 |

生于丘陵或海滨沙地，常见。

| 采收加工 |

全年均可采收，根洗净，切片，鲜用或晒干。叶多鲜用。

| 功能主治 |

根、叶：祛瘀止痛。用于风湿痛、跌打损伤、痛经。叶：用于外伤出血。树皮、果实：用于鼻衄、鼻塞、耳聋。种子油：用于皮肤病。树脂：用于牙痛出血及颈部淋巴结结核。

| 附　注 |

海棠果（红厚壳果实）：可治眼病，澳大利亚土著人用本种治关节肌肉痛。

藤黄科 Guttiferae 红厚壳属 Calophyllum

薄叶红厚壳
Calophyllum membranaceum Gardn. et Champ.

| 中 药 名 | 横经席（药用部位：根），横经席叶（药用部位：叶）

| 植物形态 | 灌木至小乔木，高 1~5m。幼枝四棱形，具狭翅。叶薄革质，长圆形或长圆状披针形，先端渐尖、急尖或尾状渐尖，基部楔形，边缘反卷，两面具光泽，干时暗褐色；中脉两面隆起，侧脉纤细、密集，规则地横行排列，干后两面明显隆起；叶柄长 6~10mm。聚伞花序腋生，有花 1~5（通常为 3），长 2.5~3cm，被微柔毛；花两性，白色略带浅红色；花梗长 5~8mm，无毛；花萼裂片 4，外方 2 较小，近圆形，长约 4mm，内方 2 较大，倒卵形，长约 8mm；花瓣 4，倒卵形，等大，长约 8mm；雄蕊多数，花丝基部合生成 4 束；子房卵球形，花柱细长，柱头钻状。果实卵状长圆球形，长 1.6~2cm，先端具短尖头，柄长 10~14mm，成熟时黄色。花期 3~5 月，果期 8~10（~12）月。

薄叶红厚壳

| 分布区域 | 产于海南三亚、乐东、白沙、五指山、陵水、万宁、儋州、琼海。亦分布于中国华南其他区域。越南也有分布。

| 资　　源 | 生于中海拔至高海拔林中，常见。

| 采收加工 | 根：全年或秋、冬季采收，鲜用或切片晒干。叶：春、夏季采收，鲜用或晒干。

| 功能主治 | 根、叶：祛瘀止痛，补肾强腰。用于风湿骨痛、跌打损伤、骨折、肾虚腰痛、月经不调、黄疸。叶：用于外伤出血。

藤黄科 Guttiferae 藤黄属 *Garcinia*

木竹子

Garcinia multiflora Champ. ex Benth

中药名

木竹子（药用部位：树内皮、果实）

植物形态

乔木，稀灌木，高（3~）5~15m，胸径
20~40cm；树皮灰白色，粗糙；小枝绿色，
具纵槽纹。叶片革质，卵形、长圆状卵形或
长圆状倒卵形，长 7~16（~20）cm，宽 3~6
（~8）cm，先端急尖、渐尖或钝，基部楔
形或宽楔形，边缘微反卷，干时背面苍绿
色或褐色，中脉在上面下陷，下面隆起，
侧脉纤细，10~15 对，至近边缘处网结，网
脉在表面不明显；叶柄长 0.6~1.2cm。花杂
性，同株。雄花序呈聚伞状圆锥花序式，长
5~7cm，有时单生，总梗和花梗具关节，雄
花直径 2~3cm，花梗长 0.8~1.5cm；萼片 2
大 2 小，花瓣橙黄色，倒卵形，长为萼片的 1.5
倍，花丝合生成 4 束，高出于退化雌蕊，束
柄长 2~3mm，每束约有花药 50，聚合成头
状，有时部分花药呈分枝状，花药 2 室；退
化雌蕊柱状，具明显的盾状柱头，4 裂。雌
花序有雌花 1~5，退化雄蕊束短，束柄长约
1.5mm，短于雌蕊；子房长圆形，上半部略宽，
2 室，无花柱，柱头大而厚，盾形。果实卵
圆形至倒卵圆形，长 3~5cm，直径 2.5~3cm，

木竹子

成熟时黄色，盾状柱头宿存。种子1~2，椭圆形，长2~2.5cm。花期6~8月，果期11~12月，同时偶有花果并存。

分布区域

产于海南乐东、东方、白沙、保亭、陵水、万宁、昌江。亦分布于中国华南其他区域，以及湖南、江西、福建、台湾、贵州、云南。

资 源

生于山地林中，常见。

采收加工

树内皮：四季可采，砍伐茎干，剥取内皮，切碎，晒干或研成粉。果实：冬季果实成熟时采收，鲜用。

功能主治

树内皮：清热解毒，消炎止痛，收敛生肌。用于胃脘胀痛、小儿消化不良、湿疹、口疮、牙龈肿痛、臁疮、烫火伤。果实：生津解暑，解酒毒，止泻。用于吐逆不食、脱肛。铁砂入肉不出，可用鲜果捣烂敷患处。

藤黄科 Guttiferae　**藤黄属** *Garcinia*

岭南山竹子

Garcinia oblongifolia Champ.

| 中 药 名 |

岭南山竹子（药用部位：树内皮、叶、果实）

| 植物形态 |

乔木或灌木，高 5~15m，胸径可达 30cm；
树皮深灰色。老枝通常具断环纹。叶片近革
质，长圆形、倒卵状长圆形至倒披针形，长
5~10cm，宽 2~3.5cm，先端急尖或钝，基部
楔形，干时边缘反卷，中脉在上面微隆起，
侧脉 10~18 对；叶柄长约 1cm。花小，直径
约 3mm，单性，异株，单生或呈伞形状聚
伞花序，花梗长 3~7mm。雄花萼片等大，
近圆形，长 3~5mm；花瓣橙黄色或淡黄色，
倒卵状长圆形，长 7~9mm；雄蕊多数，合
生成 1 束，花药聚生成头状，无退化雌蕊。
雌花的萼片、花瓣与雄花相似；退化雄蕊合
生成 4 束，短于雌蕊；子房卵球形，8~10 室，
无花柱，柱头盾形，隆起，辐射状分裂，上
面具乳头状瘤突。浆果卵球形或圆球形，
长 2~4cm，直径 2~3.5cm，基部萼片宿存，
先端承以隆起的柱头。花期 4~5 月，果期
10~12 月。

| 分布区域 |

产于海南三亚、乐东、东方、昌江、白沙、

岭南山竹子

保亭、万宁、儋州、琼海、澄迈、文昌。亦分布于中国华南其他区域。越南也有分布。

资　　源

生于海拔 200~1200m 的林中，常见。

采收加工

果实：冬季果实成熟时采收，鲜用。

功能主治

树内皮：清热解毒，消炎止痛，收敛生肌。用于带下病、烫火伤、口腔炎、湿疹、跌打损伤。叶、果实：用于食滞腹胀。

藤黄科 Guttiferae 藤黄属 Garcinia

单花山竹子

Garcinia oligantha Merr.

| 中 药 名 |

单花山竹子（药用部位：树内皮、根、叶、果实）

| 植物形态 |

灌木，高 1~3m。小枝纤细，具明显的纵棱。叶片纸质，长圆状椭圆形至披针形，稀卵形，上半部尾状渐尖，基部急尖或宽楔形，干时两面灰绿色，侧脉纤细，隐约可见，多达 5 对；叶柄长 4~10mm。花杂性，异株。雄花未见。雌花单生于叶腋，微紫色，无花梗或近无花梗，花萼裂片 2 大 2 小，外方 2 近卵形，长 2~3mm，内方 2 椭圆形，长 4~5mm；花瓣等大，近圆形，长 4~5mm，先端钝；退化雄蕊 12，花丝基部连合成浅杯状，包围子房基部，通常短于雌蕊；子房卵状长圆形，4 室，花柱极短，柱头盾形，具乳头状瘤突。果实纺锤形或狭椭圆形，长 1.5~1.8cm，基部具宿存萼片和残留的退化雄蕊。花期 6~7 月，果期 10~12 月。

| 分布区域 |

产于海南三亚、东方、昌江、白沙、保亭、万宁、琼海。亦分布于中国广东。越南北部也有分布。

单花山竹子

资　　源	生于海拔 200~1200m 的林中，少见。

采收加工	树内皮：四季均可采收，剥取茎干内皮，切块，鲜用或晒干。

功能主治	树内皮、根、叶、果实：清热解毒，消炎止痛，收敛生肌。用于大毒疮、口疮、牙痛、肠痈疡、烫火伤。

| 藤黄科 | Guttiferae | 藤黄属 | *Garcinia*

大叶藤黄
Garcinia xanthochymus Hook. f. ex T. Anders.

| **中 药 名** | 大叶藤黄（药用部位：茎叶）

| **植物形态** | 乔木，高 8~20m，胸径 15~45cm，树皮灰褐色，分枝细长，多而密集，平伸，先端下垂，通常披散重叠，小枝和嫩枝具明显纵棱。叶 2 行排列，厚革质，具光泽，椭圆形、长圆形或长方状披针形，长（14~）20~34cm，宽（4~）6~12cm，先端急尖或钝，稀渐尖，基部楔形或宽楔形，中脉粗壮，两面隆起，侧脉密集，多达 35~40 对，网脉明显；叶柄粗壮，基部马蹄形，微抱茎，枝条先端的 1~2 对叶柄通常呈玫瑰红色，长 1.5~2.5cm，干后有棱及横皱纹。伞房状聚伞花序，有花（2~）5~10（~14），腋生或从落叶叶腋生出，总梗长 6~12mm；花两性，5 数，花梗长 1.8~3cm；萼片和花瓣 3 大 2 小，边缘具睫毛；雄蕊花丝下部合生成 5 束，先端分离，分离部分长约 3mm，扁平，每束具

大叶藤黄

花药 2~5，基部具方形腺体 5，腺体先端有多数孔穴，长约 1mm，与萼片对生；子房圆球形，通常 5 室，花柱短，约 1mm，柱头盾形，中间凹陷，通常深 5 裂，稀 4 或 3 裂，光滑。浆果圆球形或卵球形，成熟时黄色，外面光滑，有时具圆形皮孔，先端突尖，有时偏斜，柱头宿存，基部通常有宿存的萼片和雄蕊束。种子 1~4，外面具多汁的瓢状假种皮，长圆形或卵球形，种皮光滑，棕褐色。花期 3~5 月，果期 8~11 月。

| 分布区域 |

海南万宁有栽培。中国广东、广西、云南亦有栽培。孟加拉国、不丹、柬埔寨、印度、日本、老挝、缅甸、尼泊尔、泰国、越南也有分布。

| 资　源 |

生于沟谷和丘陵地潮湿的密林中，海拔600~1000m。

| 采收加工 |

全年均可采收，鲜用或晒干。

| 功能主治 |

茎叶可驱虫。

藤黄科　Guttiferae　铁力木属　*Mesua*

铁力木 *Mesua ferrea* L.

|中 药 名|

铁力木（药用部位：种子、种子油）

|植物形态|

常绿乔木，具板状根，高 20~30m，树干端直，树冠锥形，树皮薄，暗灰褐色，薄叶状开裂，创伤处渗出带香气的白色树脂。叶嫩时黄色带红，老时深绿色，革质，通常下垂，披针形或狭卵状披针形至线状披针形，长（4~）6~10（~12）cm，宽（1~）2~4cm，先端渐尖或长渐尖至尾尖，基部楔形，上面暗绿色，微具光泽，下面通常被白粉，侧脉极多数，成斜向平行脉，纤细而不明显，网脉在放大镜下隐约可见；叶柄长 0.5~0.8cm。花两性，1~2 顶生或腋生，直径 5~8.5cm；花梗长 3~5mm；萼片 4，外方 2 较内方 2 略大，圆形，内凹，边缘膜质，有时具白色睫毛；花瓣 4，白色，倒卵状楔形，长 3~3.5cm；雄蕊极多数，分离，花药长圆形，金黄色，长约 1.5mm，花丝丝状，长 1.5~2cm；子房圆锥形，高约 1.5cm，花柱长 1~1.5cm，柱头盾形。果实卵球形或扁球形，成熟时长 2.5~3.5cm，干后栗褐色，有纵皱纹，先端花柱宿存，通常 2 瓣裂，基部具增大成木质的萼片和多数残存的花丝，果柄粗壮，长 0.8~1.2cm。种子

铁力木

1~4，背面突起，腹面平坦或两面平坦；种皮褐色，有光泽，坚而脆。花期3~5月，果期8~10月。

分布区域

产于海南乐东，栽培。亦分布于中国云南、广东、广西等地。印度、斯里兰卡、孟加拉国，及泰国经中南半岛至马来半岛等地也有分布。

资 源

生于低丘坡地，少见。

采收加工

夏季采收，洗净，晒干。

功能主治

种子：滋补、强壮。用于疮疡肿疖。种子油：分离得到铁力木素，此香豆素类化合物有抗菌活性。

附 注

花：泰国用作补血药、强心药。印度在医药中用于美容、化妆，尚可用作香料。叶和花：尼泊尔用于蝎蜇伤。

椴树科 Tiliaceae 黄麻属 *Corchorus*

甜 麻 *Corchorus aestuans* L.

| 中 药 名 | 野黄麻（药用部位：全草）

| 植物形态 | 一年生草本，高约 1m，茎红褐色，稍被淡黄色柔毛；枝细长、披散。叶卵形或阔卵形，长 4.5~6.5cm，宽 3~4cm，先端短渐尖或急尖，基部圆形，两面均有稀疏的长粗毛，边缘有锯齿，近基部一对锯齿往往延伸成尾状的小裂片，基出脉 5~7；叶柄长 0.9~1.6cm，被淡黄色的长粗毛。花单独或数朵组成聚伞花序生于叶腋或腋外，花序柄或花柄均极短或近于无；萼片 5，狭窄长圆形，长约 5mm，上部半凹陷如舟状，先端具角，外面紫红色；花瓣 5，与萼片近等长，倒卵形，黄色；雄蕊多数，长约 3mm，黄色；子房长圆柱形，被柔毛，花柱圆棒状，柱头如喙，5 齿裂。蒴果长筒形，长约 2.5cm，直径约

甜麻

5mm，具 6 纵棱，其中 3~4 棱呈翅状突起，先端有 3~4 向外延伸的角，角二叉，成熟时 3~4 瓣裂，果瓣有浅横隔；种子多数。花期夏季。

分布区域

产于海南三亚、乐东、昌江、白沙、陵水、万宁、保亭、琼中、儋州、定安、琼海、西沙群岛、南沙群岛。亦分布于中国长江以南其他区域。亚洲其他热带地区，及非洲、美洲热带地区也有分布。

资　　源

生于荒地旷野，常见。

采收加工

9~10 月选晴天挖取全株，洗净泥土，切断，晒干。

功能主治

清热解毒，祛风除湿，舒筋活络。用于风湿痛、跌打损伤、头痛、白带多、小儿疳积、麻疹、热病下痢、疥癞疮肿。

椴树科 Tiliaceae 黄麻属 Corchorus

黄 麻 *Corchorus capsularis* L.

| 中 药 名 | 黄麻叶（药用部位：叶），黄麻根（药用部位：根），黄麻子（药用部位：种子），黄麻灰（药用部位：茎皮纤维烧存的灰）

| 植物形态 | 直立木质草本，高 1~2m，无毛。叶纸质，卵状披针形至狭窄披针形，长 5~12cm，宽 2~5cm，先端渐尖，基部圆形，两面均无毛，三出脉的两侧脉上行不过半，中脉有侧脉 6~7 对，边缘有粗锯齿；叶柄长约 2cm，有柔毛。花单生或数朵排成腋生聚伞花序，有短的花序柄及花柄；萼片 4~5，长 3~4mm；花瓣黄色，倒卵形，与萼片约等长；雄蕊 18~22，离生；子房无毛，柱头浅裂。蒴果球形，直径 1cm 或稍大，先端无角，表面有直行钝棱及小瘤状突起，5 片裂开。花期夏季，果实秋后成熟。

黄麻

|分布区域|

产于海南乐东、昌江、五指山、万宁、儋州、澄迈、琼海、海口、东方。亦分布于中国长江以南其他区域。原产于亚洲热带地区，现世界热带地区均有栽培。

|资　源|

栽培或野生，常见。

|采收加工|

叶：夏、秋季采收，鲜用或晒干。根：秋季采挖，洗净泥沙，切断或切片，晒干。种子：10~11月采收成熟果实，去掉果皮，将种子晒干。

|功能主治|

根：利尿，止泻止痢。用于石淋、膀胱结石、泄泻、痢疾。叶：理气止血，排脓生肌。用于腹痛、痢疾、血崩、疮痈。种子：麻醉强心。用于咳嗽、血崩。

椴树科 Tiliaceae 扁担杆属 *Grewia*

崖县扁担杆 *Grewia chuniana* Burret

| 中 药 名 | 崖县扁担杆（药用部位：根）

| 植物形态 | 灌木；嫩枝密被锈褐色茸毛，老枝秃净，暗褐色。叶长圆状披针形，革质，长 7~11cm，宽 3~4cm，先端渐尖，基部圆形或不等侧微心形，上面有稀疏茸毛，下面密被灰褐色星状软茸毛，三出脉的两侧脉上升不过半，中脉有侧脉 5~7 对，边缘有细锯齿；叶柄长 3~5mm，密被茸毛；托叶钻形，长 5~6mm。聚伞花序腋生，有花 3；花序柄长 1~1.2cm；花柄长 5~7mm，均被茸毛；苞片钻形，长 5mm；萼片长 5~6mm，外面密被茸毛，内面无毛；花瓣长 2.5mm，基部内侧有鳞状腺体，并围以长毛；雄蕊多数，比萼片短，略超出花瓣；子房被毛，花柱约与萼片平齐，柱头盾状，多裂。花期 8~9 月。

崖县扁担杆

| 分布区域 | 产于海南三亚、东方。

| 资　　源 | 生于海边沙地丛林中，偶见。

| 采收加工 | 秋、冬季挖取根部，剥取树皮，除去栓皮，切断，鲜用或晒干。

| 功能主治 | 同属植物毛果扁担藤具有收敛止血、生肌接骨等作用。本种植物形态特征与其相似，但是功能主治鲜有报道，有待进一步研究。

椴树科 Tiliaceae 扁担杆属 *Grewia*

同色扁担杆
Grewia concolor Merr.

| **中 药 名** | 同色扁担杆（药用部位：根）

| **植物形态** | 蔓性灌木；嫩枝被锈褐色星状茸毛。叶长圆形，革质，先端短尖或略钝，基部近圆形或微心形，稍偏斜，两面初时均被稀疏星状毛及长单毛，以后变秃净或仅在两面脉上残留有稀疏单毛，基出脉3，两侧脉上行不过半，中脉有侧脉5~6对，边缘有细锯齿；叶柄长5~7mm，多少有毛；托叶披针形，长5mm，宽2mm。聚伞花序1~2腋生，各有花2~3，花序柄长约1cm；花柄长5~9mm，均被褐毛；苞片钻形，长5mm，外面有毛；花单性；萼片狭披针形，长7~8mm，内面无毛；花瓣长2.5~3mm；腺体倒卵形，周围有毛；雄蕊多数；子房被长毛，花柱无毛，柱头5裂。核果双球形或四球形。花期7~8月。

同色扁担杆

| 分布区域 | 产于海南三亚、东方、昌江、五指山、保亭、万宁、儋州、澄迈。亦分布于中国福建。

| 资　　源 | 生于路旁、水边丛林中，常见。

| 采收加工 | 秋、冬季挖取根部，剥取树皮，除去栓皮，切断，鲜用或晒干。

| 功能主治 | 同属植物毛果扁担藤具有收敛止血、生肌接骨等作用。本种植物形态特征与其相似，但是功能主治鲜有报道，有待进一步研究。

椴树科 Tiliaceae 扁担杆属 Grewia

毛果扁担杆
Grewia eriocarpa Juss.

| 中 药 名 | 野火绳（药用部位：根）

| 植物形态 | 灌木或小乔木，高达 8m；嫩枝被灰褐色星状软茸毛。叶纸质，斜卵形至卵状长圆形，长 6~13cm，宽 3~6cm，先端渐尖或急尖，基部偏斜，斜圆形或斜截形，上面散生星状毛，干后变黑褐色，下面被灰色星状软茸毛，三出脉的两侧脉上升达叶长的 3/4，中脉上半部有侧脉 3~4 对，边缘有细锯齿；叶柄长 5~10mm；托叶线状披针形，长 5~10mm。聚伞花序 1~3 腋生，长 1.5~3cm，花序柄长 3~8mm；花柄长 3~5mm；苞片披针形；花两性；萼片狭长圆形，长 6~8mm，内外两面均被毛；花瓣长 3mm；腺体短小；雌雄蕊柄被毛；雄蕊离生，长短不一，比萼片短；子房被毛，花柱有短柔毛，柱头盾形，4

毛果扁担杆

浅裂或不分裂。核果近球形,直径 6~8mm,被星状毛,有浅沟。

|分布区域|

产于海南三亚、乐东、东方、昌江、白沙、陵水、琼中、儋州、保亭、澄迈、琼海。越南、菲律宾、印度尼西亚也有分布。

|资　源|

生于丘陵地带、山谷及旷野,常见。

|采收加工|

秋、冬季挖取根部,剥取根皮,除去栓皮,切断,鲜用或晒干。

|功能主治|

根皮、根:收敛止血,生肌接骨。用于外伤出血、牙痛、骨折、刀枪伤、疮疖疔毒。枝、花:用于胃痛。

海南破布叶

Microcos chungii (Merr.) Chun

| 中 药 名 | 海南破布叶（药用部位：叶）

| 植物形态 | 乔木，高 5~15m；幼嫩枝条被棕黄色柔毛。叶近革质，长圆形或有
时披针形，长 11~20cm，宽 3.5~6cm，先端长渐尖，基部圆钝，全
缘或上部有稀疏的小锯齿，上面无毛，下面初时有极稀疏的星状柔
毛，后变秃净；叶柄长 1~1.5cm，被星状柔毛。花序顶生或腋生，
花序柄及苞片均被棕黄色或灰黄色柔毛；花淡黄色；萼片 5，狭倒
披针形，长 8~10mm，两面均被星状柔毛，外面更密；花瓣狭长圆
形，长 3~4mm，外面被稀疏短柔毛，内面基部有被毛的厚腺体，长
约为花瓣的 1/3；雄蕊多数；子房阔卵形，密被长柔毛，柱头锥状。
核果梨形，长 12~22mm，宽 9~12mm，密被灰黄色星状短柔毛；果
柄粗壮，被毛。花期夏、秋季间，果期冬季。

海南破布叶

| 分布区域 |

产于海南三亚、乐东、东方、昌江、白沙、五指山、保亭、万宁、儋州、澄迈、琼海。亦分布于中国云南。越南也有分布。

| 资　　源 |

生于山地林中，常见。

| 采收加工 |

夏、秋季采收带幼枝的叶，晒干。

| 功能主治 |

同属植物破布叶具有清热解毒、利湿健胃、消食除胀等作用。本种植物形态特征与其相似，但是功能主治鲜有报道，有待进一步研究。

椴树科 Tiliaceae 破布叶属 *Microcos*

破布叶
Microcos paniculata L.

| 中 药 名 | 破布叶（药用部位：叶）

| 植物形态 | 灌木或小乔木，高 3~12m，树皮粗糙；嫩枝有毛。叶薄革质，卵状长圆形，长 8~18cm，宽 4~8cm，先端渐尖，基部圆形，两面初时有极稀疏星状柔毛，以后变秃净，三出脉的两侧脉从基部发出，向上行超过叶片中部，边缘有细钝齿；叶柄长 1~1.5cm，被毛；托叶线状披针形，长 5~7mm。顶生圆锥花序长 4~10cm，被星状柔毛；苞片披针形；花柄短小；萼片长圆形，长 5~8mm，外面有毛；花瓣长圆形，长 3~4mm，下半部有毛；腺体长约 2mm；雄蕊多数，比萼片短；子房球形，无毛，柱头锥形。核果近球形或倒卵形，长约 1cm；果柄短。花期 6~7 月。

破布叶

| 分布区域 |

产于海南三亚、乐东、东方、昌江、白沙、保亭、琼中、儋州、澄迈、文昌。亦分布于中国华南其他区域，以及云南。越南、老挝、柬埔寨、缅甸、泰国、印度尼西亚及马来西亚也有分布。

| 资　　源 |

生于灌丛中，常见。

| 采收加工 |

夏、秋季采收带幼枝的叶，晒干。

| 药材性状 |

叶多皱缩、破碎。完整者展平后呈卵状长圆形或倒卵圆形，长 8~18cm，宽 4~8cm，黄绿色或黄棕色，先端渐尖，基部钝圆，边缘具细齿。基出脉 3，侧脉羽状，小脉网状。叶柄长 1~1.5cm。叶脉及叶柄有毛茸。气微，味淡、微涩。以叶大、完整、色绿者为佳。

| 功能主治 |

叶：清热解毒，利湿健胃，消食除胀，止泻，收敛去腐。用于感冒、食欲不振、消化不良、食滞腹胀、泄泻、黄疸、小儿盗汗、蜈蚣咬伤、溃疡。

椴树科 Tiliaceae 刺蒴麻属 *Triumfetta*

毛刺蒴麻 *Triumfetta cana* Bl.

| 中 药 名 | 毛黐头婆（药用部位：全草）

| 植物形态 | 木质草本，高 1.5m；嫩枝被黄褐色星状茸毛。叶卵形或卵状披针形，长 4~8cm，宽 2~4cm，先端渐尖，基部圆形，上面有稀疏星状毛，下面密被星状厚茸毛，基出脉 3~5，侧脉向上行超过叶片中部，边缘有不整齐锯齿；叶柄长 1~3cm。聚伞花序 1 至数枝腋生，花序柄长约 3mm；花柄长 1.5mm；萼片狭长圆形，长 7mm，被茸毛；花瓣比萼片略短，长圆形，基部有短柄，柄有睫毛；雄蕊 8~10 或稍多；子房有刺毛，4 室，柱头 3~5 裂。蒴果球形，有刺，长 5~7mm，刺弯曲，被柔毛，4 片裂开，每室有种子 2。花期夏、秋季间。

| 分布区域 | 产于海南乐东、昌江、白沙、保亭、万宁、琼中、儋州、澄迈、定安。亦分布于中国华南其他区域，以及福建、云南、西藏。越南、老挝、

毛刺蒴麻

柬埔寨、缅甸、泰国、马来西亚、印度尼西亚、印度也有分布。

| 资　　源 | 生于次生林及灌丛中，常见。

| 采收加工 | 全年均可采，切断或晒干。

| 功能主治 | 清热解毒，利湿消肿。用于风湿痛、肺气肿、乳房肿块、痢疾、跌打损伤。

刺蒴麻
Triumfetta rhomboidea Jacq.

| 中 药 名 | 黄花地桃花（药用部位：全株或根）

| 植物形态 | 亚灌木；嫩枝被灰褐色短茸毛。叶纸质，生于茎下部的阔卵圆形，长 3~8cm，宽 2~6cm，先端常 3 裂，基部圆形；生于上部的长圆形；上面有疏毛，下面有星状柔毛，基出脉 3~5，两侧脉直达裂片尖端，边缘有不规则的粗锯齿；叶柄长 1~5cm。聚伞花序数枝腋生，花序柄及花柄均极短；萼片狭长圆形，长 5mm，先端有角，被长毛；花瓣比萼片略短，黄色，边缘有毛；雄蕊 10；子房有刺毛。果实球形，不开裂，被灰黄色柔毛，具勾针刺，长 2mm，有种子 2~6。花期夏、秋季间。

| 分布区域 | 产于海南三亚、乐东、东方、昌江、五指山、陵水、万宁、琼中、儋州、文昌、海口、西沙群岛。亦分布于中国华南其他区域，以及福建、

刺蒴麻

台湾、云南。亚洲、非洲热带地区也有分布。

资　源

生于旷野，常见。

采收加工

根：冬季或早春萌发前挖取根部，洗净泥沙，切片，鲜用或晒干。全株：全年均可采，切断，鲜用或晒干。

功能主治

根：利尿化石。用于石淋、感冒、风热表证。全株：清热解毒，利湿消肿。用于风湿、肺气痛、乳肿、痢疾、跌打损伤。

杜英科　Elaeocarpaceae　杜英属　*Elaeocarpus*

长芒杜英 *Elaeocarpus apiculatus* Mast.

| 中 药 名 |

长芒杜英（药用部位：根）

| 植物形态 |

乔木，高达 30m，胸高直径达 2m（据野外采收记录），树皮灰色；小枝粗壮，直径 8~12mm，被灰褐色柔毛，有多数圆形的叶柄遗留斑痕，干后皱缩，多直条纹。叶聚生于枝顶，革质，倒卵状披针形，长 11~20cm，宽 5~7.5cm，先端钝，偶有短小尖头，中部以下渐变狭窄，基部窄而钝，或为窄圆形，上面深绿色而发亮，干后淡绿色，下面初时有短柔毛，不久变秃净，仅在中脉上面有微毛，全缘，或上半部有小钝齿，侧脉 12~14 对，与网脉在上面明显，在下面突起；叶柄长 1.5~3cm，有微毛。总状花序生于枝顶叶腋内，长 4~7cm，有花 5~14，花序轴被褐色柔毛；花柄长 8~10mm，花长 1.5cm，直径 1~2cm；花芽披针形，长 1.2cm；萼片 6，狭窄披针形，长 1.4cm，宽 1.5~2mm，外面被褐色柔毛；花瓣倒披针形，长 1.3cm，内外两面被银灰色长毛，先端 7~8 裂，裂片长 3~4mm；雄蕊 45~50，长 1cm，花丝长 2mm，花药长 4mm，先端有长达 3~4mm 的芒刺；花盘 5 裂，不明显分开，有浅裂；子

长芒杜英

房被毛，3 室，花柱长 9mm，有毛。核果椭圆形，长 3~3.5cm，有褐色茸毛。花期 8~9 月，果实在冬季成熟。

| 分布区域 |

产于海南三亚、东方、昌江、白沙、万宁、琼中、海口。亦分布于中国云南。中南半岛，以及马来西亚也有分布。

| 资　　源 |

生于山地雨林中，常见。

| 采收加工 |

冬季将根挖出，洗净泥土，切片，晒干。

| 功能主治 |

同属植物杜英的根可用于风湿、跌打损伤。本种的植物形态特征与其相似，但是功能主治报道较少，有待进一步研究。

| 附　　注 |

在 FOC 中，其学名被修订为 *Elaeocarpus rugosus* Roxb.。

杜英科　Elaeocarpaceae　杜英属　*Elaeocarpus*

显脉杜英
Elaeocarpus dubius A. DC.

|中 药 名|

显脉杜英（药用部位：根）

|植物形态|

常绿乔木，高达 25m；嫩枝纤细，初时有银灰色短柔毛，以后变秃净。叶聚生于枝顶，薄革质，长圆形或披针形，长 5~7cm，宽 2~2.5cm，偶有长达 10cm，宽 4cm，先端急短尖或渐尖，尖头钝，基部阔楔形或钝，稍不等侧，上面深绿色，发亮，下面浅绿色，无毛，侧脉 8~10 对，与网脉干后在上下两面都明显突起，边缘有钝齿；叶柄纤细，长 1~2cm，偶有长达 3cm，无毛。总状花序生于枝顶的叶腋内，长 3~5cm，被灰白色短柔毛；花柄长 7~9mm，被毛；萼片 5，狭窄披针形，长 7~8mm，宽 2mm，先端尖，内外两面都有灰白色微毛；花瓣 5，与萼片等长，长圆形，长 7~8mm，宽约 2.5mm，内外两面均有灰白色毛，先端 1/3 撕裂，裂片 9~11；雄蕊 20~23，花丝长 1mm，花药长 3.5mm，先端有芒刺，长约 1.5mm；花盘 10 裂，被毛；子房 3 室，被毛，花柱长约 5mm。核果椭圆形，长 1~1.3cm，无毛，内果皮坚骨质，厚约 1mm。花期 3~4 月。

显脉杜英

| 分布区域 |

产于海南乐东、东方、昌江、白沙、保亭、万宁、琼中、儋州、澄迈。亦分布于中国华南其他区域，以及云南。越南也有分布。

| 资　源 |

生于山地常绿林中，常见。

| 采收加工 |

冬季将根挖出，洗净泥土，切片，晒干。

| 功能主治 |

同属植物杜英的根可用于风湿、跌打损伤。本种的植物形态特征与其相似，但是功能主治报道较少，有待进一步研究。

杜英科 Elaeocarpaceae 杜英属 *Elaeocarpus*

水石榕
Elaeocarpus hainanensis Oliv.

| 中 药 名 | 水石榕（药用部位：根）

| 植物形态 | 小乔木，具假单轴分枝，树冠宽广；嫩枝无毛。叶革质，狭窄倒披针形，长 7~15cm，宽 1.5~3cm，先端尖，基部楔形，幼时上下两面均秃净，老叶上面深绿色，干后发亮，下面浅绿色，侧脉 14~16 对，在上面明显，在下面突起，网脉在下面稍突起，边缘密生小钝齿；叶柄长 1~2cm。总状花序生当年枝的叶腋内，长 5~7cm，有花 2~6；花较大，直径 3~4cm；苞片叶状，无柄，卵形，长 1cm，宽 7~8mm，两面有微毛，边缘有齿突，基部圆形或耳形，有网状脉及侧脉，宿存；花柄长约 4cm，有微毛；萼片 5，披针形，长约 2cm，被柔毛；花瓣白色，与萼片等长，倒卵形，外侧有柔毛，先端撕裂，裂片 30，长

水石榕

4~6mm；雄蕊多数，约和花瓣等长，有微毛，药隔突出呈芒刺状，长4mm；花盘多裂而连续，围着子房基部；子房2室，无毛，花柱长1cm，有毛；胚珠每室2。核果纺锤形，两端尖，长约4cm，中央宽1~1.2cm；内果皮坚骨质，表面有浅沟，腹缝线2，厚1.5mm，1室；种子长2cm。花期6~7月。

| 分布区域 |

产于海南白沙、五指山、保亭、万宁、琼中、澄迈、屯昌、定安。亦分布于中国广西、云南。越南、泰国也有分布。

| 资　　　源 |

生于河边湿地，常见。

| 采收加工 |

冬季将根挖出，洗净泥土，切片，晒干。

| 功能主治 |

同属植物杜英的根可用于风湿、跌打损伤。本种的植物形态特征与其相似，但是功能主治报道较少，有待进一步研究。

杜英科 Elaeocarpaceae　杜英属 *Elaeocarpus*

长柄杜英
Elaeocarpus petiolatus (Jack) Wall. ex Kurz

| 中 药 名 | 长柄杜英（药用部位：根）

| 植 物 形 态 | 乔木，高 12m；嫩枝无毛，常有红色树脂渗出树皮及枝条表面。叶革质，长卵形或椭圆形，长 9~18cm，宽 4~7cm，先端急短尖，尖头钝，稀为渐尖，基部圆形或钝，上面深绿色，略有光泽，下面无毛，侧脉 5~7 对，在上面明显能见，在下面显著突起，网脉明显，边缘有浅波状小钝齿，或为全缘；叶柄长 3~6cm，稍粗壮，秃净无毛。总状花序腋生，长 6~12cm，花序轴被柔毛；花柄长 10~15mm，略被短柔毛；萼片 5，披针形，长 6~7mm，外侧被柔毛；花瓣与萼片等长，长圆形，外侧被褐色毛，上半部撕裂，裂片 9~14；雄蕊约 30，被短柔毛，花药先端有芒刺，常向外弯斜；花盘 10 裂，无毛；子房 2 室，

长柄杜英

无毛，花柱无毛。核果椭圆形，长 1.5cm，宽 9mm，内果皮骨质，表面有浅沟纹，1 室，种子长约 1cm。花期 8~9 月。

| **分布区域** | 产于海南乐东、昌江、白沙、五指山、保亭、陵水、万宁、临高、澄迈。亦分布于中国华南其他区域、西南。中南半岛，以及马来西亚也有分布。

| **资　　源** | 生于低海拔林中，常见。

| **采收加工** | 冬季将根挖出，洗净泥土，切片，晒干。

| **功能主治** | 同属植物杜英的根可用于风湿、跌打损伤。本种的植物形态特征与其相似，但是功能主治报道较少，有待进一步研究。

杜英科 Elaeocarpaceae 杜英属 *Elaeocarpus*

圆果杜英
Elaeocarpus sphaericus (Gaertn.) K. Schum.

| 中 药 名 | 圆果杜英（药用部位：种子、果实）

| 植物形态 | 乔木，高 20m；嫩枝被黄褐色柔毛，老枝暗褐色。嫩叶两面被柔毛，老叶变秃净，纸质，倒卵状长圆形至披针形，先端尖或略钝，基部阔楔形，上面深绿色，干后仍有光泽，下面带褐色，常有细小黑腺点，侧脉 10~12 对，与网脉在上面不明显，在下面稍突起，边缘有小钝齿；叶柄长 1~1.5cm，初时有柔毛，以后变秃净。总状花序生于当年枝的叶腋内，长 2~4cm，有花数朵，花序轴被毛；花柄长 5mm；萼片披针形，长 5mm，宽 1.5mm，两面均有毛；花瓣约与萼片等长，撕裂至中部，下半部有毛；雄蕊 25，先端有毛丛；子房 5 室，被茸毛，花柱长 5mm。核果圆球形，直径 1.8cm，5 室，每室有种子 1，内果皮硬骨质，表面有沟。花期 8~9 月。

圆果杜英

| 分布区域 | 产于海南中部及南部。亦分布于中国广西、云南。柬埔寨、泰国、缅甸、马来西亚、印度尼西亚、印度东北部、澳大利亚、太平洋群岛也有分布。

| 资　　源 | 生于山地雨林中，偶见。

| 采收加工 | 种子：果实成熟时采收，剥取种子，晒干备用。果实：秋季采收成熟的果实，晒干。

| 附　　注 | 印度民族药。种子：用于心脏病。种子提取物：对在体和离体哺乳动物心脏都具有持久的良好作用。尼加拉瓜传统药用植物。果实：煎剂内服，用于癫痫。

灰毛杜英
Elaeocarpus limitaneus Hand.-Mazz.

| 中 药 名 | 灰毛杜英（药用部位：种子、果实）

| 植物形态 | 常绿小乔木；小枝稍粗壮，幼时被灰褐色紧贴茸毛。叶革质，椭圆形或倒卵形，长 7~16cm，宽 5~7cm，先端宽广而有一个短尖头，基部阔楔形，上面深绿色，干后仍发亮，下面被灰褐色紧贴茸毛，侧脉 6~8 对，在上面能见，在下面突起，网脉上面不明显，在下面稍突起，边缘有稀疏小钝齿；叶柄粗壮，近于秃净，长 2~3cm。总状花序生于枝顶叶腋内及无叶的去年枝条上，长 5~7cm，花序轴被灰色毛；花柄长 3~4mm，被毛；苞片 1，极细小，位于花柄基部，早落；萼片 5，狭窄披针形，长 5mm，被灰色毛；花瓣白色，长 6~7mm，外面无毛，上半部撕裂，裂片 12~16；雄蕊 30，长 4mm，有柔毛，花药无附属物；花盘 5 裂，被毛；子房 3 室，被毛，花柱长 3mm。

灰毛杜英

核果椭圆状卵形，长 2.5~3cm，宽 2cm，外果皮秃净无毛，先端圆形，内果皮坚骨质，表面有沟纹。花期 7 月。

| 分布区域 | 产于海南三亚、乐东、昌江、五指山、万宁、定安、东方、白沙。亦分布于中国广西、云南。越南也有分布。

| 资　　源 | 生于高海拔林中、雨林中，少见。

| 采收加工 | 种子：果实成熟时采收，剥取种子，晒干备用。果实：秋季采收成熟的果实，晒干。

| 功能主治 | 同属植物圆果杜英的种子和果实有利于治疗心脏病和癫痫。本种植物形态特征与其相似，但功能主治少有报道，有待进一步研究。

杜英科 Elaeocarpaceae 杜英属 *Elaeocarpus*

锈毛杜英 *Elaeocarpus howii* Merr. et Chun

| 中 药 名 | 锈毛杜英（药用部位：种子、果实）

| 植物形态 | 常绿乔木，高 10m，树皮灰褐色；嫩枝粗大，被褐色茸毛。叶革质，椭圆形至广椭圆形，长 10~19cm，宽 4~10cm，先端急短尖，尖尾长 5~10mm，基部圆形，上面深绿色，干后仍发亮，下面被褐色茸毛，侧脉 10~13 对，在上面隐约可见，在下面显著突起，网脉在下面较为明显，边近全缘或有不明显小钝齿；叶柄长 2~5cm，圆柱形，被褐色茸毛。总状花序生于枝顶叶腋内，长 6~10cm，花序轴粗大，被褐色茸毛；花柄长 3~5mm；苞片肾形，长 1mm，宽 1.5mm，被毛；萼片 5，披针形，长 6mm，外面有褐色毛，内侧有柔毛；花瓣倒卵形，与萼片等长，无毛，上半部撕裂，裂片约 20，雄蕊 25~30，长约 3mm，花药先端无附属物；花盘 5 裂；子房 3 室，被毛，花柱基

锈毛杜英

部无毛，长 3mm。核果椭圆状卵形，长 4~4.5cm，被褐色茸毛，外果皮及中果皮干后常起皱褶，内果皮坚骨质，表面多沟纹。种子通常 1，长 1~1.5cm，黑色。花期 6~7 月。

| 分布区域 | 产于海南乐东、陵水、万宁。海南岛中部及南部有记录。亦分布于中国云南。

| 资　　源 | 生于中海拔山地雨林中，偶见。

| 采收加工 | 种子：果实成熟时采收，剥取种子，晒干备用。果实：秋季采收成熟的果实，晒干。

| 功能主治 | 同属植物圆果杜英的种子和果实有利于治疗心脏病和癫痫。本种植物形态特征与其相似，但功能主治少有报道，有待进一步研究。

杜英科 *Elaeocarpaceae* **杜英属** *Elaeocarpus*

山杜英

Elaeocarpus sylvestris (Lour.) Poir.

| 中 药 名 | 山杜英（药用部位：根、叶、花）

| 植物形态 | 小乔木，高约 10m；小枝纤细，通常秃净无毛；老枝干后暗褐色。叶纸质，倒卵形或倒披针形，长 4~8cm，宽 2~4cm，幼态叶长达 15cm，宽达 6cm，上下两面均无毛，干后黑褐色，不发亮，先端钝，或略尖，基部窄楔形，下延，侧脉 5~6 对。在上面隐约可见，在下面稍突起，网脉不大明显，边缘有钝锯齿或波状钝齿；叶柄长 1~1.5cm，无毛。总状花序生于枝顶叶腋内，长 4~6cm，花序轴纤细，无毛，有时被灰白色短柔毛；花柄长 3~4mm，纤细，通常秃净；萼片 5，披针形，长 4mm，无毛；花瓣倒卵形，上半部撕裂，裂片 10~12，外侧基部有毛；雄蕊 13~15，长约 3mm，花药有微毛，先端无毛丛，亦缺附属物；花盘 5 裂，圆球形，完全分开，被白色毛；

山杜英

子房被毛，2~3室，花柱长2mm。核果细小，椭圆形，长1~1.2cm，内果皮薄骨质，有腹缝沟3。花期4~5月。

| **分布区域** | 产于海南三亚、乐东、东方、昌江、白沙、五指山、陵水、万宁、琼中、儋州、琼海、文昌。亦分布于中国长江以南其他区域。越南、老挝也有分布。

| **资　　源** | 生于常绿阔叶林中，常见。

| **采收加工** | 冬季将根挖出，洗净泥土，切片，晒干。

| **功能主治** | 根、叶、花：功能同中华杜英。根皮：散瘀消肿。用于跌打瘀肿。

| 杜英科 | Elaeocarpaceae | 猴欢喜属 | Sloanea |

猴欢喜 *Sloanea sinensis* (Hance) Hemsl.

| **中 药 名** | 猴欢喜（药用部位：根）

| **植物形态** | 乔木，高 20m；嫩枝无毛。叶薄革质，形状及大小多变，通常为长圆形或狭窄倒卵形，长 6~9cm，最长达 12cm，宽 3~5cm，先端短急尖，基部楔形，或收窄而略圆，有时为圆形，亦有为披针形的，宽不过 2~3cm，通常全缘，有时上半部有数个疏锯齿，上面干后晦暗无光泽，下面秃净无毛，侧脉 5~7 对；叶柄长 1~4cm，无毛。花多朵簇生于枝顶叶腋；花柄长 3~6cm，被灰色毛；萼片 4，阔卵形，长 6~8mm，两侧被柔毛；花瓣 4，长 7~9mm，白色，外侧有微毛，先端撕裂，有齿刻；雄蕊与花瓣等长，花药长为花丝的 3 倍；子房被毛，卵形，长 4~5mm，花柱连合，长 4~6mm，下半部有微毛。蒴果大小不一，宽 2~5cm，3~7 爿裂开；果爿长短不一，长 2~3.5cm，

猴欢喜

厚 3~5mm；针刺长 1~1.5cm；内果皮紫红色；种子长 1~1.3cm，黑色，有光泽，假种皮黄色。花期 9~11 月，果实翌年 6~7 月成熟。

| **分布区域** | 产于海南乐东、东方、昌江、白沙、保亭、琼中。亦分布于中国华南其他区域，以及湖南、江西、福建、台湾、浙江、贵州。越南也有分布。

| **资　　源** | 生于海拔 700~1000m 的林中，常见。

| **采收加工** | 夏、秋季采收，洗净，鲜用或晒干。

| **功能主治** | 健脾和胃，祛风，益肾，壮腰。

梧桐科　Sterculiaceae　昂天莲属　*Ambroma*

昂天莲
Ambroma augustum (L.) L. f

| 中 药 名 | 昂天莲（药用部位：根、叶）

| 植物形态 | 灌木，高 1~4m，小枝幼时密被星状茸毛。叶心形或卵状心形，有时为 3~5 浅裂，长 10~22cm，宽 9~18cm，先端急尖或渐尖，基部心形或斜心形，上面无毛或被稀疏的星状柔毛，下面密被短茸毛，基生脉 3~7，叶脉在两面均突出；叶柄长 1~10cm；托叶条形，长5~10mm，脱落。聚伞花序有花 1~5；花红紫色，直径约 5cm；萼片5，近基部连合，披针形，长 15~18mm，两面均密被短柔毛，花瓣 5，红紫色，匙形，长 2.5cm，先端急尖或钝，基部凹陷且有毛，与退化雄蕊的基部连合；发育的雄蕊 15，每 3 枚集合成一群，在退化雄蕊的基部连合并与退化雄蕊互生，退化雄蕊 5，近匙形，两面均被毛；子房矩圆形，长约 1.5mm，略被毛，5 室，有 5 沟纹，长约 1.5mm，

昂天莲

花柱三角状舌形，长约为子房的1/2。蒴果膜质，倒圆锥形，直径3~6cm，被星状毛，具5纵翅，边缘有长绒毛，先端截形；种子多数，矩圆形，黑色，长约2mm。花期春、夏季。

| 分布区域 | 产于海南万宁、儋州。亦分布于中国广西、贵州、云南。越南、泰国、马来西亚、菲律宾、印度尼西亚、印度也有分布。

| 资　　源 | 生于沟谷边，偶见。

| 采收加工 | 秋、冬季挖取根部，洗去泥沙，切片，鲜用或晒干。

| 功能主治 | 根、叶：通经行血，散瘀消肿。用于疮疖红肿、跌打肿痛、月经不调。

梧桐科 Sterculiaceae　刺果藤属 Byttneria

刺果藤
Byttneria aspera Colebr.

| 中 药 名 | 刺果藤（药用部位：根）

| 植物形态 | 木质大藤本，小枝的幼嫩部分略被短柔毛。叶广卵形、心形或近圆形，长 7~23cm，宽 5.5~16cm，先端钝或急尖，基部心形，上面几无毛，下面被白色星状短柔毛，基生脉 5；叶柄长 2~8cm，被毛。花小，淡黄白色，内面略带紫红色；萼片卵形，长 2mm，被短柔毛，先端急尖；花瓣与萼片互生，先端 2 裂并有长条形的附属体，约与萼片等长；具药雄蕊 5，与退化雄蕊互生；子房 5 室，每室有胚珠 2。蒴果圆球形或卵状圆球形，直径 3~4cm，具短而粗的刺，被短柔毛；种子长圆形，长约 12mm，成熟时黑色。花期春、夏季。

| 分布区域 | 产于海南三亚、乐东、白沙、昌江、保亭及儋州。亦分布于中国广西、云南。越南、泰国、印度也有分布。

刺果藤

| 资　　源 | 生于山坡林中，偶见。 |

| 采收加工 | 夏、秋季采收，洗净，鲜用或晒干。 |

| 功能主治 | 根：祛风湿，壮筋骨。用于产后筋骨痛、风湿骨痛、腰肌劳损、跌打损伤、月经不调。 |

| 附　　注 | 在 FOC 中，其学名被修订为 *Byttneria grandifolia* DC.。 |

梧桐科 Sterculiaceae 山麻树属 Commersonia

山麻树

Commersonia bartramia (L.) Merr.

| 中 药 名 | 山麻树（药用部位：根）

| 植物形态 | 乔木，高达 15m，小枝密被黄色短柔毛。叶广卵形或卵状披针形，长 9~24cm，宽 5~14cm，先端急尖或渐尖，基部斜心形，边缘有不规则的小齿，上面疏生星状短柔毛，下面密被灰白色短柔毛并在叶缘有红色的毛；叶柄长 6~18mm，有毛；托叶掌状条裂。复聚伞花序顶生或腋生，长 3~21cm，多分枝；花密生，直径约 5mm；萼片 5，卵形，长约 3mm，被短柔毛；花瓣 5，白色，与萼等长，基部两侧有小裂片，先端带状，雄蕊 5，长约 0.5mm，藏于花瓣基部的凹陷处，退化雄蕊 5，披针形，长约 1.5mm，两面均被小柔毛；子房 5 室，每室有胚珠 2。蒴果圆球形，直径约 2cm，5 室裂，外面密生细长的

山麻树

刚毛；种子椭圆形，长 2mm，黑褐色，光亮。花期 2~10 月。

| 分布区域 |

产于海南三亚、乐东、昌江、白沙、保亭、陵水、万宁、琼中、儋州、临高、定安、琼海。亦分布于中国广西、云南。越南、马来西亚、菲律宾、印度尼西亚、印度以及大洋洲也有分布。

| 资　　源 |

生于山谷、山坡林中，常见。

| 采收加工 |

夏、秋季采收，洗净，鲜用或晒干。

| 功能主治 |

本种功能主治少有报道，有待进一步研究。

|梧桐科| Sterculiaceae |山芝麻属| *Helicteres*

山芝麻
Helicteres angustifolia L.

| 中 药 名 | 山芝麻（药用部位：全株或根）

| 植物形态 | 小灌木，高达 1m，小枝被灰绿色短柔毛。叶狭矩圆形或条状披针形，长 3.5~5cm，宽 1.5~2.5cm，先端钝或急尖，基部圆形，上面无毛或几无毛，下面被灰白色或淡黄色星状茸毛，间或混生刚毛；叶柄长 5~7mm。聚伞花序有 2 至数朵花；花梗通常有锥尖状的小苞片 4；萼管状，长 6mm，被星状短柔毛，5 裂，裂片三角形；花瓣 5，不等大，淡红色或紫红色，比萼略长，基部有耳状附属体 2；雄蕊 10，退化雄蕊 5，线形，甚短；子房 5 室，被毛，较花柱略短，每室有胚珠约 10。蒴果卵状矩圆形，长 12~20mm，宽 7~8mm，先端急尖，密被星状毛及混生长绒毛；种子小，褐色，有椭圆形小斑点。花期几全年。

山芝麻

| 分布区域 |

产于海南三亚、东方、昌江、五指山、保亭、万宁、儋州、琼海。亦分布于中国华南其他区域，以及湖南、江西、福建、台湾、贵州、云南。东南亚、印度也有分布。

| 资　　源 |

生于丘陵地区，常见。

| 采收加工 |

全株全年可采，洗净，切断，晒干。

| 药材性状 |

根呈圆柱形，略扭曲，头部常带有结节状的茎枝残基，长15~25cm（商品多已切成长约2cm的段块），直径0.5~1.5cm。表面灰黄色至灰褐色，间有坚韧的侧根或侧根痕，栓皮粗糙，有纵斜裂纹，老根栓皮易片状剥落。枝坚硬，断面皮部较厚，暗棕色或灰黄色，强纤维性，易与木质部剥离并撕裂；木质部黄白色，具微密放射状纹理。气微香，味苦、微涩。

| 功能主治 |

全株、根：清热解毒，消肿止痒。用于感冒发热、头痛、口渴、流行性腮腺炎、痢疾、泄泻、痈肿、瘰疬、疮毒、湿疹、痔疮。

梧桐科 Sterculiaceae 山芝麻属 Helicteres

雁婆麻
Helicteres hirsuta Lour.

| 中 药 名 | 雁婆麻（药用部位：根）

| 植物形态 | 灌木，高 1~3m，小枝被星状柔毛。叶卵形或卵状矩圆形，长 5~15cm，宽 2.5~5cm，先端渐尖或急尖，基部斜心形或截形，边缘有不规则的锯齿，两面均密被星状柔毛，尤于下面为甚，基生脉 5；叶柄长约 2cm，密被柔毛。聚伞花序腋生，伸长如穗状，不及叶长之半，通常仅有花数朵；花梗比花短，有关节，基部有早落的小苞片；萼管状，长 12~15mm，4~5 裂，被短柔毛；花瓣 5，红色或红紫色，长 2~2.5cm；雌雄蕊柄无毛，雄蕊 10，假雄蕊 5，与花丝等长；子房 5 室，具乳头状小突起，花柱与子房等长，子房每室有胚珠 20~30。成熟的蒴果圆柱状，长 3.5~4cm，宽 11~12mm，先端具喙，

雁婆麻

密被长绒毛和具乳头状突起；种子多数，直径 1~2mm，表面多皱纹。花期 4~9 月。

| 分布区域 |

产于海南三亚、乐东、东方、昌江、白沙、五指山、保亭、陵水、琼中、儋州、临高、澄迈、定安、琼海、文昌。亦分布于中国华南其他区域。印度、马来西亚、菲律宾也有分布。

| 资　　源 |

生于旷野及疏林，十分常见。

| 采收加工 |

全年皆可采，洗净，切片，晒干。

| 功能主治 |

用于慢性胃炎、胃痛、胃溃疡、消化不良。

梧桐科 Sterculiaceae 山芝麻属 Helicteres

火索麻
Helicteres isora L.

| 中 药 名 | 火索麻（药用部位：根）

| 植物形态 | 灌木，高达 2m；小枝被星状短柔毛。叶卵形，长 10~12cm，宽 7~9cm，先端短渐尖且常具小裂片，基部圆形或斜心形，边缘具锯齿，上面被星状短柔毛，下面密被星状短柔毛，基生脉 5；叶柄长 8~25mm，被短柔毛；托叶条形，长 7~10mm，早落。聚伞花序腋生，常 2~3 簇生，长达 2cm；小苞片钻形，长 7mm；花红色或紫红色，直径 3.5~4cm；萼长 17mm，通常 4~5 浅裂，裂片三角形且排成二唇状；花瓣 5，不等大，前面 2 较大，长 12~15mm，斜镰刀形；雄蕊 10，退化雄蕊 5，与花丝等长；子房略具乳头状突起，授粉后螺旋状扭曲。蒴果圆柱状，螺旋状扭曲，成熟时黑色，长 5cm，宽 7~9mm，先端

火索麻

锐尖，并有长喙，初被星状柔毛，后逐渐脱落；种子细小，直径不及 2mm。花期 4~10 月。

分布区域

产于海南三亚、乐东、昌江、五指山、陵水、琼中、儋州、临高。亦分布于中国云南。越南、泰国、马来西亚、印度、斯里兰卡、澳大利亚也有分布。

资　　源

生于荒坡和丘陵，十分常见。

采收加工

全年皆可采，洗净，切片，晒干。

功能主治

解表，理气，止痛。用于胃痛、慢性胃炎、胃溃疡、肠梗阻。

梧桐科 Sterculiaceae 山芝麻属 Helicteres

剑叶山芝麻

Helicteres lanceolata DC.

| 中 药 名 | 大山芝麻（药用部位：全株或根、叶）

| 植物形态 | 灌木，高 1~2m，小枝密被黄褐色星状短柔毛。叶披针形或矩圆状披针形，长 3.5~7.5cm，宽 2~3cm，先端急尖或渐尖，基部钝，两面均被黄褐色星状短柔毛，尤于下面更密，全缘或在近先端有数个小锯齿；叶柄长 3~9mm。花簇生或排成长 1~2cm 的聚伞花序，腋生；花细小，长约 12mm；萼筒状，5 浅裂，被毛；花瓣 5，红紫色，不等大；雌雄蕊柄的基部被柔毛；雄蕊 10，花药外向，退化雄蕊 5，条状披针形；子房 5 室，每室有胚珠约 12。蒴果圆筒状，长 2~2.5cm，宽约 8mm，先端有喙，密被长绒毛。花期 7~11 月。

| 分布区域 | 产于海南三亚、乐东、白沙、昌江、陵水、保亭、万宁、琼中、儋州、澄迈。亦分布于中国广西、云南。越南、泰国、印度尼西亚也有分布。

剑叶山芝麻

| 资　　源 | 生于丘陵灌丛中，少见。

| 采收加工 | 冬季采挖根部，洗净泥沙，切片，晒干。

| 功能主治 | 根：清热解毒，止咳，解表透疹。用于鼻塞流涕、发热恶风、咳嗽咳痰、便秘尿赤、毒蛇咬伤。全株：清热解表，止痛。用于流行性感冒、痢疾。叶：用于腮腺炎、痈疮肿毒。

梧桐科 Sterculiaceae 山芝麻属 *Helicteres*

粘毛山芝麻
Helicteres viscida Bl.

| 中 药 名 | 牙新渊（药用部位：茎、叶）

| 植物形态 | 灌木，高达 2m；小枝幼时被短柔毛，后脱净。叶卵形或近圆形，长 6~15cm，宽 4.5~8.5cm，先端长渐尖，在中部以上常有浅裂，基部心形，边缘有不规则的锯齿，上面被稀疏的星状短柔毛，下面密被白色星状茸毛，基生脉 5~7；叶柄长 3~10mm，被毛。花单生于叶腋或排成腋生的聚伞花序；花梗有关节；萼长 15~18mm，密被白色星状长柔毛和混生短柔毛，5 裂，裂片急尖；花瓣 5，白色，不等大，匙形；雄蕊 10，退化雄蕊 5；子房有很多乳头状突起。蒴果圆筒形，长 2.5~3.5cm，宽 10~12mm，先端急尖，密被星状长柔毛和皱卷的长达 4mm 的长绒毛；种子多数，菱形，长约 2mm，宽约 1mm，有小纵沟。花期 5~6 月。

粘毛山芝麻

分布区域

产于海南五指山、保亭、陵水、琼中。亦分布于中国云南。越南、缅甸、马来西亚、印度尼西亚也有分布。

资　源

生于丘陵或山坡，偶见。

采收加工

茎、叶全年均可采，鲜用或晒干。

药材性状

茎类圆形，有纵皱，幼枝被短柔毛。叶卵圆形或近圆形，长 6~15cm，宽 4.5~8.5cm，先端长渐尖，中部以上常有浅裂，基部心形，边缘有不规则的锯齿，上面黄绿色，被稀疏的星状短柔毛，下面色较浅，被白色星状茸毛，基生脉5~7，叶柄长 3~10mm，被毛。

功能主治

行气止痛，清热利湿。用于脘腹胀痛、痢疾、便血、脱肛。

梧桐科 Sterculiaceae　银叶树属 *Heritiera*

长柄银叶树

Heritiera angustata Pierre.

| 中 药 名 | 长柄银叶树（药用部位：树皮、种子）

| 植物形态 | 常绿乔木，高达 12m，树皮灰色，小枝幼时被柔毛。叶革质，矩圆状披针形，全缘，长 10~30cm，宽 5~15cm，先端渐尖或钝，基部尖锐或近心形，上面无毛，下面被银白色或略带金黄色的鳞秕；叶柄长 2~9cm；托叶条状披针形，早落。圆锥花序顶生或腋生，花红色；萼坛状，长约 6mm，宽 2.5~4mm，4~6 浅裂，两面均被星状柔毛，裂片三角形；雄花的雌雄蕊柄长 2~3mm，花药 8~12，群集在雌雄蕊柄先端排成两环；雌花较少，且比雄花短，不育花药 4~10，围绕在子房基部；子房圆球形，略有 5 棱，被短柔毛，柱短，柱头 5。果实为核果状，坚硬，椭圆形，褐色，长约 3.5cm，先端有长约 1cm 的翅；种子卵圆形。花期 6~11 月。

长柄银叶树

| 分布区域 | 产于海南三亚、乐东、陵水、万宁。亦分布于中国云南。越南、缅甸、印度也有分布。

| 资　　源 | 生于海边山中，少见。

| 采收加工 | 夏、秋季采收，鲜用或晒干。

| 功能主治 | 同属植物银叶树的树皮可用于血尿症，种子有利于涩肠止泻。但本种的功能主治鲜有报道，有待进一步研究。

梧桐科　Sterculiaceae　银叶树属　Heritiera

银叶树
Heritiera littoralis Dryand.

| 中 药 名 | 银叶树（药用部位：树皮、种子）

| 植物形态 | 常绿乔木，高约 10m；树皮灰黑色，小枝幼时被白色鳞秕。叶革质，矩圆状披针形、椭圆形或卵形，长 10~20cm，宽 5~10cm，先端锐尖或钝，基部钝，上面无毛或几无毛，下面密被银白色鳞秕；叶柄长 1~2cm；托叶披针形，早落。圆锥花序腋生，长约 8cm，密被星状毛和鳞秕；花红褐色；萼钟状，长 4~6mm，两面均被星状毛，5 浅裂，裂片三角形，长约 2mm；雄花的花盘较薄，有乳头状突起，雌雄蕊柄短而无毛，花药 4~5，在雌雄蕊柄先端排成一环；雌花的心皮 4~5，柱头与心皮同数且短而向下弯。果实木质，坚果状，近椭圆形，光滑，干时黄褐色，长约 6cm，宽约 3.5cm，背部有龙骨状突起；种子卵形，长 2cm。花期夏季。

银叶树

| 分布区域 |

产于海南三亚、万宁、文昌。亦分布于中国华南其他区域，以及台湾。东南亚、印度、日本、澳大利亚、非洲也有分布。

| 资　　源 |

生于红树林中，偶见。

| 采收加工 |

夏、秋季采收，鲜用或晒干。

| 功能主治 |

树皮：用于血尿症。种子：涩肠止泻。用于腹泻、痢疾。

梧桐科　Sterculiaceae　银叶树属　*Heritiera*

蝴蝶树
Heritiera parvifolia Merr.

| 中 药 名 | 蝴蝶树（药用部位：树皮、种子）

| 植物形态 | 常绿乔木；高达 30m，树皮灰褐色，小枝密被鳞秕。叶椭圆状披针形，长 6~8cm，宽 1.5~3cm，先端渐尖，基部短尖或近圆形，上面无毛，下面密被银白色或褐色鳞秕，侧脉约 6 对；叶柄长 1~1.5cm。圆锥花序腋生，密被锈色星状短柔毛；花小，白色，萼长约 4mm，5~6 裂，两面均有星状短柔毛，裂片矩圆状卵形，长 1.5~2mm；雄花的雌雄蕊柄长约 1mm，花盘厚，直径约 0.8mm，围绕在雌雄蕊柄的基部，花药 8~10，排成一环，有不发育的雌蕊；雌花的子房长约 2mm，被毛，不育花药位于子房基部。果实有长翅，长 4~6cm，含种子的部分仅长 1~2cm，翅鱼尾状，先端钝，宽约 2cm，密被鳞秕，果皮革质；种子椭圆形。花期 5~6 月。

蝴蝶树

| **分布区域** | 产于海南三亚、东方、保亭、陵水。海南特有种。

| **资　　源** | 生于山地热带雨林。

| **采收加工** | 夏、秋季采收，鲜用或晒干。

| **功能主治** | 树皮：用于血尿症。种子：涩肠止泻。用于腹泻、痢疾。

梧桐科 Sterculiaceae　鹧鸪麻属 Kleinhovia

鹧鸪麻 *Kleinhovia hospita* L.

| 中 药 名 | 面头叶（药用部位：全株或树皮、叶）

| 植物形态 | 乔木，高达 12m；树皮灰色，片状剥落；小枝灰绿色，有稀疏的短柔毛。叶广卵形或卵形，长 5.5~18cm，先端渐尖或急尖，基部心形或浅心形，上面无毛，下面在幼时被稀疏的短柔毛，全缘或在上部有数小齿；叶柄长 3~5.5cm。聚伞状圆锥花序长 50cm，被毛；花浅红色，密集；萼片浅红色，如花瓣状，长约 6mm；花瓣比萼短，其中一片呈唇状，具囊，先端黄色，且较其他各瓣为短；子房圆球形，被毛，每室通常只有 1 胚珠发育。蒴果梨形或略呈圆球形，膨胀，长 1~1.7cm，成熟时淡绿色而带淡红色；种子圆球形，直径 1.5~2mm，黑色或黑褐色。花期 3~7 月。

鹧鸪麻

分布区域

产于海南三亚、乐东、东方、昌江、白沙、陵水、保亭、万宁、琼海、临高及海口。亦分布于中国台湾。东南亚、南亚也有分布。

资　　源

生于丘陵或山地丛林中，常见。

采收加工

夏、秋季采收，晒干或备用。

药材性状

叶宽卵形或卵形，先端短渐尖或微尖，基部浅心形，近截形或圆形，上面黄绿色，下面疏生微柔毛，全缘或上部生少数小齿，叶柄细长。气微，味微苦、涩。

功能主治

全草、树皮、叶：燥湿止痒，杀虫疗癣。用于皮疹、痒痛、疥癣、头虱病。

梧桐科 Sterculiaceae 马松子属 Melochia

马松子 *Melochia corchorifolia* L.

| **中 药 名** | 木达地黄（药用部位：茎、根、叶）

| **植物形态** | 半灌木状草本，高不及 1m；枝黄褐色，略被星状短柔毛。叶薄纸质，卵形、矩圆状卵形或披针形，稀有不明显的 3 浅裂，长 2.5~7cm，宽 1~1.3cm，先端急尖或钝，基部圆形或心形，边缘有锯齿，上面近于无毛，下面略被星状短柔毛，基生脉 5；叶柄长 5~25mm；托叶条形，长 2~4mm。花排成顶生或腋生的密聚伞花序或团伞花序；小苞片条形，混生在花序内；萼钟状，5 浅裂，长约 2.5mm，外面被长柔毛和刚毛，内面无毛，裂片三角形；花瓣 5，白色，后变为淡红色，矩圆形，长约 6mm，基部收缩；雄蕊 5，下部连合成筒，与花瓣对生；子房无柄，5 室，密被柔毛，花柱 5，线状。蒴果圆球形，

马松子

有5棱，直径5~6mm，被长柔毛，每室有种子1~2；种子卵圆形，略呈三角状，褐黑色，长2~3mm。花期夏、秋季。

分布区域

产于海南乐东、东方、白沙、五指山、陵水、万宁、琼中、儋州、澄迈、屯昌。亦分布于中国华南其他区域及华东。亚洲、亚热带其他区域也有分布。

资　　源

生于旷野间，常见。

采收加工

夏、秋季采收，扎成把，晒干。

药材性状

叶卵形或三角状披针形，基部圆形，截形或浅心形，边缘有小齿，下面沿叶脉疏被短毛，叶长2.5~7cm，宽1~1.3cm；叶柄长5~20mm。气微，味苦。

功能主治

茎、根、叶：清热利湿，止痒退疹。用于急性黄疸型肝炎、皮肤瘙痒、阴部湿痒、湿疮、疥癣、湿疹、斑疹、荨麻疹。

梧桐科 Sterculiaceae   翅子树属 Pterospermum

翻白叶树
Pterospermum heterophyllum Hance

| 中 药 名 | 半枫荷根（药用部位：根），半枫荷叶（药用部位：叶）

| 植物形态 | 乔木，高达 20m；树皮灰色或灰褐色；小枝被黄褐色短柔毛。叶二型，生于幼树或萌蘖枝上的叶盾形，直径约 15cm，掌状 3~5 裂，基部截形而略近半圆形，上面几无毛，下面密被黄褐色星状短柔毛；叶柄长 12cm，被毛；生于成长的树上的叶矩圆形至卵状矩圆形，长 7~15cm，宽 3~10cm，先端钝、急尖或渐尖，基部钝、截形或斜心形，下面密被黄褐色短柔毛；叶柄长 1~2cm，被毛。花单生或 2~4 组成腋生的聚伞花序；花梗长 5~15mm，无关节；小苞片鳞片状，与萼紧靠；花青白色；萼片 5，条形，长达 28mm，宽 4mm，两面均被柔毛；花瓣 5，倒披针形，与萼片等长；雌雄蕊柄长 2.5mm；雄蕊 15，退化雄蕊 5，线状，比雄蕊略长；子房卵圆形，5 室，被长柔毛，花柱

翻白叶树

无毛。蒴果木质，矩圆状卵形，长约 6cm，宽 2~2.5cm，被黄褐色绒毛，先端钝，基部渐狭，果柄粗壮，长 1~1.5cm；种子具膜质翅。花期秋季。

| **分布区域** | 产于海南三亚、乐东、东方、陵水、保亭、昌江、万宁、琼中、儋州、澄迈、文昌。亦分布于中国华南其他区域，以及福建。

| **资　　源** | 生于山地林中，常见。

| **采收加工** | 根：全年均可采，挖取根部，除去须根及泥沙，切片，晒干。叶：全年均可采，洗净，鲜用或晒干。

| **药材性状** | 本品呈不规则的片块状，宽 3~6cm，厚 0.5~2cm。栓皮表面灰褐色或红褐色，有纵皱纹。质坚硬。断面皮部棕褐色；木质部红褐色，具细密纹理。纵断面有纵向纹理及不规则的纵裂隙，纤维性。气微，味淡、微涩。以片块薄、大小均匀、色红棕者为佳。

| **功能主治** | 根：祛风除湿，活血消肿。用于风湿痹痛、腰肌劳损、手足酸麻无力、跌打损伤。叶：活血止血。用于外伤出血。

| **附　　注** | 《中华本草》中翻白叶树与窄叶半枫荷的采收加工和药材性状几乎相同。

梧桐科 Sterculiaceae 翅子树属 Pterospermum

窄叶半枫荷
Pterospermum lanceaefolium Roxb.

| 中 药 名 | 半枫荷根（药用部位：根）

| 植物形态 | 乔木，高达 25m；树皮黄褐色或灰色，有纵裂纹；小枝幼时被黄褐色茸毛。叶披针形或矩圆状披针形，长 5~9cm，宽 2~3cm，先端渐尖或急尖，基部偏斜或钝，全缘或在先端有数个锯齿，上面几无毛，下面密被黄褐色或黄白色茸毛；叶柄长约 5mm；托叶 2~3 条裂，被茸毛，比叶柄长。花白色，单生于叶腋；花梗长 3~5cm，有关节，被茸毛；小苞片位于花梗的中部，4~5 条裂，或条形，长 7~8mm；萼片 5，条形，长 2cm，宽 3mm，两面均被柔毛；花瓣 5，披针形，先端钝，与萼片等长或略短；雄蕊 15，退化雄蕊线形，比雄蕊长，基部被长茸毛；子房被柔毛。蒴果木质，矩圆状卵形，长 5cm，宽约 2cm，先端钝，基部渐狭，被黄褐色绒毛，果柄柔弱，

窄叶半枫荷

长 3~5cm，种子每室 2~4，连翅长 2~2.5cm。花期春、夏季。

| 分布区域 |

产于海南三亚、乐东、东方、昌江、白沙、保亭、万宁、琼中、儋州、澄迈、定安。亦分布于中国华南其他区域。越南、缅甸、印度也有分布。

| 资　　源 |

生于山野、路旁、湿地。

| 采收加工 |

全年均可采，挖取根部，除去须根及泥沙，切片，晒干。

| 药材性状 |

本品呈不规则的片块状，宽 3~6cm，厚 0.5~2cm。栓皮表面灰褐色或红褐色，有纵皱纹。质坚硬。断面皮部棕褐色；木质部红褐色，具细密纹理。纵断面有纵向纹理及不规则的纵裂隙，纤维性。气微，味淡、微涩。以片块薄、大小均匀、色红棕者为佳。

| 功能主治 |

祛风除湿，止痛。用于风湿痹痛、关节痛、筋骨痛。

| 附　　注 |

《中华本草》中翻白叶树与窄叶半枫荷的采收加工和药材性状几乎相同。

梧桐科 Sterculiaceae 翅苹婆属 *Pterygota*

翅苹婆
Pterygota alata (Roxb.) R. Br.

| 中 药 名 |　翅苹婆（药用部位：根）

| 植物形态 |　大乔木，高达 30m；树皮灰色或褐灰色；小枝幼时密被金黄色短柔毛。叶大，心形或广卵形，先端急尖或钝，基部截形、心形或近圆形，成长时两面均无毛；叶柄长 5~15cm；托叶钻状。圆锥花序生于叶腋，比叶柄短；花稀疏，红色，几无花梗；萼钟状，5 深裂，裂片长条状披针形，密被短柔毛；雄花的雌雄蕊柄长圆柱状锥形，长不及萼之半，被毛，花药约 20，每 3~5 聚合成群，集生于雌雄蕊柄的先端，有明显的退化雌蕊；雌花的雌雄蕊柄颇短，子房圆球形且被短柔毛，花柱 5，弯曲，被短柔毛，每个心皮有胚珠 40~50，排成 3 列。蓇葖果木质，扁球形，直径约 12cm，外面被粉状短柔毛，内面为软木状，种子多数，长圆形，压扁状，先端有长而阔的翅，连翅长约 7cm。

翅苹婆

果期 12 月。

| **分布区域** | 产于海南乐东、东方、昌江、白沙、保亭、陵水、万宁。越南、菲律宾、印度也有分布。

| **资　　源** | 生于山坡疏林中，偶见。

| **采收加工** | 全年均可采，洗净晒干。

| **功能主治** | 本种的功能主治鲜有报道，有待进一步研究。

梧桐科 Sterculiaceae　苹婆属 Sterculia

香苹婆
Sterculia foetida L.

| 中 药 名 | 香苹婆（药用部位：根、果实、叶、种子油）

| 植物形态 | 乔木；枝轮生，平伸。叶聚生于小枝先端，为掌状复叶，有小叶 7~9，小叶椭圆状披针形，长 10~15cm，宽 3~5cm，先端长渐尖或尾状渐尖，基部楔形，幼时有毛，成长后无毛；叶柄长 10~20cm；托叶剑状，早落。圆锥花序直立，着生在新枝的近顶部，有多花；小苞片细小，花梗比花短；萼红紫色，长约 12mm，5 深裂几至基部，萼片椭圆状披针形，向外广展，外面被淡黄褐色短柔毛，内面的上部密被白色长绒毛，远比萼筒长；雄花花药 12~15，聚生成头状；雌花心皮 5，被毛，花柱弯曲，柱头 5 裂。蓇葖果木质，椭圆形且似船状，长 5~8cm，先端急尖如喙状，几无毛，每果有种子 10~15；种子椭圆形，黑色而光滑，长约 1.5cm。花期 4~5 月。

香苹婆

| **分布区域** | 产于海南三亚、海口。亦分布于中国广西。缅甸、印度、斯里兰卡、澳大利亚、非洲也有分布。

| **资　　源** | 生于荒地、路旁及山坡。

| **采收加工** | 根：全年均可采，挖根，洗净，切片，晒干。果实：秋季采成熟的果实，剥取外壳，晒干。叶：全年均可采，剥取树皮，晒干。种子：果实成熟时采收，剥取种子，晒干备用。

| **功能主治** | 根：清热利湿。用于湿热黄疸、淋证。果实：收敛止泻。用于腹泻。叶：消散滑肠。用于便秘，用作缓泻剂。种子油：似橄榄油，有泻下作用。

梧桐科 Sterculiaceae 苹婆属 Sterculia

海南苹婆 *Sterculia hainanensis* Merr. et Chun

| 中药名 | 红郎伞（药用部位：叶）

| 植物形态 | 小乔木或灌木，小枝无毛或仅在幼嫩部分略被星状短柔毛。叶长矩圆形或条状披针形，长 15~23cm，宽 2.5~6cm，先端钝或近渐尖，基部急尖或钝，两面均无毛，侧脉 13~18 对，在远离叶缘处明显地弯拱联结；叶柄长 1.5~2.5cm。花红色，排成总状花序；雄花长约 8mm，萼 5 裂几至基部，萼片矩圆形或矩圆状椭圆形，长约 6mm，外面被稀疏的星状毛；雌雄蕊柄弯曲，花药约 8，排成一环；雌花略大，长约 10mm，子房圆球形，花柱弯曲。蓇葖果长椭圆形，红色，长约 4cm，先端有长约 6mm 的喙，外面密被短茸毛；种子椭圆形，直径约 1cm，黑褐色。花期 1~4 月。

| 分布区域 | 产于海南三亚、乐东、东方、白沙、保亭、陵水、万宁、儋州、昌江、定安及琼海。亦分布于中国华南其他区域。

海南苹婆

| 资　　　源 | 喜生于沙土上，常见。

| 采收加工 | 夏、秋季采叶，鲜用或晒干。

| 药材性状 | 叶椭圆状长圆形或披针形，长 15~23cm，宽 2.5~6cm，先端急尖，基部钝或近圆形，侧脉约 13~18 对，弯曲，在远离叶缘处联结。叶革质，叶柄细，长 1.5~2.5cm。

| 功能主治 | 外用于跌打损伤。

梧桐科 Sterculiaceae 苹婆属 Sterculia

假苹婆
Sterculia lanceolata Cav.

| 中 药 名 | 假苹婆（药用部位：根、叶）

| 植物形态 | 乔木，小枝幼时被毛。叶椭圆形、披针形或椭圆状披针形，先端急尖，基部钝形或近圆形，上面无毛，下面几无毛，侧脉每边 7~9，弯拱，在近叶缘处不明显联结；叶柄长 2.5~3.5cm。圆锥花序腋生，长 4~10cm，密集且多分枝；花淡红色，萼片 5，仅于基部连合，向外开展如星状，矩圆状披针形或矩圆状椭圆形，先端钝或略有小短尖突，长 4~6mm，外面被短柔毛，边缘有缘毛；雄花的雌雄蕊柄长 2~3mm，弯曲，花药约 10；雌花子房圆球形，被毛，花柱弯曲，柱头不明显 5 裂。蓇葖果鲜红色，长卵形或长椭圆形，长 5~7cm，宽 2~2.5cm，先端有喙，基部渐狭，密被短柔毛；种子黑褐色，椭圆状卵形，直径约 1cm。每个果实有种子 2~4。花期 4~6 月。

假苹婆

| 分布区域 |

产于海南三亚、乐东、东方、昌江、白沙、五指山、保亭、万宁、儋州、琼海。亦分布于中国华南其他区域，以及贵州、云南、四川。越南、泰国也有分布。

| 资　源 |

生于山谷溪边，常见。

| 采收加工 |

夏、秋季采收叶，鲜用或晒干。

| 药材性状 |

叶片椭圆形、披针形或椭圆状披针形，叶的基部有基生脉 1~3，侧脉 7~9 对；圆锥花序密集，长 4~10cm，花密生；萼片长圆形或长圆状披针形，长 4~6mm，先端钝，略具小而短的尖突。

| 功能主治 |

根及叶：舒筋活络，祛风活血。用于风湿痛、产后风瘫、跌打损伤、腰腿痛、黄疸、外伤出血。

梧桐科 Sterculiaceae 苹婆属 *Sterculia*

胖大海
Sterculia lychnophora Hance

胖大海

| 中 药 名 |

胖大海（药用部位：种子、果实）

| 植物形态 |

落叶乔木，高可达 40m。单叶互生，叶片革质，卵形或椭圆状披针形，长 10~20cm，宽6~12cm，通常 3 裂，全缘，光滑无毛。圆锥花序顶生或腋生，花杂性同株；花萼钟状，深裂；雄花具 10~15 雄蕊；雌花具 1 雌蕊。蓇葖果 1~5，着生于果梗，呈船形，长可达24cm。种子棱形或倒卵形，深褐色和土黄色，种皮脆而薄，浸水后膨大成海绵状，内含丰富的黏液质。

| 分布区域 |

海南万宁、海口等地有栽培。越南、印度、马来西亚等也有分布。原产于热带区域。

| 资　　源 |

少见。

| 采收加工 |

4~6 月果实开裂时采取成熟的种子，晒干。胖大海外种皮遇水即膨胀发芽，故果熟时要

及时采收。产区因植株高大，一般都是采取砍树的方式采摘果实。

| 药材性状 | 种子椭圆形，状如橄榄，长 2~3cm，直径 1.1~1.8cm，两端稍尖。表面黄棕色或棕色，稍有光泽，具不规则的细皱纹，基部稍尖，有淡色的圆形种脐。种皮外层极薄，质脆，易脱落；中层种皮较厚，黑棕色，为薄壁组织，质松易脆，在水中浸泡后迅速膨胀成海绵状而使外层种皮破裂，断面可见散在的树脂状小点；内层种皮红棕色，稍革质，可与中层剥离，胚乳肥厚、淡黄色，子叶 2，菲薄，黄色，紧贴于胚乳内侧。气微，味微甘，久嚼有黏性。以个大、质坚、棕色、有细皱纹及光泽者为佳。

| 功能主治 | 种子、果实：消炎，清热解毒，清肺利咽，润肠通便。用于干咳无痰、咽喉痛、音哑、头痛、骨蒸内热、鼻衄、目赤、牙痛、热结便秘、痔疮瘘管。

梧桐科 Sterculiaceae 苹婆属 Sterculia

苹 婆
Sterculia nobilis Smith

| 中 药 名 | 凤眼果（药用部位：种子），凤眼果壳（药用部位：果壳），凤眼果根（药用部位：根），凤眼果树皮（药用部位：树皮）

| 植物形态 | 乔木，树皮褐黑色，小枝幼时略有星状毛。叶薄革质，矩圆形或椭圆形，长 8~25cm，宽 5~15cm，先端急尖或钝，基部浑圆或钝，两面均无毛；叶柄长 2~3.5cm，托叶早落。圆锥花序顶生或腋生，柔弱且披散，长达 20cm，有短柔毛；花梗远比花长；萼初时乳白色，后转为淡红色，钟状，外面有短柔毛，长约 10mm，5 裂，裂片条状披针形，先端渐尖且向内曲，在先端互相黏合，与钟状萼筒等长；雄花较多，雌雄蕊柄弯曲，无毛，花药黄色；雌花较少，略大，子房圆球形，有 5 沟纹，密被毛，花柱弯曲，柱头 5 浅裂。蓇葖果鲜红色，厚革质，矩圆状卵形，长约 5cm，宽 2~3cm，先端有喙，每个果实内有种子 1~4；

苹婆

种子椭圆形或矩圆形，黑褐色，直径约 1.5cm。花期 4~5 月，但在 10~11 月常可见少数植株开第 2 次花。

分布区域

产于海南万宁、海口。亦分布于中国华南其他区域，以及福建、台湾、云南。越南、印度也有分布。

资　源

生于密林中，少见。

采收加工

种子：果实成熟时采收，剥取种子，晒干备用。果壳：秋季采成熟的果实，剥取外壳，晒干。根：全年均可采，挖根，洗净，切片，晒干。树皮：全年均可采，剥取树皮，晒干。

药材性状

种子：椭圆球形，黑褐色或暗栗色，直径约 1.5cm。气微，味淡。果壳：长圆状卵形，先端有喙，长约 5cm，宽 2~3cm，外表暗红棕色。厚革质，气微，味淡。

功能主治

种子、果实：温胃，杀虫。用于虫积腹痛、翻胃吐食、疝痛、小儿食泥土、小儿烂头疡、痞块积硬、咳嗽、目翳。叶：用于风湿痛、水肿。

附　注

在 FOC 中，其学名被修订为 *Sterculia monosperma* Vent.。

梧桐科 Sterculiaceae　可可属 Theobroma

可 可
Theobroma cacao L.

| 中 药 名 |

可可（药用部位：种子）

| 植物形态 |

常绿乔木，高达 12m，树冠繁茂；树皮厚，暗灰褐色；嫩枝褐色，被短柔毛。叶具短柄，卵状长椭圆形至倒卵状长椭圆形，长 20~30cm，宽 7~10cm，先端长渐尖，基部圆形、近心形或钝，两面均无毛或在叶脉上略有稀疏的星状短柔毛；托叶条形，早落。花排成聚伞花序，花的直径约 18mm；花梗长约 12mm；萼粉红色，萼片 5，长披针形，宿存，边缘有毛；花瓣 5，淡黄色，略比萼长，下部盔状并急狭窄而反卷，先端急尖；退化雄蕊线状；发育雄蕊与花瓣对生；子房倒卵形，稍有 5 棱，5 室，每室有胚珠 14~16，排成两列，花柱圆柱状。核果椭圆形或长椭圆形，长 15~20cm，直径约 7cm，表面有 10 纵沟，干燥后内侧 5 纵沟不明显，初为淡绿色，后变为深黄色或近于红色，干燥后为褐色；果皮厚，肉质，干燥后硬如木质，厚 4~8mm，每室有种子 12~14；种子卵形，稍呈压扁状，长 2.5cm，宽 1.5cm，子叶肥厚，无胚乳。花期几全年。

可可

分布区域

产于海南万宁、海口。中国其他热带地区亦有栽培。原产于美洲，现东南亚、非洲和南美洲均有栽培。

资　　源

栽培，少见。

采收加工

果实成熟时采收，剥取种子，晒干备用。

功能主治

种子：温阳，利尿，提神，强心，康复，可做饮料和生产利尿药可可碱。

梧桐科　Sterculiaceae　蛇婆子属　*Waltheria*

蛇婆子
Waltheria indica L.

| 中药名 | 蛇婆子（药用部位：根、茎）

| 植物形态 | 略直立或匍匐状半灌木，长达 1m，多分枝，小枝密被短柔毛。叶卵形或长椭圆状卵形，长 2.5~4.5cm，宽 1.5~3cm，先端钝，基部圆形或浅心形，边缘有小齿，两面均密被短柔毛；叶柄长 0.5~1cm。聚伞花序腋生，头状，近于无轴或有长约 1.5cm 的花序轴；小苞片狭披针形，长约 4mm；萼筒状，5 裂，长 3~4mm，裂片三角形，远比萼筒长；花瓣 5，淡黄色，匙形，先端截形，比萼略长；雄蕊 5，花丝合生成筒状，包围着雌蕊；子房无柄，被短柔毛，花柱偏生，柱头流苏状。蒴果小，2 瓣裂，倒卵形，长约 3mm，被毛，为宿存的萼所包围，内有种子 1；种子倒卵形，很小。花期夏、秋季。

蛇婆子

分布区域

产于海南三亚、乐东、东方、昌江、五指山、万宁、琼中、儋州、澄迈、文昌、西沙群岛。亦分布于中国华南其他区域，以及云南。越南、泰国、印度尼西亚、印度也有分布。

资　源

生于旷野地上，常见。

采收加工

秋季将全株挖出，去掉叶片，洗净泥土，把根和茎分别切片或切断，晒干。

功能主治

根、茎：清热解毒，祛湿，祛风，消炎解毒。用于乳腺炎、痈疖、白带。

梧桐科　Sterculiaceae　文定果属　Muntingia

文定果 *Muntingia colabura* L.

| 中 药 名 |　文定果（药用部位：根、花）

| 植物形态 |　常绿小乔木，高达 5~8m；树皮光滑、较薄，灰褐色。小枝及叶被短腺毛，叶片纸质，单叶互生，长圆状卵形，长 4~10cm，宽 1.5~4cm。掌状，先端渐尖，基部斜心形，主脉 3~5，叶缘中上部有疏齿，两面有星状绒毛。花两性，单生或成对着生于上部小枝的叶腋，花萼合生，萼片 5，分离，长 10~12mm，宽约 3mm，两侧边缘内折而呈舟状，先端有长尾尖，开花时花萼反折。花期长，花瓣 5，白色，倒阔卵形，具有瓣柄，全缘。先端边缘波状，长 10~11mm，宽约 9mm，雄蕊多数，子房无毛，5~6 室，每室有胚珠多枚。柱头 5~6 浅裂，宿存。花盘杯状。盛花期 3~4 月，周年有果成熟，6~8 月为

文定果

果熟期。果实为多汁浆果，球形或近球形，直径约 1cm。成熟时为红色，无毛，内含种子。种子椭圆形，极细小。

| 分布区域 | 产于海南昌江、乐东、东方、万宁、海口。中国广东、台湾等地亦有引种。原产于美洲热带地区。

| 资　　源 | 生于海拔 0~1000m 的热带地区。

| 采收加工 | 全年均可采，以秋、冬季采者质佳。

| 功能主治 | 根和花：用作通经药、堕胎药、解痉药、发汗药、镇定药、强壮药。用于头痛、消化不良。叶：用于胎儿出生。

木棉科 Bombacaceae 木棉属 *Bombax*

木 棉
Bombax malabaricum DC.

| 中 药 名 | 木棉花（药用部位：花），木棉皮（药用部位：树皮），木棉根（药用部位：根）

| 植物形态 | 大乔木，高 25m，树皮灰白色，幼树的树干通常有圆锥状的粗刺。掌状复叶，小叶 5~7，长圆形至长圆状披针形，长 10~16cm，宽 3.5~5.5cm，先端渐尖，基部阔或渐狭，两面均无毛，羽状侧脉 15~17 对，其间有 1 较细的 2 级侧脉，两面微突起；叶柄长 10~20cm；小叶柄长 1.5~4cm。花单生于枝顶叶腋，通常红色，直径约 10cm；萼杯状，长 2~3cm，外面无毛，内面密被淡黄色短绢毛，萼齿 3~5，半圆形，高 1.5cm，宽 2.3cm，花瓣肉质，倒卵状长圆形，长 8~10cm，宽 3~4cm，两面被星状柔毛；雄蕊管短，花丝较粗，基部粗，向上渐细，内轮部分花丝上部分二叉，中间 10 雄蕊较短，外轮雄蕊多数，集成

木棉

5束,每束花丝10以上,较长;花柱长于雄蕊。蒴果长圆形、钝,长10~15cm,粗4.5~5cm,密被灰白色长柔毛和星状柔毛;种子多数,倒卵形,光滑。

| 分布区域 | 产于海南东方、昌江。亦分布于中国华南其他区域,以及江西、福建、台湾、贵州、云南、四川。中南半岛,以及马来西亚、菲律宾、印度尼西亚、印度、斯里兰卡、澳大利亚也有分布。

| 资　　源 | 生于干热河谷或稀树草地,常见。

| 采收加工 | 花:春末采收,阴干。树皮:全年均可采,剥取树皮,晒干。根或根皮:全年均可采,以秋、冬季采者质佳,挖根,洗净,鲜用或切片;或剥取根皮,晒干。

| 药材性状 |

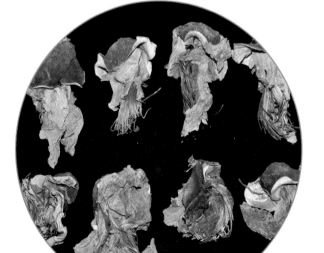

花:呈干缩的不规则团块状,长5~8cm;子房及花柄多脱落。花萼杯状,长2~3cm,3~5浅裂,裂片钝圆、反卷,厚革质而脆,外表棕褐色或棕黑色,有细皱纹;内表面灰黄色,密被有光泽的卷毛。花瓣5,皱缩或破碎,完整者倒卵状椭圆形或披针状椭圆形,外表棕黄色或深棕色,密被星状毛,内表面紫棕色或红棕色,疏被毛。雄蕊多数,卷曲;残留花柱稍粗,略长于雄蕊。

气微，味淡、微甘、涩。树皮：树皮条片状或卷筒状，长5~6cm，宽2~3cm，厚0.3~1.5cm。外表灰黄棕色或红棕色，粗糙，密生椭圆形钉刺，乳头状。

| 功能主治 | 花：清热利湿，解毒止血。用于泄泻、痢疾、咯血、吐血、血崩、金疮出血、疮毒、湿疹。树皮：清热解毒，散瘀止血。用于风湿痹痛、泄泻、痢疾、慢性胃炎、胃溃疡、崩漏下血。根或根皮：祛风除湿，清热解毒，散结止痛。用于风湿痹痛、胃痛、赤痢、产后浮肿、跌打扭伤。

| 附　注 | 在 FOC 中，其学名被修订为 *Bombax ceiba* L.。

木棉科 Bombacaceae 吉贝属 Ceiba

吉 贝 *Ceiba pentandra* (L.) Gaertn.

| 中 药 名 | 吉贝（药用部位：根皮、叶、花）

| 植物形态 | 落叶大乔木，板状根小或不存在，高达 30m，有大而轮生的侧枝；幼枝平伸，有刺。小叶 5~9，长圆披针形，短渐尖，基部渐尖，全缘或近先端有极疏细齿，两面均无毛，背面带白霜；叶柄长 7~14cm，比小叶长；小叶柄极短，长仅 3~4mm。花先叶或与叶同时开放，多数簇生于上部叶腋间，花梗长 2.5~5cm，无总梗，有时单生；萼高 1.25~2cm，内面无毛；花瓣倒卵状长圆形，长 2.5~4cm，外面密被白色长柔毛；雄蕊管上部花丝不等高分离，不等长，花药肾形；子房无毛，花柱长 2.5~3.5cm，柱头棒状，5 浅裂。蒴果长圆形，向上渐狭，长 7.5~15cm，直径 3~5cm，果梗长 7~25cm，5 裂，果爿内面密生丝状绵毛，种子圆形，种皮革质、平滑。花期 3~4 月。

吉贝

| 分布区域 |

产于海南三亚、乐东、东方、昌江、万宁。中国华南其他区域，以及贵州、云南亦有栽培。原产于美洲热带地区。

| 资　　源 |

栽培，常见。

| 采收加工 |

全年均可采，以秋、冬季采者质佳。

| 功能主治 |

根皮、叶、花: 清热解毒，降火除湿，抗炎，利尿，通经，解痉，助消化，催吐，润肤。用于发热、腹泻、胃痛、慢性胃炎、胃及十二指肠溃疡、寄生虫病、便秘、气喘、哮喘、咳嗽、风湿性关节炎、产后水肿、淋病、创伤、外伤。种子油: 外用于恶疮疥癣。

木棉科 Bombacaceae 瓜栗属 Pachira

瓜 栗 *Pachira macrocarpa* (Schltdl. & Cham.) Walp.

| 中 药 名 | 瓜栗（药用部位：果实）

| 植物形态 | 小乔木，高 4~5m，树冠较松散，幼枝栗褐色，无毛。小叶 5~11，具短柄或近无柄，长圆形至倒卵状长圆形，渐尖，基部楔形，全缘，上面无毛，背面及叶柄被锈色星状茸毛；中央小叶长 13~24cm，宽 4.5~8cm，外侧小叶渐小；中肋表面平坦，背面强烈隆起，侧脉 16~20 对，几平伸，至边缘附近联结为一圈波状集合脉，其间网脉细密，均于背面隆起；叶柄长 11~15cm。花单生于枝顶叶腋；花梗粗壮，长 2cm，被黄色星状茸毛，脱落；萼杯状，近革质，高 1.5cm，直径 1.3cm，疏被星状柔毛，内面无毛，平截或具 3~6 不明显的浅齿，宿存，基部有 2~3 圆形腺体；花瓣淡黄绿色，狭披针形至线形，长达 15cm，上半部反卷；雄蕊管较短，分裂为多数雄蕊束，每束再

瓜栗

分裂为 7~10 细长的花丝，花丝连雄蕊管长 13~15cm，下部黄色，向上变红色，花药狭线形，弧曲，长 2~3mm，横生；花柱长于雄蕊，深红色，柱头小，5 浅裂。蒴果近梨形，长 9~10cm，直径 4~6cm，果皮厚，木质，几黄褐色，外面无毛，内面密被长绵毛，开裂，每室种子多数。种子大，呈不规则的梯状楔形，长 2~2.5cm，宽 1~1.5cm，表皮暗褐色，有白色螺纹，内含多胚。花期 5~11 月，果实先后成熟，种子落地后自然萌发。

| 分布区域 | 海南各地有栽培。中国云南亦有栽培。原产于中美洲墨西哥至哥斯达黎加。

| 资　　源 | 生于潮湿、无霜冻的热带地区。

| 采收加工 | 果实成熟时采收。

| 功能主治 | 本种功能主治鲜有报道，有待进一步研究。

| 附　　注 | 在 FOC 中，其学名被修订为 *Pachira aquatica* AuBlume。

锦葵科 Malvaceae 秋葵属 Abelmoschus

咖啡黄葵
Abelmoschus esculentus (L.) Moench

| 中 药 名 | 秋葵（药用部位：根、茎皮、果实、种子或全草）

| 植物形态 | 一年生草本，高 1~2m；茎圆柱形，疏生散刺。叶掌状 3~7 裂，直径
10~30cm，裂片阔至狭，边缘具粗齿及凹缺，两面均被疏硬毛；叶
柄长 7~15cm，被长硬毛；托叶线形，长 7~10mm，被疏硬毛。花单
生于叶腋间，花梗长 1~2cm，疏被糙硬毛；小苞片 8~10，线形，长
约 1.5cm，疏被硬毛；花萼钟形，较长于小苞片，密被星状短绒毛；
花黄色，内面基部紫色，直径 5~7cm，花瓣倒卵形，长 4~5cm。蒴
果筒状尖塔形，长 10~25cm，直径 1.5~2cm，先端具长喙，疏被糙
硬毛；种子球形，多数，直径 4~5mm，具毛脉纹。花期 5~9 月。

| 分布区域 | 产于海南万宁、海口、西沙群岛。亦分布于中国南部其他区域。原

咖啡黄葵

产于印度,现已广泛栽培于热带和亚热带地区。

| 资　源 |

栽培,常见。

| 采收加工 |

根于 11 月至翌年 2 月挖取,抖去泥土,晒干或
烘干。叶于 9~10 月采收,晒干。花于 6~8 月采
摘,晒干。种子于 9~10 月果成熟时采摘,脱粒,
晒干。

| 功能主治 |

根:止咳。茎皮:通经,用于月经不调。果实:
用于淋病、喉痛。种子:催乳,用于乳汁不足。
全草:清热解毒,润燥滑肠。

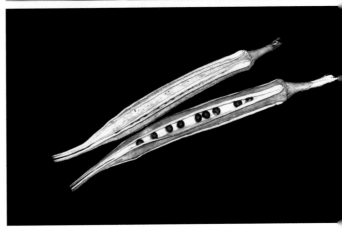

锦葵科 Malvaceae 秋葵属 Abelmoschus

黄蜀葵
Abelmoschus manihot (L.) Medicus

| 中 药 名 | 黄蜀葵花（药用部位：花），黄蜀葵子（药用部位：种子），黄蜀葵叶（药用部位：叶），黄蜀葵茎（药用部位：茎），黄蜀葵根（药用部位：根）

| 植物形态 | 一年生或多年生草本，高 1~2m，疏被长硬毛。叶掌状 5~9 深裂，直径 15~30cm，裂片长圆状披针形，具粗钝锯齿，两面疏被长硬毛；叶柄长 6~18cm，疏被长硬毛；托叶披针形。花单生于枝端叶腋；小苞片 4~5，卵状披针形，疏被长硬毛；萼佛焰苞状，5 裂，近全缘，较长于小苞片，被柔毛，果时脱落；花大，淡黄色，内面基部紫色，直径约 12cm；雄蕊柱长 1.5~2cm，花药近无柄；柱头紫黑色，匙状盘形。蒴果卵状椭圆形，长 4~5cm，直径 2.5~3cm，被硬毛；种子多数，肾形，被柔毛组成的条纹多条。花期 8~10 月。

黄蜀葵

| 分布区域 |

产于海南万宁、陵水等地。

| 资　　源 |

生于水沟、池塘及田野荒地等处。

| 采收加工 |

花：7~10 月，除留种外，分批采摘花蕾，晒干。
种子：9~11 月果实成熟时采收，晒干脱粒，簸去杂质，再晒至全干。叶：春、夏季采收，鲜用或晒干。茎：秋、冬季采收，晒干或烘干。根：秋季挖取根部，洗净，晒干。

| 功能主治 |

花：通淋，消肿，解毒。种子：健胃润肠，利水，通乳，消肿。叶：解毒托疮，排脓生肌。茎或茎皮：活血，除邪热。根：利水，散瘀，解毒。

黄 葵
Abelmoschus moschatus Medic.

| 中 药 名 | 黄葵（药用部位：根、叶、花）

| 植物形态 | 一年生或二年生草本，高 1~2m，被粗毛。叶通常掌状 5~7 深裂，直径 6~15cm，裂片披针形至三角形，边缘具不规则锯齿，偶有浅裂似槭叶状，基部心形，两面均疏被硬毛；叶柄长 7~15cm，疏被硬毛；托叶线形，长 7~8mm。花单生于叶腋间，花梗长 2~3cm，被倒硬毛；小苞片 8~10，线形，长 10~13mm；花萼佛焰苞状，长 2~3cm，5 裂，常早落；花黄色，内面基部暗紫色，直径 7~12cm；雄蕊柱长约 2.5cm，平滑无毛；花柱分枝 5，柱头盘状。蒴果长圆形，长 5~6cm，先端尖，被黄色长硬毛；种子肾形，具腺状脉纹，具香味。花期 6~10 月。

| 分布区域 | 产于海南万宁、海口。亦分布于中国台湾、广东、广西、江西、湖南和云南等省区。越南、老挝、柬埔寨、泰国和印度也有分布。

黄葵

| 资 源 |

生于平原、山谷、溪涧旁或山坡灌丛中，常见。

| 采收加工 |

夏、秋季采收，洗净，鲜用或晒干。

| 功能主治 |

根、叶、花：清热解毒，利湿，润肠通乳，拔毒排脓。根：用于肺热咳嗽、产后乳汁不通、大便秘结、阿米巴痢疾、尿路结石。叶：外用于痈疮肿毒、骨折。花：外用于烫火伤。

锦葵科 Malvaceae 秋葵属 Abelmoschus

箭叶秋葵
Abelmoschus sagittifolius (Kurz) Merr.

| **中 药 名** | 五指山参（药用部位：根、叶、种子），火炮草果（药用部位：果实）

| **植物形态** | 多年生草本，高 40~100cm，具萝卜状肉质根，小枝被糙硬长毛。叶形多样，下部的叶卵形，中部以上的叶卵状戟形、箭形至掌状 3~5 浅裂或深裂，裂片阔卵形至阔披针形，长 3~10cm，先端钝，基部心形或戟形，边缘具锯齿或缺刻，上面疏被刺毛，下面被长硬毛；叶柄长 4~8cm，疏被长硬毛。花单生于叶腋，花梗纤细，长 4~7cm，密被糙硬毛；小苞片 6~12，线形，宽 1~1.7mm，长约 1.5cm，疏被长硬毛；花萼佛焰苞状，长约 7mm，先端具 5 齿，密被细绒毛；花红色或黄色，直径 4~5cm，花瓣倒卵状长圆形，长 3~4cm；雄蕊柱长约 2cm，平滑无毛；花柱分枝 5，柱头扁平。蒴果椭圆形，长约 3cm，直径约 2cm，被刺毛，具短喙；种子肾形，具腺状条纹。花期 5~9 月。

箭叶秋葵

分布区域

产于海南昌江、五指山、三亚、乐东、东方、保亭、陵水、万宁、儋州、海口。亦分布于中国华南其他区域,以及贵州、云南。越南、老挝、柬埔寨、泰国、马来西亚、澳大利亚也有分布。

资　　源

常见于低丘、草坡、旷地、稀疏松林下或干燥的瘠地,常见。

采收加工

根:秋、冬季采挖,洗净,切片,晒干。叶:春、秋季采收,洗净,鲜用或晒干。种子:果实成熟时采收,取出种子,晒干。果实:秋、冬季采摘,鲜用或晒干。

功能主治

根、叶:清热解毒,滑肠润燥。用于风湿痛、肺结核、肺燥咳嗽、产后便秘、痈疮肿毒。种子:用于便秘、水肿、乳汁缺少、耳聋。果实:味甘,性平。柔肝补肾,和胃止痛。用于肾虚耳聋、胃痛、疳积、少年白发。

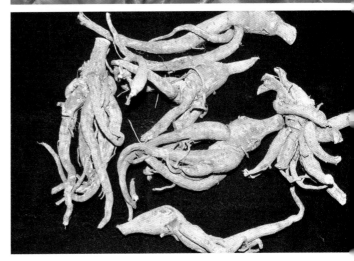

锦葵科 Malvaceae 苘麻属 Abutilon

泡果苘
Abutilon crispum (L.) Medicus

| 中 药 名 | 泡果苘（药用部位：全草）

| 植物形态 | 多年生草本，高1m，有时平卧地面，枝被白色长毛和星状细柔毛。叶心形，长2~7cm，先端渐尖，边缘具圆锯齿，两面均被星状长柔毛；叶柄长2~50mm，被星状长柔毛；托叶线形，长3~7mm，被柔毛。花黄色，花梗丝形，长2~4cm，被长柔毛，近端处具节而膝曲；花萼碟状，长4~5mm，密被星状细柔毛和长柔毛，裂片5，卵形，先端渐尖头；花冠直径约1cm，花瓣倒卵形。蒴果球形，直径9~13mm，膨胀呈灯笼状，疏被长柔毛，熟时室背开裂，果瓣脱落，宿存花托长约2mm；种子肾形，黑色。花期全年。

| 分布区域 | 产于海南东方和西沙群岛。亦分布于中国台湾。原产于美洲。

泡果苘

| 资　　源 |

生于海滨荒地或低海拔山地灌丛，偶见。

| 采收加工 |

夏、秋季采收，切碎晒干。

| 功能主治 |

同属植物磨盘草具有散风、清血热、开窍活血等作用。本种植物形态特征与其相似，但功能主治鲜有报道，有待进一步研究。

| 附　　注 |

在 FOC 中，其学名被修订为 *Herissantia crispa* (L.) Brizicky。

锦葵科 Malvaceae 苘麻属 Abutilon

磨盘草
Abutilon indicum (L.) Sweet

| 中 药 名 | 磨盘草（药用部位：全草），磨盘草子（药用部位：种子），磨盘草根（药用部位：根）

| 植物形态 | 一年生或多年生直立的亚灌木状草本，高达 1~2.5m，分枝多，全株均被灰色短柔毛。叶卵圆形或近圆形，长 3~9cm，宽 2.5~7cm，先端短尖或渐尖，基部心形，边缘具不规则锯齿，两面均密被灰色星状柔毛；叶柄长 2~4cm，被灰色短柔毛和疏丝状长毛，毛长约 1mm；托叶钻形，长 12mm，外弯。花单生于叶腋，花梗长达 4cm，近先端具节，被灰色星状柔毛；花萼盘状，绿色，直径 6~10mm，密被灰色柔毛，裂片 5，宽卵形，先端短尖；花黄色，直径 2~2.5cm，花瓣 5，长 7~8mm；雄蕊柱被星状硬毛；心皮 15~20，呈轮状，花柱分枝 5，柱头头状。果实倒圆形，似磨盘，直径约 1.5cm，黑色，分果爿 15~20，先端截形，具短芒，被星状长硬毛；种子肾形，被星

磨盘草

状疏柔毛。花期 7~10 月。

| 分布区域 |

产于海南三亚、乐东、东方、昌江、白沙、五指山、
保亭、陵水、万宁、儋州、临高、澄迈、琼海、
文昌、海口、西沙群岛。亦分布于中国长江以
南其他区域。热带和亚热带其他区域也有分布。

| 资　源 |

生于海拔 800m 以下，十分常见。

| 采收加工 |

全草：夏、秋季采收，切碎晒干。种子：冬季
果实成熟时采摘，打下种子，晒干。根：4 月采挖，
洗净，切片晒干。

| 药材性状 |

全草：全草主干直径约 2cm，有分枝，外皮有
网格状皱纹，淡灰褐色如被粉状，触之有柔滑感。
叶皱缩，浅灰绿色，背面色淡，少数呈浅黄棕
色，被短柔毛，手捻之较柔韧而不易碎，有时
叶腋有花或果。气微。根：本品呈圆锥形，粗大，
长达 15cm，直径约 2cm，有分枝，表面土黄色，
皮孔横列，支根痕呈点状突起。质韧，断面白色，
纤维性，皮部较厚，与木质部易于分离，气微。

| 功能主治 |

根、种子：散风，清血热，开窍活血，滑肠通便，
利尿下乳。用于感冒、久热不退、耳鸣、耳聋、
肺结核、小便不利。根：用于泄泻、疝气、淋证、
痈肿、流行性腮腺炎。种子：用于便秘、水肿、
乳汁少、耳聋。

锦葵科 **Malvaceae** 棉属 *Gossypium*

海岛棉 *Gossypium barbadense* L.

| **中 药 名** | 棉花（药用部位：种毛）

| **植物形态** | 多年生亚灌木或灌木，高 2~3m，被毛或除叶柄和叶背脉外近无毛；小枝暗紫色，具棱角。叶掌状 3~5 深裂，直径 7~12cm，裂片卵形或长圆形，深裂达叶片中部以下，先端长渐尖，中裂片较长，侧裂片通常广展，基部心形；叶柄较长于叶片，被散生黑色腺点；托叶披针状镰形，长约 1cm，常早落。花顶生或腋生，花梗常短于叶柄，被星状长柔毛和黑色腺点；小苞片 5 或更多，分离，基部心形，宽卵形，长 3.5~5cm，边缘具长粗齿 10~15；花萼杯状，截头形，具黑色腺点；花冠钟形，淡黄色，内面基部紫色，长为小苞片的 2~3 倍，花瓣倒卵形，具缺刻，外面被星状长柔毛；雄蕊柱无毛。蒴果长圆状卵形，长 3~5cm，基部大，先端急尖，外面被明显腺点，通常 3 室，

海岛棉

很少为 4 室；种子卵形，具喙，长约 8mm，彼此离生，被易剥离的白色长绵毛，剥毛后表面黑色，光滑，仅一端或两端具少量不易剥离的短绵毛。花期夏、秋季间。

分布区域

产于海南三亚、乐东、东方、海口。中国各地均有栽培。原产于美洲热带地区。

资　源

生于海拔约800m以下无霜的热带、亚热带地区，少见。

采收加工

种毛：秋季采收，晒干。种子：秋季采收棉花时，收集种子，晒干。根：秋季采挖，洗净，切片，晒干；或剥取根皮，切断，晒干。

药材性状

种子：种子呈卵状，长约 8mm，直径约 0.5cm。外被两层白色绵毛，一层长绵毛及一层短茸毛。少数仅具一层长绵毛。质柔韧，研开后，种仁黄褐色，富油性。有油香气，味微辛。

功能主治

种毛：止血。用于吐血、下血、血崩、金疮出血。

锦葵科 Malvaceae 木槿属 *Hibiscus*

木芙蓉
Hibiscus mutabilis L.

| 中 药 名 | 芙蓉花（药用部位：花），芙蓉叶（药用部位：叶），芙蓉根（药用部位：根、树皮）

| 植物形态 | 落叶灌木或小乔木，高 2~5m；小枝、叶柄、花梗和花萼均密被星状毛与直毛相混的细绵毛。叶宽卵形至圆卵形或心形，直径 10~15cm，常 5~7 裂，裂片三角形，先端渐尖，具钝圆锯齿，上面疏被星状细毛和点，下面密被星状细绒毛；主脉 7~11；叶柄长 5~20cm；托叶披针形，长 5~8mm，常早落。花单生于枝端叶腋间，花梗长 5~8cm，近端具节；小苞片 8，线形，长 10~16mm，宽约 2mm，密被星状绵毛，基部合生；萼钟形，长 2.5~3cm，裂片 5，卵形，渐尖头；花初开时白色或淡红色，后变深红色，直径约 8cm，花瓣近圆形，直径 4~5cm，外面被毛，基部具髯毛；雄蕊柱长 2.5~3cm，

木芙蓉

无毛；花柱分枝 5，疏被毛。蒴果扁球形，直径约 2.5cm，被淡黄色刚毛和绵毛，果片 5；种子肾形，背面被长柔毛。花期 8~10 月。

| **分布区域** | 产于海南万宁。亦分布于中国长江以南其他区域。

| **资　　源** | 生于坡地、路边、平原较干燥的向阳处。

| **采收加工** | 花：8~10 月采摘初开花的花朵，晒干或烘干。叶：夏、秋季采摘叶，阴干或晒干，研成粉末贮藏。根：秋季采挖，或剥取根皮，均洗净，切片，晒干。

| **药材性状** | 花：花呈不规则圆柱状，具副萼，10 裂，裂片条形；花萼裂片 5，卵形；花冠直径约 9cm，花瓣 5 或为重瓣，为淡棕色至棕红色；花瓣呈倒卵圆形，边缘微弯曲，基部与雄蕊柱合生；花药多数，生于柱顶；雌蕊 1，柱头 5 裂。气微香，味微辛。叶：全体被灰白色星状毛。叶片大，多皱缩破碎，完整者展平后呈卵圆状心形，直径 10~15cm，掌状 5~7 裂，裂片三角形，先端渐尖，基部心形，边缘有钝齿，叶面深绿色，叶背灰绿色，叶脉 7~11，两面突起。叶柄圆柱形，长 5~20cm，直径约 0.3mm，黄褐色。质脆，易碎，气微，味微辛。

| **功能主治** | 根：清热解毒。用于痈肿、肺痈、癥瘕、咳嗽气喘、带下病。叶：清热解毒。用于痈疽疔疮、流行性腮腺炎、缠腰火丹、烫火伤、肺痈、肠痈。花：清热解毒，凉血。用于疔疮、肺痈、肺热咳嗽、吐血、崩漏、带下病。

锦葵科 Malvaceae 木槿属 Hibiscus

朱 槿
Hibiscus rosa-sinensis L.

| **中 药 名** | 扶桑花（药用部位：花），扶桑叶（药用部位：叶），扶桑根（药用部位：根） |

| **植物形态** | 常绿灌木，高 1~3m；小枝圆柱形，疏被星状柔毛。叶阔卵形或狭卵形，先端渐尖，基部圆形或楔形，边缘具粗齿或缺刻，两面除背面沿脉上有少许疏毛外均无毛；叶柄长 5~20mm，上面被长柔毛；托叶线形，被毛。花单生于上部叶腋间，常下垂，花梗长 3~7cm，疏被星状柔毛或近平滑无毛，近端有节；小苞片 6~7，线形，长 8~15mm，疏被星状柔毛，基部合生；萼钟形，被星状柔毛，裂片 5，卵形至披针形；花冠漏斗形，直径 6~10cm，玫瑰红色或淡红、淡黄色等，花瓣倒卵形，先端圆，外面疏被柔毛；雄蕊柱长 4~8cm，平滑无毛；花柱分枝 5。蒴果卵形，长约 2.5cm，平滑无毛，有喙。花期全年。 |

朱槿

分布区域

产于海南三亚、五指山、陵水、万宁、琼中、临高、澄迈、海口、西沙群岛。亦分布于中国长江以南其他区域。

资　源

栽培，常见。

采收加工

花：花半开时采摘，晒干。叶：随用随采。根：秋末挖取，洗净，晒干。

药材性状

花皱缩成长条状，长 5.5~7cm。小苞片 6~7，线形，分离，比萼短。花萼黄棕色，长约 2.5cm，有星状毛，5 裂，裂片披针形或尖三角形；花瓣 5，紫色或淡棕红色，有的为重瓣，花瓣先端圆或具粗圆齿，但不分裂。雄蕊管长，突出于花冠之外，上部有多数具花药的花丝。子房五棱形，被毛，花柱 5。体轻，气微香，味淡。

功能主治

根：清热解毒，止咳，利尿，调经。用于流行性腮腺炎、目赤、咳嗽、小便淋痛、带下病、白浊、月经不调、闭经、血崩。叶：清热解毒。外用于痈疮肿毒、白癜风。花：清肺化痰，凉血解毒。用于肺热咳嗽、咯血、衄血、痢血、赤白浊、月经不调、疔疮痈肿、乳痈。花：煎剂口服用于高血压。

| 锦葵科 | Malvaceae | 木槿属 | *Hibiscus* |

玫瑰茄

Hibiscus sabdariffa L.

| **中 药 名** | 玫瑰茄（药用部位：花萼、种子、叶）

| **植物形态** | 一年生直立草本，高达 2m，茎淡紫色，无毛。叶异型，下部的叶卵形，不分裂，上部的叶掌状 3 深裂，裂片披针形，长 2~8cm，宽 5~15mm，具锯齿，先端钝或渐尖，基部圆形至宽楔形，两面均无毛，主脉 3~5，背面中肋具腺；叶柄长 2~8cm，疏被长柔毛；托叶线形，长约 1cm，疏被长柔毛。花单生于叶腋，近无梗；小苞片 8~12，红色，肉质，披针形，长 5~10mm，宽 2~3mm，疏被长硬毛，近先端具刺状附属物，基部与萼合生；花萼杯状，淡紫色，直径约 1cm，疏被刺和粗毛，基部 1/3 处合生，裂片 5，三角状渐尖形，长 1~2cm；花黄色，内面基部深红色，直径 6~7cm。蒴果卵球形，直径约 1.5cm，密被粗毛，果爿 5；种子肾形，无毛。花期夏、秋季间。

玫瑰茄

| 分布区域 |

产于海南乐东、文昌、海口。亦分布于中国华南其他区域，以及福建、台湾、云南。原产于东半球热带地区。

| 资　源 |

栽培，少见。

| 采收加工 |

11月中下旬，叶黄籽黑时，将果枝剪下，摘取花萼连同果实，晒1天，待缩水后脱出花萼，置干净草席或竹箩上晒干。

| 药材性状 |

花略呈圆锥状或不规则形，长2.5~4cm，直径约2cm，花萼紫红色至紫黑色，5裂，裂片披针形，下部可见与花萼愈合的小苞片，约10裂，披针形，基部具有去除果实后留下的空洞。花冠黄棕色，外表面有线状条纹，内表面基部黄褐色，偶见稀疏的粗毛。体轻，质脆。气微清香，味酸。

| 功能主治 |

花萼：清热解渴，敛肺止咳。用于高血压、咳嗽、中暑、酒醉。种子：强壮，泻下，利尿。叶：外用于疥疮。

锦葵科 Malvaceae　木槿属 *Hibiscus*

吊灯扶桑
Hibiscus schizopetalus (Mast.) Hook. f.

| 中 药 名 | 吊灯花（药用部位：根），吊灯花叶（药用部位：叶）

| 植物形态 | 常绿直立灌木，高达 3m；小枝细瘦，常下垂，平滑无毛。叶椭圆形
或长圆形，长 4~7cm，宽 1.5~4cm，先端短尖或短渐尖，基部钝或
宽楔形，边缘具齿缺，两面均无毛；叶柄长 1~2cm，上面被星状柔毛；
托叶钻形，长约 2mm，常早落。花单生于枝端叶腋间，花梗细瘦，
下垂，长 8~14cm，平滑无毛或具纤毛，中部具节；小苞片 5，极小，
披针形，长 1~2mm，被纤毛；花萼管状，长约 1.5cm，疏被细毛，
具 5 浅齿裂，常一边开裂；花瓣 5，红色，长约 5cm，深细裂作流苏状，
向上反曲；雄蕊柱长而突出，下垂，长 9~10cm，无毛；花柱分枝 5，
无毛。蒴果长圆柱形，长约 4cm，直径约 1cm。花期全年。

吊灯扶桑

| **分布区域** | 产于海南三亚、万宁、琼中、屯昌、海口。中国华南其他区域，以及福建、台湾、云南亦有栽培。原产于非洲东部。 |

| **资　　源** | 栽培，少见。 |

| **采收加工** | 根：秋后或冬季采挖，洗去泥沙，切片，晒干。叶：全年均可采，鲜用或晒干。 |

| **功能主治** | 叶：消肿，拔毒生肌。用于腋下疮疡、肿毒。 |

锦葵科　Malvaceae　木槿属　Hibiscus

刺芙蓉 *Hibiscus surattensis* L.

|中 药 名|

刺芙蓉（药用部位：根、叶）

|植物形态|

一年生亚灌木状草本，高 0.5~2m，常平卧，疏被长毛和倒生皮刺。叶掌状 3~5 裂，长5~10cm，宽 5~11cm，裂片卵状披针形，长3~7cm，宽 1.5~3cm，具不整齐锯齿，两面均疏被糙硬毛，主脉 5，疏被倒生刺；叶柄长 2~7cm，上面密被长硬毛，下面疏被倒生刺；托叶耳形，叶状，长约 5mm，疏被长硬毛。花单生于叶腋，花梗长 1~5cm，疏被倒生刺和长柔毛；小苞片 10，线形，长 1~1.5cm，近中部具匙形附属物，并被长刺；花萼浅杯状，深 5 裂，裂片卵状披针形，先端长尾状，具刺，长约 2.5cm；花黄色，内面基部暗红色，长约 3.5cm。蒴果卵球形，长约 1.2cm，直径约 1cm，具短喙，密被粗长硬毛；种子肾形，疏被白色细糙毛。花期 9 月至翌年 3 月。

|分布区域|

产于海南三亚、乐东、昌江、五指山、陵水、万宁、琼中、儋州、临高、海口。亦分布于中国云南。亚洲、澳大利亚、非洲热带地区也有分布。

刺芙蓉

| 资　　源 | 生于低丘陵地、草坡、河边、海滨灌木丛或疏林中，常见。

| 采收加工 | 夏、秋季采收，鲜用。

| 功能主治 | 根、叶：用于皮肤病。

木 槿 *Hibiscus syriacus* L.

| 中 药 名 | 木槿花（药用部位：花），木槿根（药用部位：根），木槿皮（药用部位：根皮、茎皮），木槿叶（药用部位：叶），木槿子（药用部位：果实）

| 植物形态 | 落叶灌木，高 3~4m，小枝密被黄色星状绒毛。叶菱形至三角状卵形，长 3~10cm，宽 2~4cm，具深浅不同的 3 裂或不裂，先端钝，基部楔形，边缘具不整齐齿缺，下面沿叶脉微被毛或近无毛；叶柄长 5~25mm，上面被星状柔毛；托叶线形，长约 6mm，疏被柔毛。花单生于枝端叶腋间，花梗长 4~14mm，被星状短绒毛；小苞片 6~8，线形，长 6~15mm，宽 1~2mm，密被星状疏绒毛；花萼钟形，长 14~20mm，密被星状短绒毛，裂片 5，三角形；花钟形，淡紫色，直径 5~6cm，花瓣倒卵形，长 3.5~4.5cm，外面疏被纤毛和星状长柔

木槿

毛；雄蕊柱长约 3cm；花柱分枝无毛。蒴果卵圆形，直径约 12mm，密被黄色星状绒毛；种子肾形，背部被黄白色长柔毛。花期 7~10 月。

| **分布区域** | 海南有栽培。亦分布于中国黄河以南其他区域。

| **资　　源** | 栽培，少见。

| **采收加工** | 花：夏、秋季选晴天早晨，花半开时采摘，晒干。果实：9~10 月果实现黄绿色时采收，晒干。根：全年均可采挖，洗净，切片，鲜用或晒干。茎皮：于 4~5 月剥取，晒干。根皮：于秋末挖取根，剥取根皮，晒干。叶：全年均可采，鲜用或晒干。

| **药材性状** | 花多皱缩成团状或不规则形，长 2~4cm，宽 1~2cm，全体被毛。花萼钟形，黄绿色或黄色，先端 5 裂，裂片三角形，萼筒外方有苞片 6~8，条形，萼筒下常带花梗，长 4~14mm，花萼、苞片、花梗表面均密被细毛及星状毛；花瓣 5 或重瓣，黄白色至黄棕色，基部与雄蕊合生，并密生白色长柔毛；雄蕊多数，花丝下部连合成筒状，包围花柱，柱头 5 分歧，伸出花丝筒外。质轻脆，气微香，味淡。茎皮多内卷成长槽状或单筒状，大小不一，厚 1~2mm。外表面青灰色或灰褐色，有细而略弯曲的纵皱纹，皮孔点状。

| **功能主治** | 根、根皮、茎皮：清热利湿，解毒止痒。用于黄疸、痢疾、肠风泻血、肺痈、肠痈、带下病、痔疮、脱肛、阴囊湿疹、疥癣。叶：清热。花：清热利湿，凉血。用于肺热咳嗽、吐血、肠风便血、痢疾、痔血、带下病、痈肿疮毒。果实：清肺化痰，解毒止痛。用于肺热咳嗽、痰喘、偏正头痛、黄水疮。

锦葵科 Malvaceae 木槿属 Hibiscus

黄 槿
Hibiscus tiliaceus L.

|中 药 名|

黄槿（药用部位：树皮、叶、花）

|植物形态|

常绿灌木或乔木，高 4~10m，胸径粗达 60cm；树皮灰白色；小枝无毛或近于无毛，很少被星状绒毛或星状柔毛。叶革质，近圆形或广卵形，直径 8~15cm，先端突尖，有时短渐尖，基部心形，全缘或具不明显细圆齿，上面绿色，嫩时被极细星状毛，逐渐变平滑无毛，下面密被灰白色星状柔毛，叶脉 7 或 9；叶柄长 3~8cm；托叶叶状，长圆形，长约 2cm，宽约 12mm，先端圆，早落，被星状疏柔毛。花序顶生或腋生，常数花排列成聚伞花序，总花梗长 4~5cm，花梗长 1~3cm，基部有一对托叶状苞片；小苞片 7~10，线状披针形，被绒毛，中部以下连合呈杯状；萼长 1.5~2.5cm，基部 1/4~1/3 处合生，萼裂 5，披针形，被绒毛；花冠钟形，直径 6~7cm，花瓣黄色，内面基部暗紫色，倒卵形，长约 4.5cm，外面密被黄色星状柔毛；雄蕊柱长约 3cm，平滑无毛；花柱分枝 5，被细腺毛。蒴果卵圆形，长约 2cm，被绒毛，果爿 5，木质；种子光滑，肾形。花期 6~8 月。

黄槿

| 分布区域 |

产于海南三亚、乐东、昌江、保亭、万宁、琼中、儋州、澄迈、文昌、海口。亦分布于中国广西、福建、台湾。世界其他热带、亚热带沿海地区也有分布。

| 资　　源 |

常生于港湾或潮水能到达的河岸，常见。

| 采收加工 |

树皮、叶：全年均可采。花：6~8 月，未完全开放时开始采摘，阴干或晒干。

| 药材性状 |

叶大多破碎或皱缩，完整叶近圆形或广卵形，直径 8~15cm，先端突尖，有时短渐尖，基部心形，全缘或具不明显细圆齿，叶下面密被星状柔毛，叶脉 7 或 9；叶柄长 3~8cm，质脆，气微，味淡。花多皱缩成团或不规则形，全体被毛；花萼钟形，先端 5 裂，萼筒外有苞片 7~10，线状披针形，花梗长 1~3cm，花萼、苞片被绒毛；花冠钟形，花瓣黄色，内面基部暗紫色，倒卵形，长约 4.5cm，外面密被星状柔毛，雄蕊柱长约 3cm，平滑无毛，花柱分枝 5，被细腺毛。质轻脆。气微，味淡。

| 功能主治 |

树皮、叶、花：清热解毒，散瘀消肿，止咳，润肤杀菌。用于外感风热、咳嗽、痰火郁结、咳痰黄稠、木薯中毒、疮痈肿毒。

赛 葵
Malvastrum coromandelianum (L.) Gürcke

| 中 药 名 | 赛葵（药用部位：全株或叶）

| 植物形态 | 亚灌木状，直立，高达 1m，疏被单毛和星状粗毛。叶卵状披针形或卵形，长 3~6cm，宽 1~3cm，先端钝尖，基部宽楔形至圆形，边缘具粗锯齿，上面疏被长毛，下面疏被长毛和星状长毛；叶柄长 1~3cm，密被长毛；托叶披针形，长约 5mm。花单生于叶腋，花梗长约 5mm，被长毛；小苞片线形，长 5mm，宽 1mm，疏被长毛；萼浅杯状，5 裂，裂片卵形，渐尖头，长约 8mm，基部合生，疏被单长毛和星状长毛；花黄色，直径约 1.5cm，花瓣 5，倒卵形，长约 8mm，宽约 4mm；雄蕊柱长约 6mm，无毛。果实直径约 6mm，分果爿 8~12，肾形，疏被星状柔毛，直径约 2.5mm，背部宽约 1mm，具 2 芒刺。

赛葵

分布区域

产于海南东方、陵水、万宁、昌江、海口、南沙群岛、西沙群岛。亦分布于中国华南其他区域，以及福建、台湾、云南。世界其他热带地区也广布。

资 源

生于旷地上，常见。

采收加工

秋季采挖全株，除去泥沙及杂质，切碎，晒干，或鲜用。

功能主治

全株、叶：清热解毒，利湿，抗炎镇痛，祛瘀消肿。用于感冒发热、咽炎、喉炎、肺热咳嗽、泄泻、痢疾、黄疸、急性肝炎、小儿食滞、疟疾、风湿关节痛。外用于跌打损伤、扭伤、疔疮痈肿。

锦葵科 Malvaceae 悬铃花属 *Malvaviscus*

垂花悬铃花（变种）

Malvaviscus arboreus Cav. var. *penduliflocus* (DC.) Schery

| 中 药 名 | 垂花悬铃花（药用部位：根、树皮、叶）

| 植物形态 | 灌木，高达2m，小枝被长柔毛。叶卵状披针形，长6~12cm，宽2.5~6cm，先端长尖，基部广楔形至近圆形，边缘具一钝齿，两面近于无毛或仅脉上被星状疏柔毛，主脉3；叶柄长1~2cm，上面被长柔毛；托叶线形，长约4mm，早落。花单生于叶腋，花梗长约1.5cm，被长柔毛；小苞片匙形，长1~1.5cm，边缘具长硬毛，基部合生；萼钟状，直径约1cm，裂片5，较小苞片略长，被长硬毛；花红色，下垂，筒状，仅于上部略开展，长约5cm，雄蕊柱长约7cm；花柱分枝10。果实未见。

| 分布区域 | 产于海南三亚、东方、昌江、白沙、万宁、琼中、定安、琼海。

垂花悬铃花（变种）

资　源

生于疏林或灌丛中。

采收加工

夏、秋季采挖，洗净，鲜用或切片晒干。

功能主治

根、树皮、叶：清热解毒，拔毒消肿，收湿敛疮，生肌定痛。用于恶疮、湿疮流水、溃疡不敛、牙疳口疮、下疳。

锦葵科 Malvaceae 黄花稔属 Sida

黄花稔 *Sida acuta* Burm. f.

| **中 药 名** | 黄花稔（药用部位：叶、根）

| **植物形态** | 直立亚灌木状草本，高 1~2m；分枝多，小枝被柔毛至近无毛。叶披针形，长 2~5cm，宽 4~10mm，先端短尖或渐尖，基部圆或钝，具锯齿，两面均无毛或疏被星状柔毛，上面偶被单毛；叶柄长 4~6mm，疏被柔毛；托叶线形，与叶柄近等长，常宿存。花单朵或成对生于叶腋，花梗长 4~12mm，被柔毛，中部具节；萼浅杯状，无毛，长约 6mm，下半部合生，裂片 5，尾状渐尖；花黄色，直径 8~10mm，花瓣倒卵形，先端圆，基部狭，长 6~7mm，被纤毛；雄蕊柱长约 4mm，疏被硬毛。蒴果近圆球形，分果爿 4~9，但通常为 5~6，长约 3.5mm，先端具 2 短芒，果皮具网状皱纹。花期冬、春季。

黄花稔

分布区域

产于海南三亚、乐东、东方、昌江、白沙、五指山、保亭、陵水、万宁、儋州、西沙群岛。亦分布于中国华南其他区域，以及台湾、云南。世界其他热带地区也广布。

资　源

生于市镇及村庄附近旷地上，常见。

采收加工

叶：在夏、秋季采收，鲜用或晾干或晒干。根：在早春植株萌发前挖取，洗去泥沙，切片，晒干。

功能主治

叶、根：清热解毒，消肿止痛，收敛生肌。用于感冒、乳腺炎、痢疾、肠炎、跌打损伤、骨折、痈疮疖肿、外伤出血。

锦葵科　Malvaceae　黄花稔属　*Sida*

桤叶黄花稔 *Sida alnifolia* L.

| 中药名 |

脓见愁（药用部位：全草）

| 植物形态 |

直立亚灌木或灌木，高 1~2m，小枝细瘦，被星状柔毛。叶倒卵形、卵形、卵状披针形至近圆形，长 2~5cm，宽 8~30mm，先端尖或圆，基部圆至楔形，边缘具锯齿，上面被星状柔毛，下面密被星状长柔毛，叶柄长 2~8mm，被星状柔毛；托叶钻形，常短于叶柄。花单生于叶腋，花梗长 1~3cm，中部以上具节，密被星状绒毛；萼杯状，长 6~8mm，被星状绒毛，裂片 5，三角形；花黄色，直径约 1cm，花瓣倒卵形，长约 1cm；雄蕊柱长 4~5mm，被长硬毛。果实近球形，分果爿 6~8，长约 3mm，具 2 芒，被长柔毛。花期 7~12 月。

| 分布区域 |

产于海南三亚、乐东、五指山、陵水、万宁、保亭、文昌、海口、西沙群岛。亦分布于中国华南其他区域，以及福建、台湾、云南。越南、印度也有分布。

桤叶黄花稔

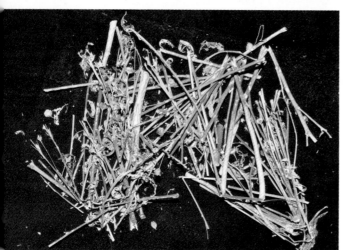

| 资 源 |

生于村旁疏林下，常见。

| 采收加工 |

夏、秋季采收。叶：鲜用。根：洗净，鲜用或切片晒干。

| 功能主治 |

清湿热，解疮毒。用于痢疾、黄疸、疔疮、肿毒、刀伤。

锦葵科 | Malvaceae 黄花稔属 | *Sida*

中华黄花稔 *Sida chinensis* Retz.

| **中 药 名** | 中华黄花稔（药用部位：全草）

| **植物形态** | 直立小灌木，高达70cm，分枝多，密被星状柔毛。叶倒卵形、长圆形或近圆形，长5~20mm，宽3~10mm，先端圆，基部楔形至圆形，具细圆锯齿，上面疏被星状柔毛几无毛，下面被星状柔毛；叶柄长2~4mm，被星状柔毛；托叶钻形。花单生于叶腋，花梗长约1cm，中部具节，被星状柔毛；萼钟形，直径约6mm，绿色，5齿裂，裂片三角形，长约2.5mm，密被星状柔毛；花黄色，直径约1.2cm，花瓣5，倒卵形，长约6mm；雄蕊柱被硬毛，长约4mm，花丝细，花药黄色。果实圆球形，直径约4mm，分果爿7~8，包藏于宿萼内，平滑而无芒，先端疏被柔毛。花期冬、春季。

中华黄花稔

分布区域

产于海南三亚、陵水、万宁、文昌、海口、西沙群岛。亦分布于中国广东、云南。

资　　源

生于沿海干旱地上，常见。

采收加工

夏、秋季采收。叶：鲜用。

功能主治

清热解毒，活血排脓。

| 锦葵科 | Malvaceae | 黄花稔属 | *Sida*

长梗黄花稔 *Sida cordata* (Burm. f.) Borss.

| **中 药 名** | 长梗黄花稔（药用部位：全草）

| **植物形态** | 披散近灌木状，高达 1m，小枝细瘦，被黏质和星状柔毛及长柔毛。叶心形，长 1~5cm，先端渐尖，边缘具钝齿或锯齿，两面均被星状柔毛；叶柄长 1~3cm，被星状长柔毛；托叶线形，长 2~3mm，疏被柔毛。花腋生，通常单生或簇生成具叶的总状花序状，疏被星状柔毛和长柔毛，花梗纤细，长 2~4cm，中部以上具节，花后延长；花萼杯状，长约 4mm，疏被长柔毛，裂片三角形，锐尖头；花黄色；雄蕊柱疏被长硬毛。蒴果近球形，直径约 3mm，分果爿 5，卵形，不具芒，先端截形，疏被柔毛。花期 7 月至翌年 2 月。

| **分布区域** | 产于海南乐东、东方、昌江、万宁、海口。亦分布于中国华南其他区域，以及福建、台湾。亚洲东南部热带地区也有分布。

长梗黄花稔

| 资　　源 | 生于山谷、山坡、路旁、旷地，常见。 |

| 采收加工 | 夏、秋季采收。叶：鲜用。 |

| 功能主治 | 清热解毒，利尿。用于肾炎。 |

锦葵科 Malvaceae 黄花稔属 *Sida*

心叶黄花稔 *Sida cordifolia* L.

| 中 药 名 |　心叶黄花仔（药用部位：全株或叶、根）

| 植物形态 |　直立亚灌木，高约 1m；小枝密被星状柔毛并混生长柔毛，毛长
3mm。叶卵形，长 1.5~5cm，宽 1~4cm，先端钝或圆，基部微心形或圆，
边缘具钝齿，两面均密被星状柔毛，下面脉上混生长柔毛；叶柄
长 1~2.5cm，密被星状柔毛和混生长柔毛；托叶线形，长约 5mm，
密被星状柔毛。花单生或簇生于叶腋或枝端，花梗长 5~15mm，密
被星状柔毛和混生长柔毛，上端具节；萼杯状，裂片 5，三角形，
长 5~6mm，密被星状柔毛并混生长柔毛；花黄色，直径约 1.5cm，
花瓣长圆形，长 6~8mm；雄蕊柱长约 6mm，被长硬毛。蒴果直径
6~8mm，分果爿 10，先端具 2 长芒，芒长 3~4mm，突出于萼外，
被倒生刚毛；种子长卵形，先端具短毛。花期全年。

心叶黄花稔

分布区域

产于海南三亚、东方、昌江、陵水、万宁、儋州、临高、澄迈、文昌、西沙群岛。亦分布于中国华南其他区域，以及福建、台湾、云南。热带、亚热带其他地区也有分布。

资　　源

生于村旁、旷地上，常见。

采收加工

夏、秋季采收，洗去泥沙，除去杂质，切碎，鲜用或晒干。

功能主治

全株、叶、根：活血行气，清热解毒。用于肝炎、痢疾、腰肌劳损、乏力、脓肿。

锦葵科 Malvaceae　黄花稔属 *Sida*

粘毛黄花稔 *Sida mysorensis* Wight & Arn.

| 中 药 名 | 粘毛黄花稔（药用部位：全草或叶、根）

| 植物形态 | 直立草本或亚灌木状，高达 1m，茎枝被黏质的星状腺毛和长柔毛。叶卵心形，长 3~6cm，宽 25~45mm，先端渐尖，基部心形，边缘具钝齿，两面均被黏质星状柔毛；叶柄长 1~3cm，被长柔毛；托叶线形，长约 5mm。花单生或成对，或几朵簇生于短枝上腋生，而排列成具叶的圆锥花序，花梗纤弱，长 2~6mm，近中部具节；萼绿色，疏被长毛；花黄色，直径约 1cm，雄蕊柱被长硬毛。蒴果近球形，直径 3~4mm，分果爿 5，卵状三角形，长约 2.5mm，先端无芒，具短尖头，包藏于宿萼内；种子卵形，无毛。花期冬、春季。

粘毛黄花稔

| 分布区域 | 产于海南三亚、昌江、五指山、西沙群岛。亦分布于中国华南其他区域，以及台湾、云南。越南、老挝、柬埔寨、菲律宾、印度尼西亚、印度也有分布。 |

| 资　　源 | 生于林缘、草坡或路旁。 |

| 采收加工 | 夏、秋季采收，洗净，鲜用。 |

| 功能主治 | 全草：清肺止咳，散瘀消肿。用于气管炎、乳腺炎、阑尾炎、痈疮。叶、根：活血行气，清热解毒。用于肝炎、痢疾、腰肌劳损、乏力、肠病。 |

锦葵科 Malvaceae 黄花稔属 Sida

白背黄花稔 *Sida rhombifolia* L.

| 中药名 | 黄花母（药用部位：全草），黄花母根（药用部位：根）

| 植物形态 | 直立亚灌木，高约 1m，分枝多，枝被星状绵毛。叶菱形或长圆状披针形，长 25~45mm，宽 6~20mm，先端浑圆至短尖，基部宽楔形，边缘具锯齿，上面疏被星状柔毛至近无毛，下面被灰白色星状柔毛；叶柄长 3~5mm，被星状柔毛；托叶纤细，刺毛状，与叶柄近等长。花单生于叶腋，花梗长 1~2cm，密被星状柔毛，中部以上有节；萼杯形，长 4~5mm，被星状短绵毛，裂片 5，三角形；花黄色，直径约 1cm，花瓣倒卵形，长约 8mm，先端圆，基部狭；雄蕊柱无毛，疏被腺状乳突，长约 5mm，花柱分枝 8~10。果实半球形，直径 6~7mm，分果爿 8~10，被星状柔毛，先端具 2 短芒。花期秋、冬季。

白背黄花稔

分布区域

产于海南三亚、乐东、东方、昌江、白沙、五指山、保亭、陵水、万宁、琼中、儋州、澄迈、西沙群岛、南沙群岛。亦分布于中国华南其他区域及西南，以及福建、台湾。世界热带地区广布。

资　　源

生于旷地或海岛荒地上，常见。

采收加工

夏、秋季采挖根，洗净，鲜用或切片晒干。

药材性状

干燥全草长短不一，幼枝被星状柔毛，老枝无毛，有网眼状纹理。叶多破碎、卷缩，完整叶呈长圆状披针形或菱形，叶上面暗绿色，下面灰绿色，被星状柔毛。花生于叶腋，黄色。气微香，味淡。

功能主治

全草：清热利湿，活血排脓，消炎镇痛。用于流行性感冒、感冒、扁桃体炎、痢疾、肠炎、泄泻、黄疸、痔血、吐血、痈疽疔疮、乳蛾。根：清热利湿，益气排脓。用于感冒、哮喘、泻痢、黄疸、疮痈、气虚、新肌不生、难溃或溃后排脓不清。

锦葵科 Malvaceae **黄花稔属** *Sida*

榛叶黄花稔 *Sida subcordata* Span

| 中 药 名 |

榛叶黄花稔（药用部位：全株）

| 植物形态 |

直立亚灌木，高1~2m，小枝疏被星状柔毛。叶长圆形或卵形，先端短渐尖，基部圆形，边缘具细圆锯齿，两面均疏被星状柔毛；叶柄长2~6cm，疏被星状柔毛；托叶线形，长3~4mm，疏被星状柔毛。花序为顶生或腋生的伞房花序或近圆锥花序，总花梗长2~7cm，小花梗长0.6~2cm，中部具节，均疏被星状柔毛；花萼长8~11mm，疏被星状柔毛，裂片5，三角形；花黄色，直径2~3.5cm，花瓣倒卵形，长约1.2cm；雄蕊柱长约1cm，无毛，花丝纤细，多数，长约3mm；花柱分枝8~9。蒴果近球形，直径约1cm，分果爿8~9，具2长芒，突出于萼外，芒长3~6mm，被倒生刚毛；种子卵形，先端密被褐色短柔毛。花期冬、春季。

| 分布区域 |

产于海南东方、白沙、保亭。亦分布于中国华南其他区域，以及云南。亚洲东南部也有分布。

榛叶黄花稔

| 资　　源 | 生于海滨草地、平原或低山疏林下，偶见。

| 采收加工 | 夏、秋季采收。叶：鲜用。

| 功能主治 | 清热解毒，消肿止痛，收敛生肌。用于感冒、乳腺炎、痢疾、肠炎、跌打损伤、骨折、黄疸、疟疾、外伤出血。外用于痈疖疔疮。

锦葵科 Malvaceae 桐棉属 Thespesia

白脚桐棉

Thespesia lampas (Cavan.) Dalz. & Gibs

| 中 药 名 | 白脚桐棉（药用部位：果实、根皮）

| 植物形态 | 常绿灌木，高 1~2m；小枝被星状茸毛。叶卵形至掌状 3 裂，长 8~13cm，宽 6~13cm，先端渐尖，基部圆形至近心形，两侧裂片浅裂，先端渐尖至圆头，上面疏被星状柔毛，下面密被灰锈色星状茸毛；叶柄长 1~4cm，被星状柔毛；托叶线形，长 5~7mm。花单生于叶腋间或排列成聚伞花序，花梗长 3~8cm，小花梗长 5~10mm，均被星状柔毛；小苞片 5，钻形，长 2~3mm；花萼截形，浅杯状，被星状柔毛，具 5 钻形齿，齿长 4~8mm；花冠钟形，黄色，长约 6cm，花瓣外面密被锈色柔毛；花柱棒状，具 5 槽纹。蒴果椭圆形，具 5 棱，直径约 2cm，被星状柔毛，室背开裂；种子卵形，黑色，长 5mm，光滑，仅种脐旁侧具一环短柔毛。花期 9 月至翌年 1 月。

白脚桐棉

| **分布区域** | 产于海南三亚、乐东、东方、昌江、白沙、保亭、陵水。亦分布于中国广西、云南。亚洲南部和东南部、非洲东部也有分布。|

| **资　　源** | 生于低海拔山地灌丛中，常见。|

| **采收加工** | 秋、冬季采收，洗净，鲜用或晒干。|

| **功能主治** | 尼泊尔传统药用植物。果实、根皮：用于淋病、梅毒。|

| 锦葵科 | Malvaceae | 桐棉属 | Thespesia

桐 棉 *Thespesia populnea* (L.) Soland. ex Corr.

| **中 药 名** | 伞杨（药用部位：叶、果实）

| **植物形态** | 常绿乔木，高约 6m；小枝具褐色盾形细鳞秕。叶卵状心形，长 7~18cm，宽 4.5~11cm，先端长尾状，基部心形，全缘，上面无毛，下面被稀疏鳞秕；叶柄长 4~10cm，具鳞秕；托叶线状披针形，长约 7mm。花单生于叶腋间；花梗长 2.5~6cm，密被鳞秕；小苞片 3~4，线状披针形，被鳞秕，长 8~10mm，常早落；花萼杯状，截形，直径约 15mm，具 5 尖齿，密被鳞秕；花冠钟形，黄色，内面基部具紫色块，长约 5cm；雄蕊柱长约 25mm；花柱棒状，端具 5 槽纹。蒴果梨形，直径约 5cm；种子三角状卵形，长约 9mm，被褐色纤毛，间有脉纹。花期几全年。

桐棉

| **分布区域** | 产于海南三亚、屯昌、海口、文昌。亦分布于中国华南其他区域，以及台湾。世界热带地区海岸广布。 |

| **资　　源** | 生于海滨灌丛中，常见。 |

| **采收加工** | 秋、冬季采收，洗净，鲜用或晒干。 |

| **功能主治** | 叶：用于头痛、疥疮。果实：制药膏，杀虱。 |

锦葵科　Malvaceae　梵天花属　*Urena*

地桃花
Urena lobata L.

| 中 药 名 | 地桃花（药用部位：根或全草）

| 植物形态 | 直立亚灌木状草本，高达 1m，小枝被星状绒毛。茎下部的叶近圆形，先端浅 3 裂，基部圆形或近心形，边缘具锯齿；中部的叶卵形，长 5~7cm，宽 3~6.5cm；上部的叶长圆形至披针形，长 4~7cm，宽 1.5~3cm；叶上面被柔毛，下面被灰白色星状绒毛；叶柄长 1~4cm，被灰白色星状毛；托叶线形，长约 2mm，早落。花腋生、单生或稍丛生，淡红色，直径约 15mm；花梗长约 3mm，被绵毛；小苞片 5，长约 6mm，基部 1/3 合生；花萼杯状，裂片 5，较小苞片略短，两者均被星状柔毛；花瓣 5，倒卵形，长约 15mm，外面被星状柔毛；雄蕊柱长约 15mm，无毛；花柱分枝 10，微被长硬毛。果实扁球形，直径约 1cm，分果爿被星状短柔毛和锚状刺。花期 7~10 月。

地桃花

分布区域

产于海南乐东、东方、昌江、白沙、五指山、保亭、万宁、琼中、儋州。亦分布于中国西南至东南部。世界热带地区广布。

资　源

生于路旁、旷地上，常见。

采收加工

全年均可采，洗净，鲜用或晒干。

药材性状

干燥根呈圆柱形，略弯曲，支根少数，上生多数须根，表面淡黄色，具纵皱纹；质硬，断面呈破裂状。茎灰绿色至暗绿色，具粗浅的纵纹，密被星状毛和柔毛，上部嫩枝具数条纵棱；质硬，木质部断面不平坦，皮部附纤维，难以折断。叶多破碎，完整者多卷曲，上表面深绿色，下表面粉绿色，密被短柔毛或星状毛，掌状网脉，下面突出，叶腋有宿存的托叶。气微，味淡。

功能主治

根或全草：祛风利湿，清热解毒。用于感冒发热、风湿痹痛、痢疾、水肿、淋证、白带、吐血、痈肿、外伤出血。

锦葵科　Malvaceae　梵天花属　*Urena*

梵天花 *Urena procumbens* L.

|中药名|

梵天花（药用部位：全株或根）

|植物形态|

小灌木，高 80cm，枝平铺，小枝被星状绒毛。叶下部生的轮廓为掌状 3~5 深裂，裂口深达中部以下，圆形而狭，长 1.5~6cm，宽 1~4cm，裂片菱形或倒卵形，呈葫芦状，先端钝，基部圆形至近心形，具锯齿，两面均被星状短硬毛，叶柄长 4~15mm，被绒毛；托叶钻形，长约 1.5mm，早落。花单生或近簇生，花梗长 2~3mm；小苞片长约 7mm，基部 1/3 处合生，疏被星状毛；萼短于小苞片或近等长，卵形，尖头，被星状毛；花冠淡红色，花瓣长 10~15mm；雄蕊柱无毛，与花瓣等长。果实球形，直径约 6mm，具刺和长硬毛，刺端有倒钩，种子平滑无毛。花期 6~9 月。

|分布区域|

产于海南保亭、万宁、琼中、澄迈。亦分布于中国华南其他区域及东南。

梵天花

| 资　　源 |

生于路旁、旷地上，常见。

| 采收加工 |

全草：夏、秋季采挖全草，洗净，除去杂质，切碎，晒干。根：全年均可采，洗净，切片晒干或鲜用。

| 药材性状 |

干燥全株长 80cm；茎粗 3~7mm，圆柱形，棕黑色，幼枝暗绿色至灰绿色；质坚硬，纤维性，木质部白色，中心有髓。叶通常 3~5 深裂，裂片倒卵形或菱形，灰褐色至暗绿色，微被毛；幼叶卵圆形。蒴果腋生，扁球形，副萼宿存，被毛茸和倒钩刺，果皮干燥厚膜质。

| 功能主治 |

全株：祛风解毒。用于痢疾、疮疡、风毒流注、毒蛇咬伤。根：健脾利湿，化瘀活血。用于风湿性关节炎、劳伤、脚弱、水肿、疟疾、痛经、白带、跌打损伤、痈疽肿毒。

■锦葵科■ Malvaceae ■隔蒴苘属■ *Wissadula*

隔蒴苘
Wissadula periplocifolia (L.) Presl ex Thwaites

| 中 药 名 |　隔蒴苘（药用部位：叶子）

| 植物形态 |　小灌木，高约 1m；小枝灰色，密被星状短柔毛。叶卵形至卵状披针形，先端长尾状，基部截形，全缘，上面被不明显星状细柔毛，背面密被星状绒毛；叶柄长 3~20mm，被星状绒毛和丛卷毛；托叶钻形，长约 3mm。花小，黄色，排列成疏散的圆锥花序，或单生于叶腋间，花梗长 1~2cm，果时延长，达 4cm，被细柔毛，近端具节；花萼碟状，长约 3mm，裂片正三角形，锐尖；花冠直径约 7mm，花瓣黄色，倒卵形，长约 4mm；雄蕊柱无毛，先端具数束分离花丝；花柱短，柱头头状。蒴果倒圆锥形，直径约 1cm，先端平截；分果爿 5，具横隔膜，先端具喙，近无毛；种子黑色，长约 3mm，上面 2 种子被星状毛或单毛，下面 1 种子密被单长毛。花期 9 月至翌年 2 月。

隔蒴苘

| 分布区域 |

产于海南三亚、乐东、东方、保亭。老挝、柬埔寨、泰国、印度尼西亚、印度、斯里兰卡、非洲、美洲热带地区也有分布。

| 资　源 |

常见于干燥砂质土的山坡或灌丛中，偶见。

| 采收加工 |

叶全年可采收，洗净鲜用。

| 功能主治 |

本种的功能主治少有报道，有待进一步研究。

古 柯
Erythroxylum novogranatense (D. Morris) Hieron.

| 中 药 名 | 古柯（药用部位：叶）

| 植物形态 | 灌木或小灌木。树皮褐色，小枝干后黑褐色或棕褐色。单叶互生，表面绿色，干后墨绿色或橄绿色，背面浅黄色，干后灰色或灰黄色，倒卵形或狭椭圆形，长 12~47mm，宽 10~18mm，顶部钝圆、微凹入，中有一小凸尖，基部狭渐尖，全缘，表面主脉凹陷，背面主脉两侧各有纵脉 1，两侧纵脉外的叶脉相连成网状；叶柄长 4~7mm；托叶三角形，长 1.5~3mm。花小，黄白色，1~6，单生或簇生于叶腋内，花蕾期花梗极短，开花期花梗伸长，达 4mm；萼片 5，长约 1.5mm，基部合生成环状；花瓣 5，卵状长圆形，长 3~3.5mm，内面有 2 长 1~1.5mm 的舌状体贴生于基部；雄蕊 10，基部合生呈浅杯状，不等长或近等长，长 2~4mm；子房近圆形或长圆形，长 1~3.5mm。3 室，

古柯

1 室发育，每室有胚珠 1；花柱 3，分离，长 1~3mm，宿存。成熟核果红色，长圆形，有 5 纵棱，长 7~8mm，宽 3mm，顶部渐尖，有种子 1。全年开花，盛花期常为 2~3 月，果期 5~12 月。

| 分布区域 | 产于海南万宁、儋州、琼海、海口。原产于秘鲁。

| 资　　源 | 栽培，少见。

| 采收加工 | 夏、秋季采叶，鲜用或晒干。

| 功能主治 | 叶：提神，补肾助阳，镇痛，强壮。用于局部麻醉、消除疲劳、肾虚遗精、梦遗、滑泄、阳痿、疲乏无力、各种疼痛，亦用作兴奋剂、强壮剂，并作为提取古柯碱的原料。

古柯科 Erythroxylaceae　古柯属 *Erythroxylum*

东方古柯
Erythroxylum sinensis C. Y. Wu

| 中 药 名 |　东方古柯（药用部位：叶）

| 植物形态 |　灌木或小乔木，高1~6m；小枝无毛，干后黑褐色，树皮灰色。叶纸质，长椭圆形、倒披针形或倒卵形，长2~14cm，宽1~4cm，顶部尾状尖、短渐尖、急尖或钝，基部狭楔形，中部以上较宽；幼叶带红色，干后红带褐色，成长叶干后表面暗橄榄绿色，背面暗紫色；中脉纤细；叶柄长3~8mm；托叶三角形或披针形，长1~3mm，有时更长，顶部渐尖，全缘、齿裂、深裂或流苏状。花腋生，2~7花簇生于极短的总花梗上，或单花腋生；花梗长4~6mm，果期伸长，约9mm；萼片5，基部合生呈浅杯状，萼裂片长1~1.5mm，深裂1/2~3/4，裂片阔卵形，顶部短尖，花瓣卵状长圆形，长3~6mm，内面有2舌状体贴生在基部；雄蕊10，不等长或近于等长，基部合生呈浅杯状，

东方古柯

花丝有乳头状毛状体，短花柱花的雄蕊几与花瓣等长，长花柱花的雄蕊几与萼片等长；子房长圆形，长花柱花的子房比雄蕊约长 2 倍，3 室，1 室发育。花柱3，分离。核果长圆形，有 3 纵棱，稍弯，先端钝，叶顶部是尾状尖类型的，其果长为 1~1.7cm，宽为 3~6mm；叶顶部是其他类型的，其核果长圆形或阔椭圆形，长 6~10mm，宽 4~6mm。花期 4~5 月，果期 5~10 月。

| 分布区域 | 产于海南三亚、东方、白沙、万宁、定安。分布于中国华南其他区域，以及江西、福建、浙江、贵州、云南。越南、缅甸、印度也有分布。

| 资　　源 | 生于中海拔林中。

| 采收加工 | 全年可采，洗净，鲜用或晒干。

| 功能主治 | 定喘，止痛，缓解疲劳。用于哮喘、骨折疼痛、提神、疲劳。

粘木科 Ixonanthes 粘木属 *Ixonanthes*

粘 木 *Ixonanthes chinensis* (Hook. & Arn.) Champ.

| 中 药 名 |　粘木（药用部位：树皮）

| 植物形态 |　灌木或乔木，高 4~20m；树皮干后褐色，嫩枝先端压扁状。单叶互生，纸质，无毛，椭圆形或长圆形，长 4~16cm，宽 2~8cm，表面亮绿色，背面绿色，干后茶褐色或黑褐色，有时有光泽，顶部急尖，为镰刀状或圆而微凹，基部圆或楔尖，表面中脉凹陷，侧脉 5~12 对，通常侧脉有间脉。纤细，干后两面均突起；叶柄长 1~3cm，有狭边。二歧或三歧聚伞花序，生于枝近顶部叶腋内，总花梗长于叶或与叶等长；花梗长 5~7mm；花白色；萼片 5，基部合生，卵状长圆形或三角形，长 2~3mm，顶部钝，宿存；花瓣 5，卵状椭圆形或阔圆形，比萼片长 1~1.5 倍；花盘杯状，有槽 10；雄蕊 10，花蕾期花丝内卷，包于花瓣内，花期伸出花冠外，长约 2cm；子房近球形；花柱稍长

粘木

于雄蕊，柱头头状。蒴果卵状圆锥形或长圆形，长 2~3.5cm，宽 1~1.7cm，顶部短锐尖，黑褐色，室间开裂为 5 果瓣，室背有较宽的纵纹凹陷。种子长圆形，长 8~10mm，一端有膜质种翅，种翅长 10~15mm。花期 5~6 月，果期 6~10 月。

| **分布区域** | 产于海南三亚、乐东、昌江、白沙、五指山、陵水、万宁、琼中、儋州、琼海。亦分布于中国华南其他区域。

| **资　　源** | 生于中海拔林中，偶见。

| **采收加工** | 树皮全年可采。

| **功能主治** | 同属植物叶柄粘木为加里曼丹岛药用植物，其树皮可用于消化系统疾病。但是本种植物功能主治报道较少，有待进一步研究。

| **附　　注** | 在 FOC 中，其学名被修订为 *Ixonanthes reticulata* Jack。

大戟科 Euphorbiaceae　铁苋菜属 Acalypha

铁苋菜 *Acalypha australis* L.

|中 药 名|

铁苋（药用部位：全草或地上部分）

|植物形态|

一年生草本，高 0.2~0.5m，小枝细长，被贴毛柔毛，毛逐渐稀疏。叶膜质，长卵形、近菱状卵形或阔披针形，先端短渐尖，基部楔形，稀圆钝，边缘具圆锯齿，上面无毛，下面沿中脉具柔毛；基出脉 3，侧脉 3 对；叶柄长 2~6cm，具短柔毛；托叶披针形，具短柔毛。雌雄花同序，花序腋生，稀顶生，长 1.5~5cm，花序梗长 0.5~3cm，花序轴具短毛，雌花苞片 1~2（~4），卵状心形，花后增大，长 1.4~2.5cm，宽 1~2cm，边缘具三角形齿，外面沿掌状脉具疏柔毛，苞腋具雌花 1~3；花梗无；雄花生于花序上部，排列成穗状或头状，雄花苞片卵形，长约 0.5mm，苞腋具雄花 5~7，簇生；花梗长 0.5mm；雄花花蕾时近球形，无毛，花萼裂片 4，卵形，长约 0.5mm；雄蕊 7~8；雌花萼片 3，长卵形，长 0.5~1mm，具疏毛；子房具疏毛，花柱 3，长约 2mm，撕裂 5~7 条。蒴果直径 4mm，分果爿 3，果皮具疏生毛和毛基变厚的小瘤体；种子近卵状，长 1.5~2mm，种皮平滑，假种阜细长。花果期 4~12 月。

铁苋菜

分布区域

产于海南澄迈、临高。亦分布于中国其他区域。越南、缅甸、印度尼西亚、菲律宾、印度、斯里兰卡、日本、澳大利亚、太平洋岛屿也有分布。

资　源

生于林边、路旁、旷野潮湿处，少见。

采收加工

5~7月采收，除去泥土，晒干或鲜用。

药材性状

全草长20~50cm，茎细，单一或分枝，棕绿色，有纵条纹，具灰白色细柔毛。单叶互生，具柄；叶片膜质，卵形或卵状菱形或近椭圆形，长2.5~5.5cm，宽1.2~3cm，先端渐尖，基部广楔形，边缘有钝齿，表面棕绿色，两面略粗糙，均有白色细柔毛。花序自叶腋抽出，单性，无花瓣；苞片呈三角状肾形。蒴果小，三角状半圆形，直径4cm，表面淡褐色，被粗毛。气微，味苦、涩。

功能主治

全草、地上部分：清热解毒，利水，化痰止咳，杀虫，收敛止血。用于痢疾、肠炎、腹泻、腹胀、吐血、便血、衄血、尿血、子宫出血、咳嗽气喘、疳积。外用于皮炎、湿疹、创伤出血、痈疖疮疡。

大戟科 Euphorbiaceae　铁苋菜属 Acalypha

红穗铁苋菜
Acalypha hispida Burm. f.

| 中 药 名 | 红穗铁苋菜（药用部位：花、叶、根、树皮）

| 植物形态 | 灌木，高 0.5~3m；嫩枝被灰色短绒毛，毛逐渐脱落，小枝无毛。叶纸质，阔卵形或卵形，长 8~20cm，宽 5~14cm，先端渐尖或急尖，基部阔楔形、圆钝或微心形，上面近无毛，下面沿中脉和侧脉具疏毛，边缘具粗锯齿；基出脉 3~5；叶柄长 4~8cm，具短柔毛；托叶狭三角形，长 0.6~1cm，具疏柔毛。雌雄异株，雌花序腋生，穗状，长 15~30cm，下垂，花序轴被柔毛；雌花苞片卵状菱形，散生，长约 1mm，全缘，外面具柔毛，苞腋具雌花 3~7，簇生；雌花萼片 4，近卵形，长约 0.8mm，先端急尖，具短毛；子房近球形，密生灰黄色粗毛，花柱 3，长 6~7mm，撕裂 5~7 条，红色或紫红色；雄花序未见。蒴果未见。花期 2~11 月。

红穗铁苋菜

分布区域	产于海南万宁、海口。中国华南其他区域，以及福建、台湾、云南也有栽培。原产于印度，现世界热带、亚热带地区广泛栽培。
资　　源	栽培，少见。
采收加工	夏、秋季采叶，鲜用或晒干。
功能主治	花、叶、根：收敛。用于溃疡病、腹泻、吐血。树皮：祛痰。用于哮喘。

大戟科 Euphorbiaceae　铁苋菜属 Acalypha

热带铁苋菜 *Acalypha indica* L.

| 中 药 名 | 热带铁苋菜（药用部位：叶、嫩梢）

| 植物形态 | 一年生直立草本，高 0.5~1m；嫩枝具紧贴的柔毛。叶膜质，菱状卵形或近卵形，长 2~3.5cm，宽 1.5~2.5cm，先端急尖，基部楔形，上半部边缘具锯齿，两面沿叶脉具短柔毛；基出脉 5；叶柄细长，长 1.5~3.5cm，具柔毛；托叶狭三角形，长约 1mm。雌雄花同序，花序 1（~2），腋生，长 2~7cm，花序梗和花序轴均具短柔毛，雌花苞片 3~7，圆心形，长约 5mm，上部边缘具浅钝齿，缘毛稀疏，掌状脉明显，苞腋具雌花 1~2；雄花生于花序的上部，排列成短穗状，雄花苞片卵状三角形或阔三角形，长约 0.5mm，苞腋具雄花 5~7，排成团伞花序；花序轴先端具 1 异形雌花。雄花：花蕾时近球形，花萼裂片 4，长卵形，长约 0.4mm；雄蕊 8；花梗长约 0.5mm。雌

热带铁苋菜

花：萼片 3，狭三角形，长约 0.5mm，具疏缘毛；子房被毛，花柱 3，长 2.5~3mm，撕裂 5 条；花梗几无。异形雌花：萼片 4，长约 0.5mm；子房近心形，1 室，花后长约 2mm，宽约 2.5mm，顶部两侧撕裂；花柱 1，位于子房基部，撕裂。蒴果直径约 2mm，分果爿 3，具短柔毛；种子卵状，长约 1.5mm，种皮具细小颗粒体，假种阜细小。花果期 3~10 月。

| 分布区域 |

产于海南乐东、陵水、琼海、文昌、海口、南沙群岛。亦分布于中国台湾。亚洲其他地区及非洲热带地区也有分布。

| 资　　源 |

生于低海拔平原湿润荒地或水沟旁，常见。

| 采收加工 |

夏、秋季采叶，鲜用或晒干。

| 功能主治 |

叶、嫩梢：解毒，祛虫。用于耳痛、痛风、疥癣、蛇或蜈蚣咬伤。可代替吐根和美远志作发汗剂、祛痰剂和催吐剂。水煎可作轻泻剂。

大戟科 Euphorbiaceae　铁苋菜属 Acalypha

麻叶铁苋菜
Acalypha lanceolata Willd.

| 中 药 名 |　麻叶铁苋菜（药用部位：叶）

| 植物形态 |　一年生直立草本，高 0.4~0.7m；嫩枝密生黄褐色柔毛及疏生的粗毛。叶膜质，菱状卵形或长卵形，长（4~）6.5~8cm，宽（2~）3.5~4cm，先端渐尖，基部楔形或阔楔形，边缘具锯齿，两面具疏毛；基出脉 5；叶柄长（2~）4.5~5.5cm，具柔毛；托叶披针形，长约 4mm。雌雄同序，花序 1~3，腋生，长 1~2.5cm，花序梗几无，花序轴被短柔毛；雌花苞片 3~9，半圆形，长 2.5~4mm，宽 5~6mm，约具 11 短尖齿，边缘散生具头的腺毛，外面被柔毛，掌状脉明显，苞腋具雌花 1，花梗无；雄花生于花序的上部，排列成短穗状，雄花苞片披针形，长约 0.5mm，苞腋具簇生雄花 5~7；花序轴的顶部或中部具 1~2（~3）异形雌花，其花梗长约 1mm；雄花花蕾时球形，长约 0.4mm，

麻叶铁苋菜

花萼裂片 4；雄蕊 8；花梗长约 0.5mm；雌花萼片 3，狭三角形，长约 0.5mm；子房具柔毛，花柱 3，长约 2mm，撕裂各 5 条；异形雌花萼片 4，披针形，长约 0.7mm；子房扁倒卵状，1 室，花后长 2.5mm，宽约 3mm，顶部两侧具环形撕裂，花柱 1，位于子房基部，撕裂。蒴果直径约 2.5mm，分果爿 3，具柔毛；种子卵状，长约 1.8mm，种皮平滑，假种阜小。花果期 3~10 月。

| 分布区域 | 产于海南三亚、乐东、东方和西沙群岛。亚洲南部至东南部也有分布。

| 资　　源 | 生于旷野，偶见。

| 采收加工 | 夏、秋季采叶，鲜用或晒干。

| 功能主治 | 同属植物有解毒和祛痰等作用。但本种的功能主治少有报道，有待进一步研究。

大戟科 Euphorbiaceae　喜光花属 *Actephila*

喜光花
Actephila merrilliana Chun

| 中 药 名 | 喜光花（药用部位：种子）

| 植物形态 | 灌木，高 1~2m；小枝上部幼时被疏短柔毛，老时毛被脱落，有皮孔。叶片近革质，长椭圆形、倒卵状披针形或倒披针形，长 7~20cm，宽 2~5.5cm，先端钝或短渐尖，基部楔形或宽楔形，叶面具光泽，绿色，叶背淡绿色，两面均无毛；中脉在叶的两面均突起，侧脉每边 6~10，纤细，斜升，在叶缘前联结；叶柄长 1~4cm，有时粗壮，与托叶和萼片外面同样被有稀疏短柔毛；托叶三角状披针形，长 1~2mm，黄褐色。雄花：单生或几朵簇生于叶腋，直径 5~9mm；花梗长 1~8mm；萼片宽卵形，长 3mm，宽 2mm；花瓣 5，远比萼片小，匙形或线形，全缘；雄蕊 5，离生；退化雌蕊先端 3 裂，稀 2 裂。雌花：单朵腋生；花梗长 2~4cm，果时长达 5cm，纤细；花直

喜光花

径 1.5cm；萼片 5，倒卵形或长倒卵形，长 5~6mm，上部宽 2~5mm，黄绿色，膜质，有 4~5 纵脉纹；花瓣 5，线形或披针形，长 0.8~1.2mm；花盘环状，肥厚，不分裂；子房卵圆形，光滑无毛，花柱 3，先端 2 裂。蒴果扁圆球形，直径约 2cm，无毛，有宿存的萼片，外果皮褐色，薄壳质，内面黄白色；种子三棱形，长约 1cm。花果期几全年。

| 分布区域 |

产于海南三亚、乐东、东方、昌江、五指山、保亭、万宁、儋州。亦分布于中国广东。

| 资　　源 |

生于山谷、山地阴湿的密林或疏林下的溪旁或近水处，十分常见。

| 采收加工 |

种子成熟时可采收。

| 功能主治 |

本种的功能主治少有报道，有待进一步研究。

大戟科 Euphorbiaceae 山麻杆属 Alchornea

羽脉山麻杆
Alchornea rugosa (Lour.) Muell. Arg.

| 中 药 名 | 羽脉山麻杆（药用部位：嫩枝叶、种子）

| 植物形态 | 灌木或小乔木，高 1.5~5m；嫩枝被短柔毛，小枝无毛。叶纸质，狭长倒卵形、倒卵形至阔披针形，长 10~21cm，宽 4~10cm，先端渐尖，基部略钝或浅心形，边缘具细腺齿，上面无毛，下面在侧脉脉腋具柔毛，有时沿中脉具疏毛，基部具斑状腺体 2；侧脉 8~12 对；无小托叶；叶柄长 0.5~3cm，无毛；托叶钻状，长 5~7mm，具疏毛，脱落。雌雄异株，雄花序圆锥状，顶生，长 8~25cm，花序轴被微柔毛或无毛，苞片三角形，长 0.7~1mm，被微柔毛，有时基部具 2 腺体，雄花 5~11 簇生于苞腋；花梗长约 0.5mm，具柔毛；雌花序总状或圆锥状，顶生，长 7~16cm，花序轴被微柔毛或无毛，苞片三角形，长约 1.5mm，具短柔毛，基部通常具 2 腺体，小苞片长 0.5mm，雌花单生，

羽脉山麻杆

花梗长 1mm，具柔毛；果梗长 2mm，无毛；雄花花萼、花蕾时球形，直径约 1mm，具疏柔毛，萼片 2 或 4；雄蕊 4~8；雌花萼片 5，三角形，长约 1mm，被短柔毛；子房被微柔毛，花柱 3，线状，长 6~7mm，近基部合生。蒴果近球形，直径 8mm，具 3 圆棱，近无毛；种子卵球形，长约 5mm，种皮浅褐色，具小突起。花果期几全年。

| 分布区域 |

产于海南三亚、乐东、东方、昌江、白沙、保亭、万宁、儋州、澄迈、琼海、文昌、海口。亦分布于中国广东、广西、云南。东南亚各国也有分布。

| 资　　源 |

生于疏林或旷野中，常见。

| 采收加工 |

春、夏季采叶，洗净，鲜用或晒干。全年均可采根，洗净，晒干。

| 功能主治 |

嫩枝叶：接骨生肌。用于跌打损伤、骨折、外伤不愈。种子：泻下。

大戟科 Euphorbiaceae 山麻杆属 *Alchornea*

红背山麻杆

Alchornea trewioides (Benth.) Muell. Arg.

| 中 药 名 | 红背叶（药用部位：根、叶）

| 植物形态 | 灌木，高 1~2m；小枝被灰色微柔毛，后变无毛。叶薄纸质，阔卵形，长 8~15cm，宽 7~13cm，先端急尖或渐尖，基部浅心形或近平截，边缘疏生具腺小齿，上面无毛，下面浅红色，仅沿脉被微柔毛，基部具斑状腺体 4；基出脉 3；小托叶披针形，长 2~3.5mm；叶柄长 7~12cm；托叶钻状，长 3~5mm，具毛，凋落。雌雄异株，雄花序穗状，腋生或生于一年生小枝已落叶腋部，长 7~15cm，具微柔毛，苞片三角形，长约 1mm，雄花 11~15，簇生于苞腋；花梗长约 2mm，无毛，中部具关节；雌花序总状，顶生，长 5~6cm，具花 5~12，各部均被微柔毛，苞片狭三角形，长约 4mm，基部具腺体 2，小苞片披针形，长约 3mm；花梗长 1mm；雄花花萼、花蕾时球形，无毛，

红背山麻杆

直径 1.5mm，萼片 4，长圆形；雄蕊（7~）8；雌花萼片 5（~6），披针形，长 3~4mm，被短柔毛，其中 1 枚的基部具 1 腺体；子房球形，被短绒毛，花柱 3，线状，长 12~15mm，合生部分长不及 1mm。蒴果球形，具 3 圆棱，直径 8~10mm，果皮平坦，被微柔毛；种子扁卵状，长 6mm，种皮浅褐色，具瘤体。花期 3~5 月，果期 6~8 月。

| 分布区域 |

产于海南东方、白沙、万宁、儋州、澄迈、屯昌。亦分布于中国广东、广西、湖南、江西、福建、云南、四川。越南、老挝、泰国、缅甸、日本也有分布。

| 资　　源 |

生于疏林或旷野，常见。

| 采收加工 |

叶：春、夏季采叶，洗净，鲜用或晒干。根：全年均可采根，洗净，晒干。

| 功能主治 |

根、叶：清热利湿，散瘀止血。用于痢疾、小便涩痛、石淋、血崩、带下病、风疹、疥疮、脚癣、龋齿、外伤出血、腰腿痛。

大戟科 Euphorbiaceae **石栗属** *Aleurites*

石 栗 *Aleurites moluccana* (L.) Willd.

| 中 药 名 |

石栗叶（药用部位：叶），石栗子（药用部位：种子）

| 植物形态 |

常绿乔木，高达 18m，树皮暗灰色，浅纵裂至近光滑；嫩枝密被灰褐色星状微柔毛，成长枝近无毛。叶纸质，卵形至椭圆状披针形（萌生枝上的叶有时圆肾形，具 3~5 浅裂），长 14~20cm，宽 7~17cm，先端短尖至渐尖，基部阔楔形或钝圆，稀浅心形，全缘或（1~）3（~5）浅裂，嫩叶两面被星状微柔毛，成长叶上面无毛，下面疏生星状微柔毛或几无毛；基出脉 3~5；叶柄长 6~12cm，密被星状微柔毛，先端有 2 扁圆形腺体。雌雄同株，同序或异序，花序长 15~20cm；花萼在开花时具整齐或不整齐的 2~3 裂，密被微柔毛；花瓣长圆形，长约 6mm，乳白色至乳黄色；雄花雄蕊 15~20，排成 3~4 轮，生于突起的花托上，被毛；雌花子房密被星状微柔毛，2（~3）室，花柱 2，短，2 深裂。核果近球形或稍偏斜的圆球状，长约 5cm，直径 5~6cm，具 1~2 种子；种子圆球状，侧扁，种皮坚硬，有疣状突棱。花期 4~10 月。

石栗

分布区域

产于海南三亚、昌江、白沙、保亭、陵水、儋州。亦分布于中国广东、广西、福建、台湾、云南。越南、泰国、缅甸、印度尼西亚、菲律宾、印度、斯里兰卡、新西兰、波利尼西亚也有分布。

资　　源

生于村旁或疏林中，少见。

采收加工

叶：全年均可采，鲜用或晒干。种子：秋季果熟时采收，取出种子，晒干。

药材性状

叶卵形至阔披针形或近圆形，长 14~20cm，宽 7~17cm，表面棕色，两面均被锈色星状短柔毛，有时脱落；叶片不分裂或 3~5 浅裂；叶柄长 6~12cm，先端有 2 小腺体。

功能主治

叶：止血，通经。用于闭经、外伤出血。种子：清热解毒。用于痈疮肿毒。树皮流汁：用于发炎性腹泻。根：用于咳嗽、劳伤、斑痧。

大戟科 Euphorbiaceae 五月茶属 Antidesma

五月茶
Antidesma bunius (L.) Spreng.

| 中 药 名 | 五月茶（药用部位：根、叶、果实）

| 植物形态 | 乔木，高达 10m；小枝有明显皮孔；除叶背中脉、叶柄、花萼两面和退化雌蕊被短柔毛或柔毛外，其余均无毛。叶片纸质，长椭圆形、倒卵形或长倒卵形，长 8~23cm，宽 3~10cm，先端急尖至圆，有短尖头，基部宽楔形或楔形，叶面深绿色，常有光泽，叶背绿色；侧脉每边 7~11，在叶面扁平，干后突起，在叶背稍突起；叶柄长 3~10mm；托叶线形，早落。雄花序为顶生的穗状花序，长 6~17cm；雄花花萼杯状，先端 3~4 裂，裂片卵状三角形；雄蕊 3~4，长 2.5mm，着生于花盘内面；花盘杯状，全缘或不规则分裂；退化雌蕊棒状；雌花序为顶生的总状花序，长 5~18cm；雌花花萼和花盘与雄花的相同；雌蕊稍长于萼片，子房宽卵圆形，花柱顶生，柱头短而宽，先端微

五月茶

凹缺。核果近球形或椭圆形，长 8~10mm，直径 8mm，成熟时红色；果梗长约 4mm。花期 3~5 月，果期 6~11 月。

| 分布区域 |

产于海南三亚、乐东、东方、昌江、白沙、五指山、保亭、儋州、琼中、屯昌。亦分布于中国华南其他区域，以及江西、福建、贵州、云南、西藏。亚洲其他热带地区、大洋洲、太平洋岛屿也有分布。

| 资　　源 |

生于林中，常见。

| 采收加工 |

根、叶：全年均可采。果实：夏、秋季采收。采后洗净，晒干。

| 药材性状 |

叶矩圆形至披针状矩圆形，长 8~23cm，宽 3~10cm，革质，淡棕绿色，两面无毛，有光泽；侧脉 7~11 对。气微，味涩。核果近球形，深红色，干后呈棕红色或紫红色，长 8~10mm，直径约 8mm。气微，味苦、涩。

| 功能主治 |

根、叶、果实：收敛止泻，生津止渴，行气活血，解毒发汗。用于食欲不振、消化不良、津液缺乏、咳嗽口渴、跌打损伤、疮毒。

大戟科 Euphorbiaceae 五月茶属 Antidesma

方叶五月茶

Antidesma ghaesembilla Gaertn.

| 中 药 名 |　方叶五月茶（药用部位：茎、叶、果实、根）

| 植物形态 |　乔木，高达 10m（国外有达 20m 者）；除叶面外，全株各部均被柔毛或短柔毛。叶片长圆形、卵形、倒卵形或近圆形，长 3~9.5cm，宽 2~5cm，先端圆、钝或急尖，有时有小尖头或微凹，基部圆、钝、截形或近心形，边缘微卷；侧脉每边 5~7；叶柄长 5~20mm；托叶线形，早落。雄花：黄绿色，多朵组成分枝的穗状花序；萼片通常 5，有时 6 或 7，倒卵形；雄蕊 4~5（~7），长 2~2.5mm，花丝着生于分离的花盘裂片之间；花盘 4~6 裂；退化雌蕊倒锥形，长 0.7mm。雌花：多朵组成分枝的总状花序；花梗极短；花萼与雄花的相同；花盘环状；子房卵圆形，长约 1mm，花柱 3，顶生。核果近圆球形，直径约 4.5mm。花期 3~9 月，果期 6~12 月。

方叶五月茶

| 分布区域 |

产于海南三亚、昌江、白沙、五指山、保亭、万宁、琼中、儋州、海口。亦分布于中国广东、广西、云南。亚洲其他热带地区、澳大利亚也有分布。

| 资　源 |

生于山坡、旷野或疏林中，常见。

| 采收加工 |

春、夏季采摘，洗净，鲜用。

| 功能主治 |

茎：通经。用于月经不调。叶、果实、根：活血解毒，生津止渴。用于小儿头疮。

大戟科 Euphorbiaceae | 五月茶属 Antidesma

海南五月茶 *Antidesma hainanense* Merr.

| 中 药 名 | 海南五月茶（药用部位：根、叶）

| 植物形态 | 灌木，高达 4m；枝条圆柱形；除小枝和叶柄被污色绒毛外，其余（叶片无毛除外）各部分均被短柔毛。叶片纸质，长圆形、长椭圆形或倒卵状披针形，先端短尾状渐尖，有小尖头，基部急尖或钝；侧脉每边 7~10，在叶面凹陷，在叶背与网脉均明显突起；叶柄长约5mm；托叶披针形，长约 5mm，早落。雌雄花序均为腋生的总状花序，长达 3cm；苞片线形，长 0.7mm；雄花花梗长 0.3~0.4mm；萼片 4，圆形，直径约 0.7mm；雄蕊 4，花丝着生在花盘上；花盘垫状；退化雌蕊长倒卵形；雌花花梗长约 0.7mm；萼片 4~5，披针形或椭圆状长圆形，长约 1mm；花盘杯状；子房卵圆形，长于萼片 2 倍，花柱顶生。核果卵形或近圆形，直径 5~6mm。花期 4~7 月，果期 8~11 月。

海南五月茶

分布区域

产于海南三亚、白沙、五指山、保亭。亦分布于中国广东、广西、云南。越南、老挝也有分布。

资　源

生于林中，偶见。

采收加工

根、叶全年均可采。

功能主治

同属植物多具有活血解毒、生津止渴等作用。本种的功能主治少有报道，有待进一步研究。

大戟科 Euphorbiaceae　五月茶属 Antidesma

山地五月茶 *Antidesma montanum* Bl.

| 中 药 名 |　山地五月茶（药用部位：根、叶）

| 植物形态 |　乔木，高达 15m；幼枝、叶脉、叶柄、花序和花萼的外面及内面基部被短柔毛或疏柔毛，其余无毛。叶片纸质，椭圆形、长圆形、倒卵状长圆形、披针形或长圆状披针形，长 7~25cm，宽 2~10cm，先端具长或短的尾状尖，或渐尖有小尖头，基部急尖或钝；侧脉每边 7~9，在叶面扁平，在叶背突起；叶柄长达 1cm；托叶线形，长 4~10mm。总状花序顶生或腋生，长 5~16cm，分枝或不分枝；雄花花梗长 1mm 或近无梗；花萼浅杯状，3~5 裂，裂片宽卵形，先端钝，边缘具有不规则的牙齿；雄蕊 3~5，着生于花盘裂片之间；花盘肉质，3~5 裂；退化雌蕊倒锥状至近圆球状，先端钝，有时不明显地分裂；雌花花萼杯状，3~5 裂，裂片长圆状三角形；花盘小，分离；

山地五月茶

子房卵圆形，花柱顶生。核果卵圆形，长 5~8mm；果梗长 3~4mm。花期 4~7 月，果期 7~11 月。

分布区域

产于海南三亚、乐东、东方、昌江、白沙、陵水、万宁、儋州、琼中、澄迈、琼海、文昌。亦分布于中国广东、广西、湖南、台湾、贵州、云南、四川、西藏。亚洲热带地区以及澳大利亚也有分布。

资 源

生于山地林中，十分常见。

采收加工

根、叶全年均可采。

功能主治

同属植物多具有活血解毒、生津止渴等作用。本种的功能主治少有报道，有待进一步研究。

附 注

叶为西藏藏医处方药。

大戟科 Euphorbiaceae 银柴属 Aporusa

银 柴
Aporusa dioica Müll. Arg.

| 中 药 名 | 大沙叶（药用部位：叶）

| 植物形态 | 乔木，高达 9m，在次森林中常呈灌木状，高约 2m；小枝被稀疏粗毛，老渐无毛。叶片革质，椭圆形、长椭圆形、倒卵形或倒披针形，长 6~12cm，宽 3.5~6cm，先端圆至急尖，基部圆或楔形，全缘或具有稀疏的浅锯齿，上面无毛而有光泽，下面初时仅叶脉上被稀疏短柔毛，老渐无毛；侧脉每边 5~7，未达叶缘而弯拱联结；叶柄长 5~12mm，被稀疏短柔毛，先端两侧各具 1 小腺体；托叶卵状披针形，长 4~6mm。雄穗状花序长约 2.5cm，宽约 4mm；苞片卵状三角形，长约 1mm，先端钝，外面被短柔毛；雌穗状花序长 4~12mm；雄花萼片通常 4，长卵形；雄蕊 2~4，长过萼片；雌花萼片 4~6，三角形，先端急尖，边缘有睫毛；子房卵圆形，密被短柔毛，2 室，

银柴

每室有胚珠 2。蒴果椭圆状，长 1~1.3cm，被短柔毛，内有种子 2，种子近卵圆形，长约 9mm，宽约 5.5mm。花果期几全年。

分布区域

产于海南三亚、乐东、东方、昌江、白沙、五指山、陵水、万宁、儋州、澄迈、琼海、文昌。亦分布于中国广东、广西、云南。越南、泰国、缅甸、马来西亚、印度尼西亚、不丹、尼泊尔也有分布。

资　　源

生于低海拔至中海拔的旷野、路旁、灌丛中，常见。

采收加工

夏、秋季采叶，鲜用或晒干。

功能主治

拔毒生肌。用于痈疮肿毒。

大戟科 Euphorbiaceae 银柴属 Aporusa

毛银柴
Aporusa villosa (Lindl.) Baill.

毛银柴

中 药 名

毛银柴（药用部位：全株）

植物形态

灌木或小乔木，高 2~7m；除老枝条和叶片上面（叶脉除外）无毛外，全株各部均被锈色短绒毛或短柔毛。叶片革质，阔椭圆形、长圆形或圆形，长 8~13cm，宽 4.5~8cm，先端圆或钝，基部宽楔形、钝，或近心形、全缘，或具有稀疏的波状腺齿；侧脉每边 6~8，两面均明显；叶柄长 1~2cm，先端两侧各具 1 小腺体；托叶斜卵形。雄穗状花序长 1~2cm；苞片半圆形，长 2~3mm；雌穗状花序长 2~7mm；苞片较雄花序的窄；雄花萼片 3~6，卵状三角形或卵形；雄蕊 2~3；雌花萼片 3~6，卵状三角形，先端急尖；子房卵圆形，2 室。蒴果椭圆形，长约 1cm，先端渐窄呈短嘴状，内有种子 1；种子椭圆形，长约 9mm。花果期几全年。

分布区域

产于海南三亚、乐东、东方、五指山、保亭、陵水、万宁、儋州。亦分布于中国广东、广西、云南。中南半岛也有分布。

| 资　　源 |

生于山地、路旁、山谷，常见。

| 采收加工 |

夏、秋季采挖，洗净，除去杂质，切碎，晒干。

| 功能主治 |

用于麻风。

云南银柴

大戟科 Euphorbiaceae 银柴属 Aporusa

云南银柴 *Aporusa yunnanensis* (Pax et Hoffm.) Metc.

| 中 药 名 |

云南银柴（药用部位：全株）

| 植物形态 |

小乔木，高达 8m；枝条光滑无毛。叶片膜质至薄纸质，长圆形、长椭圆形、长卵形至披针形，长 6~20cm，宽 2~8cm，先端尾状渐尖，基部钝或宽楔形，全缘或边缘有稀疏腺齿，上面深绿色，无毛，密被黑色小斑点，下面淡绿色，幼时仅叶脉上被稀疏柔毛，老渐无毛；侧脉每边 5~7，未达叶缘而弯拱联结，两面均明显而下面突起；叶柄长 1~1.3cm，先端两侧各具 1 小腺体；托叶早落。雄穗状花序长 2~4cm；苞片三角形，宽 1.2mm，外面基部及边缘被短柔毛；雌穗状花序长达 8mm；雄花萼片 3~5，长倒卵形，外面被柔毛；雄蕊 2；雌花萼片通常 3，三角形，先端急尖，外面被柔毛；子房椭圆形，无毛，2 室，每室有胚珠 2，花柱 2，先端 2 裂。蒴果近圆球状，长 8~13mm，直径 6~8mm，成熟时红黄色，无毛，先端常有宿存的花柱；种子椭圆形，黑褐色。花果期 1~10 月。

| **分布区域** | 产于海南澄迈、白沙、三亚。亦分布于中国广东、广西、贵州、江西、云南。印度、缅甸、泰国、越南也有分布。

| **资　　源** | 生于海拔 100~700m 的山地或溪畔密林中。

| **采收加工** | 夏、秋季采挖，洗净，除去杂质，切碎，晒干。

| **功能主治** | 同属植物毛银柴可用于治疗麻风病。本种植物形态特征与其相似，但功能主治少有报道，有待进一步研究。

■ 大戟科 ■ Euphorbiaceae ■ 木奶果属 ■ Baccaurea

木奶果 *Baccaurea ramiflora* Lour.

| 中 药 名 | 木奶果（药用部位：果实），铁东木（药用部位：树皮）

| 植物形态 | 常绿乔木，高 5~15m，胸径达 60cm；树皮灰褐色；小枝被糙硬毛，后变无毛。叶片纸质，倒卵状长圆形、倒披针形或长圆形，长 9~15cm，宽 3~8cm，先端短渐尖至急尖，基部楔形，全缘或浅波状，上面绿色，下面黄绿色，两面均无毛；侧脉每边 5~7，上面扁平，下面突起；叶柄长 1~4.5cm。花小，雌雄异株，无花瓣；总状圆锥花序腋生或茎生，被疏短柔毛，雄花序长达 15cm，雌花序长达 30cm；苞片卵形或卵状披针形，长 2~4mm，棕黄色；雄花萼片 4~5，长圆形，外面被疏短柔毛；雄蕊 4~8；退化雌蕊圆柱状，2深裂；雌花萼片 4~6，长圆状披针形，外面被短柔毛；子房卵形或圆球形，密被锈色糙伏毛，花柱极短或无，柱头扁平，2 裂。浆果

木奶果

状蒴果卵状或近圆球状，长 2~2.5cm，直径 1.5~2cm，黄色后变紫红色，不开裂，内有种子 1~3；种子扁椭圆形或近圆形，长 1~1.3cm。花期 3~4 月，果期 6~10 月。

分布区域

产于海南三亚、乐东、东方、昌江、白沙、保亭、陵水、万宁、儋州、澄迈。亦分布于中国广东、广西、云南。越南、老挝、柬埔寨、泰国、缅甸、马来西亚、不丹、尼泊尔也有分布。

资　源

生于低海拔至中海拔山坡林中，常见。

采收加工

果实：9~10 月果实成熟时采摘，洗净，捣烂熬成膏备用。树皮：全年均可采收，切片晒干，或鲜用。

功能主治

果实：生津止渴，消积。用于津液亏损、口渴、食积、足癣、皮炎。树皮：止咳，定喘，消烦解渴，解菌毒。用于产后消瘦、恶露淋沥。

大戟科 Euphorbiaceae 秋枫属 *Bischofia*

秋 枫 *Bischofia javanica* Bl.

| 中 药 名 | 秋枫木（药用部位：根、树皮），秋枫木叶（药用部位：叶）

| 植物形态 | 常绿或半常绿大乔木，高达 40m，胸径可达 2.3m；树干圆满通直，但分枝低，主干较短；树皮灰褐色至棕褐色，厚约 1cm，近平滑，老树皮粗糙，内皮纤维质，稍脆；砍伤树皮后流出汁液红色，干凝后变瘀血状；木材鲜时有酸味，干后无味，表面槽棱突起；小枝无毛。三出复叶，稀 5 小叶，总叶柄长 8~20cm；小叶片纸质，卵形、椭圆形、倒卵形或椭圆状卵形，长 7~15cm，宽 4~8cm，先端急尖或短尾状渐尖，基部宽楔形至钝，边缘有浅锯齿，每 1cm 长有 2~3 个，幼时仅叶脉上被疏短柔毛，老渐无毛；顶生小叶柄长 2~5cm，侧生小叶柄长 5~20mm；托叶膜质，披针形，长约 8mm，早落。花小，雌雄异株，多朵组成腋生的圆锥花序；雄花序长 8~13cm，被微柔毛至

秋枫

无毛；雌花序长 15~27cm，下垂；雄花直径达 2.5mm；萼片膜质，半圆形，内面凹成勺状，外面被疏微柔毛；花丝短；退化雌蕊小，盾状，被短柔毛；雌花萼片长圆状卵形，内面凹成勺状，外面被疏微柔毛，边缘膜质；子房光滑无毛，3~4 室，花柱 3~4，线形，先端不分裂。果实浆果状，圆球形或近圆球形，直径 6~13mm，淡褐色；种子长圆形，长约 5mm。花期 4~5 月，果期 8~10 月。

分布区域

产于海南乐东、昌江、白沙、保亭、陵水、万宁、澄迈、海口。亦分布于中国长江以南各地。中南半岛，以及印度尼西亚、菲律宾、印度、日本、澳大利亚也有分布。

资　　源

生于山谷林中，常见。

采收加工

根或树皮：夏、秋季采收，鲜用、浸酒或晒干用。叶：全年均可采收，洗净，鲜用。

功能主治

根、树皮、叶：行气活血，消肿解毒。根及树皮：用于风湿骨痛。叶：用于食管癌、胃癌、传染性肝炎、小儿疳积、风热咳喘、咽喉痛。外用于痈疽、疮疡。

药材性状

3 小叶复叶互生；顶生小叶柄长 2~5cm，侧生小叶柄长 0.5~2cm；叶片近革质，棕绿色、卵形、矩圆形或椭圆状卵形，长 7~15cm，宽 4~8cm，先端渐尖，基部宽楔形，边缘有波状齿。气微，味微辛、涩。

大戟科 Euphorbiaceae 留萼木属 Blachia

海南留萼木 *Blachia chunii* Y. T. Chang & P. T. Li

| 中 药 名 | 海南留萼木（药用部位：叶）

| 植物形态 | 灌木，高 1~2m；当年生小枝被细柔毛，老枝无毛，有时具木栓质狭棱。叶纸质，倒卵状椭圆形，长 2~4.5cm，宽 1.5~2.5cm，先端圆形，稀微凹，基部阔楔形，少有近圆形，全缘，边缘明显背卷，两面无毛，干后下面灰棕色；侧脉 3~5 对，在近叶缘处叉开呈网状消失；叶柄长 2~6mm。雄花序未见；雌花 1~4 生于小枝先端或近先端叶腋，花梗长约 5mm；萼片 5，卵状三角形，长约 1.5mm，被疏柔毛；子房被疏长柔毛，后无毛，花柱 3，基部 0.5mm 以下合生，上部 2 深裂，线形。蒴果近球形，直径约 8mm，无毛；种子椭圆形，长约 5mm，直径约 2.5mm，暗棕色，有灰棕色斑纹。花期 6~7 月，果期 8~9 月。

海南留萼木

分布区域	产于海南三亚。亦分布于中国广东。泰国也有分布。
资　源	生于海拔 100~200m 的海边树林中，偶见。
采收加工	叶全年可采收，洗净，鲜用或晒干。
功能主治	本种的功能主治鲜有报道，有待进一步研究。
附　注	在 FOC 中，其学名被修订为 *Blachia siamensis* Gagnep.。

留萼木 *Blachia pentzii* (Müll. Arg.) Benth.

| 中 药 名 | 留萼木（药用部位：叶）

| 植物形态 | 灌木，高 1~4m；枝条常灰白色。密生褐色突起皮孔，无毛。叶纸质或近膜质，形状、大小变异很大，卵状披针形、倒卵形、长圆形至长圆状披针形，长（4~）5~10（~18）cm，宽（1~）2~3.5（~6）cm，先端短尖至长渐尖，基部渐狭、阔楔形或钝，全缘，两面无毛；侧脉 6~12 对；叶柄长 0.5~2（~3）cm。花序顶生或腋生，雌花序常呈伞形花序状，总花梗长 1~2cm；雄花序总状，总花梗长 2~8cm；雄花花梗细长，长 8~12mm；萼片近圆形，长约 2mm；花瓣宽倒卵形，先端平截或微凹，长约 1mm，黄色；腺体宽且扁；雄蕊约 15；雌花花梗长 5~10mm，花后伸长，棒状增粗；萼片卵形至卵状披针形，长 2~3mm，花后稍增大；腺体 4~5；子房球形，无毛，花柱 3，2 深裂，

留萼木

线状。蒴果近球形，先端稍压扁，直径约 1.5cm，无毛；种子卵状至椭圆状，有斑纹。花期几全年。

| 分布区域 |

产于海南三亚、乐东、东方、昌江、白沙、陵水、万宁、琼中、儋州、临高、澄迈、琼海、海口。亦分布于中国广东。越南也有分布。

| 资　　源 |

生于山谷林下或灌丛中，常见。

| 采收加工 |

叶全年可采收，洗净，鲜用或晒干。

| 功能主治 |

本种的功能主治鲜有报道，有待进一步研究。

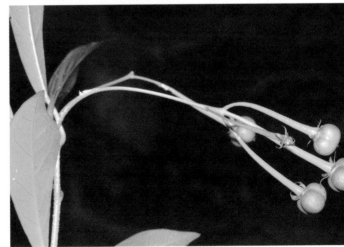

大戟科 Euphorbiaceae 黑面神属 Breynia

黑面神 *Breynia fruticosa* (L.) Hook. f.

| 中药名 | 黑面神根（药用部位：根），黑面神叶（药用部位：叶、枝）

| 植物形态 | 灌木，高 1~3m；茎皮灰褐色；枝条上部常呈扁压状，紫红色；小枝绿色；全株均无毛。叶片革质，卵形、阔卵形或菱状卵形，长 3~7cm，宽 1.8~3.5cm，两端钝或急尖，上面深绿色，下面粉绿色，干后变黑色，具有小斑点；侧脉每边 3~5；叶柄长 3~4mm；托叶三角状披针形，长约 2mm。花小，单生或 2~4 簇生于叶腋内，雌花位于小枝上部，雄花则位于小枝下部，有时生于不同的小枝上；雄花花梗长 2~3mm；花萼陀螺状，长约 2mm，厚，先端 6 齿裂；雄蕊 3，合生呈柱状；雌花花梗长约 2mm；花萼钟状，6 浅裂，直径约 4mm，萼片近相等，先端近截形，中间有突尖，结果时约增大 1 倍，上部辐射张开呈盘状；子房卵状，花柱 3，先端 2 裂，裂片外弯。

黑面神

蒴果圆球状，直径 6~7mm，有宿存的花萼。花期 4~9 月，果期 5~12 月。

| **分布区域** | 产于海南各地。亦分布于中国广东、广西、福建、浙江、贵州、云南、四川。越南、老挝、泰国也有分布。

| **资　　源** | 生于山地、旷野、疏林中，常见。

| **采收加工** | 嫩枝、叶：全年均可采收，晒干或鲜用。根：全年均可采收，洗净，切片，晒干。

| **药材性状** | 枝：常呈紫红色，小枝灰绿色，无毛。叶：互生，单叶，具短柄；叶片革质，卵形或宽卵形，长 3~6cm，宽 2~3.5cm，先端钝或急尖，全缘，上面有虫蚀斑纹，下面灰白色，具细点，托叶三角状披针形。枝干后变为黑色。气微，味淡、微涩。
根：呈圆柱形，稍弯曲，有支根，长 15~20cm，直径 0.5~1.5cm，灰褐色，有纵纹及横长皮孔样的突起。质硬不易折断，断面皮薄，棕褐色，木质部淡黄色。小枝圆柱形，长 20~30cm，直径 1~3mm，棕褐色，表面有纵棱及小沟，并可见突起的横长小皮孔。质脆易折断，断面皮薄，棕褐色，木质部黄白色，髓部中空，味淡、微涩。

| **功能主治** | 根、叶：清热解毒，散瘀止痛，止痒。根：用于急性吐泻、咳嗽、砂淋、产后子宫收缩痛、风湿关节痛。叶：外用于烫火伤、湿疹、过敏性皮炎、皮肤瘙痒、阴道炎。枝、叶：清湿热，化瘀滞。用于腹痛吐泻、疔毒疮疖、湿疹、皮炎、漆疮、鹤膝风、跌打肿痛。

大戟科 Euphorbiaceae 黑面神属 Breynia

喙果黑面神
Breynia rostrata Merr.

| 中 药 名 | 喙果黑面神（药用部位：根、叶或全株）

| 植物形态 | 常绿灌木或乔木，高 4~5m，少数可达 10m；小枝和叶片干后呈黑色；全株均无毛。叶片纸质或近革质，卵状披针形或长圆状披针形，长 3~7cm，宽 1.5~3cm，先端渐尖，基部急尖至钝，上面绿色，下面灰绿色；侧脉每边 3~5；叶柄长 2~3mm；托叶三角状披针形，稍短于叶柄。单生或 2~3 雌花与雄花同簇生于叶腋内；雄花花梗长约 3mm，宽卵形；花萼漏斗状，先端 6 细齿裂，直径 2.5~3mm；雌花花梗长约 3mm；花萼 6 裂，裂片 3 较大，宽卵形，长约 3mm，另 3 较小，卵形，先端急尖，花后常反折，结果时不增大；子房圆球状，长 2~3mm，花柱先端 2 深裂。蒴果圆球状，直径 6~7mm，先端具有宿存喙状花柱；种子长约 3mm。花期 3~9 月，果期 6~11 月。

喙果黑面神

| 分布区域 | 产于海南乐东、白沙、五指山、保亭、琼中。亦分布于中国广东、广西、福建、浙江、云南。越南也有分布。 |

| 资　　源 | 生于山坡、山谷林中，偶见。 |

| 采收加工 | 全年均可采收，鲜用或晒干。 |

| 功能主治 | 根、叶：清热解毒，止血止痛。用于感冒发热、乳蛾、咽喉痛、吐泻、痢疾、崩漏、带下病、痛经。外用于出血、疮疖、湿疹、皮肤瘙痒、烧伤、风湿骨痛、皮炎。
全株：用于急慢性肠胃炎、产后食欲不振、痢疾、感冒。 |

大戟科 Euphorbiaceae 土蜜树属 Bridelia

禾串树
Bridelia insulana Hance

| 中 药 名 | 禾串树（药用部位：根、叶）

| 植物形态 | 乔木，高达 17m，树干通直，胸径达 30cm，树皮黄褐色，近平滑，内皮褐红色；小枝具有突起的皮孔，无毛。叶片近革质，椭圆形或长椭圆形，长 5~25cm，宽 1.5~7.5cm，先端渐尖或尾状渐尖，基部钝，无毛或仅在背面被疏微柔毛，边缘反卷；侧脉每边 5~11；叶柄长 4~14mm；托叶线状披针形，长约 3mm，被黄色柔毛。花雌雄同序，密集成腋生的团伞花序；除萼片及花瓣被黄色柔毛外，其余无毛；雄花直径 3~4mm，花梗极短；萼片三角形，长约 2mm，宽约 1mm；花瓣匙形，长约为萼片的 1/3；花丝基部合生，上部平展；花盘浅杯状；退化雌蕊卵状锥形；雌花直径 4~5mm，花梗长约 1mm；萼片与雄花的相同；花瓣菱状圆形，长约为萼片之半；花盘

禾串树

坛状，全包子房，后期由于子房膨大而撕裂；子房卵圆形，花柱2，分离，长约1.5mm，先端2裂，裂片线形。核果长卵形，直径约1cm，成熟时紫黑色，1室。花期3~8月，果期9~11月。

| 分布区域 |

产于海南乐东、东方、昌江、万宁、文昌。亦分布于中国广东、广西、福建、台湾、贵州、云南、四川。越南也有分布。

| 资　　源 |

生于密林中，偶见。

| 采收加工 |

全年均可采收，鲜用或晒干。

| 功能主治 |

根：用于骨折、跌打损伤。叶：用于慢性肝炎、慢性支气管炎。

| 附　　注 |

在 FOC 中，其学名被修订为 *Bridelia balansae* Tutcher。

大戟科 Euphorbiaceae 土蜜树属 *Bridelia*

土蜜藤 *Bridelia stipularis* (L.) Bl.

| 中 药 名 | 大串连果（药用部位：果实），土蜜藤根（药用部位：根）

| 植物形态 | 木质藤本，长达 15m；小枝蜿蜒状；除枝条下部、花瓣、子房和核果无毛外，其余均被黄褐色柔毛。叶片近革质，椭圆形、宽椭圆形、倒卵形或近圆形，长 6~15cm，宽 2~9cm，先端急尖或钝，稀微凹，基部钝至近圆，边缘干后背卷；侧脉每边 10~14，在叶面扁平，在叶背突起；叶柄长 5~13mm；托叶卵状三角形，长约 9mm，宽 3mm，先端长渐尖，常早落。雌雄同株，通常 2~3 朵着生于小枝的叶腋内，有时多花在小枝上部作穗状花序式排列；雄花直径约 1cm，花梗极短；花托杯状；萼片卵状三角形，长约 4mm，宽 2.5mm；花瓣匙形，长约 2mm，先端具 3~5 齿裂；花盘浅杯状；退化雌蕊圆柱状，先端 2 深裂；雌花直径约 1.2cm，花梗极短；花托近漏斗状；

土蜜藤

萼片卵状三角形，长约 4mm，宽 3mm；花瓣菱状匙形，先端全缘或 2 浅裂；花盘坛状，子房膨大后花盘变成撕裂状；子房卵圆形，长 3mm，花柱 2，先端 2 裂，裂片线形。核果卵形，长约 1.2cm，直径 8mm，2 室；种子长圆形，长 8mm，宽约 6mm，黄色，光滑，腹面扁或稍凹陷，背面稍突起。花果期几全年。

| **分布区域** | 产于海南三亚、乐东、东方、昌江、保亭、陵水、万宁、琼中。亦分布于中国广东、广西、台湾、云南。东南亚也有分布。

| **资　　源** | 生于山地林中，常见。

| **采收加工** | 果实：果熟时采摘，鲜用。根：全年均可采挖，洗净，切片晒干。

| **功能主治** | 根：解毒，消炎，止泻。用于泄泻、脱肛。果实：催吐，解毒。用于解草乌、五楞金刚、曼陀罗、雪上一枝蒿中毒。

大戟科 Euphorbiaceae 土蜜树属 *Bridelia*

土蜜树 *Bridelia tomentosa* Bl.

| 中 药 名 | 土蜜树根（药用部位：根皮），土蜜树（药用部位：茎、叶）

| 植物形态 | 直立灌木或小乔木，通常高为 2~5m，稀达 12m；树皮深灰色；枝条细长；除幼枝、叶背、叶柄、托叶和雌花的萼片外面被柔毛或短柔毛外，其余均无毛。叶片纸质，长圆形、长椭圆形或倒卵状长圆形，稀近圆形，长 3~9cm，宽 1.5~4cm，先端锐尖至钝，基部宽楔形至近圆，叶面粗涩，叶背浅绿色；侧脉每边 9~12，与支脉在叶面明显，在叶背突起；叶柄长 3~5mm；托叶线状披针形，长约 7mm，先端刚毛状渐尖，常早落。雌雄同株或异株，簇生于叶腋；雄花花梗极短；萼片三角形，长约 1.2mm，宽约 1mm；花瓣倒卵形，膜质，先端 3~5 齿裂；花丝下部与退化雌蕊贴生；退化雌蕊倒圆锥形；花盘浅杯状；雌花几无花梗；通常 3~5 簇生；萼片三角形，长和宽约为 1mm；

土蜜树

花瓣倒卵形或匙形，先端全缘或有齿裂，比萼片短；花盘坛状，包围子房；子房卵圆形，花柱2深裂，裂片线形。核果近圆球形，直径4~7mm，2室；种子褐红色，长卵形，长3.5~4mm，宽约3mm，腹面压扁状，有纵槽，背面稍突起，有纵条纹。花果期几全年。

分布区域

产于海南三亚、乐东、东方、白沙、五指山、保亭、万宁、琼中、澄迈。亦分布于中国广东、广西、福建、台湾、云南。东南亚、印度、澳大利亚也有分布。

资　　源

生于山林地中，常见。

采收加工

茎、叶：秋季采摘，鲜用或晒干。根：秋季采收，洗净，切片，晒干。

功能主治

根皮、茎、叶：安神调经，清热解毒。根皮：用于肾虚、神经衰弱、月经不调。茎、叶：清心泻火，解毒。用于狂犬咬伤、跌打骨折、疔疮肿毒。鲜叶：用于疔疮肿毒。

大戟科 Euphorbiaceae 白桐树属 *Claoxylon*

白桐树
Claoxylon indicum (Reinw. ex Bl.) Hassk.

| 中 药 名 | 丢了棒（药用部位：根、叶或全株）

| 植物形态 | 小乔木或灌木，高 3~12m；嫩枝被灰色短绒毛，小枝粗壮，灰白色，具散生皮孔。叶纸质，干后有时淡紫色，通常卵形或卵圆形，长 10~22cm，宽 6~13cm，先端钝或急尖，基部楔形或圆钝或稍偏斜，两面均被疏毛，边缘具不规则的小齿或锯齿；叶柄长 5~15cm，顶部具 2 小腺体。雌雄异株，花序各部均被绒毛，苞片三角形，长约 2mm；雄花序长 10~30cm，雄花 3~7 簇生于苞腋，花梗长约 4mm；雌花序长 5~20cm，雌花通常 1 朵生于苞腋；雄花花萼裂片 3~4，长 3mm，具毛；雄蕊 15~25，花丝长约 2mm；靠近雄蕊的腺体长卵状，长 0.5mm，先端具柔毛；雌花萼片 3，近三角形，长 1.5mm，被绒毛；花盘 3 裂或边缘浅波状；子房被绒毛，花柱 3，长约 2mm，具羽毛

白桐树

状突起。蒴果具3个分果爿，脊线突起，直径7~8mm，被灰色短绒毛；种子近球形，直径4mm，外种皮红色。花果期3~12月。

分布区域

产于海南三亚、乐东、东方、白沙、万宁、儋州、临高。亦分布于中国广东、广西、云南。东南亚、印度也有分布。

资源

生于山地林中，常见。

采收加工

秋季采收，洗净，晒干。

药材性状

单叶互生，叶柄长5~14cm，柄的先端有2腺体；叶片宽卵形至卵状长圆形，长10~20cm，宽6~12cm，先端钝或短尾尖，基部圆或宽楔形，边缘有不规则的齿缺；两面沿脉被柔毛，干后渐脱落。气微，味辛、微苦。

功能主治

根、叶、全株：祛风除湿，散瘀，消肿止痛。用于风湿关节痛、腰腿痛、脚痛、跌打损伤、外伤瘀痛、产后身痛、脚气、水肿、出血、烫火伤。

海南白桐树

Claoxylon hainanense Pax et Hoffm.

| 中 药 名 | 海南白桐树（药用部位：根、叶或全株）

| 植物形态 | 灌木或小乔木，高 1~5m；嫩枝被疏毛。叶膜质，干后浅紫色，长圆状披针形或披针形，先端渐尖，基部楔形或阔楔形，无毛，边缘具钝腺齿或锯齿；叶柄长 1.5~5cm，顶部具 2 小腺体；托叶钻状。雌雄异株，雄花序长 11~13cm，苞片卵状三角形，雄花 2~3 簇生于苞腋；雌花序长 4~5cm，苞片三角形，长 1mm，雌花 1，生于苞腋；雄花花萼裂片 3，无毛；雄蕊 40~50，花丝长 1.5mm；靠近雄蕊的腺体棒状先端具数条柔毛；花梗长 3~4mm；雌花萼片 3，近三角形，长约 1mm；腺体 3，卵形；子房近球形，无毛，花柱 3，长约 1.5mm，基部合生，具羽毛状突起；花梗长 3mm。蒴果具 3 个分果爿，直径 9mm，果皮纸质；种子近球形，直径约 4.5mm。花果期 2~11 月。

海南白桐树

分布区域	产于海南乐东、昌江、白沙、五指山、保亭、万宁、琼中、儋州、澄迈、定安、琼海、海口。亦分布于中国广东、广西。越南也有分布。
资　　源	生于山谷林中，常见。
采收加工	秋季采收，洗净，晒干。
功能主治	同属的白桐树根、叶及全株多具有祛风除湿、散瘀、消肿止痛等作用。但本种功能主治鲜有报道，有待进一步研究。

大戟科　Euphorbiaceae　蝴蝶果属　*Cleidiocarpon*

蝴蝶果
Cleidiocarpon cavaleriei (H. Lév.) Airy-Shaw

|中药名|

蝴蝶果（药用部位：果实）

|植物形态|

乔木，高达 25m；幼嫩枝、叶疏生微星状毛，后变无毛。叶纸质，椭圆形、长圆状椭圆形或披针形，长 6~22cm，宽 1.5~6cm，先端渐尖，稀急尖，基部楔形；小托叶 2，钻状，长 0.5mm，上部凋萎，基部稍膨大，干后黑色；叶柄长 1~4cm，先端枕状，基部具叶枕；托叶钻状，长 1.5~2.5mm，有时基部外侧有腺体 1。圆锥状花序，长 10~15cm，各部均密生灰黄色微星状毛，雄花 7~13 密集成的团伞花序，疏生于花序轴，雌花 1~6，生于花序的基部或中部；苞片披针形，长 2~4（~8）mm，小苞片钻状，长约 1mm；雄花花萼裂片（3~）4~5，长 1.5~2mm；雄蕊（3~）4~5，花丝长 3~5mm，花药长约 0.5mm；不育雌蕊柱状，长约 1mm；花梗短或几无；雌花萼片 5~8，卵状椭圆形或阔披针形，长 3~5mm；被短绒毛；副萼 5~8，披针形或鳞片状，长 1~4mm，早落；子房被短绒毛，2 室，通常 1 室发育，1 室仅具痕迹，花柱长约 7mm，上部 3~5 裂，裂片叉裂为 2~3 短裂片，密生小乳头。果实呈偏斜的卵球形或双球形，具

蝴蝶果

微毛，直径约 3cm 或 5cm，基部骤狭呈柄状，长 0.5~1.5cm，花柱基喙状，外果皮革质，中果皮薄革质，不开裂；种子近球形，直径约 2.5cm，种皮骨质，厚约 1mm。花果期 5~11 月。

| 分布区域 |

海南有栽培。中国广西、贵州、云南亦有栽培。越南也有分布。原产于中国南部。

| 资　　源 |

生于海拔 150~1000m 的山地山坡或沟谷常绿林中。

| 采收加工 |

果实成熟后采收。

| 功能主治 |

本种的功能主治鲜有报道，有待进一步研究。

大戟科 | Euphorbiaceae | **闭花木属** | *Cleistanthus*

闭花木
Cleistanthus sumatranus (Miq.) Muell. Arg.

| **中 药 名** | 闭花木（药用部位：枝、叶）

| **植物形态** | 常绿乔木，高达 18m，胸径达 40cm，树干通直，树皮红褐色，平滑；除幼枝、幼果被疏短柔毛和子房密被长硬毛外，其余均无毛。叶片纸质，卵形、椭圆形或卵状长圆形，长 3~10cm，宽 2~5cm，先端尾状渐尖，基部钝至近圆；侧脉每边 5~7，两面略不明显；叶柄长 3~7mm，有横皱纹；托叶卵状三角形，长 0.5mm，常早落。雌雄同株，单生或 3 至数朵簇生于叶腋内或退化叶的腋内；苞片三角形；雄花萼片 5，卵状披针形，长 2mm；花瓣 5，倒卵形，宽 0.4mm；花盘环状；退化雌蕊三棱形；雌花长 4mm，萼片 5，卵状披针形，长 2.5~3mm；花瓣 5，倒卵形，长 1mm；花盘筒状，近全包围子房；子房卵圆形，花柱 3，先端 2 裂。蒴果卵状三棱形，长和直径约为

闭花木

1cm，果皮薄而脆，成熟时分裂成 3 个分果片，每个分果片内常有种子 1；种子近球形，直径约 6mm。花期 3~8 月，果期 4~10 月。

| **分布区域** | 产于海南乐东、东方、五指山、保亭、陵水、万宁、琼海，昌江有分布记录。亦分布于中国广东、广西、云南。越南、柬埔寨、泰国、马来西亚、菲律宾、印度尼西亚、新加坡也有分布。

| **资　　源** | 生于海拔 500m 以下的山地密林中，常见。

| **采收加工** | 夏、秋季采叶，鲜用或晒干。

| **功能主治** | 枝、叶：解毒，止咳，润肺。民间用于硅沉着病（矽肺）、苯中毒。

大戟科 Euphorbiaceae 粗毛藤属 Cnesmone

海南粗毛藤

Cnesmone hainanensis (Merr. et Chun) Croiz.

| 中 药 名 | 海南粗毛藤（药用部位：枝、叶）

| 植物形态 | 藤本或攀缘状灌木；小枝圆柱形，稍具纵棱，被灰白色短柔毛。叶近纸质，长圆形，长 3~6.5cm，宽 2~3.5cm，先端急尖或骤狭渐尖，基部圆形，全缘或上部叶缘具疏齿，上面初被短柔毛，后渐脱落，下面被灰色短柔毛；基出脉 3~5，侧脉 3~4 对；叶柄于离叶基部约 1mm 处盾状着生，长 1~2cm，被毛；托叶卵状三角形，长 2~3mm，先端急尖或渐尖，宿存。总状花序顶生，长 3~5cm，被短柔毛；苞片和小苞片披针形或线状披针形，长 1.5~2mm，被粗毛；雄花花梗长 1~2mm；花萼裂片 3，卵状三角形，长约 2mm，被疏柔毛。雌花 1~2，生于花序下部，花梗长 2~3mm；花萼裂片 3，卵形，近等大，长约 6mm，宽 5mm，具疏生粗毛；子房近球形；花柱长约 3mm，

海南粗毛藤

柱头密生羽毛状突起。蒴果扁球形，直径约1cm，被短柔毛；种子球形，直径约3mm。花期4~10月，果期10~12月。

| 分布区域 |

产于海南昌江、万宁、文昌。亦分布于中国广东、广西。

| 资　　源 |

生于海边，偶见。

| 采收加工 |

夏、秋季采叶，鲜用或晒干。

| 功能主治 |

本种的功能主治少有报道，有待进一步研究。

异萼粗毛藤 *Cnesmone tonkinensis* (Gagnep.) Croiz.

| 中 药 名 | 异萼粗毛藤（药用部位：叶）

| 植物形态 | 藤本或攀缘状灌木；小枝圆柱形，直径约 3mm，具棱，稍木质，被粗毛。叶纸质或膜质，长卵形或长圆状卵形，长 9~15cm，宽 4~8cm，先端渐尖，基部心形，边缘具不规则的锯齿，两面均被长粗毛，沿叶脉的毛较密；基出脉 3，侧脉 4~5 对；叶柄长 2~5cm，被粗毛；托叶卵状三角形，长 5~7mm，先端渐尖，具疏生毛。总状花序长约 10cm；苞片和小苞片均线状披针形，长 1.5~2mm，被粗毛；雄花花梗长 1~2mm；花萼裂片 3，阔卵形，长约 1.5mm，被粗毛；雄蕊 3，花丝长不及 1mm。雌花通常 2~3 疏生于花序下部，花萼裂片 6，不等大，并大小相间，大的倒卵状椭圆形或近匙形，长 8~9mm，宽约 4mm，先端急尖，小的线形或倒披针形，长约 3mm，宽 0.5mm；花

异萼粗毛藤

柱长约 3mm，柱头密生羽毛状突起。蒴果球形，直径约 1cm，被白色粗毛；种子直径约 5mm，有斑纹。花期 4~6 月，果期 8~10 月。

| 分布区域 | 产于海南各地。中国广东、广西、福建、云南有栽培。原产于亚洲马来半岛、大洋洲等，现广泛栽培于世界热带地区。

| 资　　源 | 生于山谷林中，偶见。

| 采收加工 | 夏、秋季采叶，鲜用或晒干。

| 功能主治 | 本种的功能主治少有报道，有待进一步研究。

大戟科 Euphorbiaceae 变叶木属 *Codiaeum*

变叶木 *Codiaeum variegatum* (L.) Rumph. ex A. Juss.

| 中 药 名 |

酒金榕（药用部位：叶及其汁液）

| 植 物 形 态 |

灌木或小乔木，高可达 2m。枝条无毛，有明显叶痕。叶薄革质，形状大小变异很大，线形、线状披针形、长圆形、椭圆形、披针形、卵形、匙形、提琴形至倒卵形，有时由长的中脉把叶片间断成上下两片；长 5~30cm，宽（0.3~）0.5~8cm，先端短尖、渐尖至圆钝，基部楔形、短尖至钝，边全缘、浅裂至深裂，两面无毛，绿色、淡绿色、紫红色、紫红与黄色相间、黄色与绿色相间或有时在绿色叶片上散生黄色或金黄色斑点或斑纹；叶柄长 0.2~2.5cm。总状花序腋生，雌雄同株异序，长 8~30cm，雄花白色，萼片 5；花瓣 5，远较萼片小；腺体 5；雄蕊 20~30；花梗纤细；雌花淡黄色，萼片卵状三角形；无花瓣；花盘环状；子房 3 室，花往外弯，不分裂；花梗稍粗。蒴果近球形，稍扁，无毛，直径约 9mm；种子长约 6mm。花期 9~10 月。

变叶木

分布区域

产于海南各地。中国广东、广西、福建、云南有栽培。原产于亚洲马来半岛、大洋洲等，现广泛栽培于世界热带地区。

采收加工

全年均可采，鲜用或晒干。

药材性状

叶形多变化，倒披针形、条状倒披针形、条形、椭圆形或匙形，长8~30cm，宽0.5~4cm，不分裂或在叶片中段将叶片分成上下两片，质厚。干后枯绿色或杂以白色、黄色或红色斑纹；叶柄长0.5~2.5cm。气微，味苦、涩。

功能主治

叶：散瘀消肿，清热理肺。用于肺热咳嗽、痰火、小儿泌尿系疾患、跌打损伤、痈疮肿毒、毒蛇咬伤。叶汁：用作泻剂、发汗剂。根：外用于梅毒溃疡。

大戟科 Euphorbiaceae 巴豆属 Croton

银叶巴豆
Croton cascarilloides Raeusch.

| 中 药 名 | 银叶巴豆（药用部位：根茎、叶、果实、根）

| 植物形态 | 灌木，高 1~2m；幼枝、叶、叶柄、花序和果实均密被紧贴鳞腺，鳞腺圆形，半透明，膜质；枝条具粗皱纹。叶互生，常密生于枝顶部，披针形、倒披针形或椭圆形至倒卵状椭圆形，长 8~14（~23）cm，宽 2~5（~10）cm，先端短尖、渐尖或近圆形或微凹，向基部渐狭，基部钝或微心形，全缘，上面的鳞腺早脱落，下面被苍灰色或浅褐色鳞腺；羽状脉，侧脉 8~12 对，远离叶缘弯拱联结；叶片基部有盘状腺体 2；叶柄长 1.5~3cm；托叶钻状，早落。花序顶生，长 1~4cm，苞片早落；雄花花萼裂片卵形，有白色缘毛；花瓣倒卵形，长约 2mm，具白色缘毛；雄蕊 15~20，花丝下部被白色长柔毛；雌花花萼裂片具白色缘毛；子房和花柱密被鳞腺，花柱 4~8 裂，裂片丝状。

银叶巴豆

蒴果近球形，直径约 7mm；种子椭圆状，长约 4mm。花期几全年。

| 分布区域 |

产于海南三亚、乐东、东方、昌江、保亭、陵水、万宁、琼中、琼海、文昌、海口。亦分布于中国广东、广西、福建、台湾、云南。越南、老挝、泰国、缅甸、马来西亚、菲律宾、日本也有分布。

| 资　　源 |

生于山谷林中，常见。

| 采收加工 |

夏、秋季采叶，鲜用或晒干。

| 功能主治 |

根：祛风解热，壮筋骨。用于急性胃肠炎、呕吐、风湿骨痛、瘰疬、咽喉肿痛、疟疾、头部皮疹、口角疮。根茎：中国台湾民间用作退热药和止吐药。叶、果实、根：煎剂口服，尼加拉瓜民间用于热病、感染病。

大戟科 Euphorbiaceae 巴豆属 Croton

光果巴豆
Croton chunianus Croizat

| 中 药 名 | 光果巴豆（药用部位：根、叶）

| 植物形态 | 灌木，高约 2m；嫩枝、花序轴和花梗均被平展的星状毛；枝条无毛。叶密生于枝顶，纸质，椭圆状长圆形至倒卵状披针形，长 8~14cm，宽 2~4cm，先端渐尖，向基部渐狭，基端钝，全缘或有不明显的细齿，嫩叶仅下面沿中脉疏生星状毛，成长叶无毛；侧脉 10~12 对；基部中脉两侧各有 1 无柄的杯状腺体；叶柄长 5~10（~25）mm，散生星状毛。总状花序顶生，长约 6cm；雄花萼片椭圆形，长 3~4mm，外面被星状毛；花瓣倒卵形，长约 3mm，有绵毛；雄蕊约 14；雌花萼片卵状椭圆形，长约 3mm，疏生星状毛或近无毛；子房近球形，直径约 3mm，无毛，花柱 2 深裂。蒴果近球形，直径约 8mm，无毛；种子椭圆形，长约 6mm。花期 1~6 月。

光果巴豆

分布区域

产于海南东方、保亭、陵水、乐东、儋州等地。海南特有种。

资　　源

生于中海拔林中，偶见。

采收加工

夏、秋季采叶，鲜用或晒干。

功能主治

根、叶：解毒止痛，祛风除湿，散瘀消肿。用于毒蛇咬伤、皮肤瘙痒、风湿关节痛、肌肉疼痛、风湿脚痛、皮肤瘙痒、产后风瘫、缠腰火丹、跌打损伤、脓肿、瘰疬、带状疱疹、虫蛇咬伤、无名肿毒、痈疽。

大戟科 Euphorbiaceae　巴豆属 Croton

鸡骨香
Croton crassifolius Geisel.

| 中 药 名 | 鸡骨香（药用部位：根）

| 植物形态 | 灌木，高 20~50cm；一年生枝、幼叶、成长叶下面、花序和果实均密被星状绒毛；老枝近无毛。叶卵形、卵状椭圆形至长圆形，长 4~10cm，宽 2~6cm，先端钝至短尖，基部近圆形至微心形，边缘有不明显的细齿，齿间有时具腺，成长叶上面的毛渐脱落，残存的毛基粗糙，干后色暗；基出脉 3（~5），侧脉（3~）4~5 对；叶柄长 2~4cm；叶片基部中脉两侧或叶柄先端有 2 枚具柄的杯状腺体；托叶钻状，长 2~3mm，早落。总状花序顶生，长 5~10cm；苞片线形，长 2~4mm，边缘有线形撕裂齿，齿端有细小头状腺体；雄花萼片外面被星状绒毛；花瓣长圆形，约与萼片等长，边缘被绵毛；雄蕊 14~20；雌花萼片外面被星状绒毛；子房密被黄色绒毛，花柱 4 深裂，

鸡骨香

线形。果实近球形，直径约1cm；种子椭圆状，褐色，长约5mm。花期11月至翌年6月。

| 分布区域 | 产于海南三亚、乐东、昌江、陵水、澄迈、文昌。亦分布于中国广东、广西、福建。越南、老挝、泰国、缅甸也有分布。

| 资　　源 | 生于空旷处，少见。

| 采收加工 | 全年均可挖根，切片，晒干。

| 药材性状 | 本品根呈细长条状，直径2~10mm，表面黄色或淡黄色，有纵纹及突起，有时栓皮脱落。质脆易断，断面不平坦，纤维性。皮部占半径的1/4~1/3，呈淡黄色；木质部黄色。气微香，味苦、涩。

| 功能主治 | 根：行气止痛，祛风消肿，舒筋活络，解毒。用于胃痛、胃及十二指肠溃疡、胃肠功能紊乱、胃肠气胀、咽喉肿痛、心气痛、黄疸、贫血、疝气、风湿痹痛、跌打损伤、扭伤、毒蛇咬伤。

大戟科 Euphorbiaceae 巴豆属 Croton

越南巴豆
Croton kongensis Gagnep.

| 中 药 名 | 越南巴豆（药用部位：根）

| 植物形态 | 灌木，高 1~3（~5）m；一年生枝条、叶、叶柄、花序和果实均密被苍灰色至灰棕色紧贴鳞腺；老枝苍灰色，鳞腺脱落。叶纸质，卵形至椭圆状披针形，先端渐尖，稀短尖，基部圆形至阔楔形，全缘，干后上面常暗褐色，鳞腺稀少，下面苍灰色至灰褐色；基出脉 3，侧脉 3~5 对，远离边缘弯拱联结；叶柄长 1~3（~5）cm，先端有 2 杯状腺体。总状花序，顶生，长 5~15cm，苞片卵状披针形，长 2~3mm。雄花：萼片卵形，被鳞腺；花瓣长椭圆形至线形，长约 2mm，边缘被绵毛；雄蕊 12，花丝下部被绵毛。雌花：萼片披针形，长约 2.5mm，被鳞腺；子房近球形，被鳞腺，花柱 2 裂。蒴果近球形，长 4~6mm；种子卵状，长约 3.5mm，暗红色。花期几全年。

越南巴豆

分布区域

产于海南三亚、东方、昌江、陵水、儋州。亦分布于中国云南。越南、老挝、泰国、缅甸也有分布。

资　　源

生于林中，偶见。

采收加工

全年均可采收，鲜用或晒干备用。

功能主治

根：强壮，消腹水。用于腹水、急性胃肠炎、头部皮疹、口角疮。

大戟科 Euphorbiaceae　巴豆属 Croton

光叶巴豆 *Croton laevigatus* Vahl

中药名

光叶巴豆（药用部位：根、叶）

植物形态

灌木至小乔木，高可达 15m；嫩枝、叶柄和花序均密生蜡质贴伏星状鳞毛；枝条的毛渐脱落，呈银灰色。叶密生于枝顶，纸质，椭圆形、长圆状椭圆形至倒披针形，长 7~18（~25）cm，宽 3~5.5（~9）cm，先端渐尖，向基部渐狭，边缘有细锯齿，齿间弯缺处常有 1 腺体，嫩叶上面近无毛，下面散生很快脱落的星状鳞毛，成长叶无毛，干后苍灰色；侧脉 10~13 对；下面基部中脉两侧各有 1 无柄的半圆形腺体；叶柄长 1~3（~5）cm；托叶钻状，长约 2mm，早落。总状花序簇生于枝顶，长 15~30cm；雄花萼片长约 2mm，密被贴伏星状鳞毛；花瓣长圆形，长约 2mm，边缘被绵毛；雄蕊 12~15；雌花萼片与雄花相似；花瓣细小；子房密被蜡质贴伏星状鳞毛。蒴果倒卵状，长约 1cm，直径约 8mm，散生贴伏星状鳞毛。花期 10~12 月。

光叶巴豆

分布区域

产于海南三亚、乐东、东方、昌江、白沙、万宁。

资源

生于山地林中。

采收加工

全年均可采收，鲜用或晒干备用。

功能主治

根、叶：活血散瘀，止痛止血，消肿退热，通经，接骨杀虫。用于跌打损伤、扭挫伤、骨折、疟疾、胃痛、痈疮、过敏性皮炎、阴道滴虫、外伤出血。

大戟科 Euphorbiaceae 巴豆属 Croton

海南巴豆 *Croton laui* Merr. & Metcalf

| 中 药 名 | 海南巴豆（药用部位：根、叶）

| 植物形态 | 灌木，高 1~5m；嫩枝密被星状柔毛；毛渐脱落，老枝无毛。叶常密生于枝顶，纸质，倒卵形、长圆状倒卵形至倒披针形，稀椭圆形，长 4~12（~14）cm，宽 1.5~4（~5）cm，先端钝、短尖至近圆形，向基部渐狭，基端钝至微心形，近全缘或有不整齐细锯齿，嫩叶被星状绒毛，成长叶几无毛，干后黄褐色；侧脉每边 5~9，在近叶缘处弯拱消失；下面基部中脉两侧或第一对侧脉基部各有 1 杯状无柄腺体；叶柄长 5~20mm，初被星状毛。总状花序，长 2~13cm，密被星状绒毛。雄花：萼片椭圆形，长约 2mm；花瓣长圆形，与萼片近等长，被绵毛；雄蕊 10，花丝被绵毛。雌花：萼片长约 3mm；子房近圆球状，密被星状绒毛，花柱自基部 2 裂。蒴果近球形，直径约

海南巴豆

9mm，疏生星状柔毛。种子椭圆状，略扁。花期 1~5 月。

| 分布区域 |

产于海南三亚、乐东、东方、昌江、儋州、文昌。海南特有种。

| 资　　源 |

生于低海拔至中海拔林中，常见。

| 采收加工 |

全年均可采收，鲜用或晒干备用。

| 功能主治 |

同属物种的根和叶多用于活血散瘀、治疗胃病等。但本种功能主治少有报道，有待进行进一步研究。

大戟科 Euphorbiaceae 巴豆属 Croton

巴 豆 *Croton tiglium* L.

| 中 药 名 | 巴豆（药用部位：种子），巴豆油（药用部位：种仁的脂肪油），巴豆壳（药用部位：种皮），巴豆叶（药用部位：叶），巴豆树根（药用部位：根）

| 植物形态 | 灌木或小乔木，高 3~6m；嫩枝被稀疏星状柔毛，枝条无毛。叶纸质，卵形，长 7~12cm，宽 3~7cm，先端短尖、渐尖，基部阔楔形至近圆形，稀微心形，边缘有细锯齿，叶无毛或近无毛，淡黄色至淡褐色；基出脉 3（~5），侧脉 3~4 对；基部两侧叶缘上各有 1 盘状腺体；叶柄长 2.5~5cm；托叶线形，长 2~4mm。总状花序顶生，长 8~20cm，苞片钻状，长约 2mm。雄花：花蕾近球形，疏生星状毛。雌花：萼片长圆状披针形，长约 2.5mm，几无毛；子房密被星状柔毛，花柱 2 深裂。蒴果椭圆状，长约 2cm，直径 1.4~2cm，被疏生短星状毛或

巴豆

近无毛；种子椭圆状，长约1cm，直径6~7mm。

| 分布区域 | 产于海南三亚、东方、保亭、万宁、昌江、白沙、儋州、琼中、澄迈。亦分布于中国西南至东南。越南、柬埔寨、泰国、缅甸、不丹、孟加拉国、菲律宾、印度尼西亚、印度斯里兰卡、尼泊尔、日本也有分布。

| 资　　源 | 生于林旁旷野或林中，常见。

| 采收加工 | 种子：栽种5~6年始结果，8~11月果实成熟，采收，除去残枝落叶，摊放2~3天，晒干或烘干，去果壳，将种子扬净。种仁的脂肪油：取巴豆种仁，研烂，压取油。种皮：8~9月采收种子时，剥取种皮，鲜用或晒干。叶：随采随用，或采后晒干用。根：全年均可采，洗净，切片，晒干。

| 药材性状 | 种子：果实呈卵圆形，一般具3棱，长1.8~2.2cm，直径1.4~2cm，表面灰黄色或稍深，粗糙，有纵线6条，先端平截，基部有果梗痕。剖开果壳，可见3室，每室含种子1。种子椭圆形，略扁，长约1cm，直径6~7mm；表面棕色或灰棕色，一端有小点状的种脐及种阜的疤痕，另一端有微凸的合点，其间有隆起的种脊；外种皮薄而脆，内种皮呈白色薄膜状；种仁黄白色，油质。无臭，味辛辣。叶：单叶，具柄；叶片卵形或椭圆状卵形，长7~12cm，宽3~7cm，先端长尖，基部阔楔形，边缘有浅疏锯齿；上面深绿色，下面较淡。

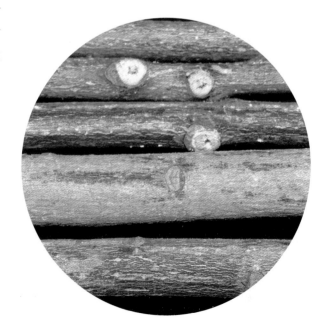

| 功能主治 | 果实：泻寒积，通关窍，逐痰，行水，杀虫。用于冷积凝滞、胸腹胀满急痛、血瘕、痰癖、泻痢、水肿。外用于喉风、喉痹、恶疮疥癣。巴豆的炮制加工品：峻下积滞，逐水消肿，豁痰利咽。叶：用于疟疾、疮癣、跌打损伤、蛇咬伤。根：温中散寒，祛风活络。用于痈疽、疥疮、跌打损伤。

大戟科 Euphorbiaceae 黄桐属 Endospermum

黄 桐
Endospermum chinense Benth.

| 中 药 名 | 大树铁打（药用部位：树皮、叶）

| 植物形态 | 乔木，高6~20m，树皮灰褐色；嫩枝、花序和果实均密被灰黄色星状微柔毛；小枝的毛渐脱落，叶痕明显，灰白色。叶薄革质，椭圆形至卵圆形，长8~20cm，宽4~14cm，先端短尖至钝圆形，基部阔楔形、钝圆、平截至浅心形，全缘，两面近无毛或下面被疏生微星状毛，基部有球形腺体2；侧脉5~7对；叶柄长4~9cm；托叶三角状卵形，长3~4mm，具毛。花序生于枝条近顶部叶腋，雄花序长10~20cm，雌花序长6~10cm，苞片卵形，长1~2mm。雄花：花萼杯状，有4~5浅圆齿；雄蕊5~12，2~3轮，生于长约4mm的突起花托上，花丝长约1mm。雌花：花萼杯状，长约2mm，具3~5波状浅裂，被毛，宿存；花盘环状，2~4齿裂；子房近球形，被微绒毛，2~3室，花柱短，柱

黄桐

头盘状。果实近球形，直径约 10mm，果皮稍肉质；种子椭圆形，长约 7mm。花期 5~8 月，果期 8~11 月。

| 分布区域 | 产于海南三亚、乐东、昌江、陵水、万宁、琼中、儋州、澄迈、琼海。亦分布于中国广东、广西、福建、云南。越南、缅甸、泰国、印度也有分布。

| 资   源 | 生于山地林中，常见。

| 采收加工 | 全年均可采收树皮，夏、秋季采叶，晒干。

| 药材性状 | 叶宽卵形、椭圆形或近圆形，薄革质，棕绿色，长 10~18cm，宽 7~14cm，两面被星状茸毛，下面较密；叶柄有密星状毛，长 4~9cm，背面先端近叶片处有 2 枚黄色大腺体。气微，味苦、涩。

| 功能主治 | 树皮、叶：祛瘀生新，消肿镇痛，舒筋活络。用于疟疾、骨折、跌打损伤、风湿痹痛、关节疼痛、腰腿痛、四肢麻木。

轴花木

Erismanthus sinensis Oliv.

| 中 药 名 | 轴花木（药用部位：叶）

| 植物形态 | 乔木或灌木，高 3~11m；嫩枝暗紫红色，疏生柔毛，后变无毛。叶革质，长圆形、椭圆形或长圆状披针形，长 7~18cm，宽 2~7cm，先端钝渐尖，基部浅的斜心形，叶缘疏生细齿；侧脉 8~10 对；叶柄长 3~5mm，通常红色；托叶长圆形，长 6~8mm，具贴生毛。花序长约 1cm，雄花密生，苞片卵圆形，长 1.5~2mm，具柔毛；雌花 1，生于花序基部，有时单朵腋生。雄花：萼片 5，椭圆形，长约 1mm，具柔毛；花瓣 5，倒披针形，小；雄蕊约 15，花药卵圆形；不育雌蕊棒状，长约 3mm，疏生柔毛；花梗纤细，长 2cm 或更长，疏生柔毛。雌花：萼片 5，长圆形，不等大，长 2~3mm，花后长 3.5~5mm，外面具毛，边缘疏生小腺体；子房球形，密生浅黄

轴花木

色贴生硬毛，花柱 3，长约 1cm，近基部合生，上部 2 裂。蒴果近球形，直径约 1cm，具疏毛；果梗长 1.5~2cm；种子近球形，直径 5mm，具褐色斑纹。花果期几全年。

分布区域

产于海南东方、昌江、白沙。越南、老挝、柬埔寨、泰国也有分布。

资　　源

生于密林中或山谷阴处，常见。

采收加工

叶全年可采收。

功能主治

本种的功能主治少有报道，有待进一步研究。

大戟科 Euphorbiaceae 大戟属 Euphorbia

火殃勒

Euphorbia antiquorum L.

火殃勒

| 中 药 名 |

金刚纂（药用部位：茎），火殃勒叶（药用部位：叶），火殃勒蕊（药用部位：花蕊）

| 植物形态 |

肉质灌木状小乔木，乳汁丰富。茎常三棱状，偶有四棱状并存，高 3~5（~8）m，直径 5~7cm，上部多分枝；棱脊 3 条，薄而隆起，高达 1~2cm，厚 3~5mm，边缘具明显的三角状齿，齿间距离约 1cm；髓三棱状，糠质。叶互生于齿尖，少而稀疏，常生于嫩枝顶部，倒卵形或倒卵状长圆形，先端圆，基部渐狭，全缘，两面无毛；叶脉不明显，肉质；叶柄极短；托叶刺状，宿存；苞叶 2，下部结合，紧贴花序，膜质，与花序近等大。花序单生于叶腋，基部具 2~3mm 的短柄；总苞阔钟状，高约 3mm，直径约 5mm，边缘 5 裂，裂片半圆形，边缘具小齿；腺体 5，全缘。雄花多数；苞片丝状；雌花 1，花柄较长，常伸出总苞之外；子房柄基部具 3 枚退化的花被片；子房三棱状扁球形，光滑无毛；花柱 3，分离；柱头 2 浅裂。蒴果三棱状扁球形，长 3.4~4mm，直径 4~5mm，成熟时分裂为分果爿 3。种子近球状，长与直径约 2mm，褐黄色，平滑；无种阜。花果期全年。

| 分布区域 | 产于海南五指山、海口。中国华南其他区域，以及云南、贵州亦有栽培。原产于印度。

| 资　　源 | 生于草坡、路边、山坡石隙及灌丛中。

| 采收加工 | 茎：全年均可采收，去皮、刺，鲜用；或切片，晒干，炒成焦黄。叶：随用随采。花蕊：4~5 月采摘，鲜用。

| 药材性状 | 茎：茎枝肥厚，圆柱状，或有 3~4 钝棱，棕绿色；小枝肉质，绿色，扁平，有 3~5 翅状纵棱。气微，味苦。叶：叶对生，托叶坚硬、刺状，成对宿存；叶片倒卵形、卵状长圆形或匙形，长 4~6cm，宽 1.5~2cm，先端圆，有小尖。气微，味苦、涩。

| 功能主治 | 茎：消肿，通便，杀虫。用于鼓胀、急性吐泻、肿毒、疥癞。叶：清热化滞，解毒行瘀。用于热滞泄泻、痧秽、吐泻转筋、疔疮、跌打积瘀。花蕊：解毒消肿。用于鼓胀。乳汁：泻下，逐水，止痒。

大戟科 Euphorbiaceae 大戟属 Euphorbia

海滨大戟 *Euphorbia atoto* G. Forst.

| 中 药 名 | 海滨大戟（药用部位：茎）

| 植物形态 | 多年生亚灌木状草本。根圆柱状，长可达 17~20cm，直径可达 8~10mm。茎基部木质化，向上斜展或近匍匐，多分枝，每个分枝向上常呈二歧分枝，高 20~40cm，直径于基部可达 8~10mm，中部仅 5~7mm；茎节膨大而明显。叶对生，长椭圆形或卵状长椭圆形，长 1~3cm，宽 4~13mm，质地近于薄革质，先端钝圆，中间常具极短的小尖头，基部偏斜，近圆形或圆心形，边缘全缘；叶柄长 1~3mm；侧脉羽状；托叶膜质，三角形，边缘撕裂，干时易脱落。花序单生于多歧聚伞状分枝的先端，基部具 2~5mm 的短柄；总苞杯状，高约 2mm，直径约 1.5mm，边缘 5 裂，有时 4~5 裂，裂片三角状卵形，先端急尖，边缘撕裂；腺体 4，浅盘状，边缘具白色附属物。雄花

海滨大戟

数枚，略伸出总苞外；苞片披针形，边缘撕裂；雌花 1，花柄长 2~4mm，明显伸出总苞外；子房光滑无毛；花柱 3，分离；柱头 2 浅裂。蒴果三棱状，长与直径均约 3.5mm，成熟时分裂为 3 个分果片；花柱易脱落。种子球状，长与直径均约 1.5mm，淡黄色。腹面具不明显的淡褐色条纹，无种阜。花果期 6~11 月。

| 分布区域 |

产于海南三亚、乐东、东方、陵水、万宁、琼海、文昌、海口。亦分布于中国广东、福建、台湾。越南、老挝、柬埔寨、缅甸、泰国、马来西亚、印度尼西亚、日本、太平洋岛屿也有分布。

| 资　　源 |

生于海岸沙地。

| 采收加工 |

全年均可采收，去皮，鲜用；或切片，晒干。

| 功能主治 |

澳大利亚土著居民使用的植物药。全草：乳汁有毒。用于杀菌、止咳、泻下、通经。

大戟科 Euphorbiaceae 大戟属 Euphorbia

细齿大戟 *Euphorbia bifida* Hook. & Arn.

| 中 药 名 | 细叶大戟（药用部位：全草）

| 植物形态 | 一年生草本。根细，长 10~18cm，直径 3~5mm。茎基部木质化，向上多分枝，每个分枝再作二歧分枝，高 20~40（~50）cm，直径 3~5mm；茎节环状，明显。叶对生，长椭圆形至宽线形，长 1~2.5cm，宽 2~5mm，先端钝尖或渐尖，基部不对称，近平截或稍偏斜；边缘具细锯齿，齿尖有短尖；主脉于叶背隆起，于叶面下凹，侧脉羽状、清晰；叶柄短，长不足 3mm；托叶膜质，钻状三角形，易脱落。花序常聚生，偶单生；总苞杯状，高与直径各约 1mm；边缘 5 裂，裂片三角形，先端撕裂；腺体 4；附属物粉红色，较腺体宽。雄花数枚，略伸出总苞外；雌花 1，略伸出总苞外；子房光滑无毛；花柱 3，分离；柱头 2 裂。蒴果三棱状，直径与长均约 2mm，近无毛。种子

细齿大戟

三棱圆柱状，长约 1.5mm，直径约 1mm，褐色，被稀疏的横纹，无种阜。花果期 4~10 月。

｜分布区域｜

产于海南三亚、东方、白沙、海口。亦分布于中国广东、广西、江西、福建、台湾、浙江、江苏、云南、贵州。中南半岛，以及菲律宾、印度尼西亚也有分布。

｜资　　源｜

生于向阳坡地，常见。

｜采收加工｜

6~8 月采收全草，晒干。

｜功能主治｜

中国台湾药用植物。全草：有毒，解热。

大戟科 Euphorbiaceae 大戟属 Euphorbia

猩猩草 *Euphorbia cyathophora* Murray

| 中 药 名 | 叶象花（药用部位：全草）

| 植物形态 | 一年生或多年生草本。根圆柱状，长 30~50cm，直径 2~7mm，基部有时木质化。茎直立，上部多分枝，高可达 1m，直径 3~8mm，光滑无毛。叶互生，卵形、椭圆形或卵状椭圆形，先端尖或圆，基部渐狭，长 3~10cm，宽 1~5cm，边缘波状分裂或具波状齿或全缘，无毛；叶柄长 1~3cm；总苞叶与茎生叶同形，较小，长 2~5cm，宽 1~2cm，淡红色或仅基部红色。花序单生，数枚聚伞状排列于分枝先端，总苞钟状，绿色，高 5~6mm，直径 3~5mm，边缘 5 裂，裂片三角形，常呈齿状分裂；腺体常 1，偶 2，扁杯状，近二唇形，黄色。雄花多枚，常伸出总苞之外；雌花 1，子房柄明显伸出总苞外；子房三棱状球形，光滑无毛；花柱 3，分离；柱头 2 浅裂。蒴果三

猩猩草

棱状球形，长 4.5~5mm，直径 3.5~4mm，无毛；成熟时分裂为 3 个分果瓣。种子卵状椭圆形，长 2.5~3mm，直径 2~2.5mm，褐色至黑色，具不规则的小突起；无种阜。花果期 5~11 月。

| 分布区域 |

产于海南文昌、西沙群岛。中国南部其他区域也有栽培或逸为野生。原产于南美洲。

| 资　　源 |

生于海拔 1000m 以下的山地路旁、沟边及林荫下。

| 采收加工 |

四季均可采收，洗净，鲜用或晒干。

| 药材性状 |

全草长达 80cm。叶互生，叶形多变化，卵形、椭圆形、披针形或条形，中部及下部的叶长 4~10cm，宽 2.5~5cm，提琴状分裂或不分裂；叶柄长 2~3cm；花序下部的叶基部或全部紫红色。杯状花序多数在茎及分枝先端排列成密集的伞房状；总苞钟形，宽 3~4mm，先端 5 裂；腺体 1~2，杯状，无花瓣状附属物。蒴果近球形，直径 3.5~4mm，无毛；种子卵形，有突起。

| 功能主治 |

全草：调经，止血，止咳，接骨，消肿。用于月经过多、跌打损伤、外伤出血、骨折、风寒咳嗽、肺部疾病。

大戟科 Euphorbiaceae 大戟属 Euphorbia

白苞猩猩草
Euphorbia heterophylla L.

| 中 药 名 | 白苞猩猩草（药用部位：全草）

| 植物形态 | 多年生草本。茎直立，高达 1m，被柔毛。叶互生，卵形至披针形，长 3~12cm，宽 1~6cm，先端尖或渐尖，基部钝至圆，边缘具锯齿或全缘，两面被柔毛；叶柄长 4~12mm；苞叶与茎生叶同形，较小，长 2~5cm，宽 5~15mm，绿色或基部白色。花序单生，基部具柄，无毛；总苞钟状，高 2~3mm，直径 1.5~5mm，边缘 5 裂，裂片卵形至锯齿状，边缘具毛；腺体常 1，偶 2，杯状，直径 0.5~1mm。雄花多枚；苞片线形至倒披针形；雌花 1，子房柄不伸出总苞外；子房被疏柔毛；花柱 3；中部以下合生；柱头 2 裂。蒴果卵球状，长 5~5.5mm，直径 3.5~4mm，被柔毛。种子棱状卵形，长 2.5~3mm，直径约 2.2mm，被瘤状突起，灰色至褐色；无种阜。花果期 2~11 月。

白苞猩猩草

分布区域

产于海南乐东。亦分布于中国广东、广西、湖南、福建、台湾、浙江、江苏、安徽、湖北、贵州、云南、四川、河南、河北、山东。原产于美洲，现世界泛热带地区也有分布。

资　源

生于路边、旷野，常见。

采收加工

采收全草，晒干。

功能主治

全草：调经，止血，止咳，接骨，消肿。用于月经过多、跌打损伤、外伤出血、骨折、风寒咳嗽、肺部疾病。

| 大戟科 | Euphorbiaceae | 大戟属 | *Euphorbia*

飞扬草
Euphorbia hirta L.

| **中 药 名** | 大飞扬草（药用部位：全草、叶的提取物）

| **植物形态** | 一年生草本。根纤细，长5~11cm，直径3~5mm，常不分枝，偶3~5分枝。茎单一，自中部向上分枝或不分枝，高30~60（~70）cm，直径约3mm，被褐色或黄褐色的多细胞粗硬毛。叶对生，披针状长圆形、长椭圆状卵形或卵状披针形，长1~5cm，宽0.5~1.3cm，先端极尖或钝，基部略偏斜；边缘于中部以上有细锯齿，中部以下较少或全缘；叶面绿色，叶背灰绿色，有时具紫色斑，两面均具柔毛，叶背面脉上的毛较密；叶柄极短，长1~2mm。花序多数，于叶腋处密集成头状，基部无梗或仅具极短的柄，变化较大，且具柔毛；总苞钟状，高与直径各约1mm，被柔毛，边缘5裂，裂片三角状卵形；腺体4，近于杯状，边缘具白色附属物；雄花数枚，微达总苞边缘；

飞扬草

雌花 1，具短梗，伸出总苞之外；子房三棱状，被少许柔毛；花柱 3，分离；柱头 2 浅裂。蒴果三棱状，长与直径均 1~1.5mm，被短柔毛，成熟时分裂为 3 个分果爿。种子近圆状四棱形，每个棱面有数个纵糟，无种阜。花果期 6~12 月。

| 分布区域 | 产于海南三亚、乐东、昌江、白沙、保亭、万宁、临高、澄迈、西沙群岛。亦分布于中国广东、广西、湖南、江西、福建、台湾、贵州、云南、四川。世界其他热带、亚热带地区也有分布。

| 资　　源 | 生于路旁、旷野、林旁，常见。

| 采收加工 | 夏、秋季采收，晒干。

| 药材性状 | 全草长 15~50cm，地上部分被粗毛。根细长而弯曲，表面土黄色。老茎近圆柱形，嫩茎稍扁或具棱，直径约 3mm；表面土黄色至浅棕红色或褐色；质脆，易折断，断面中空。叶对生，皱缩，展平后呈椭圆状卵形至近棱形，或破碎不完整；完整叶长 1~4cm，宽 0.5~1.3cm，灰绿色至褐绿色，先端急尖，基部偏斜，边缘有细锯齿，有 3 条较明显的叶脉。杯状聚伞花序密集呈头状，腋生。蒴果卵状三棱形。无臭，味淡、微涩。

| 功能主治 | 全草：清热解毒，利湿止痒，通乳，抗菌，利尿，抗癌，驱虫，祛痰，促进伤口愈合，有抗组胺作用。用于消化不良、阴道滴虫、痢疾、泄泻、咳嗽、肾盂肾炎、肠道疾病、便秘、气喘、支气管炎、多痰、肠虫、牙龈炎。外用于湿疹、皮炎、皮肤瘙痒。叶：提取物为利尿剂，大鼠口服可增加尿和电解质排出量。

| 大戟科 | Euphorbiaceae | 大戟属 | *Euphorbia*

地 锦 *Euphorbia humifusa* Willd.

| 中 药 名 | 地锦草（药用部位：全草）

| 植物形态 | 一年生草本。根纤细，长 10~18cm，直径 2~3mm，常不分枝。茎匍匐，自基部以上多分枝，偶尔先端斜向上伸展，基部常红色或淡红色，长达 20（~30）cm，直径 1~3mm，被柔毛或疏柔毛。叶对生，矩圆形或椭圆形，长 5~10mm，宽 3~6mm，先端钝圆，基部偏斜，略渐狭，边缘常于中部以上具细锯齿；叶面绿色，叶背淡绿色，有时淡红色，两面被疏柔毛；叶柄极短，长 1~2mm。花序单生于叶腋，基部具 1~3mm 的短柄；总苞陀螺状，高与直径各约 1mm，边缘 4 裂，裂片三角形；腺体 4，矩圆形，边缘具白色或淡红色附属物。雄花数枚，近与总苞边缘等长；雌花 1，子房柄伸出至总苞边缘；子房三棱状卵形，光滑无毛；花柱 3，分离；柱头 2 裂。蒴果三棱状卵

地锦

球形，长约 2mm，直径约 2.2mm，成熟时分裂为 3 个分果片，花柱宿存。种子三棱状卵球形，长约 1.3mm，直径约 0.9mm，灰色，每个棱面无横沟，无种阜。花果期 5~10 月。

| **分布区域** | 产于海南东方。亦分布于中国台湾。

| **资　源** | 生于珊瑚礁沙地上。

| **采收加工** | 10 月采收全株，洗净，晒干或鲜用。

| **药材性状** | 常皱缩卷曲，根细小，茎细，呈叉状分枝，表面带紫红色，光滑无毛或疏生白色细柔毛；质脆，易折断，断面黄白色，中空。叶对生，具淡红色短柄或几无柄；叶片多皱缩或已脱落，平展后呈长椭圆形，长 5~10mm，宽 4~6mm；绿色或带紫红色，通常无毛或疏生细柔毛；先端钝圆，基部偏斜，边缘具小锯齿或呈微波状。杯状聚伞花序腋生，细小。蒴果三棱状球形，表面光滑，种子细小，卵形，褐色。无臭，味微涩。

| **功能主治** | 全草：清热解毒，活血止血，利湿通乳。用于痢疾、泄泻、咳喘、吐血、便血、崩漏、外伤出血、湿热黄疸、乳汁不通、痈肿疔疮、跌打肿痛。

大戟科 Euphorbiaceae 大戟属 Euphorbia

铁海棠
Euphorbia milii Ch. des Moulins

| **中药名** | 铁海棠（药用部位：根、茎、叶、乳汁或全草）

| **植物形态** | 蔓生灌木。茎多分枝，长 60~100cm，直径 5~10mm，具纵棱，密生硬而尖的锥状刺，刺长 1~1.5（~2）cm，直径 0.5~1mm，常呈 3~5列排列于棱脊上，呈旋转状。叶互生，通常集中于嫩枝上，倒卵形或长圆状匙形，长 1.5~5cm，宽 0.8~1.8cm，先端圆，具小尖头，基部渐狭，全缘；无柄或近无柄；托叶钻形，长 3~4mm，极细，早落。花序 2 或 8 个组成二歧状复花序，生于枝上部叶腋；复花序具柄，长 4~7cm；每个花序基部具 6~10mm 长的柄，柄基部具 1 枚膜质苞片，长 1~3mm，宽 1~2mm，上部近平截，边缘具微小的红色尖头；苞叶 2，肾圆形，长 8~10mm，宽 12~14mm，先端圆且具小尖头，其部渐狭，无柄，上面鲜红色，下面淡红色，紧贴花序；总苞钟状，

铁海棠

高 3~4mm，直径 3.5~4mm，边缘 5 裂，裂片琴形，上部具流苏状长毛，且内弯；腺体 5，肾圆形，长约 1mm，宽约 2mm，黄红色。雄花数枚；苞片丝状，先端具柔毛；雌花 1，常不伸出总苞外；子房光滑无毛，常包于总苞内；花柱 3，中部以下合生；柱头 2 裂。蒴果三棱状卵形，长约 3.5mm，直径约 4mm，平滑无毛，成熟时分裂为 3 个分果爿。种子卵柱状，长约 2.5mm，直径约 2mm，灰褐色，具微小的疣点；无种阜。花果期全年。

| 分布区域 | 产于海南万宁、海口。原产于非洲马达加斯加，现栽培于世界热带地区。

| 资　　源 | 常见于公园、植物园和庭园中。中国各地有栽培。

| 采收加工 | 花随用随采。

| 药材性状 | 杯状花序 2 或 8，具长花序梗，形成二歧聚伞花序。总苞钟形，先端 5 裂，腺体 5，无花瓣状附属物；总苞基部具 2 苞片，苞片鲜红色，倒卵状圆形，直径 10~12mm。气微香，味苦、涩。

| 功能主治 | 根、茎、叶、乳汁：排脓解毒，消肿逐水。用于痈疮肿毒、肝炎、水肿。花：止血。用于子宫出血。根：用于鱼口、便毒、跌打损伤。全草：解毒，逐水。用于痈疮、便毒、肝炎、腹水。

大戟科 Euphorbiaceae 大戟属 Euphorbia

匍匐大戟 *Euphorbia prostrata* Ait.

| 中 药 名 | 匍匐大戟（药用部位：全草）

| 植物形态 | 一年生草本。根纤细，长 7~9cm。茎匍匐状，自基部多分枝，长
15~19cm，通常呈淡红色或红色，少绿色或淡黄绿色，无毛或被少
许柔毛。叶对生，椭圆形至倒卵形，长 3~7（~8）mm，宽 2~4（~5）
mm，先端圆，基部偏斜，不对称，边缘全缘或具不规则的细锯齿；
叶面绿色，叶背有时略呈淡红色或红色；叶柄极短或近无；托叶长
三角形，易脱落。花序常单生于叶腋，少为数个簇生于小枝先端，
具 2~3mm 的柄；总苞陀螺状，高约 1mm，直径近 1mm，常无毛，
少被稀疏的柔毛，边缘 5 裂，裂片三角形或半圆形；腺体 4，具极
窄的白色附属物。雄花数朵，常不伸出总苞外；雌花 1，子房柄较长，
常伸出总苞之外；子房于脊上被稀疏的白色柔毛；花柱 3，近基部

匍匐大戟

合生；柱头 2 裂。蒴果三棱状，长约 1.5mm，直径约 1.4mm，除果棱上被白色
疏柔毛外，其他无毛。种子卵状四棱形，长约 0.9mm，直径约 0.5mm，黄色，
每个棱面上有 6~7 个横沟；无种阜。花果期 4~10 月。

| 分布区域 | 产于海南万宁、文昌。亦分布于中国广东、湖北、福建、台湾、江苏、云南。世界其他热带、亚热带地区亦有分布。

| 资　　源 | 生于路旁、屋旁和荒地灌丛中。

| 采收加工 | 采收全草，晒干。

| 功能主治 | 全草：清热解毒，凉血消肿。用于痢疾、吐泻。外用于口疮、乳痈、疔疖。

| 附　　注 | 古巴用作响尾蛇咬伤后的解毒剂。

大戟科 Euphorbiaceae 大戟属 Euphorbia

一品红
Euphorbia pulcherrima Willd. ex Klotzsch.

| 中 药 名 | 一品红（药用部位：全株）

| 植物形态 | 灌木。根圆柱状，极多分枝。茎直立，高 1~3（~4）m，直径 1~4（~5）cm，无毛。叶互生，卵状椭圆形、长椭圆形或披针形，长 6~25cm，宽 4~10cm，先端渐尖或急尖，基部楔形或渐狭，绿色，边缘全缘或浅裂或波状浅裂，叶面被短柔毛或无毛，叶背被柔毛；叶柄长 2~5cm，无毛；无托叶；苞叶 5~7，狭椭圆形，长 3~7cm，宽 1~2cm，通常全缘，极少边缘浅波状分裂，朱红色；叶柄长 2~6cm。花序数个聚伞状排列于枝顶；花序柄长 3~4mm；总苞坛状，淡绿色，高 7~9mm，直径 6~8mm，边缘齿状 5 裂，裂片三角形，无毛；腺体常 1，极少 2，黄色，常压扁，呈二唇状，长 4~5mm，宽约 3mm。雄花多数，常伸出总苞之外；苞片丝状，具柔毛；雌花 1，

一品红

子房柄明显伸出总苞之外，无毛；子房光滑；花柱 3，中部以下合生；柱头 2 深裂。蒴果三棱状圆形，长 1.5~2cm，直径约 1.5cm，平滑无毛。种子卵状，长约 1cm，直径 8~9mm，灰色或淡灰色，近平滑；无种阜。花果期 10 月至翌年 4 月。

| 分布区域 | 产于海南万宁、海口。中国各地亦均有栽培。原产于中美洲。

| 资　　源 | 生于路旁和屋旁，常见。

| 采收加工 | 夏、秋季割取地上部分，鲜用或晒干。

| 功能主治 | 全株：调经止血，接骨消肿。用于月经过多、跌打损伤、外伤出血、骨折。

大戟科 Euphorbiaceae 大戟属 Euphorbia

千根草
Euphorbia thymifolia L.

| 中 药 名 | 小飞羊草（药用部位：全草）

| 植物形态 | 一年生草本。根纤细，长约10cm，具多数不定根。茎纤细，常呈匍匐状，
自基部极多分枝，长可达10~20cm，直径仅1~2(~3)mm，被稀疏柔毛。
叶对生，椭圆形、长圆形或倒卵形，长4~8mm，宽2~5mm，先端圆，
基部偏斜，不对称，呈圆形或近心形，边缘有细锯齿，稀全缘，两
面常被稀疏柔毛，稀无毛；叶柄极短，长约1mm，托叶披针形或线
形，长1~1.5mm，易脱落。花序单生或数个簇生于叶腋，具短柄，
长1~2mm，被稀疏柔毛；总苞狭钟状至陀螺状，高约1mm，直径
约1mm，外部被稀疏的短柔毛，边缘5裂，裂片卵形；腺体4，被
白色附属物。雄花少数，微伸出总苞边缘；雌花1，子房柄极短；
子房被贴伏的短柔毛；花柱3，分离；柱头2裂。蒴果卵状三棱形，

千根草

长约 1.5mm，直径 1.3~1.5mm，被贴伏的短柔毛，成熟时分裂为 3 个分果片。种子长卵状四棱形，长约 0.7mm，直径约 0.5mm，暗红色，每个棱面具 4~5 个横沟；无种阜。花果期 6~11 月。

| 分布区域 | 产于海南三亚、乐东、东方、陵水、万宁、澄迈、屯昌、西沙群岛。亦分布于中国广东、广西、湖南、江西、福建、台湾、浙江、江苏、云南。亚洲热带、亚热带其他地区也有分布。

| 资　　源 | 生于低海拔旷野、路旁，常见。

| 采收加工 | 夏、秋季采收，鲜用或晒干。

| 药材性状 | 全草长约 13cm，根细小。茎细长，直径约 1mm，红棕色，稍被毛，质稍韧，中空。叶对生，多皱缩，灰绿色或稍带紫色，花序生于叶腋，花小，干缩。有的带有三角形的蒴果。气微，味微酸、涩。

| 功能主治 | 全草：清热利湿，收敛止痒。用于疟疾、细菌性痢疾、肠炎、泄泻、痔疮出血、乳痈、肉赘、小便不利、泌尿系感染。外用于湿疹、过敏性皮炎、皮肤瘙痒。

大戟科 Euphorbiaceae 大戟属 Euphorbia

绿玉树

Euphorbia tirucalli L.

绿玉树

| 中 药 名 |

绿玉树（药用部位：全草）

| 植物形态 |

小乔木，高 2~6m，直径 10~25cm，老时呈灰色或淡灰色，幼时绿色，上部平展或分枝；小枝肉质，具丰富的乳汁。叶互生，长圆状线形，先端钝，基部渐狭，全缘，无柄或近无柄；常生于当年生嫩枝上，稀疏且很快脱落，由茎行使光合功能，故常呈无叶状态；总苞叶干膜质，早落。花序密集于枝顶，基部具柄；总苞陀螺状，高约 2mm，直径约 1.5mm，内侧被短柔毛；腺体 5，盾状卵形或近圆形。雄花数朵，伸出总苞之外；雌花 1，子房柄伸出总苞边缘；子房光滑无毛；花柱 3，中部以下合生；柱头 2 裂。蒴果棱状三角形，长度与直径均约 8mm，平滑，略被毛或无毛。种子卵球状，长与直径均约 4mm，平滑；具微小的种阜。花果期 7~10 月。

| 分布区域 |

产于海南三亚、东方、万宁、昌江。中国南部地区广泛栽培。原产于南非，现亚洲其他热带地区也广泛栽培。

| 资　　源 | 逸为野生或栽培，常见。

| 采收加工 | 全年均可采，鲜用或晒干备用。

| 功能主治 | 全草：催乳，杀虫。用于缺乳、癣疾。

| 附　　注 | 马来西亚民族药，外敷用于跌打损伤、创伤。斯里兰卡用于蝎蜇伤。尼泊尔用于风湿肿痛。泰国用树脂治疗疣。非洲和印度用于毒鱼。

大戟科 Euphorbiaceae 大戟属 *Euphorbia*

续随子

Euphorbia lathylris L.

| 中 药 名 | 千金子（药用部位：种子），续随子叶（药用部位：叶），续随子茎中白汁（药用部位：乳汁）

| 植物形态 | 二年生草本，全株无毛。根柱状，长 20cm 以上，直径 3~7mm，侧根多而细。茎直立，基部单一，略带紫红色，顶部二歧分枝，灰绿色，高可达 1m。叶交互对生，于茎下部密集，于茎上部稀疏，线状披针形，先端渐尖或尖，基部半抱茎，全缘；侧脉不明显；无叶柄；总苞叶和茎叶均为 2，卵状长三角形，先端渐尖或急尖，基部近平截或半抱茎，全缘，无柄。花序单生，近钟状，高约 4mm，直径 3~5mm，边缘 5 裂，裂片三角状长圆形，边缘浅波状；腺体 4，新月形，两端具短角，暗褐色。雄花多数，伸出总苞边缘；雌花 1，子房柄几与总苞近等长；子房光滑无毛，直径 3~6mm；花柱 3，细长，

续随子

分离；柱头 2 裂。蒴果三棱状球形，长与直径各约 1cm，光滑无毛，花柱早落，成熟时不开裂。种子柱状至卵球状，褐色或灰褐色，无皱纹，具黑褐色斑点；种阜无柄，极易脱落。花期 4~7 月，果期 6~9 月。

| 分布区域 | 海南有分布记录。亚洲其他地区、北非、美国、欧洲也有分布，可能原产于地中海地区。

| 资　　源 | 海南有少量栽培，资源量小。

| 采收加工 | 种子：南方 7 月中下旬，北方 8~9 月上旬，待果实变黑褐色时采收，晒干，脱粒，扬净，再晒至全干。乳汁：夏、秋季折断茎部，取液汁，随采随用。叶：随用随采。

| 药材性状 | 种子：椭圆形或倒卵形，长约 5mm，直径约 4mm。表面灰棕色或灰褐色，具不规则网状皱纹，网孔凹陷处灰黑色，形成细斑点。一侧有纵沟状种脊，先端为突起的合点，下端为线形种脐，基部有类白色突起的种阜或脱落后的痕迹。种皮薄脆，种仁白色或黄白色，富油质。气微，味辛。叶：单叶交互对生，平展，有短柄；叶片披针形或卵状披针形，由下而上渐大，长 5~12cm，宽 0.8~1.3cm，先端锐尖，基部心形而多少抱茎，全缘。

| 功能主治 | 种子：逐水消肿，破瘀杀虫。用于水肿胀满、痰饮、积滞胀满、血瘀闭经、大小肠不利。外用于顽癣、疣赘。叶：用于白癜风、面皮干、蝎螫。茎中的白色乳汁：用于白癜风、面皯（黑斑病）、蛇咬伤。

大戟科 Euphorbiaceae 海漆属 Excoecaria

海漆 *Excoecaria agallocha* L.

| 中 药 名 | 海漆（药用部位：树汁、木材、种子）

| 植物形态 | 常绿乔木，高 2~3m，稀有更高；枝无毛，具多数皮孔。叶互生，厚，近革质，叶片椭圆形或阔椭圆形，少有卵状长圆形，长 6~8cm，宽 3~4.2cm，先端短尖，尖头钝，基部钝圆或阔楔形，边全缘或有不明显的疏细齿，干时略背卷，两面均无毛，腹面光滑；中脉粗壮，在腹面凹入，背面显著突起，侧脉约 10 对，纤细，斜伸，离缘 2~5mm 弯拱连接，网脉不明显；叶柄粗壮，长 1.5~3cm，无毛，先端有 2 个圆形的腺体；托叶卵形，先端尖，长 1.5~2mm。花单性，雌雄异株，聚集成腋生、单生或双生的总状花序，雄花序长 3~4.5cm，雌花序较短。雄花：苞片阔卵形，肉质，长和宽近相等，约 2mm，先端平截或略凸，基部腹面两侧各具腺体 1，每一苞片内

海漆

含花 1；小苞片 2，披针形，长约 2mm，宽约 0.6mm，基部两侧各具腺体 1；花梗粗短或近无花梗；萼片 3，线状渐尖，长约 1.2mm；雄蕊 3，常伸出于萼片之外；花丝向基部渐粗。雌花：苞片和小苞片与雄花的相同，花梗比雄花的略长；萼片阔卵形或三角形，先端尖，基部稍连合，长约 1.4mm，基部宽近 1mm；子房卵形，花柱 3，分离，先端外卷。蒴果球形，具 3 沟槽，长 7~8mm，宽约 10mm；分果爿尖卵形，先端具喙；种子球形，直径约 4mm。花果期 1~9 月。

分布区域

产于海南三亚、澄迈、文昌。亦分布于中国广东、广西、台湾。中南半岛，以及菲律宾、印度、澳大利亚也有分布。

资　　源

生于海滨潮湿处。

采收加工

全株均可采，分部位晒干，乳汁随采随用。

功能主治

树汁、木材：通便缓泻。用作泻剂、腐蚀剂。种子：用于腹泻。茎、根：壮阳。用作壮阳药。叶：用于癫痫、溃疡、麻风。

大戟科 Euphorbiaceae 海漆属 Excoecaria

红背桂花
Excoecaria cochinchinensis Lour.

| 中 药 名 | 红背桂（药用部位：全株）

| 植物形态 | 常绿灌木，高约 1m；枝无毛，具多数皮孔。叶对生，稀兼有互生或近 3 轮生，纸质，叶片狭椭圆形或长圆形，长 6~14cm，宽 1.2~4cm，先端长渐尖，基部渐狭，边缘有疏细齿，齿间距 3~10mm，两面均无毛，腹面绿色，背面紫红或血红色；中脉于两面均突起，侧脉 8~12 对，弧曲上升，离缘弯拱连接，网脉不明显；叶柄长 3~10mm，无腺体；托叶卵形，先端尖，长约 1mm。花单性，雌雄异株，聚集成腋生或稀兼有顶生的总状花序，雄花序长 1~2cm，雌花序由 3~5 花组成，略短于雄花序。雄花：花梗长约 1.5mm；苞片阔卵形，长和宽近相等，约 1.7mm，先端凸尖而具细齿，基部于腹面两侧各具 1 腺体，每一苞片仅有 1 花；小苞片 2，线形，长约 1.5mm，先端尖，上部具撕

红背桂花

裂状细齿，基部两侧亦各具腺体 1；萼片 3，披针形，长约 1.2mm，先端有细齿；雄蕊长伸出于萼片之外，花药圆形，略短于花丝。雌花：花梗粗壮，长 1.5~2mm，苞片和小苞片与雄花的相同；萼片 3，基部稍连合，卵形，长 1.8mm，宽近 1.2mm；子房球形，无毛，花柱 3，分离或基部多少合生，长约 2.2mm。蒴果球形，直径约 8mm，基部平截，先端凹陷；种子近球形，直径约 2.5mm。花期几全年。

| **分布区域** | 产于海南万宁、海口。亦分布于中国广东、广西、福建、台湾、云南。原产于越南，现世界热带地区广泛栽培。

| **资　　源** | 栽培，常见。

| **采收加工** | 全年均可采，洗净，晒干或备用。

| **功能主治** | 全株：通经活络，止痛。用于麻疹、流行性腮腺炎、扁桃体炎、乳蛾、心绞痛、肾绞痛、腰肌劳损。外用于疥癣。

大戟科 Euphorbiaceae 海漆属 Excoecaria

绿背桂花
Excoecaria formosana (Hayata) Hayata

绿背桂花

| 中 药 名 |

东方绿白（药用部位：叶）

| 植物形态 |

灌木，高约1m，老枝圆柱形，幼枝有较强的纵棱而呈四棱柱形，有皮孔，无毛。叶对生或稀兼有互生，纸质，叶片椭圆形或长圆状披针形，长6~12cm，宽2~4cm，先端渐尖，基部急狭或楔形，边缘有疏细齿，齿间距3~7mm，两面绿色，无毛；中脉两面均突起，侧脉8~12对，弧形上升，离缘2~3mm弯拱网结。网脉在背面明显；叶柄长5~13mm，无腺体；托叶阔卵形，先端尖，长约1mm。花单性，雌雄同株，异序或同序而雄花生于花序轴上部，雌花2~3生于花序轴下部，聚集成腋生、长1.5~2cm的总状花序。雄花：花梗极短或几无花梗；苞片阔卵形，长和宽近相等，约1.8mm，先端短尖，基部于腹面两侧各具一长约1mm的腺体；每一苞片内有1花；小苞片2，线形，先端尖，长约1.6mm，基部有2枚长约0.5mm的腺体；萼片3，长圆状披针形，长约1.5mm，宽约0.4mm，边缘有撕裂状疏细齿；雄蕊3，伸出于萼片之外。花药近圆形，比花丝短。雌花：苞片与雄花的相同，唯小苞片比雄花的略宽，基部 2 腺体常不等大；萼片 3，基部多少合生，卵形。长约 1.5mm，宽约 1.2mm，边缘有疏齿；子房球形，直径约 2mm，平滑，花柱 3，外反，长约 2.5mm。蒴果具长约 4mm 的柄，球形，直径 8~10mm；种子球形，直径约 4mm，表面有大小不等的斑纹或斑点。花期 4~5 月及 8~10 月。

|分布区域|

产于海南三亚、乐东、东方、昌江、白沙、保亭、陵水、万宁、琼中、琼海。亦分布于中国广东、广西、台湾。越南、老挝、泰国、缅甸、马来西亚也有分布。

|资　　源|

生于山谷林下、路旁，常见。

|采收加工|

全年均可采收，多为鲜用。

|功能主治|

杀虫止痒。外用于牛皮癣、慢性湿疹、神经性皮炎。

|附　　注|

在 FOC 中，其学名被修订为 *Excoecaria cochinchinensis* Lour. var. *viridis* (Pax et Hoffm.) Merr.。

大戟科 Euphorbiaceae 白饭树属 Flueggea

白饭树

Flueggea virosa (Roxb. ex Willd.) Voigt.

| **中 药 名** | 白饭树（药用部位：全株或枝叶），白饭树根（药用部位：根）

| **植物形态** | 灌木，高 1~6m；小枝具纵棱槽，有皮孔；全株无毛。叶片纸质，椭圆形、长圆形、倒卵形或近圆形，长 2~5cm，宽 1~3cm，先端圆至急尖，有小尖头，基部钝至楔形，全缘，下面白绿色；侧脉每边 5~8；叶柄长 2~9mm；托叶披针形，长 1.5~3mm，边缘全缘或微撕裂。花小，淡黄色，雌雄异株，多朵簇生于叶腋；苞片鳞片状，长不及 1mm；雄花花梗纤细，长 3~6mm；萼片 5，卵形，长 0.8~1.5mm，宽 0.6~1.2mm，全缘或有不明显的细齿；雄蕊 5，花丝长 1~3mm，花药椭圆形，长 0.4~0.7mm，伸出萼片之外；花盘腺体 5，与雄蕊互生；退化雌蕊通常 3 深裂，高 0.8~1.4mm，先端弯曲；雌花 3~10 簇生，有时单生；花梗长 1.5~12mm；萼片与雄花的相同；花盘环状，先

白饭树

端全缘，围绕子房基部；子房卵圆形，3室，花柱3，长0.7~1.1mm，基部合生，顶部2裂，裂片外弯。蒴果浆果状，近圆球形，直径3~5mm，成熟时果皮淡白色，不开裂；种子栗褐色，具光泽，有小疣状突起及网纹，种皮厚，种脐略圆形，腹部内陷。花期3~8月，果期7~12月。

| 分布区域 | 产于海南东方、昌江、五指山、万宁。亦分布于中国广东、广西、湖南、贵州、云南、台湾、河南、河北、山东。菲律宾、印度也有分布。

| 资　　源 | 生于疏林中，常见。

| 采收加工 | 叶：全年均可采，多为鲜用。根：全年均可采，洗净，鲜用或晒干。

| 药材性状 | 单叶，叶柄长3~6mm，叶片纸质，长圆状倒卵形至椭圆形，长2~5cm，宽1~3cm，先端钝圆而有极小的凸尖，基部楔形，边缘全缘，上面绿色，下面苍白色。气微，味苦、微涩。

| 功能主治 | 全株：清热解毒，消肿止痛，止痒止血。用于湿疹、脓疱疮、过敏性皮炎、疮疖、烫火伤。枝叶：祛风除湿，解毒杀虫。根：清热止痛，杀虫拔脓。用于风湿关节痛、湿疹、脓疱疮、咳嗽、毒蛇咬伤。

大戟科 Euphorbiaceae 算盘子属 Glochidion

毛果算盘子
Glochidion eriocarpum Champ. ex Benth.

| 中 药 名 | 漆大姑（药用部位：枝叶）

| 植物形态 | 灌木，高达 5m，小枝密被淡黄色、扩展的长柔毛。叶片纸质，卵形、狭卵形或宽卵形，先端渐尖或急尖，基部钝、截形或圆形，两面均被长柔毛，下面毛被较密；侧脉每边 4~5；叶柄长 1~2mm，被柔毛；托叶钻状，长 3~4mm。花单生或 2~4 簇生于叶腋内；雌花生于小枝上部，雄花则生于下部；雄花花梗长 4~6mm；萼片 6，长倒卵形，长 2.5~4mm，先端急尖，外面被疏柔毛；雄蕊 3；雌花几无花梗；萼片 6，长圆形，长 2.5~3mm，其中 3 片较狭，两面均被长柔毛；子房扁球状，密被柔毛，4~5 室，花柱合生呈圆柱状，直立，长约 1.5mm，先端 4~5 裂。蒴果扁球状，直径 8~10mm，具 4~5 纵沟，密被长柔毛，先端具圆柱状稍伸长的宿存花柱。花果期几全年。

毛果算盘子

| 分布区域 |

产于海南白沙、澄迈、屯昌。亦分布于中国湖南、福建、台湾、贵州、云南。越南、泰国也有分布。

| 资　源 |

生于山坡、山谷、路旁阳处灌丛中，常见。

| 采收加工 |

夏、秋季采收，鲜用或晒干。

| 药材性状 |

单叶互生，具短柄；叶片长 4~8cm，宽 1.5~3.5cm，卵形或窄卵形，先端渐尖，基部钝或圆形，全缘，两面均被长柔毛，下面的毛较密；托叶锥尖形。纸质。气特异，味苦、涩。

| 功能主治 |

枝叶：祛风利湿，清热解毒，消肿，散瘀止血。用于急性胃肠炎、痢疾、生漆过敏、稻田性皮炎、皮肤瘙痒、瘾疹、湿疹、剥脱性皮炎、风湿关节痛、跌打损伤、创伤出血。

大戟科 Euphorbiaceae **算盘子属** Glochidion

厚叶算盘子
Glochidion hirsutum (Roxb.) Voigt

| **中 药 名** | 毛叶算盘子（药用部位：根），毛叶算盘子叶（药用部位：叶）

| **植物形态** | 灌木或小乔木，高 1~8m；小枝密被长柔毛。叶片革质，卵形、长卵形或长圆形，长 7~15cm，宽 4~7cm，先端钝或急尖，基部浅心形、截形或圆形，两侧偏斜，上面疏被短柔毛，脉上毛被较密，老渐近无毛，下面密被柔毛；侧脉每边 6~10；叶柄长 5~7mm，被柔毛；托叶披针形，长 3~4mm。聚伞花序通常腋上生；总花梗长 5~7mm 或短缩；雄花花梗长 6~10mm；萼片 6，长圆形或倒卵形，长 3~4mm，其中3 片较宽，外面被柔毛；雄蕊 5~8；雌花花梗长 2~3mm；萼片 6，卵形或阔卵形，长约 2.5mm，其中 3 片较宽，外面被柔毛；子房圆球状，直径约 2mm，被柔毛，5~6 室；花柱合生，呈近圆锥状，先端平截。蒴果扁球状，直径 8~12mm，被柔毛，具 5~6 纵沟。花果期几全年。

厚叶算盘子

| 分布区域 | 产于海南三亚、五指山、保亭、陵水、万宁、琼中、儋州、琼海。亦分布于中国广东、广西、福建、台湾、云南、西藏。印度也有分布。

| 资　　源 | 生于河边、沼地边或山地林下，常见。

| 采收加工 | 全年均可采，洗净，晒干。

| 功能主治 | 根、叶：收敛固脱，祛风消肿。用于风湿骨痛、跌打肿痛、脱肛、阴挺、带下病、泄泻、肝炎。

大戟科 Euphorbiaceae 算盘子属 Glochidion

艾胶算盘子

Glochidion lanceolarium (Roxb.) Voigt

| 中 药 名 | 艾胶算盘子（药用部位：茎、叶、根）

| 植物形态 | 常绿灌木或乔木，通常高 1~3m，稀 7~12m；除子房和蒴果外，全株均无毛。叶片革质，椭圆形、长圆形或长圆状披针形，长 6~16cm，宽 2.5~6cm，先端钝或急尖，基部急尖或阔楔形而稍下延，两侧近相等，上面深绿色，下面淡绿色，干后黄绿色；侧脉每边 5~7；叶柄长 3~5mm；托叶三角状披针形，长 2.5~3mm。花簇生于叶腋内，雌花、雄花分别着生于不同的小枝上或雌花 1~3 生于雄花束内；雄花花梗长 8~10mm；萼片 6，倒卵形或长倒卵形，长约 3mm，黄色；雄蕊 5~6；雌花花梗长 2~4mm；萼片 6，3 片较大，3 片较小，大的卵形，小的狭卵形，长 2.5~3mm；子房圆球状，6~8 室，密被短柔毛；花柱合生，呈卵形，长不及 1mm，约为子房长的一半，先端

艾胶算盘子

近平截。蒴果近球状，直径 12~18mm，高 7~10mm，先端常凹陷，边缘具 6~8 纵沟，先端被微柔毛，后变无毛。花期 4~9 月，果期 7 月至翌年 2 月。

| 分布区域 |

产于海南三亚、乐东、昌江、白沙、五指山、保亭、陵水、万宁、儋州、澄迈、琼海、文昌。亦分布于中国广东、广西、福建、云南。越南、老挝、泰国、缅甸、印度也有分布。

| 资　　源 |

生于山地林下或路旁，常见。

| 采收加工 |

全年均可采，洗净，晒干。

| 功能主治 |

茎、叶：散瘀，消炎止痛。用于口疮、口腔炎、牙龈肿痛、齿龈炎、跌打损伤。根：退黄。用于黄疸。

| 大戟科 | Euphorbiaceae | 算盘子属 | Glochidion

算盘子

Glochidion puberum (L.) Hutch.

| 中 药 名 |　算盘子（药用部位：果实），算盘子根（药用部位：根），算盘子叶（药用部位：叶）

| 植物形态 |　直立灌木，高 1~5m，多分枝；小枝灰褐色；小枝、叶片下面、萼片外面、子房和果实均密被短柔毛。叶片纸质或近革质，长圆形、长卵形或倒卵状长圆形，稀披针形，长 3~8cm，宽 1~2.5cm，先端钝、急尖、短渐尖或圆，基部楔形至钝，上面灰绿色，仅中脉被疏短柔毛或几无毛，下面粉绿色；侧脉每边 5~7，下面突起，网脉明显；叶柄长 1~3mm；托叶三角形，长约 1mm。花小，雌雄同株或异株，2~5 簇生于叶腋内，雄花束常着生于小枝下部，雌花束则在上部，或有时雌花和雄花生于同一叶腋内；雄花花梗长 4~15mm；萼片 6，狭长圆形或长圆状倒卵形，长 2.5~3.5mm；雄蕊 3，合生，呈圆柱状；

算盘子

雌花花梗长约 1mm；萼片 6，与雄花的相似，但较短而厚；子房圆球状，5~10 室，每室有 2 胚珠；花柱合生，呈环状，长、宽与子房几相等，在与子房连接处缢缩。蒴果扁球状，直径 8~15mm，边缘有 8~10 纵沟，成熟时带红色，先端具有环状而稍伸长的宿存花柱；种子近肾形，具三棱，长约 4mm，朱红色。花期 4~8 月，果期 7~11 月。

| **分布区域** | 产于海南五指山、陵水。亦分布于中国长江以南其他大部分省区，以及西藏、甘肃、陕西。日本也有分布。

| **资　　源** | 生于海拔 300m 以上的山坡、溪边灌丛、林缘，少见。

| **采收加工** | 果实：秋季采摘，拣净杂质，晒干。根：全年均可采挖，洗净，鲜用或晒干。叶：夏、秋季采收，鲜用或晒干备用。

| **药材性状** | 果实：蒴果扁球形，形如算盘珠，常具 8~10 纵沟。红色或红棕色，被短绒毛，先端具环状稍伸长的宿存花柱。内有数颗种子，种子近肾形，具纵棱，表面红褐色。气微，味苦、涩。叶：具短柄，叶片长圆形、长圆状卵形或披针形，长 3~8cm，宽 1~2.5cm，先端尖或钝，基部宽楔形、全缘，上面仅脉上被疏短柔毛或几无毛；下面粉绿色，密被短柔毛；叶片较厚，纸质或革质。气微，味苦、涩。

| **功能主治** | 果实：清热利湿。用于感冒发热、咽喉痛、疟疾、吐泻、消化不良、痢疾、风湿关节痛、跌打损伤、带下病、痛经。根、叶：清热利湿，活血解毒。用于痢疾、疟疾、黄疸、白浊、劳伤咳嗽、风湿痹痛、崩漏、带下病、咽喉痛、牙痛、痈肿、瘰疬、跌打损伤。

大戟科 Euphorbiaceae | 算盘子属 | *Glochidion*

里白算盘子 *Glochidion triandrum* (Blanco) C. B. Rob.

| 中 药 名 | 里白算盘子（药用部位：根、叶）

| 植物形态 | 灌木或小乔木，高 3~7m；小枝具棱，被褐色短柔毛。叶片纸质或膜质，长椭圆形或披针形，长 4~13cm，宽 2~4.5cm，先端渐尖、急尖或钝，基部宽楔形或钝，两侧略不对称，上面绿色，幼时仅中脉上被疏短柔毛，后变无毛，下面带苍白色，被白色短柔毛；中脉和侧脉上面稍突起，下面突起，侧脉每边 5~7；叶柄长 2~4mm，被疏短柔毛；托叶卵状三角形，长 1~1.5mm，被褐色短柔毛。花 5~6 簇生于叶腋内，雌花生于小枝上部，雄花生在下部；雄花花梗长 6~7mm，纤细，基部具有小苞片，小苞片卵状三角形，长约 1mm；萼片 6，2 轮，倒卵形，长 2mm，外面被短柔毛；雄蕊 3，合生；雌花几无花梗；萼片与雄花的相似，长约 1.5mm，内凹；子房卵

里白算盘子

状，4~5 室，被短柔毛；花柱合生，呈圆柱状，先端膨大。蒴果扁球状，直径 5~7mm，高约 4mm，有 8~10 纵沟，被疏柔毛，先端常有宿存的花柱，基部萼片宿存；果梗长 5~6mm；种子三角形，长约 3mm，褐红色，有光泽。花期 3~7 月，果期 7~12 月。

| 分布区域 | 产于海南白沙、琼中、儋州、澄迈、定安。亦分布于中国广东、广西、湖南、福建、台湾、贵州、云南、四川。泰国、缅甸、菲律宾、印度、尼泊尔、日本也有分布。

| 资　　源 | 生于山地灌丛中，少见。

| 采收加工 | 全年均可采，洗净，晒干。

| 功能主治 | 同属的植物多用于清热利湿、跌打损伤和风湿骨痛。但本种的功能主治少有报道，有待进一步研究。

大戟科 Euphorbiaceae 算盘子属 Glochidion

白背算盘子 *Glochidion wrightii* Benth.

| 中 药 名 | 白背算盘子（药用部位：根、叶）

| 植物形态 | 灌木或乔木，高 1~8m；全株无毛。叶片纸质，长圆形或长圆状披针形，常呈镰刀状弯斜，长 2.5~5.5cm，宽 1.5~2.5cm，先端渐尖，基部急尖，两侧不相等，上面绿色，下面粉绿色，干后灰白色；侧脉每边 5~6；叶柄长 3~5mm。雌花或雌雄花同簇生于叶腋内；雄花花梗长 2~4mm；萼片 6，长圆形，长约 2mm，黄色；雄蕊 3，合生；雌花几无花梗；萼片 6，其中 3 片较宽而厚，卵形、椭圆形或长圆形，长约 1mm；子房圆球状，3~4 室；花柱合生，呈圆柱状，长不及 1mm。蒴果扁球状，直径 6~8mm，红色，先端有宿存的花柱。花期 5~9 月，果期 7~11 月。

白背算盘子

分布区域	产于海南三亚、乐东、昌江、五指山、万宁、琼中。亦分布于中国广东、广西、福建、云南。
资　　源	生于山谷、山坡林中，常见。
采收加工	全年均可采收，洗净，鲜用或晒干。
功能主治	根、叶：用于痢疾、湿疹、小儿麻疹。

大戟科 Euphorbiaceae 算盘子属 Glochidion

四裂算盘子

Glochidion assamicum (Muell. Arg.) Hook. f.

| 中 药 名 | 四裂算盘子（药用部位：叶）

| 植物形态 | 乔木，高达 10m；枝和叶无毛。叶片纸质或近革质，宽椭圆形、卵形至披针形，长 9~15cm，宽 3.5~4.5cm，先端渐尖或短渐尖，基部钝，下面干时淡褐色；侧脉每边 6~8；叶柄长 2~3mm；托叶三角形，长 2mm。多朵雄花与少数几朵雌花同时簇生于叶腋内；雄花直径约 3mm，花梗长 13~20mm，纤细，被短柔毛；萼片 6，长圆形或倒卵状长圆形，外面被短柔毛；雄蕊 3，合生，花药长卵形，药隔凸尖；雌花几无梗；萼片与雄花的相同；子房圆球状，3~4 室，初时被短柔毛，后变无毛；花柱合生，呈圆锥状，无毛。蒴果扁球状，直径 6~8mm，高 2~3mm，通常 4 室，果皮薄；果梗短；种子半圆球形，红色。

四裂算盘子

| **分布区域** | 海南有分布记录。亦分布于中国广东、广西、台湾、贵州、云南。越南、泰国、缅甸、不丹、尼泊尔、印度也有分布。

| **资　　源** | 生于海拔 100~1700m 的常绿阔叶林、溪边灌丛中，少见。

| **采收加工** | 全年均可采，洗净，晒干。

| **功能主治** | 外用于湿疹、痈疮肿毒、牛皮癣。

| **附　　注** | 在 FOC 中，其学名被修订为 *Glochidion ellipticum* Wight。

大戟科 Euphorbiaceae 橡胶树属 Hevea

橡胶树
Hevea brasiliensis (Willd. ex A. Juss.) Müll. Arg.

橡胶树

中药名

橡胶树（药用部位：叶、树皮、种子、乳汁）

植物形态

大乔木，高可达 30m，有丰富的乳汁。指状复叶具小叶 3；叶柄长达 15cm，先端有 2（3~4）腺体；小叶椭圆形，长 10~25cm，宽 4~10cm，先端短尖至渐尖，基部楔形，全缘，两面无毛；侧脉 10~16 对，网脉明显；小叶柄长 1~2cm。花序腋生，圆锥状，长达 16cm，被灰白色短柔毛；雄花花萼裂片卵状披针形，长约 2mm；雄蕊 10，排成 2 轮，花药 2 室，纵裂；雌花花萼与雄花同，但较大；子房（2~）3（~6）室，花柱短，柱头 3。蒴果椭圆状，直径 5~6cm，有 3 纵沟，先端有喙尖，基部略凹，外果皮薄，干后有网状脉纹，内果皮厚、木质；种子椭圆状，淡灰褐色，有斑纹。花期 5~6 月。

分布区域

产于海南万宁、琼中、儋州、临高、屯昌、琼海。中国广东、广西、福建、云南亦有栽培。原产于巴西。

| 资　　源 |

生于旷野或田间，常见。

| 采收加工 |

夏、秋季采收，鲜用或晒干。

| 功能主治 |

叶、树皮：祛瘀消肿，止血止痛，杀虫止痒。用于跌打损伤、水火烫伤、湿疹、皮肤瘙痒。从树干割取的弹性橡胶：用于制造橡胶膏药。种子：泻下。用作催泻剂。

大戟科 *Euphorbiaceae* **水柳属** *Homonoia*

水 柳
Homonoia riparia Lour.

| 中 药 名 | 水杨柳（药用部位：根）

| 植物形态 | 灌木，高 1~3m；小枝具棱，被柔毛。叶纸质，互生，线状长圆形或狭披针形，长 6~20cm，宽 1.2~2.5cm，先端渐尖，具尖头，基部急狭或钝，全缘或具疏生腺齿，上面疏生柔毛或无毛，下面密生鳞片和柔毛；侧脉 9~16 对，网脉略明显；叶柄长 5~15mm；托叶钻状，长 5~8mm，脱落。雌雄异株，花序腋生，长 5~10cm；苞片近卵形，长 1.5~2mm，小苞片 2，三角形，长约 1mm，花单生于苞腋；雄花花萼裂片 3，长 3~4mm，被短柔毛，雄蕊众多，花丝合生成约 10 雄蕊束，花药小，药室几分离；花梗长 0.2mm；雌花萼片 5，长圆形，先端渐尖，长 1~2mm，被短柔毛；子房球形，密被紧贴的柔毛，花柱 3，长 4~7mm，基部合生，柱头密生羽毛状突起。蒴果近球形，

水柳

直径 3~4mm，被灰色短柔毛；种子近卵状，长约 2mm，外种皮肉质，干后淡黄色，具皱纹。花期 3~5 月，果期 4~7 月。

│分布区域│

产于海南三亚、乐东、昌江、白沙、保亭、陵水、万宁、琼中。亦分布于中国广西、台湾、贵州。印度、东南亚各国也有分布。

│资　　源│

生于河边，常见。

│采收加工│

全年均可采挖，洗净泥土，切片，晒干。

│功能主治│

清热利胆，消炎解毒。用于急慢性肝炎、黄疸、石淋、膀胱结石。

大戟科 Euphorbiaceae 麻疯树属 *Jatropha*

麻疯树 *Jatraopha curcas* L.

| 中 药 名 | 麻疯树（药用部位：叶、树皮、果实）

| 植物形态 | 灌木或小乔木，高 2~5m，具水状液汁，树皮平滑；枝条苍灰色，无毛，疏生突起皮孔，髓部大。叶纸质，近圆形至卵圆形，先端短尖，基部心形，全缘或 3~5 浅裂，上面亮绿色，无毛，下面灰绿色，初沿脉被微柔毛，后变无毛；掌状脉 5~7；叶柄长 6~18cm；托叶小。花序腋生，长 6~10cm，苞片披针形，长 4~8mm；雄花萼片 5，长约 4mm，基部合生；花瓣长圆形，黄绿色，长约 6mm，合生至中部，内面被毛；腺体 5，近圆柱状；雄蕊 10，外轮 5 离生，内轮花丝下部合生；雌花花梗花后伸长；萼片离生，花后长约 6mm；花瓣和腺体与雄花同；子房 3 室，无毛，花柱先端 2 裂。蒴果椭圆状或球形，长 2.5~3cm，黄色；种子椭圆状，长 1.5~2cm，黑色。花期 9~10 月。

麻疯树

|分布区域|

产于海南三亚、乐东、昌江、白沙、五指山、陵水、万宁、琼中、儋州、澄迈。中国广东、广西、福建、台湾、云南、四川有栽培。原产于美洲。

|资　　源|

多为栽培，亦有逸为野生，常见。

|采收加工|

叶、树皮：全年均可采收，洗净，鲜用或晒干。果实：秋季成熟时采摘，去净果柄及杂质，晒干或榨油备用。

|功能主治|

叶、树皮：散瘀消肿，止血止痒。用于跌打肿痛、创伤出血、皮肤瘙痒、麻风、头癣、慢性溃疡、关节挫伤、阴道滴虫、湿疹、脚癣。种子：用于皮肤病。还可用作通便药、呕吐药。

|附　　注|

根：喀麦隆用煎剂治疗高血压和性传播疾病，亦有利尿作用。

大戟科 Euphorbiaceae 麻疯树属 *Jatropha*

琴叶珊瑚 *Jatropha pandurifolia* Andrews

| **中 药 名** | 琴叶珊瑚（药用部位：叶）

| **植物形态** | 常绿灌木。单叶互生，倒阔披针形，常丛生于枝条先端；叶基有2~3对锐刺，叶端渐尖，叶面为浓绿色，叶背为紫绿色，叶柄具茸毛，叶面平滑。聚伞花序，花瓣5，花冠红色；且为单性花，雌雄同株，各自着生于不同的花序上；另有粉红品种。蒴果成熟时呈黑褐色。

| **分布区域** | 海南有栽培。中国华南其他区域亦有栽培。原产于古巴以及西印度群岛。

| **采收加工** | 全年均可采收，洗净，鲜用或晒干。

琴叶珊瑚

| 功能主治 |　同属植物多用于散瘀消肿和跌打肿痛。但本种的功能主治少有报道，有待进一步研究。

大戟科 Euphorbiaceae 麻疯树属 Jatropha

佛肚树
Jatropha podagrica Hook.

| 中 药 名 | 佛肚树（药用部位：全株）

| 植物形态 | 直立灌木，不分枝或少分枝，高 0.3~1.5m，茎基部或下部通常膨大成瓶状；枝条粗短，肉质，具散生突起皮孔，叶痕大且明显。叶盾状着生，轮廓近圆形至阔椭圆形，先端圆钝，基部截形或钝圆，全缘或 2~6 浅裂，上面亮绿色，下面灰绿色，两面无毛；掌状脉 6~8，其中上部 3 直达叶缘；叶柄长 8~16cm，无毛；托叶分裂呈刺状，宿存。花序顶生，具长总梗，分枝短，红色，花萼长约 2mm，裂片近圆形，长约 1mm；花瓣倒卵状长圆形，长约 6mm，红色；雄花雄蕊 6~8，基部合生，花药与花丝近等长；雌花子房无毛，花柱 3，基部合生，先端 2 裂。蒴果椭圆状，长 13~18mm，直径约 15mm，具 3 纵沟；种子长约 1.1cm，平滑。花期几全年。

佛肚树

| **分布区域** | 产于海南海口、万宁。中国广东、广西、福建、云南亦有栽培。原产于中美洲，现世界广泛栽培。 |

| **资　　源** | 生于屋旁、林缘、山坡草丛中。 |

| **采收加工** | 全年均可采，洗净，鲜用或切片晒干。 |

| **功能主治** | 清热解毒，消肿止痛，利尿。用于发热、毒蛇咬伤、小便不利、性病。 |

| **附　　注** | 茎、根：非洲民间用于黄疸、淋病。从茎中分离得到四甲基吡嗪（川芎嗪），此化合物即是川芎的有效成分，临床已用于缺铁性心脑血管疾病，疗效良好。 |

大戟科 Euphorbiaceae 麻疯树属 *Jatropha*

棉叶珊瑚花
Jatropha gossypiifolia L.

| 中 药 名 | 棉叶珊瑚花（药用部位：种子油、叶或全株）

| 植物形态 | 多年生落叶灌木或小乔木，株高 2~6m。树皮光滑，苍白色；具乳汁，无毛。全株有毒。嫩叶紫红色，渐变绿色；叶背紫红色。单叶互生，近革质，掌状 3 或 4 深裂，裂片线状披针形或羽状，叶缘具锯齿，叶柄长 10~25cm，具刚毛，紫红色；托叶细裂为刚毛状，长约 2cm。花红色，雄花花瓣长约 4mm，雌花花瓣长 6~7mm。聚伞花序，腋生；花总梗长，被毛，中部以上分枝。雄花花萼长 2~3mm，裂片 5，近圆形，无毛；雌花花萼同；雄花花瓣 5，匙形；雌花花瓣同；花单性，雌雄同株；开花时往往雄花多，雌花少。蒴果近球形，直径约 2.5cm，嫩果绿色，成熟时裂成 3 个 2 瓣裂的分果爿，成熟种子为黑色。花期 7~12 月。

棉叶珊瑚花

| **分布区域** | 海南有栽培。原产于南美洲。

| **资　　源** | 海南有少量栽培，资源量小。

| **采收加工** | 叶和全株全年均可采收，洗净，鲜用或晒干。

| **功能主治** | 种子油：通便。用于躯体痛。叶：马来西亚捣碎外用于乳腺肿胀、皮肤瘙痒、疖子。浸剂：用于性病。菲律宾用作毒鱼剂。全株：用于牙痛。乳汁：用于脓肿、烫伤、溃疡。植物水提物：有抗疟活性。

白茶树
Koilodepas hainanense (Merr.) Airy-Shaw

| 中 药 名 | 白茶树（药用部位：叶）

| 植物形态 | 乔木或灌木，高 3~15m；嫩枝密生灰黄色星状短柔毛，小枝无毛。叶纸质或薄革质，长椭圆形或长圆状披针形，长（8~）12~32cm，宽（2~）3~8.5cm，先端渐尖，基部阔楔形、圆钝或微心形，边缘具细钝齿或圆齿，两面无毛，干后暗褐色；侧脉两面均明显；叶柄长 5~10mm，被绒毛；托叶披针形，长 5~7mm。花序穗状，长 4~6（~10）cm，被绒毛；苞片阔卵形，长 1.5~2.5mm；雄花 5~11 排成的团伞花序，稀疏排列在花序轴上，雌花 1~3，生于花序基部；雄花花萼长约 1mm，具短星状毛，萼裂片 3~4；雄蕊 3~5，花丝短，基部合生，药室叉开；不育雌蕊球形，小；雌花花萼杯状，长 3~4mm，萼裂片 5~6，披针形或卵形，被绒毛；子房陀螺状，长约 3mm，3 室，密生

白茶树

短星状毛，花柱长约 2.5mm，上部开展，多裂，密生羽毛状突起。蒴果扁球形，褐色，直径约 1.7cm，被短绒毛，内果皮木质；宿萼膜质，直径约 1.7cm，疏生星状毛；果梗长 3~4mm，被绒毛；种子近球形，直径约 8mm，具斑纹。花期 3~4 月，果期 4~5 月。

分布区域

产于海南三亚、乐东、白沙、保亭、万宁、琼中、儋州、澄迈、琼海、文昌。越南北部也有分布。

资 源

生于林中或灌丛中，常见。

采收加工

全年均可采收，洗净，鲜用或晒干。

功能主治

本种的功能主治鲜有报道，有待进一步研究。

大戟科 Euphorbiaceae 血桐属 Macaranga

刺果血桐

Macaranga auriculata (Merr.) Airy-Shaw

| 中 药 名 | 刺果血桐（药用部位：根）

| 植物形态 | 乔木，高 5~15m；小枝初被毛，毛逐渐全脱落。叶纸质，椭圆形至阔披针形，长 8~13（~16）cm，宽 3~4（~6）cm，先端长渐尖，基部微耳状心形，两侧各具斑状腺体 1~2，边全缘或浅波状，具疏生腺齿；下面具颗粒状腺体，沿中脉具疏毛；侧脉 8~10 对；叶柄长 2~3.5cm，疏生长毛；托叶钻状，长 2.5~3mm，脱落。雄花序总状或为少分枝的复总状花序，长 6~9cm，花序轴疏生柔毛；苞片长卵形，长 2~3mm，被毛，偶有数枚披针形、叶状，长 1~2cm，苞腋具花 5~7，花梗长 1.5mm，被短柔毛；雄花萼片 3（~4），长卵形，具疏柔毛；雄蕊 12~16，花药 4 室。雌花序总状，长 4~6cm，花序轴具疏柔毛，苞片 4~7，疏生，其中 2~3 叶状、披针形，长 1~1.2cm，

刺果血桐

宽 3~4mm，边缘具小齿，无毛，其余为卵状三角形，长约 1mm，被柔毛；雌花萼片 3~4，披针形，长约 2mm，被毛，宿存；子房 2 室，具数枚或多枚圆锥状软刺，长 1~2mm，花柱 2，线状，长 7~12mm，近基部合生，具乳头状突起；花梗长 1~2（~6）mm，被短柔毛。蒴果双球形，长 6mm，宽 12mm，具数枚或多枚软刺和颗粒状腺体；种子近球形，直径 5mm，黑褐色，具斑纹。花期 1~5 月，果期 5~6 月。

| 分布区域 |

产于海南昌江、白沙、保亭、万宁、琼中、儋州、琼海。亦分布于中国广东、广西、福建。亚洲东南部也有分布。

| 资　　源 |

生于密林中，常见。

| 采收加工 |

全年均可采收，洗净，鲜用或晒干。

| 功能主治 |

同属的血桐多用于解热、止血以及外用敷治创伤。本种植物形态特征与其相似，但功能主治少有报道，有待进一步研究。

| 附　　注 |

在 FOC 中，其学名被修订为 *Macaranga lowii* King ex Hook. f.。

大戟科 Euphorbiaceae **血桐属** *Macaranga*

中平树
Macaranga denticulata (Bl.) Muell. Arg.

| **中 药 名** | 中平树根（药用部位：根），中平树皮（药用部位：茎皮）

| **植物形态** | 乔木，高 3~10（~15）m；嫩枝、叶、花序和花均被锈色或黄褐色绒毛；小枝粗壮，具纵棱，绒毛呈粉状脱落。叶纸质或近革质，三角状卵形或卵圆形，长 12~30cm，宽 11~28cm，盾状着生，先端长渐尖，基部钝圆或近平截，稀浅心形，两侧通常各具斑状腺体 1~2，下面密生柔毛或仅脉序上被柔毛，具颗粒状腺体，叶缘微波状或近全缘，具疏生腺齿；掌状脉 7~9，侧脉 8~9 对；叶柄长 5~20cm，被毛或无毛；托叶披针形，长 7~8mm，被绒毛，早落。雄花序圆锥状，长 5~10cm，苞片近长圆形，长 2~3mm，被绒毛，边缘具 2~4 腺体，或呈鳞片状，长 1mm，苞腋具花 3~7；雄花花萼（2~）3 裂，长约 1mm，雄蕊 9~16（~21），花药 4 室；花梗长 0.5mm。雌花序圆锥状，

中平树

长 4~8cm，苞片长圆形或卵形、叶状，长5~7mm，边缘具腺体 2~6，或呈鳞片状；雌花花萼 2 浅裂，长 1.5mm；子房 2 室，稀 3 室，沿背缝线具短柔毛，花柱 2（~3），长 1mm；花梗长 1~2mm。蒴果双球形，长 3mm，宽5~6mm，具颗粒状腺体；宿萼 3~4 裂；果梗长3~5mm。花期 4~6 月，果期 5~8 月。

| 分布区域 |

产于海南三亚、乐东、东方、昌江、白沙、五指山、保亭、陵水、万宁、澄迈、屯昌、琼海。亦分布于中国广西、贵州、云南、西藏。东南亚及印度也有分布。

| 资　　源 |

生于林中，常见。

| 采收加工 |

根：全年均可采挖，洗净，切片，晒干。茎皮：全年均可采剥，洗净，晒干。

| 功能主治 |

根：行气止痛，清热利湿。用于黄疸型肝炎、胸胁胀满、胃痛、湿热、湿疹、妇人白带腥臭、阴肿阴痒。茎皮：清热消炎，泻下。用于腹水、便秘。尼泊尔制成浸膏剂外用于肿痛、内伤。

大戟科 Euphorbiaceae 血桐属 Macaranga

血 桐
Macaranga tanarius (L.) Müll. Arg.

| 中 药 名 | 血桐（药用部位：叶、根、树皮及根皮、心材）

| 植物形态 | 乔木，高 5~10m；嫩枝、嫩叶、托叶均被黄褐色柔毛或有时嫩叶无毛；小枝粗壮，无毛，被白霜。叶纸质或薄纸质，近圆形或卵圆形，长17~30cm，宽 14~24cm，先端渐尖，基部钝圆，盾状着生，全缘或叶缘具浅波状小齿，上面无毛。下面密生颗粒状腺体，沿脉序被柔毛；掌状脉 9~11，侧脉 8~9 对；叶柄长 14~30cm；托叶膜质，长三角形或阔三角形，长 1.5~3cm，宽 0.7~2cm，稍后凋落。雄花序圆锥状，长 5~14cm，花序轴无毛或被柔毛；苞片卵圆形，长 3~5mm，宽 3~4.5mm，先端渐尖，基部兜状，边缘流苏状，被柔毛，苞腋具花约 11；雄花萼片 3，长约 1mm，具疏生柔毛；雄蕊（4~）5~6（~10），花药 4 室；花梗长不及 1mm，近无毛。雌花序圆锥状，

血桐

长 5~15cm，花序轴疏生柔毛；苞片卵形、叶状，长 1~1.5cm，先端渐尖，基部骤狭呈柄状，边缘篦齿状条裂，被柔毛；雌花花萼长约 2mm，2~3 裂，被短柔毛；子房 2~3 室，近脊部具软刺数枚，花柱 2~3，长约 6mm，稍呈舌状，疏生小乳头。蒴果具 2~3 分果爿，长 8mm，宽 12mm，密被颗粒状腺体和数枚长约 8mm 的软刺；果梗长 5~7mm，具微柔毛。种子近球形，直径约 5mm。花期 4~5 月，果期 6 月。

| 分布区域 | 产于海南昌江、白沙、五指山、琼中。亦分布于中国广西、福建、台湾、贵州、云南、四川、西藏、甘肃。亚洲、大洋洲、非洲、美洲热带和亚热带地区均有分布。

| 资　　源 | 生于沿海低山灌木林或次生林中。

| 采收加工 | 叶：全年均可采收，鲜用或晒干。根：夏、秋季采收，洗净，鲜用或切片晒干。

| 功能主治 | 根：解热，催吐，止血。中国台湾用于咯血。树皮、根皮：中国台湾用于痢疾。叶：外用敷治创伤。心材：中国台湾用于癌症。

| 附　　注 | 果实：含生物碱。茎：从中分得无羁萜-3β-醇，其对角叉菜胶引起的大鼠足跖肿有抗炎抑制作用。尚分得续随二萜酯，其有导泻作用。

大戟科 Euphorbiaceae 野桐属 Mallotus

锈毛野桐
Mallotus anomalus Merr. & Chun

| 中 药 名 | 锈毛野桐（药用部位：根、叶）

| 植物形态 | 灌木，高 1~3m；小枝、叶和花序均密被锈色星状短柔毛；树皮灰褐色。叶纸质，对生，同对的叶形状和大小稍不同，阔椭圆形、倒卵形或倒卵状椭圆形，长 10~20cm，宽 6~14cm，小型叶长 5~13cm，宽 3~8cm，先端急尖，基部圆形或钝，稀近心形，边近全缘或具疏齿，成长叶上面仅沿脉被毛，下面被锈色星状短柔毛；羽状脉，侧脉 7~9 对，近基部有斑状腺体 2~4；叶柄长 1~7cm；托叶卵状披针形，先端长渐尖，被星状毛或无毛。雌雄异株，雄花序总状，腋生，长 2.5~4cm；苞片披针形，长约 5mm，苞腋有雄花 3~5；雄花花梗长 1~3mm；花萼裂片 3，长圆状卵形，长约 4mm，被星状毛；雄蕊约 25，花药 2 室，药隔稍宽，花丝长约 4mm；雌花序总状，顶生

锈毛野桐

或腋生，长 2~4cm，有雌花 3~8，苞片长圆状卵形或卵状披针形，先端渐尖或急尖；雌花花梗长 2~4mm，果梗长达 2cm；花萼裂片 3，披针形，长 4~7mm；子房卵形，花柱基部合生，柱头长 2~3mm，密生羽毛状突起。蒴果球形，钝三棱，直径 1~1.2cm，密生细长软刺和锈色星状柔毛；种子卵形，稍三棱，长约 4mm，直径约 3mm，褐色，平滑。花期 5~10 月，果期 11~12 月。

| 分布区域 |

产于海南大部分地区。

| 资　源 |

生于低海拔林中，常见。海南特有种。

| 采收加工 |

叶：全年均可采收，鲜用或晒干。根：夏、秋季采收，洗净，鲜用或切片晒干。

| 功能主治 |

叶：清热解毒，利湿止痛，消炎止血。用于蜂窝织炎、中耳炎、疖肿、跌打损伤、外伤出血、湿疹。根：清热利湿，收敛固脱，活血消肿，健脾利肝。用于慢性肝炎、肝脾肿大、胃痛、风湿关节痛、流行性腮腺炎、尿路感染、带下病、产后身痛、子宫脱垂、妊娠水肿、目赤目翳、跌打损伤、脱肛。茎皮：清热解毒，消肿逐水。

白背叶

大戟科 Euphorbiaceae **野桐属** *Mallotus*

白背叶

Mallotus apelta (Lour.) Muell. Arg.

中药名

白背叶（药用部位：叶、茎皮），白背叶根（药用部位：根）

植物形态

灌木或小乔木，高 1~3（~4）m；小枝、叶柄和花序均密被淡黄色星状柔毛和散生橙黄色颗粒状腺体。叶互生，卵形或阔卵形，稀心形，长和宽均为 6~16（~25）cm，先端急尖或渐尖，基部平截或稍心形，边缘具疏齿，上面干后黄绿色或暗绿色，无毛或被疏毛，下面被灰白色星状绒毛，散生橙黄色颗粒状腺体；基出脉 5，最下一对常不明显，侧脉 6~7 对；基部近叶柄处有褐色斑状腺体 2；叶柄长 5~15cm。雌雄异株，雄花序为开展的圆锥花序或穗状，长 15~30cm，苞片卵形，长约 1.5mm，雄花多朵簇生于苞腋；雄花花梗长 1~2.5mm；花蕾卵形或球形，长约 2.5mm，花萼裂片 4，卵形或卵状三角形，长约 3mm，外面密生淡黄色星状毛，内面散生颗粒状腺体；雄蕊 50~75，长约 3mm；雌花序穗状，长 15~30cm，稀有分枝，花序梗长 5~15cm，苞片近三角形，长约 2mm；雌花花梗极短；花萼裂片 3~5，卵形或近三角形，长 2.5~3mm，外面密生灰白色星状毛和颗粒状腺体；花柱 3~4，长约 3mm，基部合生，柱头密生羽毛状突起。蒴果近球形，密生被灰白色星状毛的软刺，软刺线形，黄褐色或浅黄色，长 5~10mm；种子近球形，直径约 3.5mm，褐色或黑色，具皱纹。花期 6~9 月，果期 8~11 月。

| 分布区域 |

产于海南乐东、东方、昌江、五指山、保亭、万宁、儋州、澄迈、屯昌。亦分布于中国广东、广西、湖南、江西、福建、云南。越南也有分布。

| 资　源 |

生于灌丛或疏林中，常见。

| 采收加工 |

叶：全年均可采收，鲜用或晒干。根：夏、秋季采收，洗净，鲜用或切片晒干。

| 药材性状 |

单叶互生，具长柄；叶片卵圆形，长 6~16（~25）cm，宽 6~16（~25）cm，先端渐尖，基部近截形或短截形，具 2 腺点，全缘或不规则 3 浅裂，上面近无毛，下面灰白色，密被星状毛，有细密棕色腺点。气微，味苦、涩。

| 功能主治 |

叶：清热解毒，利湿止痛，消炎止血。用于蜂窝织炎、中耳炎、疖肿、跌打损伤、外伤出血、湿疹。根：清热利湿，收敛固脱，活血消肿，健脾利肝。用于慢性肝炎、肝脾肿大、胃痛、

风湿关节痛、流行性腮腺炎、尿路感染、带下病、产后身痛、子宫脱垂、妊娠水肿、目赤目翳、跌打损伤、脱肛。茎皮：清热解毒，消肿逐水。

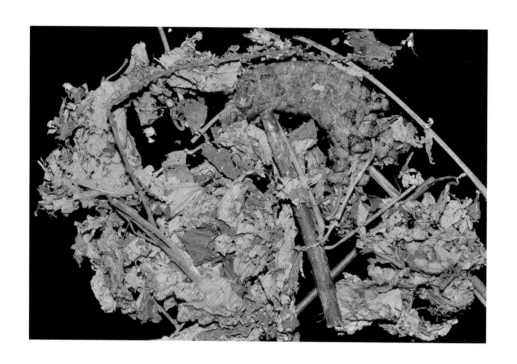

大戟科 Euphorbiaceae　野桐属 *Mallotus*

山苦茶

Mallotus oblongifolius (Miq.) Müll. Arg.

| 中 药 名 |　山苦茶（药用部位：叶）

| 植物形态 |　灌木或小乔木，高 2~10m，植物体干后有零陵香味；小枝被星状短柔毛或变无毛，具颗粒状腺体。叶互生或有时近对生，长圆状倒卵形，长 5~15cm，宽 2~6cm，先端急尖或尾状渐尖，下部渐狭，其部圆形或微心形，全缘或上部边缘微波状，上面无毛，下面中脉被星状毛或柔毛，侧脉腋有簇生柔毛，散生橙色颗粒状腺体；羽状脉，侧脉 8~10 对；基部有褐色斑状腺体 4~6；叶柄长 0.5~3.5cm；托叶卵状披针形，被星状毛，早落。雌雄异株；雄花序总状，顶生，长 4~12cm，苞片卵状披针形，长 2~3mm，雄花（1~）2~5 簇生于苞腋，花梗长约 3mm；雄花花蕾卵形，长约 1.5mm，花萼裂片 3，阔卵形，不等大，长约 1.5mm，无毛；雄蕊 25~45，药隔宽。雌花序总状，

山苦茶

顶生，长 7~10cm，苞片钻形，长约 2mm，被毛，花梗长约 2.5mm；雌花花萼佛焰苞状，长约 4.5mm，一侧开裂，先端 3 齿裂，外面被星状毛和疏生黄色颗粒状腺体；子房球形，密生软刺和微柔毛，花柱中部以下合生，柱头长 4~5mm，密生羽毛状突起。蒴果扁球形。直径约 1.4cm，具 3 分果爿，具 3 纵槽，被微柔毛和橙黄色颗粒状腺体，疏生稍弯的软刺；种子球形，直径约 5mm，具斑纹。花期 2~4 月，果期 6~11 月。

分布区域

产于海南三亚、乐东、昌江、白沙、保亭、陵水、万宁、琼中、儋州、澄迈。亦分布于中国广东。亚洲东南部各国均有分布。

资 源

生于山谷林中，常见。

采收加工

夏、秋季采收，鲜用或晒干。

功能主治

消炎止痛。用于胆囊炎、胆结石。

附 注

在 FOC 中，其学名被修订为 *Mallotus peltatus* (Geiseler) Matus。

大戟科 Euphorbiaceae 野桐属 Mallotus

白 楸
Mallotus paniculatus (Lam.) Muell. Arg.

| 中 药 名 | 白楸（药用部位：根、茎、叶、果实）

| 植物形态 | 乔木或灌木，高 3~15m；树皮灰褐色，近平滑；小枝被褐色星状绒毛。叶互生，生于花序下部的叶常密生，卵形、卵状三角形或菱形，长 5~15cm，宽 3~10cm，先端长渐尖，基部楔形或阔楔形，边缘波状或近全缘，上部有时具 2 裂片或粗齿；嫩叶两面均被灰黄色或灰白色星状绒毛，成长叶上面无毛；基出脉 5，基部近叶柄处具斑状腺体 2，叶柄稍盾状着生，长 2~15cm。雌雄异株，总状花序或圆锥花序，分枝广展，顶生，雄花序长 10~20cm；苞片卵状披针形，长约 2mm，渐尖，苞腋有雄花 2~6，雄花花梗长约 2mm；花蕾卵形或球形；花萼裂片 4~5，卵形，长 2~2.5mm，外面密被星状毛；雄蕊 50~60。雌花序长 5~25cm；苞片卵形，长不及 1mm，苞腋有雌花 1~2；雌

白楸

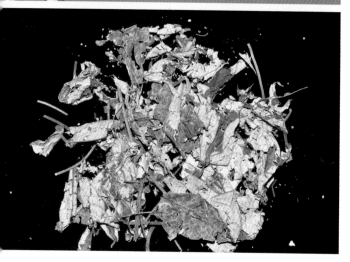

花花梗长约 2mm；花萼裂片 4~5，长卵形，长 2~3mm，常不等大，外面密生星状毛；花柱 3，基部稍合生，柱头长 2~3mm，密生羽毛状突起。蒴果扁球形，具 3 分果爿，直径 1~1.5cm，被褐色星状绒毛和疏生钻形软刺，长 4~5mm，具毛；种子近球形，深褐色，常具皱纹。花期 7~10 月，果期 11~12 月。

| 分布区域 |

产于海南三亚、乐东、东方、昌江、白沙、保亭、陵水、万宁、琼中、儋州、澄迈。亦分布于中国广东、广西、福建、台湾、贵州、云南。东南亚也有分布。

| 资　　源 |

生于山地、丘陵灌丛或疏林中，常见。

| 采收加工 |

根、茎：全年均可采，洗净，切片，晒干。叶：夏、秋季采收，鲜用或晒干。

| 功能主治 |

根、茎、叶、果实：固脱，止痢，消炎。用于痢疾、阴挺（子宫脱垂）、中耳炎、头痛、肿毒、创伤、跌打损伤。

大戟科 Euphorbiaceae   **野桐属** *Mallotus*

粗糠柴
Mallotus philippensis (Lam.) Müll. Arg.

| 中 药 名 | 吕宋楸毛（药用部位：果实的腺毛及毛茸），粗糠柴根（药用部位：根），粗糠柴叶（药用部位：叶）

| 植物形态 | 小乔木或灌木，高 2~18m；小枝、嫩叶和花序均密被黄褐色短星状柔毛。叶互生或有时小枝顶部的对生，近革质，卵形、长圆形或卵状披针形，长 5~18（~22）cm，宽 3~6cm，先端渐尖，基部圆形或楔形，边近全缘，上面无毛，下面被灰黄色星状短绒毛，叶脉上具长柔毛，散生红色颗粒状腺体；基出脉 3，侧脉 4~6 对；近基部有褐色斑状腺体 2~4；叶柄长 2~5（~9）cm，两端稍增粗，被星状毛。雌雄异株，花序总状，顶生或腋生，单生或数个簇生；雄花序长 5~10cm，苞片卵形，长约 1mm，雄花 1~5 簇生于苞腋，花梗长 1~2mm；雄花花萼裂片 3~4，长圆形，长约 2mm，密被星状毛，具红色颗粒状腺体；

粗糠柴

雄蕊 15~30，药隔稍宽。雌花序长 3~8cm，果序长达 16cm，苞片卵形，长约 1mm；雌花花梗长 1~2mm；花萼裂片 3~5，卵状披针形，外面密被星状毛，长约 3mm；子房被毛，花柱 2~3，长 3~4mm，柱头密生羽毛状突起。蒴果扁球形，直径 6~8mm，具 2（~3）分果爿，密被红色颗粒状腺体和粉末状毛；种子卵形或球形，黑色，具光泽。花期 4~5 月，果期 5~8 月。

| **分布区域** | 产于海南三亚、乐东、东方、昌江、白沙、五指山、万宁、琼中、儋州、临高、澄迈、海口。亦分布于中国广东、广西、湖南、江西、福建、台湾、浙江、江苏、安徽、湖北、贵州、云南、四川、西藏。东南亚各国也有分布。

| **采收加工** | 腺毛及毛绒：果实充分成熟时采摘，入布袋中，摩擦搓揉抖振，擦落毛茸，拣去果实，收集毛茸，干燥即可。根：全年均可采收，洗净，切片，晒干。叶：全年均可采收，鲜用或晒干。

| **药材性状** | 毛茸为细粒状、暗红色、浮动性粉末，无臭，无味。投水面上浮，微使水色变红。投乙醇、醚、氯仿及氢氧化钾试液中，能使溶液呈深红色。徐徐振荡之，其灰色部分（非腺毛）聚集于表面。

| **功能主治** | 根：清热利湿。用于急慢性痢疾、咽喉肿痛。果实的腺毛及毛茸：驱虫，通便。用于驱绦虫、蛔虫、线虫，及烂疮、跌打损伤、大便秘结。茎内皮：收敛止泻，止血生肌。用于外伤出血、疮疡溃烂。

大戟科 Euphorbiaceae 野桐属 *Mallotus*

石岩枫
Mallotus repandus (Rottler) Müll. Arg.

| 中 药 名 | 石岩枫（药用部位：根、茎、叶）

| 植物形态 | 攀缘状灌木；嫩枝、叶柄、花序和花梗均密生黄色星状柔毛；老枝无毛，常有皮孔。叶互生，纸质或膜质，卵形或椭圆状卵形，长3.5~8cm，宽2.5~5cm，先端急尖或渐尖，基部楔形或圆形，边全缘或波状，嫩叶两面均被星状柔毛，成长叶仅下面叶脉腋部被毛和散生黄色颗粒状腺体；基出脉 3，有时稍离基，侧脉 4~5 对；叶柄长2~6cm。雌雄异株，总状花序或下部有分枝；雄花序顶生，稀腋生，长 5~15cm；苞片钻状，长约 2mm，密生星状毛，苞腋有花 2~5；花梗长约 4mm；雄花花萼裂片 3~4，卵状长圆形，长约 3mm，外面被绒毛；雄蕊 40~75，花丝长约 2mm，花药长圆形，药隔狭。雌花序顶生，长 5~8cm，苞片长三角形；雌花花梗长约 3mm；花萼裂片 5，

石岩枫

卵状披针形，长约 3.5mm，外面被绒毛，具颗粒状腺体；花柱 2（~3），柱头长约 3mm，被星状毛，密生羽毛状突起。蒴果具 2（~3）分果片，直径约 1cm，密生黄色粉末状毛和具颗粒状腺体；种子卵形，直径约 5mm，黑色，有光泽。花期 3~5 月，果期 8~9 月。

分布区域

产于海南三亚、乐东、东方、昌江、五指山、儋州、澄迈、文昌、海口。亦分布于中国西南至东南。亚洲其他地区、澳大利亚、太平洋岛屿也有分布。

资　　源

生于林中，常见。

采收加工

根、茎：全年均可采，洗净，切片，晒干。叶：夏、秋季采收，鲜用或晒干。

药材性状

叶互生；叶柄长 2.5~4cm；叶片三角卵形或卵形，长 3.5~8cm，宽 2.5~5cm，先端渐尖，基部圆、平截或稍呈心形，全缘，两面被毛，多少有变异。气微，味辛。

功能主治

根、茎、叶：祛风活络，舒筋止痛，散血解表，解热。用于风湿病、风湿性关节炎、腰腿痛、产后风瘫、毒蛇咬伤、慢性溃疡。外用于跌打损伤。叶：酒炒，中国台湾用于驱蛔虫，外用于痤疮、止痒、杀虫。

粗毛野桐
Mallotus hookerianus (Seem.) Muell. Arg.

| 中 药 名 | 粗毛野桐（药用部位：根、叶）

| 植物形态 | 灌木或小乔木，高 1.5~6m；嫩枝和叶柄被疏生黄色长粗毛。叶对生，同对的叶形状和大小极不相同，小型叶退化成托叶状，钻形，长 1~1.2cm，疏被长粗毛；大型叶近革质，长圆状披针形，先端渐尖，基部钝或圆形，边近全缘或波状，上面无毛，下面中脉近基部被长粗毛，侧脉腋部常被短柔毛，其余无毛；羽状脉，侧脉 8~9 对，叶基部有时具褐色斑状腺体；叶柄长 1~1.5cm，两端增厚；托叶线状披针形，长约 1cm，疏被长粗毛，宿存。雌雄异株，雄花序总状，生于小型叶叶腋，长 4~10cm；苞片钻形或披针形，长 1~5mm，被毛，苞腋有雄花 1~2，雄花花梗长 3~4mm，中部具关节；花萼裂片 4，椭圆形或近圆形，长约 4mm；雄蕊 60~70。雌花单生，有时 2~3

粗毛野桐

组成总状花序；花梗长 3~4mm，果梗长达 5cm；花萼裂片 5，披针形，长约 5mm，被粗毛；子房球形，具刺，花柱近基部合生，柱头长 10~15mm，密生羽毛状突起。蒴果三棱状球形，直径 1~1.4cm，密生稍硬而直的软刺，被灰黄色星状毛；种子球形，褐色，平滑。花期 3~5 月，果期 8~10 月。

| 分布区域 | 产于海南乐东、昌江、白沙、陵水、琼中、万宁、儋州、定安、文昌、琼海。亦分布于中国广东、广西。越南也有分布。

| 资　　源 | 生于山地林中，常见。

| 采收加工 | 根：全年可采收，洗净，鲜用或晒干。叶：夏、秋季采收。

| 功能主治 | 同属的植物多用于收敛止血和消炎止痛等方面。但本种的功能主治少有报道，有待进一步研究。

大戟科 Euphorbiaceae 野桐属 Mallotus

云南野桐 *Mallotus yunnanensis* Pax & K. Hoffm.

| 中 药 名 | 云南野桐（药用部位：根、叶）

| 植物形态 | 灌木，高 1.5~3m，小枝和花序密被褐色星状短柔毛。叶对生，同对的叶形状和大小稍不同，通常椭圆形、阔卵形或卵状椭圆形，长 4~11cm，宽 2~4.5cm，先端急渐尖或急尖，基部阔楔形或近圆形，边近全缘或稍波状齿，上面无毛，下面侧脉腋和叶脉被长柔毛，疏生黄色颗粒状腺体，干后褐色；羽状脉，侧脉 4~6 对，基部的一对常最长；基部常具褐色斑状腺体 2~4；大型叶叶柄长 5~30mm，小型叶叶柄长 2~5mm，疏被短柔毛；托叶钻形或卵状披针形，长 2~4mm，先端长渐尖，灰褐色，无毛或疏被星状毛。雌雄异株；雄花序总状，顶生或腋生，长 1.2~5cm；苞片卵形或卵状披针形，长 2~3mm，先端渐尖或急尖，被毛，苞腋有雄花 3；雄花花梗长约

云南野桐

2mm；花萼裂片 3~4，卵形，长约 2mm，被柔毛；雄蕊 35~40，药隔稍宽；雌花序总状，顶生，长 1~2cm，有雌花 2~9，苞片卵形或卵状披针形；雌花花梗长 1~2mm；花萼裂片 3~5，披针形，长约 3mm，外面被柔毛和黄色腺点；子房扁球形，疏被柔毛和刺，花柱中部以下合生，柱头长 2~3mm，密生羽毛状突起。蒴果扁球形，钝三棱，直径约 7mm，散生黄色颗粒状腺体和被毛，具稀疏的短刺；种子卵形或球形，直径 3~4mm，褐色或暗褐色，平滑。花期 4~10 月，果期 10~12 月。

| 分布区域 |

产于海南三亚、乐东、东方、昌江、五指山、万宁、琼中、儋州。亦分布于中国广西、贵州、云南。越南也有分布。

| 资　　源 |

生于灌丛中，常见。

| 采收加工 |

根：全年可采收，洗净，鲜用或晒干。叶：夏、秋季采收。

| 功能主治 |

同属的植物多用于收敛止血和消炎止痛等方面。但本种的功能主治少有报道，有待进一步研究。

| 附　　注 |

在 FOC 中，海南野桐 *Mallotus hainanensis* Hwang 被归并到云南野桐 *Mallotus yunnanensis* Pax&K.Hoffm.。

大戟科 Euphorbiaceae 木薯属 Manihot

木 薯 *Manihot esculenta* Crantz

| 中 药 名 | 木薯（药用部位：叶、树皮、块根及其淀粉）

| 植物形态 | 直立灌木，高 1.5~3m；块根圆柱状。叶纸质，轮廓近圆形，长 10~20cm，掌状深裂几达基部，裂片 3~7，倒披针形至狭椭圆形，长 8~18cm，宽 1.5~4cm，先端渐尖，全缘，侧脉（5~）7~15；叶柄长 8~22cm，稍盾状着生，具不明显细棱；托叶三角状披针形，长 5~7mm，全缘或具 1~2 刚毛状细裂。圆锥花序顶生或腋生，长 5~8cm，苞片条状披针形；花萼带紫红色且有白粉霜；雄花花萼长约 7mm，裂片长卵形，近等大，长 3~4mm，宽 2.5mm，内面被毛；雄蕊长 6~7mm，花药顶部被白色短毛；雌花花萼长约 10mm，裂片长圆状披针形，长约 8mm，宽约 3mm；子房卵形，具 6 纵棱，柱头外弯，折扇状。蒴果椭圆状，长 1.5~1.8cm，直径 1~1.5cm，表面

木薯

粗糙，具 6 狭而波状的纵翅；种子长约 1cm，
多少具 3 棱，种皮硬壳质，具斑纹，光滑。花
期 9~11 月。

| 分布区域 |

海南乐东、白沙、五指山、万宁、定安、琼海
有栽培。中国广东、广西、福建、台湾、贵州、
云南亦有栽培。原产于美洲热带地区。

| 采收加工 |

夏、秋季采收，鲜用或晒干。

| 功能主治 |

块根及其淀粉：清热解毒，凉血杀虫。用于水
肿。叶：清热解毒，消肿。用于疮癣、痈疮肿毒、
瘀肿疼痛、跌打损伤、外伤。叶为喀麦隆传统
草药。浸剂内服用于高血压。树皮：用于风湿。

大戟科 Euphorbiaceae 红雀珊瑚属 Pedilanthus

红雀珊瑚 *Pedilanthus tithymaloides* (L.) Poit.

| 中 药 名 | 扭曲草 (药用部位：全株)

| 植物形态 | 直立亚灌木，高 40~70cm；茎、枝粗壮，肉质，呈 "之" 字状扭曲，无毛或嫩时被短柔毛。叶肉质，近无柄或具短柄，叶片卵形或长卵形，长 3.5~8cm，宽 2.5~5cm，先端短尖至渐尖，基部钝圆，两面被短柔毛，毛随叶变老而逐渐脱落；中脉在背面显著突起，侧脉 7~9 对，远离边缘网结，网脉略明显；托叶为一圆形的腺体，直径约 1mm。聚伞花序丛生于枝顶或上部叶腋内，每一聚伞花序为一鞋状的总苞所包围，内含多数雄花和 1 雌花；总苞鲜红或紫红色，仰卧，无毛，两侧对称，长约 1cm，先端近唇状 2 裂，一裂片小，长圆形，长约 6mm，先端具 3 细齿，另一裂片大，舟状，长约 1cm，先端 2 深裂。雄花：每花仅具 1 雄蕊；花梗纤细，长 2.5~4mm，无毛，其与花丝

红雀珊瑚

极相似，为关节所连接；花药球形，略短于花丝。雌花：着生于总苞中央而斜伸出于总苞之外；花梗远粗于雄花者，长 6~8mm，无毛；子房纺锤形，花柱大部分合生，柱头 3，2 裂。花期 12 月至翌年 6 月。

| 分布区域 | 产于海南万宁、海口、西沙群岛。中国广东、广西、云南亦有栽培。原产于美洲热带地区，现世界热带地区广泛栽培。

| 资　　源 | 生于路旁或温室，常见。

| 采收加工 | 全年均可采收，多鲜用或晒干。

| 功能主治 | 全株：清热解毒，散瘀消肿，止血生肌，镇痛。用于跌打损伤、骨折、外伤出血、疔肿疮疡、目赤、眼结膜炎、腰痛。

大戟科 Euphorbiaceae 叶下珠属 Phyllanthus

沙地叶下珠 *Phyllanthus arenarius* Beille

| **中 药 名** | 沙地叶下珠（药用部位：全草）

| **植物形态** | 多年生草本；茎直立或稍倾卧而后上升，高达 30cm，基部木质化，带紫红色，全株无毛。叶片近革质，椭圆形或倒卵形，长 3~9mm，宽 2.5~4.5mm，先端圆，有锐尖头，基部宽楔形或钝，有多少偏斜，干后边缘稍背卷；侧脉每边约 3；叶柄极短；托叶窄三角形，长不及 1mm，深紫色。雌雄同株。雄花：双生于小枝先端，通常只有 1 花发育；花梗短，基部有许多苞片；苞片膜质，卵形，先端尖，褐色；萼片 6，近相等，长圆形或倒卵形，长约 0.5mm，边缘膜质；雄蕊 3，花丝基部合生，药室纵裂；花粉粒长球形，具 4 孔沟；花盘腺体 6，小，与萼片互生。雌花：单生于小枝中下部叶腋内；花梗极短；萼片形状与雄花的相似，长约 0.7mm，先端钝，紫红色；花盘圆盘状，

沙地叶下珠

边缘全缘；子房圆球状，3 室，花柱分离，先端 2 裂，裂片向外弯卷。蒴果球状三棱形，直径 2.5~3mm，成熟后开裂为 3 个 2 瓣裂的分果爿，轴柱宿存；种子棕色，表面有颗粒状小突起。花期 5~7 月，果期 7~10 月。

| 分布区域 |

产于海南陵水、万宁、文昌。亦分布于中国广东、云南。越南也有分布。

| 资　　源 |

生于海边沙地，偶见。

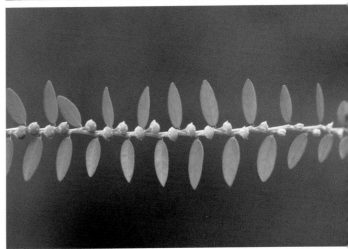

| 采收加工 |

全年均可采，鲜用或晒干。

| 功能主治 |

同属植物多具有清热解毒和生津止渴等作用。但本种的功能主治鲜有报道，有待进一步研究。

大戟科 Euphorbiaceae 叶下珠属 *Phyllanthus*

越南叶下珠 *Phyllanthus cochinchinensis* (Lour.) Spreng.

| 中 药 名 | 越南叶下珠（药用部位：全株）

| 植物形态 | 灌木，高达 3m；茎皮黄褐色或灰褐色；小枝具棱，长 10~30cm，直径 1~2mm，与叶柄幼时同被黄褐色短柔毛，老时变无毛。叶互生或 3~5 着生于小枝极短的突起处，叶片革质，倒卵形、长倒卵形或匙形，长 1~2cm，宽 0.6~1.3cm，先端钝或圆，少数凹缺，基部渐窄，边缘干后略背卷；中脉两面稍突起，侧脉不明显；叶柄长 1~2mm；托叶褐红色，卵状三角形，长约 2mm，边缘有睫毛。雌雄异株，1~5 着生于叶腋垫状突起处，突起处的基部具有多数苞片；苞片干膜质，黄褐色，边缘撕裂状；雄花通常单生；花梗长约 3mm；萼片 6，倒卵形或匙形，长约 1.3mm，宽 1~1.2mm，不相等，边缘膜质，基部增厚；雄蕊 3，花丝合生成柱，花药 3，顶部合生，下部叉开，药室

越南叶下珠

平行，纵裂；花粉粒球形或近球形，有 6~10 散孔；花盘腺体 6，倒圆锥形；雌花：单生或簇生，花梗长 2~3mm；萼片 6，外面 3 为卵形，内面 3 为卵状菱形，长 1.5~1.8mm，宽 1.5mm，边缘均为膜质，基部增厚；花盘近坛状，包围子房约 2/3，表面有蜂窝状小孔；子房圆球形，直径约 1.2mm，3 室，花柱 3，长 1.1mm，下部合生成长约 0.5mm 的柱，上部分离，下弯，先端 2 裂，裂片线形。蒴果圆球形，直径约 5mm，具 3 纵沟，成熟后开裂成 3 个 2 瓣裂的分果爿；种子长和宽约为 2mm，外种皮膜质，橙红色，易剥落，上面密被稍突起的腺点。花果期 6~12 月。

| **分布区域** | 产于海南三亚、乐东、东方、白沙、保亭、万宁、琼海、文昌。亦分布于中国广东、广西、福建、四川、云南、西藏。越南、老挝、柬埔寨、缅甸、泰国、马来西亚、印度也有分布。

| **资　　源** | 生于山坡、草地或疏林中，常见。

| **采收加工** | 全年均可采，鲜用或晒干。

| **功能主治** | 全株：清热解毒，消肿止痛，消积利尿。用于腹泻下痢、五淋白浊、牙龈脓肿、哮喘、小儿疳积、小儿烂头疮、皮肤湿毒、疥疮。

余甘子 *Phyllanthus emblica* L.

| 中 药 名 | 油柑根（药用部位：根），油柑叶（药用部位：叶），油柑皮（药用部位：树皮），余甘子（药用部位：果实）

| 植物形态 | 乔木，高达 23m，胸径 50cm；树皮浅褐色；枝条具纵细条纹，被短柔毛。叶片纸质至革质，线状长圆形，先端平截或钝圆，有锐尖头，基部浅心形而稍偏斜，上面绿色，下面浅绿色，边缘略背卷；侧脉每边 4~7；叶柄长 0.3~0.7mm；托叶三角形，褐红色。多朵雄花和 1 朵雌花或全为雄花组成腋生的聚伞花序；萼片 6。雄花：花梗长 1~2.5mm；萼片膜质，黄色，长倒卵形或匙形，先端钝或圆，边缘全缘或有浅齿；雄蕊 3，花丝合生成长 0.3~0.7mm 的柱，花药直立，长圆形，长 0.5~0.9mm，先端具短尖头，药室平行；花粉近球形，直径 17.5~19μm，具 4~6 孔沟，内孔多长椭圆形。雌花：花

余甘子

梗长约 0.5mm；萼片长圆形或匙形，先端钝或圆；子房卵圆形，长约 1.5mm，3 室，花柱 3，长 2.5~4mm，基部合生，先端 2 裂，裂片先端再 2 裂。蒴果呈核果状，圆球形，直径 1~1.3cm，外果皮肉质，绿白色，内果皮硬壳质；种子略带红色，长 5~6mm，宽 2~3mm。

| 分布区域 |

产于海南三亚、乐东、东方、昌江、白沙、五指山、保亭、万宁、琼中、儋州、澄迈、琼海。亦分布于中国广东、广西、江西、福建、台湾、贵州、云南、四川。越南、老挝、柬埔寨、缅甸、泰国、马来西亚、印度也有分布。

| 资　　源 |

生于山坡、草地或疏林中，常见。

| 采收加工 |

果实：9~10 月果熟时采收，开水烫透或用盐水浸后，晒干。根：全年均可采收，洗净，晒干或鲜用。树皮：全年均可采，鲜用或晒干。叶：夏、秋季枝叶茂盛时采收，鲜用或晒干。

| 药材性状 |

果实球形或扁球形，直径 1~1.3cm；表面棕褐色至墨绿色，有淡黄色颗粒状突起，具皱纹及不明显的 6 棱，果梗长约 1mm，果肉（中果皮）厚 1~4mm，质硬而脆。内果皮黄白色，硬核样，表面略具 6 棱，背缝线的偏上部有数条维管束，干后裂成 6 瓣。种子 6，近三棱形，棕色。气微，味酸涩，回甜。

| 功能主治 |

果实：清热解毒，利咽，生津止渴，润肺止咳。用于感冒发热、咽喉痛、咳嗽、口干烦渴、牙痛、腹痛、消化不良、维生素 C 缺乏症。根：收敛止泻，消食，利水化痰，杀虫。用于高血压、胃痛、泄泻、瘰疬。叶：用于小便不利、皮肤湿疹、皮炎瘙痒、风湿痛。树皮：杀菌祛腐，杀虫。

大戟科 Euphorbiaceae 叶下珠属 *Phyllanthus*

海南叶下珠
Phyllanthus hainanensis Merr.

| 中 药 名 | 海南叶下珠（药用部位：全株）

| 植物形态 | 直立灌木，高达 2m；茎皮灰褐色；小枝具棱，长 10~25cm；全株无毛。叶片膜质，近长圆形，长 10~25mm，宽 4~8mm，先端急尖，有锐尖头，基部宽楔形，两侧不相等，通常一侧约为另一侧的 2 倍宽，边缘稍背卷，上面绿色，下面浅绿色或粉绿色；侧脉与主脉呈紫红色，每边 4~5；叶柄极短；托叶线状披针形，长 1~1.5mm，干后变硬。雌雄同株。雄花：通常 2~3 簇生于小枝中下部的叶腋内；花梗长 3~10mm；萼片 4，红色，卵状椭圆形，长约 1.2mm，宽 1mm，中肋稍厚，边缘膜质，具撕裂状齿，先端尖；雄蕊 2，花丝基部合生，花药分离，药室横裂；花粉粒圆球形，具 10~20 孔，孔散布于整个花粉粒球面；花盘腺体 4，圆盘状。雌花：花梗长 20~35mm；萼片 5，

海南叶下珠

红色，披针形，长约 2.5mm，近等大，中肋稍厚，边缘膜质，深撕裂；花盘腺体 6，近方形，长和宽约为 0.5mm，先端全缘或具不明显的波状小齿；子房近圆球形，3 室，直径约 1mm，花柱 3，分离，2 裂几达基部，平展。蒴果长卵形，长 3mm，直径 2mm，室间及室背均开裂，轴柱及萼片宿存；种子小，长 2mm，宽约 0.8mm，淡红色。花果期几全年。

| 分布区域 |

产于海南三亚、乐东、东方、昌江。

| 资　　源 |

生于林下，常见。

| 采收加工 |

全年均可采，晒干。

| 功能主治 |

全株：用于目赤肿痛、肝大。

大戟科 Euphorbiaceae 叶下珠属 Phyllanthus

单花水油甘
Phyllanthus nanellus P. T. Li

| 中 药 名 | 单花水油甘（药用部位：全株）

| 植物形态 | 灌木，高约 1m；茎圆柱形，灰褐色；枝条具棱，生叶小枝扁，两
侧具翅，小枝互生或 2~4 枝簇生；全株无毛。叶 2 列，叶片薄革
质，卵形或长卵形，长 4~5mm，宽 2mm，先端具凸尖，基部偏斜；
侧脉每边 3，在叶上面略明显，在叶下面不明显；叶柄极短或无；
托叶三角形，两侧边缘膜质。雌雄同株，通常单朵腋生；花梗长约
2mm；雄花萼片 4，近圆形，长 1mm，边缘膜质；雄蕊 2，花丝合
生成柱状，花药平行，药室 2；花盘腺体 4，长卵形；雌花萼片 6，
宽卵形，长约 1.2mm；花盘盘状，围绕子房基部；子房圆球状，3 室，
每室 2 胚珠，花柱 3，先端 2 裂。蒴果圆球状，直径约 3mm，棕褐色，
3 瓣裂；轴柱和萼片宿存。

单花水油甘

| **分布区域** | 产于海南乐东、五指山、陵水、万宁、琼中、定安。海南特有种。

| **资　　源** | 生于山地密林中，常见。

| **采收加工** | 夏、秋季采收，洗净，晒干。

| **功能主治** | 同属植物水油甘的全株多用于清热散结和消炎止痢等方面。本种植物形态特征与其相似，但是功能主治鲜有报道，有待进一步研究。

珠子草
Phyllanthus niruri L.

珠子草

中药名

小返魂（药用部位：全草或根、提取物）

植物形态

一年生草本，高达 50cm；茎略带褐红色，通常自中上部分枝；枝圆柱形，橄榄色；全株无毛。叶片纸质，长椭圆形，长 5~10mm，宽 2~5mm，先端钝、圆或近截形，有时具不明显的锐尖头，基部偏斜；侧脉每边 4~7；叶柄极短；托叶披针形，长 1~2mm，膜质透明。通常 1 雄花和 1 雌花双生于每一叶腋内，有时只有 1 雌花腋生。雄花：花梗长 1~1.5mm；萼片 5，倒卵形或宽卵形，长 1.2~1.5mm，宽 1~1.5mm，先端钝或圆，中部黄绿色，基部有时淡红色，边缘膜质；花盘腺体 5，倒卵形，宽 0.25~0.4mm；雄蕊 3，花丝长 0.6~0.9mm，2/3~3/4 合生成柱，花药近球形，长 0.25~0.4mm，药室纵裂；花粉粒长球形，具 3 孔沟，少数 4 孔沟，沟狭长。雌花：花梗长 1.5~4mm；萼片 5，不相等，宽椭圆形或倒卵形，长 1.5~2.3mm，宽 1.2~1.8mm，先端钝或圆，中部绿色，边缘略带黄白色，膜质；花盘盘状；子房圆球形，3 室，花柱 3，分离，先端 2 裂，裂片外弯。蒴果扁球状，直径约 3mm，褐红色，平滑，成熟后开裂为 3 个 2 裂的分果片，轴柱及萼片宿存；种子长 1~1.5mm，宽 0.8~1.2mm，有小颗粒状排成的纵条纹。花果期 1~10 月。

|分布区域|

产于海南三亚、乐东、东方、昌江。

|资　　源|

生于路旁、旷野，偶见。

|采收加工|

夏、秋季采收，洗净，晒干。

|功能主治|

全草、根：止咳祛痰，消积，清肝明目，渗湿利水。用于感冒发热、痰咳、小儿疳积、黄疸型肝炎、淋病、梅毒、目赤、角膜云翳、结膜炎、肾炎水肿、尿路感染、尿路结石。外用于毒蛇咬伤。提取制剂口服、静脉或腹腔注射有抗肉瘤病毒、白血病病毒和艾滋病病毒作用，为逆转录酶强抑制剂。

|附　　注|

据 FOC 的描述，珠子草 *Phyllanthus niruri* L. 为鉴定错误，因此该种现被更正为：苦味叶下珠 *Phyllanthus amarus* Shumacher et Thonning。

水油甘
Phyllanthus parvifolius Buch.-Ham. ex D. Don

| 中 药 名 | 水油甘（药用部位：全株）

| 植物形态 | 直立灌木，高达 2m；茎灰褐色；小枝略具 4 棱，上部稍扁，通常密集于茎顶或老枝条的上部，长达 16cm；全株无毛。叶片薄革质，长圆形或椭圆形，长 6~11mm，宽 2~4mm，先端急尖，有褐红色锐尖头，基部偏斜，边缘背卷；侧脉每边 4~7；叶柄长约 1mm；托叶卵状三角形，长约 1mm，褐红色。花黄白色或白绿色，通常 2~4 雄花和 1 雌花同簇生于叶腋；雄花花梗长 1~2mm；萼片 6，不相等，卵状披针形或倒卵形，长约 1mm，边缘膜质；雄蕊 3，花丝基部合生，花药长圆形，长约 0.2mm，药室平行，纵裂，药隔略突起成小尖头；花粉粒球形，具 4 孔沟，沟细长，内孔圆形；花盘腺体 6；雌花花梗长约 2mm；萼片与雄花的同形，长 1.2mm，宽 0.8~1mm；花盘杯状，

水油甘

先端 6 浅裂；子房圆球形，直径约 1mm，3 室，花柱基部合生，上部 2 深裂，裂片略外弯。蒴果圆球状，直径约 3mm，成熟后开裂为 3 个 2 瓣裂的分果爿，轴柱和萼片宿存；种子长约 1.5mm，褐色，表面具蜂窝状网纹。

| 分布区域 |

产于海南三亚、乐东、东方、昌江、白沙、五指山、陵水、万宁、琼中、儋州、澄迈、海口。亦分布于中国广东。

| 采收加工 |

夏、秋季采收，洗净，晒干。

| 功能主治 |

全株：清热散结，消炎止痢。用于膀胱结石、腹泻。叶、根：用于发热、感冒头痛、鼻塞、目赤、关节炎。

大戟科 Euphorbiaceae 叶下珠属 *Phyllanthus*

小果叶下珠
Phyllanthus reticulatus Poiret

| 中 药 名 | 山兵豆（药用部位：根）

| 植物形态 | 灌木，高达 4m；枝条淡褐色；幼枝、叶和花梗均被淡黄色短柔毛或微毛。叶片膜质至纸质，椭圆形、卵形至圆形，长 1~5cm，宽 0.7~3cm，先端急尖、钝至圆，基部钝至圆，下面有时灰白色；叶脉通常两面明显，侧脉每边 5~7；叶柄长 2~5mm；托叶钻状三角形，长达 1.7mm，干后变硬刺状，褐色。通常 2~10 雄花和 1 雌花簇生于叶腋，稀组成聚伞花序。雄花：直径约 2mm；花梗纤细，长 5~10mm；萼片 5~6，2 轮，卵形或倒卵形，不等大，长 0.7~1.5mm，宽 0.5~1.2mm，全缘；雄蕊 5，直立，其中 3 较长，花丝合生，2 较短而花丝离生，花药三角形，药室纵裂；花粉粒球形，具 3 沟孔；花盘腺体 5，鳞片状，宽 0.5mm。雌花：花梗长 4~8mm，纤细；萼片 5~6，2 轮，不等大，

小果叶下珠

宽卵形，长 1~1.6mm，宽 0.9~1.2mm，外面基部被微柔毛；花盘腺体 5~6，长圆形或倒卵形；子房圆球形，4~12 室，花柱分离，先端 2 裂，裂片线形卷曲平贴于子房先端。蒴果呈浆果状，球形或近球形，直径约 6mm，红色，干后灰黑色，不分裂，4~12 室，每室有 2 种子；种子三棱形，长 1.6~2mm，褐色。花期 3~6 月，果期 6~10 月。

| 分布区域 |

产于海南三亚、乐东、东方、昌江、白沙、保亭、陵水、万宁、琼中、儋州、澄迈、海口。亦分布于中国广东、广西、湖南、江西、福建、台湾、贵州、云南、四川。菲律宾、印度尼西亚、印度、日本、澳大利亚，以及中南半岛也有分布。

| 资　　源 |

生于山谷、路旁、林下及岩石上。

| 采收加工 |

夏、秋季采收，鲜用或晒干。

| 功能主治 |

根：祛风活血，消炎，收敛止泻。用于痢疾、肝炎、肾炎、小儿疳积、风湿骨痛、跌打损伤。越南用于外伤和毒蛇咬伤。

大戟科 Euphorbiaceae 叶下珠属 *Phyllanthus*

红叶下珠

Phyllanthus ruber (Lour.) Spreng.

| 中 药 名 | 红叶下珠（药用部位：全株）

| 植物形态 | 灌木或小乔木，高 1~3m，稀达 6m；茎皮褐红色，分枝常集中于顶部；小枝长 10~20cm，与叶柄、子房及果实同被褐色锚状毛。叶片纸质，椭圆形、卵形或卵状披针形，长 2.5~7.5cm，宽 1~3.5cm，先端渐尖或尾状渐尖，基部宽楔形或钝，有时两侧不相等，边缘干时背卷，除叶下面中脉基部被柔毛外，其余无毛；侧脉每边 5~6；叶柄长 2~3mm；托叶三角形，长约 2mm，褐红色。雌雄同株。雄花：通常 2~6 簇生于枝下部的叶腋内；花梗丝状，长 3~6mm；萼片 4，黄绿色，椭圆形或卵形，彼此近相等，长 2~2.5mm，宽约 1.2mm，内面中央呈龙骨状突起；雄蕊 2，花丝合生成短柱，花药贴生，基部叉开，药室纵裂；花粉粒圆球形，具 10~20 孔；花盘腺体 4，球

红叶下珠

状，腺体间的间隙为萼片内面中央龙骨状突起所嵌入。雌花：直径约 4mm；花梗长 18~25mm，向顶部逐渐增粗；萼片 6，与雄花的相似，内面中央稍突起；花盘杯状，肥厚，先端具齿裂，基部具 6 与萼片互生的三角状腺体；子房圆球状，直径约 2.5mm，4~6 室，花柱分离，直立，长 1~1.5mm，先端 2 裂。蒴果圆球状，直径约 6mm，红褐色，具有纵的凹槽，开裂后轴柱及花萼宿存；种子淡黄褐色，长约 2mm，宽约 1mm。花期 4~10 月，果期 7 月至翌年 4 月。

| 分布区域 |

产于海南乐东、东方、昌江、五指山、保亭、万宁、儋州、临高、文昌。越南也有分布。

| 资　　源 |

生于丘陵、山谷林中。

| 采收加工 |

全年均可采，鲜用或晒干。

| 功能主治 |

同属植物多具有清热解毒和生津止渴等作用。但本种的功能主治鲜有报道，有待进一步研究。

| 大戟科 | Euphorbiaceae | 叶下珠属 | *Phyllanthus*

叶下珠 *Phyllanthus urinaria* L.

| **中 药 名** | 叶下珠（药用部位：全草）

| **植物形态** | 一年生草本，高10~60cm；茎通常直立，基部多分枝，枝倾卧而后上升；枝具翅状纵棱，上部被一纵列疏短柔毛。叶片纸质，因叶柄扭转而呈羽状排列，长圆形或倒卵形，长4~10mm，宽2~5mm，先端圆、钝或急尖而有小尖头，下面灰绿色，近边缘或边缘有1~3列短粗毛；侧脉每边4~5，明显；叶柄极短；托叶卵状披针形，长约1.5mm。雌雄同株，直径约4mm。雄花：2~4簇生于叶腋，通常仅上面1朵开花，下面的很小；花梗长约0.5mm，基部有苞片1~2；萼片6，倒卵形，长约0.6mm，先端钝；雄蕊3，花丝全部合生成柱状；花粉粒长球形，通常具5孔沟，少数3、4、6孔沟，内孔横长椭圆形；花盘腺体6，分离，与萼片互生。雌花：单生于小枝中

叶下珠

下部的叶腋内；花梗长约 0.5mm；萼片 6，近相等，卵状披针形，长约 1mm，边缘膜质，黄白色；花盘圆盘状，边全缘；子房卵状，有鳞片状突起，花柱分离，先端 2 裂，裂片弯卷。蒴果圆球状，直径 1~2mm，红色，表面具一小凸刺，有宿存的花柱和萼片，开裂后轴柱宿存；种子长 1.2mm，橙黄色。花期 4~6 月，果期 7~11 月。

分布区域

产于海南三亚、乐东、昌江、白沙、五指山、保亭、陵水、万宁、琼中、儋州、澄迈、屯昌、南沙群岛。亦分布于中国其他大部分地区。越南、老挝、泰国、缅甸、不丹、印度尼西亚、印度、尼泊尔、日本、南美洲也有分布。

资 源

生于旷野草地，常见。

采收加工

夏、秋季采收，除去杂质，鲜用或晒干。

药材性状

长短不一，根茎外表浅棕色，主根不发达，须根多数，浅灰棕色。茎直径 2~3mm，老茎基部灰褐色。茎枝有纵皱，灰棕色、灰褐色或棕红色，质脆易断，断面中空。分枝有纵皱及不甚明显的膜翅状脊线。叶片薄而小，长椭圆形，尖端有短突尖，基部圆形或偏斜，边缘有白色短毛，灰绿色，皱缩，易脱落。花细小，腋生于叶背之下，多已干缩。有的带有三棱状扁球形黄棕色果实，其表面有鳞状突起，常 6 纵裂。气微香，味微苦。

功能主治

全草、带根全草：平肝消积，清热解毒，明目渗湿，利水利湿。用于肠炎、泄泻、痢疾、传染性肝炎、黄疸型肝炎、泌尿系统感染、肾炎水肿、小便淋痛、尿路结石、小儿疳积、赤眼目翳、眼结膜炎、夜盲症、口疮头疮、无名肿毒。外用于竹叶青蛇咬伤。

大戟科 Euphorbiaceae 叶下珠属 *Phyllanthus*

黄珠子草 *Phyllanthus virgatus* Forst. f.

| **中 药 名** | 黄珠子草（药用部位：根或全草）

| **植物形态** | 一年生草本，通常直立，高达60cm；茎基部具窄棱，或有时主茎不明显；枝条通常自茎基部发出，上部扁平而具棱；全株无毛。叶片近革质，线状披针形、长圆形或狭椭圆形，长5~25mm，宽2~7mm，先端钝或急尖，有小尖头，基部圆而稍偏斜；几无叶柄；托叶膜质，卵状三角形，长约1mm，褐红色。通常2~4雄花和1雌花同簇生于叶腋。雄花：直径约1mm；花梗长约2mm；萼片6，宽卵形或近圆形，长约0.5mm；雄花3，花丝分离，花药近球形；花粉粒圆球形，直径为23μm，具多合沟孔；花盘腺体6，长圆形。雌花：花梗长约5mm；花萼深6裂，裂片卵状长圆形，长约1mm，紫红色，外折，边缘稍膜质；花盘圆盘状，不分裂；子房圆球形，3室，

黄珠子草

具鳞片状突起，花柱分离，2 深裂几达基部，反卷。蒴果扁球形，直径 2~3mm，紫红色，有鳞片状突起；果梗丝状，长 5~12mm；萼片宿存；种子小，长 0.5mm，具细疣点。花期 4~5 月，果期 6~11 月。

| 分布区域 |

产于海南三亚、东方、昌江、万宁、定安、儋州、文昌。亦分布于中国其他各地。越南、老挝、柬埔寨、缅甸、泰国、马来西亚、菲律宾、斯里兰卡、太平洋岛屿也有分布。

| 资　　源 |

生于沟边草丛或路旁灌丛中，常见。

| 采收加工 |

夏、秋季采收，鲜用或晒干。

| 功能主治 |

根、全草：清热散结，补脾胃，消食退翳。用于淋证、骨鲠咽喉。全草：用于小儿疳积。根：用于乳房脓肿、乳腺炎。

蓖 麻 *Ricinus communis* L.

| 中 药 名 | 蓖麻子（药用部位：种子），蓖麻油（药用部位：脂肪油），蓖麻叶（药用部位：叶），蓖麻根（药用部位：根）

| 植物形态 | 一年生粗壮草本或草质灌木，高达 5m；小枝、叶和花序通常被白霜，茎多液汁。叶轮廓近圆形，长和宽达 40cm 或更大，掌状 7~11 裂，裂缺几达中部，裂片卵状长圆形或披针形，先端急尖或渐尖，边缘具锯齿；掌状脉 7~11。网脉明显；叶柄粗壮，中空，长可达 40cm，先端具 2 盘状腺体，基部具盘状腺体；托叶长三角形，长 2~3cm，早落。总状花序或圆锥花序，长 15~30cm 或更长；苞片阔三角形，膜质，早落。雄花：花萼裂片卵状三角形，长 7~10mm；雄蕊束众多。雌花：萼片卵状披针形，长 5~8mm，凋落；子房卵状，直径约 5mm，密生软刺或无刺，花柱红色，长约 4mm，顶部 2 裂，密生乳

蓖麻

头状突起。蒴果卵球形或近球形，长 1.5~2.5cm，果皮具软刺或平滑；种子椭圆形，微扁平，长 8~18mm，平滑，斑纹淡褐色或灰白色；种阜大。花期几全年或 6~9 月（栽培）。

分布区域

产于海南乐东、东方、昌江、白沙、五指山、万宁、儋州、澄迈、海口、南沙群岛。亦分布于中国其他各地。广布于世界热带地区。

资　源

栽培或逸为野生，常见。

采收加工

种子：当年 8~11 月蒴果呈棕色、未开裂时，选晴天，分批剪下果序，摊晒，脱粒，扬净。叶：夏、秋季采摘，鲜用或晒干。根：春、秋季采挖，晒干或鲜用。

药材性状

种子：种子椭圆形或卵形，稍扁，长 0.9~1.8cm，宽 0.5~1cm。表面光滑，有灰白色与黑褐色或黄棕色与红棕色相间的花斑纹。一面较平，一面较隆起，较平的一面有一隆起的种脊；一端有灰白色或浅棕色突起的种阜。种皮薄而脆，胚乳肥厚，白色，富油性。子叶 2，菲薄。无臭。味微苦、辛。以个大、饱满者为佳。脂肪油：几乎无色或微带黄色的澄清黏稠液体；气微，味淡而后微辛。叶：叶片皱缩破碎，完整的叶展平后呈盾状圆形，掌状分裂，深达叶片的一半以上，裂片一般 7~11，先端长尖，边缘有不规则的锯齿，齿端具腺体，下面被白粉。气微。

| 功能主治 | 种子：用于痈疽肿毒、瘰疬、喉痹、疥癞癣疮、水肿腹满、大便燥结。脂肪油：用于大便燥结、疮疥、烧伤。根：用于破伤风、癫痫、风湿关节痛、跌打瘀痛、瘰疬。叶：用于脚气、阴囊肿痛、咳嗽痰喘、鹅掌风、疮疖。

大戟科 Euphorbiaceae 蓖麻属 *Ricinus*

红蓖麻
Ricinus communis cv. Sanguineus

| 中 药 名 | 红蓖麻（药用部位：叶、根、种子）

| 植物形态 | 一年或多年生草本植物。茎圆形、中空。叶大，互生，掌状分裂。
雌花淡红色，雄花呈淡黄色。从出苗至开花只需 45 天，成株高 1.5m
左右，茎如红竹，红叶形同鹅掌，果穗长 35~50cm，似红色宝塔，
美观艳丽。种子椭圆形。

| 分布区域 | 海南有栽培。原产于非洲东部。

| 资　　源 | 是蓖麻属中稀有的观赏品种，通常用于园艺观赏。

| 采收加工 | 叶：夏、秋季采摘，鲜用或晒干。根：春、秋季采挖，晒干或鲜用。
种子：成熟后采收。

红蓖麻

| **功能主治** | 红蓖麻是蓖麻族群中的一个杂交变种，其功能主治鲜有报道，有待进一步研究。

大戟科 Euphorbiaceae **乌桕属** *Sapium*

山乌桕
Sapium discolor (Champ. ex Benth.) Muell. Arg.

| 中 药 名 | 山乌桕（药用部位：根、根皮、树皮、叶）

| 植物形态 | 乔木或灌木，高 3~12m，罕有达 20m 者，各部均无毛；小枝灰褐色，有皮孔。叶互生，纸质，嫩时呈淡红色，叶片椭圆形或长卵形，先端钝或短渐尖，基部短狭或楔形，背面近缘常有数个圆形的腺体；中脉在两面均突起，于背面尤著，侧脉纤细，8~12 对，互生或有时近对生，略呈弧状上升，离缘 1~2mm 弯拱网结，网脉很柔弱，通常明显；叶柄纤细，长 2~7.5cm，先端具 2 毗连的腺体；托叶小，近卵形，长约 1mm，易脱落。花单性，雌雄同株，密集成长 4~9cm 的顶生总状花序，雌花生于花序轴下部，雄花生于花序轴上部或有时整个花序全为雄花。雄花：花梗丝状，长 1~3mm；苞片卵形，长约 1.5mm，宽近 1mm，先端锐尖，基部两侧各具一长圆形或肾形、长约 2mm、宽近 1mm 的腺体，每一苞片内有 5~7 花；小苞片小、狭，长 1~1.2mm；花萼杯状，具不整齐的裂齿；雄蕊 2，少有 3，花丝短，

山乌桕

花药球形。雌花：花梗粗壮，圆柱形，长约 5mm；苞片几与雄花的相似，每一苞片内仅有 1 花；花萼 3 深裂几达基部，裂片三角形，长 1.8~2mm，宽约 1.2mm，先端短尖，边缘有疏细齿；子房卵形，3 室，花柱粗壮，柱头 3，外反。蒴果黑色，球形，直径 1~1.5cm，分果爿脱落后而中轴宿存，种子近球形，长 4~5mm，直径 3~4mm，外薄被蜡质的假种皮。花期 4~6 月。

分布区域

产于海南三亚、乐东、昌江、五指山、保亭、万宁、琼中、儋州、澄迈、琼海。亦分布于中国东部、南部其他地区。印度尼西亚也有分布。

资 源

生于山地林中，常见。

采收加工

根及根皮：秋后采挖，洗净，晒干或鲜用。叶：夏、秋季采收，鲜用或晒干。

药材性状

叶片菱状卵形，长 3~9cm，宽 2.5~5cm，先端长尖，基部楔形，全缘，上面暗绿色，微有光泽，下面黄绿色，基部有蜜腺 1 对。气微，味苦。有小毒。

功能主治

根、根皮、树皮：利水通便，祛瘀消肿。用于大便秘结、白浊、跌打损伤、蛇咬伤、痔疮、皮肤瘙痒。叶：用于毒蛇咬伤、痈肿、妇女乳痈。

大戟科 Euphorbiaceae **乌桕属** *Sapium*

乌 桕 *Sapium sebiferum* (L.) Roxb.

| 中 药 名 | 乌桕木根皮（药用部位：根皮或茎皮），乌桕子（药用部位：种子），乌桕叶（药用部位：叶），桕油（药用部位：种子榨取油）

| 植物形态 | 乔木，高可达 15m 左右，各部均无毛而具乳状汁液；树皮暗灰色，有纵裂纹；枝广展，具皮孔。叶互生，纸质，叶片菱形、菱状卵形或稀有菱状倒卵形，长 3~8cm，宽 3~9cm，先端骤然紧缩，基部阔楔形或钝，全缘；中脉两面微突起，侧脉 6~10 对，纤细，斜上升，在离缘 2~5mm 处弯拱网结，网状脉明显；叶柄纤细，长 2.5~6cm，先端具 2 腺体；托叶先端钝，长约 1mm。花单性，雌雄同株，聚集成顶生、长 6~12cm 的总状花序，雌花通常生于花序轴最下部或罕有在雌花下部亦有少数雄花着生，雄花生于花序轴上部。雄花：花梗纤细，长 1~3mm，向上渐粗；苞片阔卵形，长和宽近相等，约为

乌桕

2mm，先端略尖，基部两侧各具一近肾形的腺体，每一苞片内具 10~15 花；小苞片 3，不等大，边缘撕裂状；花萼杯状，3 浅裂，裂片钝，具不规则的细齿；雄蕊 2，罕有 3，伸出于花萼之外，花丝分离，与球状花药近等长。雌花：花梗粗壮，长 3~3.5mm；苞片 3 深裂，裂片渐尖，基部两侧的腺体与雄花的相同，每一苞片内仅 1 雌花，间有 1 雌花和数朵雄花同聚生于苞腋内；花萼 3 深裂，裂片卵形至卵头披针形，先端短尖至渐尖；子房卵球形，平滑，3 室，花柱 3，基部合生，柱头外卷。蒴果梨状球形，成熟时黑色，直径 1~1.5cm。种子 3，分果爿脱落后而中轴宿存；种子扁球形，黑色，长约 8mm，宽 6~7mm，外被白色、蜡质的假种皮。

| 分布区域 | 产于海南乐东、万宁、儋州、屯昌、海口。亦分布于中国东南部至西南部。越南、日本也有分布，非洲、美洲、欧洲，以及印度有栽培。

| 资　　源 | 生于旷野、疏林中，常见。

| 采收加工 | 根皮或树皮：全年均可采，将皮剥下，除去栓皮，晒干。叶：全年均可采，鲜用或晒干。种子：果实成熟时采摘，取出种子，鲜用或晒干。

| 功能主治 | 根皮或茎皮：利水，消积，杀虫，解毒。用于水肿、肿胀、癥瘕积聚、二便不通、湿疮、疥癣、疔毒。种子：用于疥疮、湿疹、皮肤皲裂、水肿、便秘。叶：用于痈肿疔疮、疮疥、脚癣、湿疹、蛇伤、阴道炎。

大戟科 Euphorbiaceae 守宫木属 *Sauropus*

守宫木 *Sauropus androgynus* (L.) Merr.

| 中 药 名 | 守宫木（药用部位：根、叶）

| 植物形态 | 灌木，高 1~3m；小枝绿色，长而细，幼时上部具棱，老渐呈圆柱状；全株均无毛。叶片近膜质或薄纸质，卵状披针形、长圆状披针形或披针形，长 3~10cm，宽 1.5~3.5cm，先端渐尖，基部楔形、圆或截形；侧脉每边 5~7，上面扁平，下面突起，网脉不明显；叶柄长 2~4mm；托叶 2，着生于叶柄基部两侧，长三角形或线状披针形，长 1.5~3mm。雄花：1~2 腋生，或几朵与雌花簇生于叶腋，直径 2~10mm；花梗纤细，长 5~7.5mm；花盘浅盘状，直径 5~12mm，6 浅裂，裂片倒卵形，覆瓦状排列，无退化雌蕊；雄花 3，花丝合生呈短柱状，花药外向，2 室，纵裂；花盘腺体 6，与萼片对生，上部向内弯而将花药包围。雌花：通常单生于叶腋；花梗长 6~8mm；

守宫木

花萼 6 深裂，裂片红色，倒卵形或倒卵状三角形，长 5~6mm，宽 3~5.5mm，先端钝或圆，基部渐狭而成短爪，覆瓦状排列；无花盘；雌蕊扁球状，直径约 1.5mm，高约 0.7mm，子房 3 室，每室 2 胚珠，花柱 3，先端 2 裂。蒴果扁球状或圆球状，直径约 1.7cm，高 1.2cm，乳白色，宿存花萼红色；果梗长 5~10mm；种子三棱状，长约 7mm，宽约 5mm，黑色。花期 4~7 月，果期 7~12 月。

| 分布区域 |

产于海南乐东、白沙、万宁、琼中、琼海。亦分布于中国广东、广西、云南。东南亚各国也有分布。

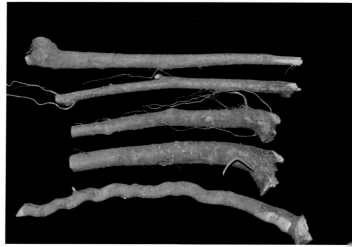

| 资　　源 |

生于低海拔林中。

| 采收加工 |

根：秋后采挖，洗净，晒干或鲜用。叶：夏、秋季采收，鲜用或晒干。

| 功能主治 |

根：水磨服，用于痢疾、便血、淋巴结结核、疥疮。叶：清热化痰，润肺通便。用于肺燥咳嗽、失音、咽喉痛、哮喘、咯血、大便秘结。越南用于妇科疾病。

大戟科 Euphorbiaceae 守宫木属 Sauropus

艾堇
Sauropus bacciformis (L.) Airy-Shaw

| 中 药 名 | 艾堇（药用部位：全草）

| 植物形态 | 一年生或多年生草本，高 14~60cm；茎匍匐状或斜升，单生或自基部有多条斜生或平展的分枝；枝条具锐棱或具狭的膜质的枝翅；全株均无毛。叶片鲜时近肉质，干后变膜质，形状多变，长圆形、椭圆形、倒卵形、近圆形或披针形，长 1~2.5cm，宽 2~12mm，先端钝或急尖，具小尖头，基部圆或钝，有时楔形，侧脉不明显；叶柄长约 1mm；托叶狭三角形，长约 2mm，先端具芒尖。雌雄同株。雄花：直径 1~2mm，数朵簇生于叶腋；花梗长 1~1.5mm；萼片宽卵形或倒卵形，内面有腺槽，先端具有不规则的圆齿；花盘腺体 6，肉质，与萼片对生，黄绿色；雄蕊 3，长 3~4mm，花丝合生。雌花：单生于叶腋，直径 3~4mm；花梗长 1~1.5mm；萼片长圆状披

艾堇

针形，长 2~2.5mm，先端渐尖，内面具腺槽，无花盘；子房 3 室，花柱 3，分离，先端 2 裂。蒴果卵珠状，直径 4~4.5mm，高约 6mm，幼时红色，成熟时开裂为 3 个 2 裂的分果片；种子浅黄色，长 3.5mm，宽 2mm。

| 分布区域 |

产于海南三亚、乐东、万宁、琼海、海口、文昌。亦分布于中国广东、广西、台湾。中南半岛，以及菲律宾、印度尼西亚、印度、斯里兰卡、马达加斯加也有分布。

| 资　　源 |

生于海边沙滩或湖旁草地上。

| 采收加工 |

夏、秋季采收，鲜用或晒干。

| 功能主治 |

全草：用于跌打损伤、骨折、乳腺炎。

大戟科 Euphorbiaceae 守宫木属 Sauropus

龙脷叶

Sauropus spatulifolius Beille

| 中 药 名 | 龙脷叶（药用部位：叶），龙脷叶花（药用部位：花）

| 植物形态 | 常绿小灌木，高 10~40cm；茎粗糙；枝条圆柱状，直径 2~5mm，蜿蜒状弯曲，多皱纹；幼时被腺状短柔毛，老渐无毛，节间短，长 2~20mm。叶通常聚生于小枝上部，常向下弯垂，叶片鲜时近肉质，干后近革质或厚纸质，匙形、倒卵状长圆形或卵形，有时长圆形，长 4.5~16.5cm，宽 2.5~6.3cm，先端浑圆或钝，有小凸尖，稀凹缺，基部楔形或钝，稀圆形，上面鲜时深绿色，叶脉处呈灰白色，干时黄白色，通常无毛，有时下面基部有腺状短柔毛，后变无毛；中脉和侧脉在鲜叶时扁平，干后中脉两面均突起，侧脉每边 6~9，下面稍突起；叶柄长 2~5mm，初时被腺状短柔毛，老渐无毛；托叶三角状耳形，着生于叶柄基部两侧，长 4~8mm，基部宽 3~4mm，宿

龙脷叶

存。花红色或紫红色，雌雄同枝，2~5 簇生于落叶的枝条中部或下部，或茎花有时组成短聚伞花序，花序长达 15mm；花序梗短而粗壮，着生有许多披针形的苞片；苞片长约 2mm。雄花：花梗丝状，长 3~5mm；萼片 6，2 轮，近等大，倒卵形，长 2~3mm，宽约 1.5mm；花盘腺体 6，与萼片对生；雄蕊 3，花丝合生，呈短柱状。雌花：花梗长 2~3mm；萼片与雄花的相同；无花盘；子房近圆球状，直径约 1mm，3 室，花柱 3，先端 2 裂。花期 2~10 月。

| 分布区域 |

产于海南万宁。中国广东、广西、福建有栽培。原产于越南，马来西亚、菲律宾、泰国也有栽培。

| 资　　源 |

生于药圃、公园、村边及屋旁，少见。

| 采收加工 |

叶：5~6 月开始，摘取青绿色老叶，晒干，通常每株每次可采叶 4~5，每隔 15 天左右采 1 次。花：花盛时采收，鲜用或晒干。

| 功能主治 |

叶：清热化痰，润肺通便。用于肺热燥咳、失音、咽喉痛、哮喘、咯血、大便秘结。花：用于咯血。

| 大戟科 | Euphorbiaceae | 地杨桃属 | Sebastiania

地杨桃

Sebastiania chamaelea (L.) Muell. Arg.

| 中 药 名 | 地杨桃（药用部位：汁液）

| 植物形态 | 多年生草本；主根粗直而长，直径可达 5mm，侧根纤细，丝状；茎基部多少木质化，高 20~60cm，多分枝，分枝常呈二歧式，纤细，先外倾而后上升，具锐纵棱，无毛或幼嫩部分被柔毛。叶互生，厚纸质，叶片线形或线状披针形，长 20~55mm，宽 2~10mm，先端钝，基部略狭，边缘有贴生、钻状的密细齿，基部两侧边缘上常有中央凹陷的小腺体，背面被柔毛；中脉两面均突起。背面尤著，侧脉不明显；叶柄短，长约 2mm，常被柔毛；托叶宿存，卵形，长约 1mm，先端渐尖，具缘毛。花单性，雌雄同株，聚集成侧生或顶生、长 5~10mm 的纤弱穗状花序，雄花多数，螺旋排列于被毛的花序轴上部，雌花 1 或数朵着生于花序轴下部或有时单独侧生。雄花：苞

地杨桃

片卵形，长约 1mm，先端尖，具细齿，基部两
侧各具一先端钝而近匙形的腺体，每一苞片内
有花 1~2；萼片 3，卵形，长约 1mm，先端短
尖，边缘具细齿；雄蕊 3，花药球形，花丝远
短于花药。雌花：苞片披针形，大小与雄花的
相若，具齿，两侧腺体长圆形，先端钝；萼片 3，
比雄花的略大，阔卵形，边缘具撕裂状的小齿，
基部向轴面有小腺体，子房三棱状球形，3 室，
无毛，有皮刺，花柱 3，分离。蒴果三棱状球形，
直径 3~4mm，分果爿背部具 2 纵列的小皮刺，
脱落后而中轴宿存；种子近圆柱形，光滑，长
约 3mm。花期几全年。

| 分布区域 |

产于海南三亚、东方、昌江、白沙、五指山、万
宁、琼中、儋州、临高、海口、西沙群岛。亦分
布于中国广东、广西。中南半岛，以及菲律宾、
印度尼西亚、印度、斯里兰卡也有分布。

| 资　　源 |

生于山坡、草地、溪旁，常见。

| 采收加工 |

全年均可采，晒干。

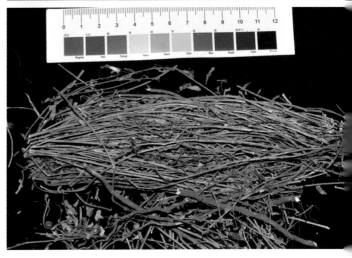

| 功能主治 |

汁液：收敛，强壮，清肝明目。用于腹泻、梅毒、
头晕目眩。

大戟科 Euphorbiaceae 白树属 Suregada

白 树
Suregada glomerulata (Bl.) Baill.

| 中 药 名 | 白树（药用部位：茎皮）

| 植物形态 | 灌木或乔木，高 2~13m；枝条灰黄色至灰褐色，无毛。叶薄革质，倒卵状椭圆形至倒卵状披针形，稀长圆状椭圆形，长 5~12（~16）cm，宽 3~6（~8）cm，先端短尖或短渐尖，稀圆钝，基部楔形或阔楔形，全缘，两面均无毛；侧脉每边 5~8；叶柄长 3~8（~12）mm，无毛。聚伞花序与叶对生，花梗和萼片具微柔毛或近无毛，花在开花时直径 3~5mm；萼片近圆形，边缘具浅齿；雄花的雄蕊多数；腺体小，生于花丝基部；雌花花盘环状，子房近球形，无毛，花柱 3，平展，2 深裂，裂片再 2 浅裂。蒴果近球形，有 3 浅纵沟，直径约 1cm，成熟后完全开裂；具宿存萼片。花期 3~9 月。

白树

| 分布区域 |

产于海南各地。亦分布于中国广西、云南。越南、老挝、柬埔寨、泰国、马来西亚、孟加拉国也有分布。

| 资　　源 |

生于海拔 100~600m 的低洼地或山地密林中。

| 采收加工 |

秋后采挖，洗净，晒干或鲜用。

| 功能主治 |

同属植物为泰国传统药用植物。木材：内服解热，用于性病。外用于荨麻疹。茎皮：驱虫，缓泻。外用于杀真菌、强龈护齿。

| 附　　注 |

在 FOC 中，其学名被修订为 *Suregada multiflora* (A. Juss.) Baill.。

大戟科 Euphorbiaceae 滑桃树属 Trewia

滑桃树 *Trewia nudiflora* L.

滑桃树

| 中 药 名 |

滑桃树（药用部位：叶、种子）

| 植物形态 |

乔木；嫩枝被灰黄色绒毛或长柔毛。叶纸质，卵形或长圆形，先端渐尖，基部心形或平截，稀钝圆，边近全缘，嫩叶两面均密生灰黄色长柔毛，成长叶上面沿叶脉被毛，下面被长柔毛；基出脉 3~5，侧脉 4~5 对，近基部有斑状腺体 2~4；叶柄长 3~12cm，被毛；托叶线形，长约 5mm，密被毛，早落。雄花序长 6~18cm，密被浅黄色长柔毛；苞片卵状披针形，长约 3mm，每个苞腋内有雄花 2~3；雄花花蕾球形，直径约 4mm；花梗长 3~6mm，通常中部具关节，稍被柔毛；花萼裂片椭圆形，长约 5mm，外面稍被毛；花丝长约 3mm，花药长圆形，长约 1.2mm；雌花常单生或 2~4 排成总状花序；花序梗长 2~3cm，稍被毛；花梗长 2~30mm；花萼长约 5mm，柱头长约 2cm。果实近球形，直径 2.5~3cm，被绒毛或无毛；种子近球形。花期 12 月至翌年 3 月，果期 6~12 月。

| 分布区域 |

产于海南三亚、乐东、昌江、白沙、保亭、万宁、琼中、儋州、澄迈、琼海。亦分布于中国广西、云南。亚洲南部、东南部各地也有分布。

| 资　　源 |

生于山地林中，常见。

| 采收加工 |

叶：夏、秋季采收，鲜用或晒干。种子：果熟时采收。

| 功能主治 |

叶：用于疥疮。种子：含有美登新类抗癌成分，用于癌症。

大戟科 Euphorbiaceae 三宝木属 Trigonostemon

异叶三宝木
Trigonostemon heterophyllus Merr.

| 中 药 名 | 异叶三宝木（药用部位：根）

| 植物形态 | 灌木，高 1~2m；小枝密被黄褐色长硬毛，老枝粗糙，几无毛。叶纸质，倒披针形至长圆状倒披针形，长 12~35cm，宽 4~10cm。先端短渐尖，尖头尾状，基部渐狭，基端耳状或近心形，全缘或中部以上有不明显疏细齿，两面疏生长柔毛，边缘具睫毛；侧脉每边 8~10，在近叶缘处弯拱消失；叶柄长 3~6mm，密被黄棕色长硬毛。花雌雄异序（或同序），雄花序总状，腋生，长约 2.5cm，具少数花；苞片 4~5，线状披针形，多少呈镰状，长 1~2cm。雄花：萼片 5，被长硬毛，其中 3 较大，长 2.5~3mm；花瓣倒卵状椭圆形，长约 4.5mm，暗紫红色；腺体 5，长约 0.8mm；雄蕊 3，花丝合生。雌花：单生于叶腋，花梗短，或有时生于长达 6cm 的花序上部；萼片披针形，长约 5mm，被

异叶三宝木

长硬毛；花瓣与雄花同；腺体5；子房密被毛，花柱先端2裂。果序梗长1~8cm，宿存萼片和苞片均呈披针形，长约2cm；蒴果近球形，具3纵沟，密被黄褐色长硬毛；种子扁球状，直径约6mm，栗褐色，具黄色斑纹，平滑。花期5~10月。

| 分布区域 |

产于海南三亚、东方、保亭、陵水、万宁、儋州。老挝、泰国、缅甸也有分布。

| 资　源 |

生于低海拔至中海拔林下，常见。

| 采收加工 |

根全年可采收，洗净，鲜用或晒干。

| 功能主治 |

同属植物红花三宝木的根用于风湿骨痛。本种的植物形态特征与其相似，但功能主治鲜有报道，有待进一步研究。

大戟科 Euphorbiaceae 三宝木属 Trigonostemon

剑叶三宝木

Trigonostemon xyphophylloides (Croizat) Dai & T. L. Wu

剑叶三宝木

中 药 名

剑叶三宝木（药用部位：根）

植物形态

灌木，高约 3m；小枝暗褐色，粗糙。叶互生，密集于小枝上部，倒披针形至近匙形，长 25~50cm，宽 7~11cm，先端短尖至渐尖，向着基部渐狭，基端钝，上半部边缘具疏细齿，齿端具腺点，两面无毛；侧脉每边 14~22，远离叶缘处弯拱联结；叶柄长 3~6mm，先端具 2 腺体；托叶小。总状花序，腋生，长不及 3cm，雌雄花同序；苞片长 2~5mm，外面被硬毛。雄花：花梗长 4~8mm；萼片椭圆形，长约 1.2mm，被硬毛；花瓣倒披针形，长约 4mm，黄色，无毛；腺体 5；雄蕊 3，花丝合生。雌花：花梗长约 6mm；萼片长卵形，长约 3mm；外面被硬毛；花瓣与雄花同；腺体 5；子房无毛，花柱短，柱头头状且微凹。蒴果略扁球形，具 3 浅沟，长 1~1.5cm，直径约 1.5cm；种子扁球状，直径约 8mm，褐色，具黄色斑纹。花期 6~9 月。

分布区域

产于海南三亚、五指山、保亭。海南特有种。

| 资　　源 | 生于密林下，偶见。

| 采收加工 | 根全年可采收，洗净，鲜用或晒干。

| 功能主治 | 同属植物红花三宝木的根用于风湿骨痛。本种的植物形态特征与其相似，但功能主治鲜有报道，有待进一步研究。

大戟科 Euphorbiaceae 油桐属 *Vernicia*

油 桐
Vernicia fordii (Hemsl.) Airy Shaw

| 中 药 名 | 油桐子（药用部位：种子），桐油（药用部位：种子榨出的油），气桐子（药用部位：果实），桐子花（药用部位：花），桐子叶（药用部位：叶），桐子根（药用部位：根）

| 植物形态 | 落叶乔木，高达 10m；树皮灰色，近光滑；枝条粗壮，无毛，具明显皮孔。叶卵圆形，长 8~18cm，宽 6~15cm，先端短尖，基部平截至浅心形，全缘，稀 1~3 浅裂，嫩叶上面被很快脱落的微柔毛，下面被渐脱落的棕褐色微柔毛，成长叶上面深绿色，无毛，下面灰绿色，被贴伏微柔毛；掌状脉 5（~7）；叶柄与叶片近等长，几无毛，先端有 2 扁平、无柄的腺体。雌雄同株，先叶或与叶同时开放；花萼长约 1cm，2（~3）裂，外面密被棕褐色微柔毛；花瓣白色，有淡红色脉纹，倒卵形，长 2~3cm，宽 1~1.5cm，先端圆形，基部爪状；

油桐

雄花雄蕊 8~12，2 轮，外轮离生，内轮花丝中部以下合生；雌花子房密被柔毛，3~5（~8）室，每室有 1 胚珠，花柱与子房室同数，2 裂。核果近球状，直径 4~6（~8）cm，果皮光滑；种子 3~4（~8），种皮木质。花期 3~4 月，果期 8~9 月。

| 分布区域 | 产于海南东方。中国秦岭以南其他地区有野生或栽培。越南也有分布。

| 资　　源 | 生于海拔 1000m 以下的丘陵山地。

| 采收加工 | 种子：秋季果实成熟时采收，将其堆积于潮湿处，泼水，覆以干草，经 10 天左右，外壳腐烂，除去种皮，收集种子，晒干。花：4~5 月收集凋落的花，晒干。

| 药材性状 | 花：花白略带红色，聚伞花序；花单性，雌雄同株。萼不规则，2~3 裂，裂片镊合状；花瓣 5；雄花有雄蕊 8~12，花丝基部合生，上端分离，且在花芽中弯曲；雌花子房 3~5 室，每室 1 胚珠，花柱与子房室同数。气微香，味涩。叶：单叶互生，具长柄，初被毛，后渐脱落；叶片卵形至心形，长 8~18cm，宽 6~15cm，先端尖，基部楔形或心形，不裂或有时 1~3 浅裂，上面深绿色，有光泽，初时疏生微毛，沿脉渐密，后渐脱落，下面有紧贴密生的细毛。气微，味苦、涩。

| 功能主治 | 种子：吐风痰，消肿毒，利二便。用于风痰喉痹、瘰疬、疥癣、烫伤、脓疱疮、丹毒、食积腹胀、大小便不通。

| 附　　注 | 种子油（桐油）：用作防水耐腐油漆，且为外贸商品。

| 大戟科 | Euphorbiaceae | 油桐属 | *Vernicia*

木油桐
Vernicia montana Lour.

| **中 药 名** | 木油桐（药用部位：根、叶、果实）

| **植物形态** | 落叶乔木，高达20m。枝条无毛，散生突起皮孔。叶阔卵形，长8~20cm，宽6~18cm，先端短尖至渐尖，基部心形至平截，全缘或2~5裂。裂缺常有杯状腺体，两面初被短柔毛，成长叶仅下面基部沿脉被短柔毛，掌状脉5；叶柄长7~17cm，无毛，先端有2具柄的杯状腺体。花序生于当年生已发叶的枝条上，雌雄异株或有时同株异序；花萼无毛，2~3裂；花瓣白色或基部紫红色且有紫红色脉纹，倒卵形，长2~3cm，基部爪状，雄花雄蕊8~10，外轮离生，内轮花丝下半部合生，花丝被毛；雌花子房密被棕褐色柔毛，3室，花柱3，2深裂。核果卵球状，直径3~5cm，具3纵棱，棱间有粗疏网状皱纹，有种子3，种子扁球状，种皮厚，有疣突。花期4~5月。

木油桐

| 分布区域 |

产于海南万宁、儋州、琼中、澄迈。亦分布于中国长江以南其他各地。越南、泰国、缅甸也有分布。

| 资　　源 |

野生或栽培，常见。

| 采收加工 |

根：全年均可采挖，洗净，鲜用或晒干。叶：秋季采收，鲜用或晒干。

| 功能主治 |

根、叶、果实：杀虫止痒，拔毒生肌。外用于痈疮肿毒、湿疹。

虎皮楠科 Daphniphyllaceae　虎皮楠属 Daphniphyllum

牛耳枫
Daphniphyllum calycinum Benth.

牛耳枫

|中 药 名|

牛耳枫（药用部位：根、枝叶、果实）

|植物形态|

灌木，小枝灰褐色，具稀疏皮孔。叶纸质，阔椭圆形，长 12~16cm，宽 4~9cm，先端钝或圆形，具短尖头，全缘，干后叶背多少被白粉，具细小乳突体，侧脉 8~11 对；叶柄长 4~8cm。总状花序腋生，长 2~3cm，雄花花梗长 8~10mm；花萼盘状，直径约 4mm，3~4 浅裂，裂片阔三角形；雄蕊 9~10，长约 3mm，花药长圆形，先端内弯；雌花花梗长 5~6mm；苞片卵形，长约 3mm；萼片 3~4，阔三角形，长约 1.5mm；子房椭圆形，长 1.5~2mm，花柱短，柱头 2，直立，先端外弯。果序长 4~5cm，密集排列；果实卵圆形，较小，被白粉，具小疣状突起，先端具宿存柱头，基部具宿萼。花期 4~6 月，果期 8~11 月。

|分布区域|

产于海南乐东、万宁、兴隆、琼中、澄迈、屯昌、琼海、文昌。亦分布于中国广东、广西、湖南、江西、福建等地。越南、日本也有分布。

| 资　　源 |

生于路旁、山坡、疏林中，常见。

| 采收加工 |

根：全年均可采，挖根，鲜用或切片晒干，备用。
枝叶：夏、秋季采收枝叶，鲜用或切段晒干。果实：
秋后果实成熟时采收，晒干。

| 药材性状 |

核果卵圆形或卵形，长 7~10mm，直径
5~6mm。表面蓝黑色，有时附有浅灰色粉末，
具不规则皱纹或多数疣状突起，先端有短小二
歧的柱头残基，基部有圆点状凹入的果柄痕，
有时可见果柄和宿萼。果皮较薄而脆，易碎。
种子 1，棕色或棕黑色，不饱满。气微，味苦。

| 功能主治 |

根：味辛、苦，性凉；有小毒；归肺、大肠经。
祛风止痛，解毒消肿。用于风湿骨痛、疮疡肿毒、
跌打骨折、毒蛇咬伤。枝叶：味辛、甘，性凉；
有小毒；归肝、肾经。清热解毒，活血舒筋，
止痛消肿，祛风。用于感冒发热、咳嗽、乳蛾、
扁桃体炎、风湿关节痛、水肿、跌打损伤、骨折、
毒蛇咬伤、疮疡肿毒。果实：味苦、涩，性平；
有毒；归大肠经。止痢。用于久痢。

虎皮楠科 Daphniphyllaceae 虎皮楠属 Daphniphyllum

海南虎皮楠
Daphniphyllum paxianum Rosenth.

| 中 药 名 | 海南虎皮楠（药用部位：根、叶）

| 植物形态 | 小乔木或灌木，高 3~8m；小枝暗褐色，疏生灰白色小皮孔。叶薄革质或纸质，长圆形或长圆状披针形或披针形，长 9~17cm，宽 3~6cm，先端镰状渐尖或短渐尖，基部楔形至阔楔形，边缘略呈皱波状，干后变褐色，叶面具光泽，叶背无粉或略具白粉，无乳突体，侧脉 11~13 对，侧脉和细脉两面突起；叶柄长 1.5~3.5cm，上面具槽。雄花序长 2~3cm；苞片卵形，长约 1.5mm；花梗长 5~7mm，花萼盘状，直径约 2mm，边缘 4~5 裂；雄蕊 8~10，花药长圆形，长约 2mm，花丝与花药近等长或稍短；雌花序长 3~5cm；花梗长 5~8mm；萼片 4~5，卵形，急尖，长 0.5~1mm；子房卵状椭圆形，长约 2mm，花柱极短，柱头 2，叉开，外卷。果实椭圆形，长 8~10mm，直径

海南虎皮楠

5~6mm，略具疣状皱纹，多少被白粉，先端具鸡冠状叉开的宿存柱头，基部具宿萼。
花期 3~5 月，果期 8~11 月。

| **分布区域** | 产于海南白沙、乐东、五指山、保亭、陵水、琼海。亦分布于中国广西、贵州、
四川、云南。

| **资　　源** | 生于中海拔至高海拔林中，常见。

| **采收加工** | 根：洗净，鲜用，或切片晒干。叶：秋季采收，鲜用。

| **功能主治** | 根、叶：清热解毒，活血散瘀。用于感冒发热、扁桃体炎、乳蛾、脾大。外敷
用于毒蛇咬伤、骨折。

攀打科 Pandaceae 小盘木属 Microdesmis

小盘木
Microdesmis caseariifolia Planch.

| 中 药 名 | 小盘木（药用部位：嫩枝叶及树汁）

| 植物形态 | 小乔木或灌木，嫩枝密被柔毛。叶片纸质至薄革质，披针形，长6~16cm，宽2.5~5cm，先端渐尖，边缘具细锯齿，两面无毛；侧脉每边4~6，纤细；叶柄长3~6mm，被柔毛；托叶小，长约1.2mm。花小，黄色，簇生于叶腋。雄花：花梗长2~3mm；花萼裂片卵形，长约1mm；花瓣椭圆形，长约1.5mm，两面均被柔毛；雄蕊10，2轮，外轮5较长，花丝扁平，向基部渐宽，花药球形，药隔呈三角形，突出于药室之上。雌花：花萼与雄花的相似；花瓣椭圆形，长约3mm，被柔毛；子房圆球状，无毛；退化雌蕊肉质。核果圆球状，直径约5mm，成熟时红色，外果皮肉质。花期3~9月，果期7~11月。

小盘木

| 分布区域 |

产于海南三亚、乐东、东方、昌江、白沙、五指山、保亭、万宁、琼中、儋州、澄迈、琼海。亦分布于中国广东、广西、云南。越南、老挝、柬埔寨、缅甸、泰国、马来西亚、菲律宾、印度尼西亚也有分布。

| 资　　源 |

生于山地林中，常见。

| 采收加工 |

全年可采收，鲜用。

| 功能主治 |

枝叶：味酸、涩，性凉；有小毒；归胃经。散瘀消肿，止痛。用于顽癣。树汁用于牙齿疼痛。

鼠刺科 Escalloniaceae 鼠刺属 Itea

鼠 刺 *Itea chinensis* Hook. et Arn.

| 中 药 名 | 大力牛（药用部位：根、叶）

| 植物形态 | 灌木或小乔木。叶薄革质，倒卵形，先端锐尖，基部楔形，边缘上部具不明显圆齿状小锯齿；侧脉 4~5 对，在近缘处相联接，两面无毛；叶柄无毛，上面有浅槽沟。腋生总状花序，通常短于叶，长 3~7cm，单生或稀 2~3 束生，直立；花序轴及花梗被短柔毛；花多数，2~3 个簇生，稀单生；花梗被短毛；苞片线状钻形；萼筒浅杯状，被疏柔毛，萼片三角状披针形，长 1.5mm，被微毛；花瓣白色，披针形；雄蕊与花瓣近等长或稍长于花瓣；花丝有微毛；子房上位，被密长柔毛。蒴果长圆状披针形，长 6~9mm，被微毛，具纵条纹。

鼠刺

| 分布区域 | 产于海南万宁。亦分布于中国福建、湖南、广东、广西、云南西北部及西藏东南部。印度东部、不丹、越南和老挝也有分布。

| 资　源 | 生于140~2400m的山地、疏林中，少见。

| 采收加工 | 根：夏季采挖根，洗净，切断晒干。叶：随采随用。

| 功能主治 | 活血消肿，止痛。用于风湿痹痛、跌打肿痛。

鼠刺科 Escalloniaceae 鼠刺属 *Itea*

大叶鼠刺 *Itea macrophylla* Wall. ex Roxb.

| 中 药 名 | 大叶鼠刺（药用部位：根、花）

| 植物形态 | 小乔木，高达 8~10m；小枝无毛，具纵条纹。叶薄革质，阔卵形或宽椭圆形，先端急尖或渐尖，基部圆钝，边缘具腺锯齿，两面无毛；侧脉 7~10 对，中脉在上面下陷，中脉和侧脉在下面明显突起，脉细而平行，与网脉在下面稍突起；叶柄粗壮，无毛。总状花序腋生，通常 2~3 个簇生，稀单生，直立，长 10~15（~20）cm；花序轴及花梗被短柔毛，稀近无毛；花梗长 1.5~2mm，苞片钻形；萼筒杯状；萼片三角状披针形，被微毛；花瓣白色，狭披针形，长 3~4mm，稍尖，花时常反折；雄蕊短于花瓣之半；花丝无毛；花药长圆形，背向着生；子房半下位，无毛；心皮 2，紧贴；柱头头状。蒴果狭锥形，长 7~8mm，无毛，具纵条纹，平展或下垂。花果期 4~6 月。

大叶鼠刺

| **分布区域** | 产于海南乐东、东方、白沙、陵水、万宁、儋州、澄迈。亦分布于中国广西、云南。越南、泰国、缅甸、不丹、菲律宾、印度尼西亚、印度也有分布。 |

| **资　　源** | 生于低海拔林中，常见。 |

| **采收加工** | 根：全年可采收，鲜用。花：开放时采摘。 |

| **功能主治** | 根：用于滋补。花：用于咳嗽、喉干。 |

绣球花科 Hydrangeaceae 常山属 Dichroa

常 山
Dichroa febrifuga Lour.

| 中 药 名 | 常山（药用部位：根、枝叶）

| 植物形态 | 灌木，叶形状大小变异大，长 6~25cm，宽 2~10cm，先端渐尖，基部楔形，边缘具锯齿，侧脉每边 8~10，网脉稀疏；叶柄长 1.5~5cm，无毛或疏被毛。伞房状圆锥花序顶生，有时叶腋有侧生花序，直径 3~20cm，花蓝色或白色；花蕾倒卵形，盛开时直径 6~10mm；花梗长 3~5mm；花萼倒圆锥形，4~6 裂；裂片阔三角形，急尖，无毛或被毛；花瓣长圆状椭圆形，稍肉质，花后反折；雄蕊 10~20，一半与花瓣对生，花丝线形，扁平，初与花瓣合生，后分离，花药椭圆形；花柱 4，棒状，柱头长圆形，子房 3/4 下位。浆果直径 3~7mm，蓝色，干时黑色；种子长约 1mm，具网纹。花期 2~4 月，果期 5~8 月。

常山

| 分布区域 | 产于海南乐东、东方、五指山。亦分布于中国西南部至东南部。中南半岛，以及印度尼西亚、印度、日本也有分布。

| 资　　源 | 生于山谷阴湿处，少见。

| 采收加工 | 秋季采挖，除去茎苗及须根，洗净，晒干。

| 药材性状 | 干燥的根呈圆柱形，常分歧，弯曲扭转，长9~15cm，直径0.5~2cm。表面黄棕色，有明显的细纵纹及支根痕，栓皮易剥落，显出淡黄色木质部。质坚硬，折断时有粉飞出。横断面黄白色，用水湿润后可见明显的类白色射线，呈放射状排列。根茎类圆柱形而近块状。横断面除中央有髓外，其他均与根的横断面相同。气微弱，味苦。以质坚实而重、形如鸡骨、表面及断面淡黄色、光滑者为佳，根粗长顺直、质松、色深黄、无苦味者不可入药。

| 功能主治 | 味苦、辛，性寒；有毒；归肝、脾、肺、胃经。截疟，解热，催吐，祛痰。用于疟疾、痰饮、感冒、停积、胸胁胀满、伤寒、鼠瘘、狂躁、癫痫、惊厥。

薔薇科 Rosaceae 龙芽草属 Agrimonia

龙芽草
Agrimonia pilosa Ledeb.

| 中 药 名 | 仙鹤草（药用部位：地上部分、地下冬芽）

| 植物形态 | 多年生草本。根多呈块茎状，基部常有1至数个地下芽。茎高30~120cm。叶为间断奇数羽状复叶，通常有小叶3~4对，向上减少至3小叶；小叶片倒卵形、倒卵状椭圆形，边缘有急尖到圆钝的锯齿；托叶草质，绿色，镰形，稀卵形，先端急尖或渐尖，边缘有尖锐锯齿或裂片，茎下部托叶有时卵状披针形，常全缘。花序穗状总状顶生，分枝或不分枝，花序轴被柔毛，花梗长1~5mm，被柔毛；苞片通常3深裂，裂片带形，小苞片对生，卵形，全缘或边缘分裂；花直径6~9mm；萼片5，三角卵形；花瓣黄色，长圆形；雄蕊5~15；花柱2，丝状，柱头头状。果实倒卵圆锥形，外面有10肋，被疏柔毛，先端有数层钩刺，幼时直立，成熟时靠合，连钩刺长7~8mm，最宽处直径3~4mm。花果期5~12月。

龙芽草

| 分布区域 |

海南有栽培。亦分布于中国各地。欧洲中部、朝鲜、日本和越南北部也有分布。

| 资　　源 |

常生于溪边、路旁、草地、灌丛、林缘及疏林下，少见。

| 采收加工 |

夏、秋季间，在枝叶茂盛未开花时，割取全草，除净泥土，晒干。

| 药材性状 |

全草长 50~100cm，被白色柔毛。茎下部圆柱形，直径 0.4~0.6cm，红棕色，上部方柱形，四面略凹陷，被绿褐毛，有纵沟及棱线，有节；体轻，质硬，易折断，断面中空。单数羽状复叶互生，暗绿色，皱缩卷曲；质脆，易碎；叶片有大小2种，相间生于叶轴上，先端小叶较大，完整小叶片展开后呈卵形或长椭圆形，先端尖，基部楔形，边缘有锯齿；托叶2，抱茎，斜卵形。总状花序细长；花直径 0.6~0.9cm，花萼下部呈筒状，萼筒上部有钩刺，先端5裂；花瓣黄色。果实长 0.7~0.8cm，直径 0.3~0.4cm。气微，味微苦。以质嫩、叶多者为佳。

| 功能主治 |

地上部分：味苦、涩，性平；归肺、肝、脾经。收敛止血，截疟，止痢，解毒。用于吐血、咯血、尿血、便血、阴痒带下、崩漏下血、疟疾、痈肿疮毒、劳伤。地下冬芽：驱虫。用于绦虫病。

蔷薇科 Rosaceae 桃属 Amygdalus

桃 *Amygdalus persica* L.

| 中 药 名 | 桃（药用部位：花、根、枝叶、种子），桃胶（药用部位：树脂）

| 植物形态 | 乔木，树皮暗红褐色，老时粗糙，呈鳞片状。叶片长圆披针形，叶边具细锯齿或粗锯齿；叶柄粗壮，常具 1 至数枚腺体。花单生，先于叶开放，直径 2.5~3.5cm；花梗极短；萼筒钟形，被短柔毛，稀几无毛，绿色而具红色斑点；萼片卵形至长圆形，外被短柔毛；花瓣长圆状椭圆形至宽倒卵形，粉红色，罕为白色；雄蕊 20~30，花药绯红色；子房被短柔毛。果实形状和大小均有变异，卵形、宽椭圆形或扁圆形，色泽变化由淡绿白色至橙黄色，外面密被短柔毛，腹缝明显，果梗短而深入果洼；果肉多汁有香味，甜或酸甜；核大，椭圆形，两侧扁平，先端渐尖，表面具纵、横沟纹和孔穴；种仁味苦。花期 3~4 月，果实成熟期因品种而异，通常为 8~9 月。

桃

| **分布区域** | 产于海南白沙、五指山。原产于中国，现广植于世界各地。 |

| **资　　源** | 生于海拔 800~1200m 的山坡、山谷沟底或荒野疏林及灌丛内，栽培常见。 |

| **采收加工** | 桃花：3 月间桃花将开放时采收，阴干，放干燥处。桃胶：夏季采收，用刀切割树皮，待树脂溢出后收集，水浸，洗去杂质，晒干。桃根：全年可采。枝叶：夏季采收。果实：成熟时采摘。种子：6~7 月果实成熟时采摘，除去果肉及核壳，取出种子，晒干，放阴凉干燥处，防虫蛀、走油。 |

| **药材性状** | 枝叶：枝条呈圆柱形，长短不一，直径 0.5~1cm。表面红褐色，较光滑，有类白点状皮孔。质脆，断面黄白色，木质部占大部分，中央有白色髓部。气微，味微苦、涩。叶片多卷缩成条状，湿润展平后呈长圆状披针形，长 6~15cm，宽 2~3.5cm。先端渐尖，基部宽楔形，边缘具锯齿。上面深绿色，较光亮，下面色较淡。质脆。气微，味微苦。桃仁：种子呈扁椭圆形，先端具尖，中部略膨大，基部钝圆而偏斜，边缘较薄。长 1.2~1.8cm，宽 0.8~1.2cm，厚 2~4mm。表面红棕色或黄棕色，有细小颗粒状突起。尖端一侧有一棱线状种脐，基部有合点，并自该处分散出多数棕色维管束脉纹，形成布满种皮的纵向凹纹，种皮薄。子叶肥大，富油质。气微，味微苦。桃胶：呈不规则的块状、泪滴状等，大小不一，表面淡黄色、黄棕色，角质样，半透明。质韧软，干透较硬，断面有光泽。气微，加水有黏性。 |

| **功能主治** | 桃花：味苦，性平；归心、肝、大肠经。利水通便，活血化瘀。用于水肿、脚气、痰饮、砂石淋、便秘、闭经、癫狂、疮疹。桃枝：味苦，性平。活血通络，解毒杀虫。用于心腹痛、风湿关节痛、腰痛、跌打损伤、疮癣。桃叶：味苦、辛，性平；归脾、肾经。祛风清热，杀虫。用于头风、头痛、风痹、疟疾、湿疹、疮疡、癣疮。果实：生津，润肠，活血，消积。用于津少口渴、肠燥便秘、闭经、积聚。桃仁：味苦、甘，有小毒。归心、肝、大肠经。破血行瘀，润燥滑肠。用于经闭、癥瘕、热病蓄血、风痹、疟疾、跌打损伤、瘀血肿痛、血燥便秘。桃胶：味苦，性平。和血，通淋，止痢。用于石淋、血淋、痢疾、腹痛、糖尿病、乳糜尿。桃根：味苦，性平。清热利湿，活血止痛，消痈肿。用于黄疸、吐血、衄血、经闭、痈肿、痔疮、风湿痹痛、跌打劳伤疼痛、腰痛、痧气腹痛。 |

蔷薇科 Rosaceae 蛇莓属 *Duchesnea*

皱果蛇莓 *Duchesnea chrysantha* (Zoll. et Mor.) Miq.

| 中 药 名 | 皱果蛇莓（药用部位：全草或茎叶、果实、种子）

| 植物形态 | 多年生草本，匍匐茎长 30~50cm，有柔毛。小叶片菱形，长 1.5~2.5cm，宽 1~2cm，边缘有钝或锐锯齿，近基部全缘，下面疏生长柔毛，中间小叶有时具 2~3 深裂，有短柄；叶柄长 1.5~3cm，有柔毛；托叶披针形，有柔毛。花直径 5~15mm；花梗长 2~3cm，疏生长柔毛；萼片卵形或卵状披针形，长 3~5mm，先端渐尖，外面有长柔毛，具缘毛；副萼片三角状倒卵形，长 3~7mm，外面疏生长柔毛，先端有 3~5 锯齿；花瓣倒卵形，长 2.5~5mm，黄色，无毛；花托在果期粉红色，无光泽，直径 8~12mm。瘦果卵形，长 4~6mm，红色，具多数明显皱纹，无光泽。花期 5~7 月，果期 6~9 月。

皱果蛇莓

| **分布区域** | 产于海南昌江、白沙、五指山、万宁、屯昌。亦分布于中国广东、广西、福建、台湾、云南、四川、陕西等地。印度尼西亚、印度、朝鲜、日本也有分布。 |

| **资　　源** | 生于溪边草地，少见。 |

| **采收加工** | 茎叶、全草：全年可采，鲜用或晒干。果实、种子：在夏、秋季果实成熟时采摘，除去果肉及核壳，取出种子，晒干。 |

| **功能主治** | 茎叶：外敷用于毒蛇咬伤、烫伤、疔疮。全草：止血。用于崩漏。果实、种子：乙醇提取物有活血镇痛作用。用于脚气、龋齿以及外伤的消毒。 |

蔷薇科 Rosaceae 蛇莓属 Duchesnea

蛇 莓
Duchesnea indica (Andr.) Fock

| 中 药 名 | 蛇莓（药用部位：全草）

| 植物形态 | 多年生草本；根茎短，粗壮；匍匐茎多数，有柔毛。小叶片倒卵形至菱状长圆形，长 2~3.5cm，宽 1~3cm，边缘有钝锯齿，两面皆有柔毛，具小叶柄；叶柄长 1~5cm，有柔毛；托叶窄卵形至宽披针形，长 5~8mm。花单生于叶腋；直径 1.5~2.5cm；花梗长 3~6cm，有柔毛；萼片卵形，长 4~6mm，外面有散生柔毛；副萼片倒卵形，长 5~8mm，比萼片长，先端常具 3~5 锯齿；花瓣倒卵形，长 5~10mm，黄色，先端圆钝；雄蕊 20~30；花托在果期膨大，海绵质，鲜红色，有光泽，直径 10~20mm，外面有长柔毛。瘦果卵形，长约 1.5mm，光滑或具不明显突起，鲜时有光泽。花期 6~8 月，果期 8~10 月。

蛇莓

|分布区域|

产于海南昌江、白沙。亦分布于中国辽宁以南。亚洲、欧洲、美洲均有分布。

| 资　源 |

生于溪边草地，少见。

|采收加工|

6~11 月采收全草。

|药材性状|

全草多缠绕成团，被白色毛茸，具匍匐茎，叶互生。三出复叶，基生叶的叶柄长 1~5cm，小叶多皱缩，完整者倒卵形，长 2~3.5cm，宽 1~3cm，基部偏斜，边缘有钝齿，表面黄绿色，上面近无毛，下面被疏毛。花单生于叶腋，具长柄。聚合果棕红色，瘦果小，花萼宿存。气微，味微涩。

|功能主治|

全草：味甘、苦，性寒。清热解毒，散瘀消肿，凉血调经，祛风化痰。用于感冒发热、咳嗽吐血、小儿高热惊风、咽喉肿痛、白喉、痢疾、黄疸型肝炎、月经过多。外用于腮腺炎、眼结膜炎、目赤、烫伤、疔疮肿毒、湿疹、狂犬咬伤、毒蛇咬伤。

薔薇科 Rosaceae **枇杷属** *Eriobotrya*

台湾枇杷

Eriobotrya deflexa (Hemsl.) Nakai

| 中 药 名 |　台湾枇杷（药用部位：果实、叶）

| 植物形态 |　常绿乔木，小枝棕灰色。叶集生于小枝先端，长圆形，先端短尾尖，边缘微向外卷，具疏生不规则的内弯粗钝锯齿，侧脉 10~12 对，弯达齿端；叶柄长 2~4cm，无毛。圆锥花序顶生，长 6~8cm，直径 10~12cm，总花梗和花梗均密生棕色绒毛；花梗长 6~12mm；苞片和小苞片披针形，长 4~6mm，外面有绒毛；花直径 15~18mm；萼筒杯状，直径 6~7mm，外面密生棕色绒毛；萼片三角卵形，长约 2mm，外面有棕色绒毛，内面无毛；花瓣白色，圆形，直径 7~9mm，先端微缺至深裂，无毛；雄蕊 20，长约为花瓣的一半；花柱 3~5，在中部合生，并有柔毛，子房无毛。果实近球形，直径 1.2~2cm，黄红色，无毛；种子 1~2，卵形。花期 5~6 月，果期 6~8 月。

台湾枇杷

| 分布区域 | 产于海南三亚、乐东、东方、昌江、霸王岭、陵水、万宁、琼中、琼海。亦分布于中国广东、台湾等地。越南也有分布。 |

| 资　　源 | 生于中海拔林中，常见。 |

| 采收加工 | 果实：成熟时采收。叶：全年可采，鲜用或晒干。 |

| 功能主治 | 果实：清热解毒。用于发热。叶：清肺止咳。 |

■蔷薇科 Rosaceae ■枇杷属 *Eriobotrya*

枇 杷
Eriobotrya japonica (Thunb.) Lindl.

| **中 药 名** | 枇杷（药用部位：果实、果壳、种仁、根、叶、花）

| **植物形态** | 常绿小乔木，小枝黄褐色，密生锈色。叶片革质，倒卵形，长 12~30cm，宽 3~9cm，上部边缘有疏锯齿，基部全缘，下面密生灰棕色绒毛，侧脉 11~21 对；叶柄短，长 6~10mm，有灰棕色绒毛；托叶钻形，有毛。圆锥花序顶生，长 10~19cm，具多花；总花梗和花梗密生锈色绒毛；花梗长 2~8mm；苞片钻形，长 2~5mm，密生锈色绒毛；花直径 12~20mm；萼筒浅杯状，长 4~5mm，萼片三角卵形，长 2~3mm，先端急尖，萼筒及萼片外面有锈色绒毛；花瓣白色，长圆形或卵形，长 5~9mm，基部具爪，有锈色绒毛；雄蕊 20，远短于

枇杷

花瓣，花丝基部扩展；花柱5，离生，子房先端有锈色柔毛。果实球形或长圆形，直径2~5cm，黄色；种子1~5，球形，直径1~1.5cm，褐色，光亮，种皮纸质。花期10~12月，果期5~6月。

| 分布区域 | 产于海南万宁、海口。中国广泛栽培，东南亚也有栽培。

| 资　　源 | 常栽种于村边、平地或坡地，栽培常见。

| 采收加工 | 枇杷果实因成熟不一致，宜分次采收。叶、根：全年均可采挖，洗净泥土，切片，晒干。花：冬、春季采花，晒干。种子：春、夏季果实成熟时采收，剥取种子。

| 药材性状 | 圆锥花序，密被绒毛。苞片凿状，有褐色绒毛。花萼5浅裂，萼管短，密被绒毛。花瓣5，黄白色，倒卵形，内面近基部有毛。气微清香。种子呈扁球形，直径1~1.5cm，表面棕褐色，有光泽。种皮纸质，子叶2，外表为淡绿色或类白色，

内面为白色，富油性，气微香。叶呈长椭圆形，上表面灰绿色，有光泽，下表面淡灰色，密被黄色茸毛。叶柄极短，被棕黄色茸毛。革质而脆，易折断。气微，味微苦。果实椭圆形，直径 2~5cm，外果皮黄色或橙黄色，具柔毛，顶部具黑色宿存萼齿。基部有短果柄，具糙毛。外果皮薄，中果皮肉质，厚 3~7mm，内果皮纸膜质，棕色，内有 1 至多数种子。气微清香。根表面棕褐色，较平，无纵沟纹。质坚韧，不易折断，断面不平整，类白色。气清香。

| **功能主治** | 根：味苦，性平。清肺止咳，清热解暑，降逆止呕。用于咳嗽痰喘、肺热气逆、烦热口渴、咯血、衄血、食欲不振。果实、种仁：味甘、酸，性凉；归肺、脾经。止咳祛痰。用于发热、咳嗽、疝气、水肿、瘰疬。核：味苦，性平；有小毒；归肺、肝经。止咳祛痰。花：味苦，性平；归肺经。疏风止咳，通鼻窍。用于感冒咳嗽、鼻塞流涕、虚劳久嗽、痰中带血。叶：味苦、微辛，性微寒；归肺、胃经。清肺止咳，和胃降逆，止渴。用于肺热痰嗽、阴虚劳嗽、咯血、衄血、胃热呕哕。

蔷薇科 Rosaceae 桂樱属 *Laurocerasus*

腺叶桂樱
Laurocerasus phaeosticta (Hance) Schneid.

| 中 药 名 | 腺叶桂樱（药用部位：全株或种子）

| 植物形态 | 小乔木，小枝具稀疏皮孔，无毛。叶片近革质，狭椭圆形，长6~12cm，宽2~4cm，先端长尾尖，叶边全缘，两面无毛，下面散生黑色小腺点，基部近叶缘常有2较大而扁平的基腺，侧脉6~10对；叶柄长4~8mm，无腺体，无毛；托叶小，无毛，早落。总状花序单生于叶腋，具花数朵至10余朵，长4~6cm，无毛；苞片长达4mm，无毛，早落；花直径4~6mm；花萼外面无毛；萼筒杯形；萼片卵状三角形，有缘毛或具小齿；花瓣近圆形，白色，直径2~3mm，无毛；雄蕊20~35，长5~6mm；子房无毛。果实近球形，直径8~10mm，或横径稍大于纵径，紫黑色，无毛；核壁薄而平滑。花期4~5月，果期7~10月。

腺叶桂樱

| 分布区域 |

产于海南三亚、昌江、白沙、五指山、儋州、陵水、万宁、临高、屯昌、定安。分布于中国南部。越南、缅甸、孟加拉国、泰国、印度也有分布。

| 资　　源 |

生于山地林中，常见。

| 采收加工 |

种子在果实成熟时采收，剥去果皮，晒干。其余部位全年可采。

| 功能主治 |

活血祛瘀，镇咳利尿，润燥滑肠。用于闭经、疮疡肿毒、大便燥结。

蔷薇科 Rosaceae 石楠属 Photinia

闽粤石楠
Photinia benthamiana Hance

闽粤石楠

中 药 名

闽粤石楠（药用部位：叶）

植物形态

落叶小乔木，小枝暗棕红色或紫褐色，老枝浅灰色，具椭圆形皮孔；芽狭卵形；鳞片数枚，褐色，具长柔毛。叶柄 3~10mm，具灰色长柔毛；叶片倒卵状长圆形，长 5~11cm，宽 2~5cm，纸质，脉 5~8 对，边缘疏生锯齿。复伞房花序，长 7cm，宽 4cm，花多数；花序梗和花梗被灰色长柔毛；苞片钻形，具长柔毛。花梗 3~5mm。花直径 7~8mm。萼筒杯状，背面具长柔毛。萼片三角形，长 1~1.5mm。花瓣白色，倒卵形或圆形，3~4mm。雄蕊 20，花柱 2 或 3，不超过雄蕊，无毛，基部合生。果实卵球形或近球形，长 4~6mm，宽 3~5mm，疏生黄色短柔毛。花期 3~5 月，果期 7~8 月。

分布区域

产于海南三亚、昌江、白沙、保亭、陵水、万宁。亦分布于中国广东、广西、福建、湖南、浙江、湖北等地。越南、老挝、泰国也有分布。

| **资　　源** | 生于低海拔林中，常见。

| **采收加工** | 全年可采，鲜用或晒干。

| **功能主治** | 补肾，强腰膝，除风湿。用于肾虚、腰膝软弱、风湿痹痛。

薔薇科 Rosaceae 石楠属 *Photinia*

桃叶石楠
Photinia prunifolia (Hook. et Arn.) Lindl.

| 中 药 名 | 桃叶石楠（药用部位：叶）

| 植物形态 | 常绿乔木，高 10~20m；小枝无毛，灰黑色，具黄褐色皮孔。叶片革质，长圆形或长圆披针形，先端渐尖，基部圆形至宽楔形，边缘有密生具腺的细锯齿，上面光亮，下面满布黑色腺点，两面均无毛，侧脉 13~15 对；叶柄长 10~25mm，无毛，具多数腺体，有时且有锯齿。花多数，密集成顶生复伞房花序，直径 12~16cm，总花梗和花梗微有长柔毛；花直径 7~8mm；萼筒杯状，外面有柔毛；萼片三角形，长 1~2mm，先端渐尖，内面微有绒毛；花瓣白色，倒卵形，长约 4mm，先端圆钝，基部有绒毛；雄蕊 20，与花瓣等长或稍长；花柱 2（~3），离生，子房先端有毛。果实椭圆形，长 7~9mm，直径 3~4mm，红色，内有 2（~3）种子。花期 3~4 月，果期 10~11 月。

桃叶石楠

| 分布区域 | 产于海南东方、昌江、白沙、五指山、保亭、万宁。亦分布于中国广东、广西、江西、福建、浙江、湖南、贵州、云南。越南、马来西亚、印度尼西亚、日本也有分布。

| 资　　源 | 生于林中，常见。

| 采收加工 | 全年可采，鲜用或晒干。

| 功能主治 | 叶：祛风，通络，益肾。

薔薇科 Rosaceae 石斑木属 Rhaphiolepis

石斑木
Rhaphiolepis indica (L.) Lindl. ex Ker

| 中 药 名 | 石斑木（药用部位：根、叶）

| 植物形态 | 常绿灌木。叶片集生于枝顶，卵形、长圆形，稀倒卵形或长圆披针形，长 4~8cm，宽 1.5~4cm，基部渐狭连于叶柄，边缘具细钝锯齿，网脉明显；叶柄长 5~18mm，近于无毛；托叶钻形，长 3~4mm，脱落。顶生圆锥花序或总状花序，总花梗和花梗被锈色绒毛，花梗长 5~15mm；苞片及小苞片狭披针形，长 2~7mm，近无毛；花直径 1~1.3cm；萼筒筒状，长 4~5mm，边缘及内外面有褐色绒毛，或无毛；萼片 5，三角披针形至线形，长 4.5~6mm，两面被疏绒毛；花瓣 5，白色或淡红色，倒卵形或披针形，长 5~7mm，宽 4~5mm，先端圆钝，基部具柔毛；雄蕊 15；花柱 2~3，基部合生，近无毛。果实球形，紫黑色，直径约 5mm，果梗短粗，长 5~10mm。花期 4 月，果期 7~8 月。

石斑木

分布区域	产于海南乐东、五指山、保亭、陵水、万宁、儋州、澄迈、琼海、文昌。亦分布于中国广东、广西、湖南、江西、福建、台湾、浙江、安徽、贵州、云南等地。越南、老挝、柬埔寨、泰国、日本也有分布。
资　　源	生于中海拔山谷中，常见。
采收加工	全年可采，鲜用或晒干。
功能主治	根：味苦、涩，性寒。活血祛风，止痛，消肿解毒。用于溃疡红肿、风湿胃痛、跌打损伤、冻伤。叶：味微苦、涩，性寒。清热解毒，散寒，消肿，止血。用于感冒、痢疾、跌打损伤、瘀血肿痛、刀伤出血、风湿疼痛。

蔷薇科 Rosaceae 石斑木属 *Rhaphiolepis*

细叶石斑木 *Rhaphiolepis lanceolata* Hu

| 中 药 名 | 细叶石斑木（药用部位：根）

| 植物形态 | 常绿灌木，树皮暗灰色，分枝多。叶片革质，集生于枝顶，带状披针形，长 3~7.5cm，宽 5~14mm，基部狭楔形向下延伸，边缘略向下卷，具疏生圆钝锯齿；叶柄有翅，长 2~4mm，无毛。顶生圆锥花序，总花梗及花梗均有褐色柔毛；苞片披针形，长 3~4mm，边缘及两面均有毛；萼筒筒状，长约 4mm，外面有褐色柔毛；萼片披针形，长 4.5~6mm，先端尖，内外两面均有毛；花瓣椭圆披针形，长 6~7mm，宽 1.5~4mm，白色或淡红色；雄蕊 15。花柱 3，基部合生，子房有毛。果实球形，黑色，直径 4~7mm；果梗长 4~5mm，有毛；种子 1，球形或稍扁，黑褐色，直径约 3mm。花期 6~7 月，果期 10~11 月。

细叶石斑木

分布区域	产于海南三亚、乐东、东方、昌江、五指山、万宁。亦分布于中国广东、广西。
资　　源	生于中海拔山谷或溪边，偶见。
采收加工	全年可采，鲜用或晒干。
功能主治	用于半身不遂、风湿痹痛。

蔷薇科 Rosaceae 蔷薇属 Rosa

月季花 *Rosa chinensis* Jacq.

月季花

| 中 药 名 |

月季花（药用部位：花蕾、叶、根）

| 植物形态 |

直立灌木，小枝粗壮，圆柱形，近无毛，有短粗的钩状皮刺。小叶 3~5，连叶柄长5~11cm，小叶片宽卵形至卵状长圆形，长2.5~6cm，宽 1~3cm，边缘有锐锯齿，两面近无毛，顶生小叶片有柄，侧生小叶片近无柄，总叶柄较长，有散生皮刺和腺毛；托叶大部分贴生于叶柄，仅先端分离部分呈耳状，边缘常有腺毛。花几朵集生，稀单生，直径4~5cm；花梗长 2.5~6cm，近无毛，萼片卵形，先端尾状渐尖，有时呈叶状，边缘常有羽状裂片，稀全缘，外面无毛，内面密被长柔毛；花瓣重瓣至半重瓣，红色、粉红色至白色，倒卵形，先端有凹缺；花柱离生，伸出萼筒口外，约与雄蕊等长。果实卵球形，长 1~2cm，红色，萼片脱落。花期 4~9 月，果期 6~11 月。

| 分布区域 |

海南万宁、兴隆有栽培。原产于中国，现世界各地广泛栽培。

消肿散结。用于遗精、滑精、带下、月经不调、瘰疬。全株：用于风湿、跌打损伤、骨折。

资　源

生于山野阴湿地带，栽培常见。

采收加工

花蕾：夏、秋季选晴天采收半开放的花朵，及时摊开晾干，或用微火烘干。叶：春至秋季，枝叶茂盛时采叶，鲜用或晒干。根：全年均可采挖，洗净，切段晒干。

药材性状

花多呈圆球形，直径 4~5cm。花托倒圆锥形，长 5~7mm，直径 3~5mm，棕紫色，基部较尖，常带有花梗。萼片 5，先端尾尖，大多向下反折，短于或等于花冠，背面黄绿色或橙黄色，有疏毛，内面被白色绵毛。花瓣 5 或重瓣，覆瓦状排列，少数杂有散瓣，长 2~2.5cm，宽 1~2.5cm，紫色或淡红色，脉纹明显。雄蕊多数，黄棕色，卷曲，着生于花萼筒上。雌蕊多数，有毛，花柱伸出花托口。体轻，质脆，易碎。气清香，味微苦、涩。叶为羽状复生叶，小叶 3~5，有的仅小叶入药。叶片宽卵形或卵状长圆形，长 2.5~6cm，宽 1.5~3cm，先端渐尖，基部宽楔形或近圆形，边缘有锐锯齿，两面光滑无毛，质较硬，有皱缩。叶柄和叶轴散生小皮刺。气微，味微涩。

功能主治

花蕾：味甘、微苦，性温；归肝经。活血调经，消肿解毒。用于月经不调、经来腹痛、白带肋痛、跌打损伤、血瘀肿痛、痈疽肿毒、瘰疬。叶：味微苦，性平；归肝经。活血消肿。根：味甘、苦、微涩，性温；归肝经。活血调经，涩精止带，

蔷薇科 Rosaceae 蔷薇属 Rosa

金樱子
Rosala evigata Michaux

| **中 药 名** | 金樱子（药用部位：花、根、叶、果实）

| **植物形态** | 常绿攀缘灌木，小枝粗壮，散生扁弯皮刺，无毛。小叶革质，通常 3，连叶柄长 5~10cm；小叶片椭圆状卵形，长 2~6cm，宽 1.2~3.5cm；小叶柄和叶轴有皮刺和腺毛；托叶离生或基部与叶柄合生，披针形，边缘有细齿，齿尖有腺体，早落。花单生于叶腋，直径 5~7cm；花梗长 1.8~2.5cm，花梗和萼筒密被腺毛，随果实成长变为针刺；萼片卵状披针形，先端呈叶状，边缘羽状浅裂，常有刺毛和腺毛，内面密被柔毛，比花瓣稍短；花瓣白色，宽倒卵形，先端微凹；雄蕊多数；心皮多数，花柱离生，有毛，比雄蕊短很多。果实梨形，紫褐色，外面密被刺毛，果梗长约 3cm，萼片宿存。花期 4~6 月，果期 7~11 月。

金樱子

| **分布区域** | 海南有分布记录。亦分布于中国华南其他区域、华东、华中。 |

| **资　　源** | 喜生向阳山野、田边、溪旁灌丛中，偶见。 |

| **采收加工** | 花：4~6月采收将开放的花蕾，干燥即得。根：全年均可采收，挖取根部，除去幼根。叶：全年均可采收，多鲜用。果实：10~11月间，成熟时采摘，除去毛刺，晒干。 |

| **药材性状** | 花托倒卵形，与花萼基部相连，表面绿色具直刺。萼片5，卵状披针形，黄绿色，伸展。花瓣5，白色或淡棕色，倒卵形。气微香，味微苦、涩。根为厚约1cm的斜片或长3~4cm的短段，直径1~3.5cm。表面暗棕红色至红褐色，有细纵条纹，外皮略浮离，可片状剥落。切段面棕色，具明显的放射状纹理。果实为花托发育而成的假果，呈倒卵形，长2~3.5cm，直径1~2cm。表面黄红色至棕红色，略具光泽，有多数刺状刚毛脱落后的残基形成棕色小突起；无端宿存花萼呈盘状，其中央稍隆起，有黄色花柱基；基部渐细，有残留果柄。质坚硬，纵切后可见花萼筒壁厚1~2mm，内壁密生淡黄色有光泽的绒毛，瘦果数十粒，扁纺锤形，长约7mm，淡黄棕色，木质，外被淡黄色绒毛。以个大、色红黄、有光泽、去净毛刺者为佳。 |

| **功能主治** | 花：味酸、涩，性平。涩肠，固精，缩尿，止带，杀虫。用于久泻久痢、遗精、尿频、带下、绦虫病、蛔虫病、蛲虫病、须发早白。根：味酸、涩，性平；归脾、肾、肝经。收敛固涩，止血敛疮，祛风活血，止痛，杀虫。用于滑精、遗尿、痢疾、泄泻、咯血、便血、崩漏、带下、脱肛、子宫下垂、风湿痹痛、跌打损伤、疮疡、烫伤、牙痛、胃痛、蛔虫病、诸骨哽喉、乳糜尿。叶：味苦，性凉。清热解毒，活血止血，止带。用于痈肿疔疮、烫伤、痢疾、闭经、崩漏、带下、创伤出血。果实：味酸、涩，性平；归脾、肾、膀胱经。固精缩尿，涩肠止带。用于滑精、遗尿、尿频、久泻、久痢、白浊、白带、崩漏、脱肛、子宫下垂。 |

薔薇科 Rosaceae 悬钩子属 Rubus

蛇泡筋 *Rubus cochinchinensis* Tratt.

| 中 药 名 | 蛇泡筋（药用部位：根、叶）

| 植物形态 | 攀缘灌木；枝、叶柄、花序和叶片下面中脉上疏生弯曲小皮刺；枝幼时有黄色绒毛，逐渐脱落。掌状复叶常具 5 小叶，小叶片椭圆形，顶生小叶稍宽大，上面无毛，下面密被褐黄色绒毛，边缘有不整齐锐锯齿；叶柄长 4~5cm，小叶柄长 3~6mm；托叶较宽，扇形，掌状分裂，裂片披针形。花成顶生圆锥花序，也常花数朵簇生于叶腋；总花梗、花梗和花萼均密被黄色绒毛；花梗长 4~10mm；苞片掌状，早落；花直径 8~12mm；花萼钟状，无刺；萼片卵圆形，外萼片先端 3 浅裂；花瓣近圆形，白色，短于萼片；雄蕊多数，花丝钻形，无毛，比萼片和花瓣短；雌蕊 30~40，无毛，花柱长于萼片。果实球形，幼时红色，熟时变黑色。花期 3~5 月，果期 7~8 月。

蛇泡筋

分布区域

产于海南三亚、乐东、东方、白沙、五指山、保亭、万宁、儋州、澄迈、琼海、海口。亦分布于中国广东、广西、云南、四川。越南、老挝、柬埔寨、泰国也有分布。

资　　源

生于低海拔至中海拔灌木林中，常见。

采收加工

夏、秋季采收，晒干。

功能主治

味苦、辛，性温。祛风除湿，行气。用于腰腿痛、四肢麻痹、风湿骨痛、湿疹、舌痛、跌打损伤、肿痛。

蔷薇科 Rosaceae 悬钩子属 Rubus

高粱泡
Rubus lambertianus Ser.

| 中 药 名 |　高粱泡（药用部位：根、叶）

| 植物形态 |　半落叶藤状灌木，枝幼时有细柔毛或近无毛，有微弯小皮刺。单叶宽卵形，中脉上常疏生小皮刺，边缘明显 3~5 裂或呈波状，有细锯齿；叶柄长 2~4cm，具细柔毛，有稀疏小皮刺；托叶离生，线状深裂，有细柔毛或近无毛，常脱落。圆锥花序顶生；总花梗、花梗和花萼均被细柔毛；花梗长 0.5~1cm；苞片与托叶相似；花直径约 8mm；萼片卵状披针形，先端渐尖、全缘，外面边缘和内面均被白色短柔毛，仅在内萼片边缘具灰白色绒毛；花瓣倒卵形，白色，无毛，稍短于萼片；雄蕊多数，稍短于花瓣，花丝宽扁；雌蕊 15~20，通常无毛。果实小，近球形，直径 6~8mm，由多数小核果组成，无毛，熟时红色；核较小，长约 2mm，有明显皱纹。花期 7~8 月，果期 9~11 月。

高粱泡

| 分布区域 | 产于海南乐东、白沙、五指山、琼中、儋州。亦分布于中国黄河以南各地。泰国、日本也有分布。 |

| 资　　源 | 生于低海拔山坡、山谷灌丛中，偶见。 |

| 采收加工 | 夏、秋季采收，晒干。 |

| 功能主治 | 根：味苦、涩，性平。清热解毒，清肺止咳，疏风解表，活血调经，凉血散瘀，补肾固精。用于风寒感冒、咳嗽痰喘、头痛咽痛、产后腹痛、胃脘痛、坐骨神经痛、风湿关节痛、出血、产后发热、痛经、崩漏、带下病、阴挺、遗精、痔疮、偏瘫。
叶：味甘、苦，性平。清热凉血，解毒疗疮。用于感冒发热、咯血、便血、崩漏、创伤出血、瘰疬溃烂、皮肤糜烂、黄水疮。 |

蔷薇科 Rosaceae 悬钩子属 Rubus

白花悬钩子

Rubus leucanthus Hance

| 中 药 名 | 白花悬钩子（药用部位：根）

| 植物形态 | 攀缘灌木，枝紫褐色，无毛，疏生钩状皮刺。小叶 3，生于枝上
部或花序基部的有时为单叶，革质，卵形或椭圆形，长 4~8cm，
宽 2~4cm，两面无毛，侧脉 5~8 对，边缘有粗单锯齿；叶柄长
2~6cm，均无毛，具钩状小皮刺；托叶钻形，无毛。花 3~8 形成伞
房状花序，生于侧枝先端；花梗长 0.8~1.5cm，无毛；苞片与托叶相
似；花直径 1~1.5cm；萼片卵形；花瓣长卵形，白色，基部微具柔
毛，具爪，与萼片等长或稍长；雄蕊多数，花丝较宽扁；雌蕊通常
70~80，有时达 100 或更多，花柱和子房无毛；花托中央突起部分近
球形，基部无柄。果实近球形，直径 1~1.5cm，红色，无毛，萼片
包于果实；核较小，具洼穴。花期 4~5 月，果期 6~7 月。

白花悬钩子

| **分布区域** | 产于海南白沙、五指山、陵水、万宁、琼中、儋州、琼海。亦分布于中国广东、广西、湖南、福建、贵州、云南等地。越南、老挝、柬埔寨、泰国也有分布。 |

| **资　　源** | 生于低海拔至中海拔疏林中或空旷地，常见。 |

| **采收加工** | 夏、秋季采收，晒干。 |

| **功能主治** | 用于泄泻、赤痢。 |

蔷薇科 Rosaceae 悬钩子属 Rubus

茅 莓 *Rubus parvifolius* L.

| **中 药 名** | 茅莓（药用部位：全株或根、茎叶）

| **植物形态** | 灌木，枝呈弓形弯曲，被柔毛和稀疏钩状皮刺；小叶 3，菱状圆形或倒卵形，长 2.5~6cm，宽 2~6cm，上面伏生疏柔毛，下面密被灰白色绒毛，边缘有不整齐粗锯齿；叶柄长 2.5~5cm，被柔毛和稀疏小皮刺；托叶线形，长 5~7mm，具柔毛。伞房花序顶生或腋生，具花数朵至多朵，被柔毛和细刺；花梗长 0.5~1.5cm，具柔毛和稀疏小皮刺；苞片线形，有柔毛；花直径约 1cm；花萼外面密被柔毛和疏密不等的针刺；萼片卵状披针形；花瓣卵圆形，粉红至紫红色，基部具爪；雄蕊花丝白色，稍短于花瓣；子房具柔毛。果实卵球形，直径 1~1.5cm，红色，无毛或具稀疏柔毛；核有浅皱纹。花期 5~6 月，果期 7~8 月。

茅莓

分布区域

产于海南澄迈、海口。亦分布于中国各地。越南、韩国、日本也有分布。

资　源

生于路旁、山谷或荒坡，偶见。

采收加工

夏、秋季采收，晒干。

功能主治

根、茎叶：味甘、苦，性平。清热解毒，活血消肿，利尿。用于感冒高热、咽喉痛、风湿痹痛、肝炎、痢疾、泄泻、水肿、小便淋痛、尿路感染、肾结石、疮疡肿毒、皮肤瘙痒。全株：味甘、酸，性平。用于吐血、跌打损伤、刀伤、风湿痹痛、产后瘀滞腹痛、痢疾、痔疮、瘰疬、疮痈肿毒。

蔷薇科 Rosaceae 悬钩子属 Rubus

浅裂锈毛莓

Rubus reflexus Ker. var. *hui* (Diels apud Hu) Metc.

| 中 药 名 | 浅裂锈毛莓（药用部位：根、叶）

| 植物形态 | 攀缘灌木，高达 2m。枝被锈色绒毛状毛，有稀疏小皮刺。单叶，
心状长卵形，长 7~14cm，宽 5~11cm，上面无毛或沿叶脉疏生柔
毛，有明显皱纹，下面密被锈色绒毛，沿叶脉有长柔毛，边缘 3~5
裂，有不整齐的粗锯齿或重锯齿，基部心形，顶生裂片长大，披针
形或卵状披针形，比侧生裂片长很多，裂片先端钝或近急尖；叶柄
长 2.5~5cm，被绒毛并有稀疏小皮刺；托叶宽倒卵形，长、宽均为
1~1.4cm，被长柔毛，梳齿状或不规则掌状分裂，裂片披针形或线状
披针形。花数朵团集生于叶腋或成顶生短总状花序；总花梗和花梗
密被锈色长柔毛；花梗很短，长 3~6mm；苞片与托叶相似；花直径
1~1.5cm；花萼外密被锈色长柔毛和绒毛；萼片卵圆形，外萼片先端

浅裂锈毛莓

常掌状分裂，裂片披针形，内萼片常全缘；花瓣长圆形至近圆形，白色，与萼片近等长；雄蕊短，花丝宽扁，花药无毛或先端有毛；雌蕊无毛。果实近球形，深红色；核有皱纹。花期 6~7 月，果期 8~9 月。

| 分布区域 | 产于海南三亚、乐东、昌江、儋州。亦分布于中国广东、广西、湖南、江西、台湾、浙江、贵州、云南。

| 资　　源 | 生于中海拔林中，偶见。

| 采收加工 | 根：全年可采收。叶：夏、秋季采收，晒干。

| 功能主治 | 根、叶：祛风逐湿，舒筋活络，止泻止痢，清热，止痛。用于风湿关节痛、腰痛、跌打损伤、痢疾、腹泻。

蔷薇科 Rosaceae 悬钩子属 Rubus

红腺悬钩子 *Rubus sumatranus* Miq.

| 中 药 名 | 红腺悬钩子（药用部位：根）

| 植物形态 | 直立或攀缘灌木；小枝、叶轴、叶柄、花梗和花序均被紫红色腺毛、柔毛和皮刺；腺毛长短不等，长者达 4~5mm，短者 1~2mm。小叶 5~7，稀 3，卵状披针形至披针形，先端渐尖，基部圆形，两面疏生柔毛，沿中脉较密，下面沿中脉有小皮刺，边缘具不整齐的尖锐锯齿；叶柄长 3~5cm，顶生小叶柄长达 1cm；托叶披针形或线状披针形，有柔毛和腺毛。花 3 或数朵组成伞房状花序，稀单生；花梗长 2~3cm；苞片披针形；花直径 1~2cm；花萼被长短不等的腺毛和柔毛；萼片披针形，先端长尾尖，在果期反折；花瓣长倒卵形或匙状，白色，基部具爪；花丝线形；雌蕊数可达 400，花柱和子房均无毛。果实长圆形，长 1.2~1.8cm，橘红色，无毛。花期 4~6 月，果期 7~8 月。

红腺悬钩子

| 分布区域 | 产于海南昌江、白沙、五指山、保亭、陵水。亦分布于中国广东、广西、湖南、江西、福建、台湾、浙江、安徽、湖北、贵州、云南、四川、西藏。越南、老挝、柬埔寨、泰国、印度尼西亚、印度、尼泊尔、朝鲜、日本也有分布。

| 资　　源 | 生于山坡或山谷中，偶见。

| 采收加工 | 全年可采收，洗净，鲜用或晒干。

| 功能主治 | 清热解毒，健脾利水。用于产后寒热、腹痛、食欲不振、风湿骨痛、水肿、急性中耳炎。

蔷薇科 Rosaceae   悬钩子属 *Rubus*

梨叶悬钩子 *Rubus pirifolius* Smith

| 中 药 名 | 梨叶悬钩子（药用部位：根或全株）

| 植物形态 | 攀缘灌木；枝具柔毛和扁平皮刺。单叶，近革质，卵形、卵状长圆形或椭圆状长圆形，长 6~11cm，宽 3.5~5.5cm，先端急尖至短渐尖，基部圆形，两面沿叶脉有柔毛，逐渐脱落至近无毛，侧脉 5~8 对，在下面突起，边缘具不整齐的粗锯齿；叶柄长达 1cm，伏生粗柔毛，有稀疏皮刺；托叶分离，早落，条裂，有柔毛。圆锥花序顶生或生于上部叶腋内；总花梗、花梗和花萼密被灰黄色短柔毛，无刺或有少数小皮刺；花梗长 4~12mm；苞片条裂成 3~4 线状裂片，有柔毛，早落；花直径 1~1.5cm；萼筒浅杯状；萼片卵状披针形或三角状披针形，内外两面均密被短柔毛，先端 2~3 条裂或全缘；花瓣小，白色，长 3~5mm，长椭圆形或披针形，短于萼片；雄蕊多数，花丝线形；

梨叶悬钩子

雌蕊 5~10，通常无毛。果实直径 1~1.5cm，由数个小核果组成，带红色，无毛；小核果较大，长 5~6mm，宽 3~5mm，有皱纹。花期 4~7 月，果期 8~10 月。

| **分布区域** | 产于海南乐东。亦分布于中国广西。

| **资　　源** | 生于山谷林中，偶见。

| **采收加工** | 根和全株全年可采收，洗净，鲜用或晒干。

| **功能主治** | 根：凉血，解郁，清肺热。用于肺热咳嗽、胸闷、吐血、咯血。全株：强筋骨，祛寒湿。用于风湿痹痛、跌打损伤。

粗叶悬钩子

Rubus alceaefolius Poir.

| 中 药 名 | 粗叶悬钩子（药用部位：根、茎叶）

| 植物形态 | 攀缘灌木，枝被黄灰色至锈色绒毛状长柔毛，有稀疏皮刺。单叶，近圆形，长 6~16cm，宽 5~14cm，上面有囊泡状小突起，下面密被黄灰色至锈色绒毛，沿叶脉具长柔毛，边缘不规则 3~7 浅裂，有不整齐粗锯齿；叶柄长 3~4.5cm，被黄灰色至锈色绒毛状长柔毛，疏生小皮刺；托叶大，长 1~1.5cm，羽状深裂或不规则地撕裂，裂片线形或线状披针形。花成顶生狭圆锥花序或近总状，也成腋生头状花序，稀为单生；总花梗、花梗和花萼被浅黄色至锈色绒毛状长柔毛；花梗短；苞片大，羽状至掌状，裂片线形；花直径 1~1.6cm；萼片宽卵形，有浅黄色至锈色绒毛和长柔毛，外萼片有条裂，内萼片常全缘；花瓣宽倒卵形，白色，与萼片近等长；雄蕊多数，花丝宽扁，

粗叶悬钩子

花药稍有长柔毛；雌蕊多数，子房无毛。果实近球形，直径达 1.8cm，肉质，红色；核有皱纹。花期 7~9 月，果期 10~11 月。

| **分布区域** | 产于海南三亚、乐东、昌江、白沙、保亭、万宁、琼中、儋州、屯昌。亦分布于中国广东、广西、湖南、江西、福建、台湾、浙江、江苏、贵州、云南等地。东南亚以及日本也有分布。

| **资　　源** | 生于低海拔灌木林中，常见。

| **采收加工** | 夏、秋季采收，晒干。

| **功能主治** | 活血祛瘀，消肿止痛，清热止血。用于急慢性肝炎、黄疸、肝脾肿大、痢疾、肠炎、胃脘痛、牙痛、疟疾、乳疮、乳痈、外伤出血、口腔破溃、口腔炎、骨折、跌打损伤、风湿骨痛、疮疡肿毒。

蔷薇科 Rosaceae 地榆属 *Sanguisorba*

地　榆 *Sanguisorba officinalis* L.

|中 药 名|

地榆（药用部位：根、根茎）

|植物形态|

多年生草本，高 30~120cm。根多呈纺锤形，有纵皱及横裂纹，横切面黄白色或紫红色。茎直立，有棱。基生叶为羽状复叶，有小叶 4~6 对；小叶片有短柄，卵形，长 1~7cm，宽 0.5~3cm，边缘有粗大圆钝锯齿，两面绿色，无毛；茎生叶较少，小叶片有短柄，长圆形至长圆披针形，狭长；基生叶托叶膜质，褐色，外面无毛，茎生叶托叶大，草质，半卵形，外侧边缘有尖锐锯齿。穗状花序椭圆形，直立，通常长 1~3cm，横径 0.5~1cm，从花序先端向下开放，花序梗光滑；苞片膜质，披针形，比萼片短，背面及边缘有柔毛；萼片 4 枚，紫红色，椭圆形至宽卵形，背面被疏柔毛，中央微有纵棱脊；雄蕊 4，花丝丝状，不扩大，与萼片近等长或稍短；子房外面无毛或基部微被毛，柱头先端扩大，盘形，边缘具流苏状乳头。果实包藏在宿存萼筒内，外面有 4 棱。花果期 7~10 月。

地榆

|分布区域|

产于海南万宁。亦分布于中国各地。亚洲温带地区及欧洲也有分布。

|资　　源|

栽培，少见。

|采收加工|

播种 2~3 年后，春、秋季均可采收，于春季发芽前、秋季枯萎前后挖出，除去地上茎叶，洗净晒干，或趁鲜切片干燥。

|药材性状|

根呈圆柱形，略扭曲状弯曲，长 18~22cm，直径 0.5~2cm。有时可见侧生支根或支根痕。表面棕褐色，具明显纵皱。先端有圆柱状根茎或其残基。质坚，稍脆，折断面平整，略具粉质。横断面形成层环明显，皮部淡黄色，木质部棕黄色或带粉红色，呈显著放射状排列。气微，味微苦、涩。

|功能主治|

味苦、酸，性微寒；归肝、胃、大肠经。凉血止血，清热解毒。用于吐血、衄血、血痢、崩漏、肠风、痔漏、痈肿、湿疹、金疮、烧伤、胃痛、胃肠出血、腹痛。

毒鼠子科 Dichapetalaceae　毒鼠子属 Dichapetalum

毒鼠子

Dichapetalum gelonioides (Roxb.) Engl.

| **中 药 名** | 毒鼠子（药用部位：果实）

| **植物形态** | 小乔木或灌木；幼枝被紧贴短柔毛，具散生圆形白色皮孔。叶片纸质或半革质，椭圆形，长 6~16cm，宽 2~6cm，全缘，无毛，侧脉 5~6 对，叶柄长 3~5mm，无毛；托叶针状，长约 3mm，被疏柔毛，早落。雌雄异株，组成聚伞花序或单生于叶腋，稍被柔毛；花瓣宽匙形，先端微裂或近全缘；雌花中子房 2 室，稀 3 室，密被黄褐色短柔毛，雄花中的退化子房密被白色绵毛，花柱 1，多少深裂。果实为核果，若 2 室均发育者，则为倒心形，长、宽均约 1.8cm；若仅 1 室发育，则呈偏斜的长椭圆形，长约 1.6cm，幼时密被黄褐色短柔毛，成熟时被灰白色疏柔毛。果期 7~10 月。

毒鼠子

| 分布区域 | 产于海南三亚、东方、保亭、陵水、万宁。亦分布于中国广东、云南。越南、泰国、缅甸、马来西亚、菲律宾、印度尼西亚、印度、斯里兰卡也有分布。 |

| 资　　源 | 生于中海拔山地沟谷林中，十分常见。 |

| 采收加工 | 果实完全成熟时采收，鲜用或晒干。 |

| 功能主治 | 用于毒鼠、灭蚊蝇。 |

毒鼠子科 Dichapetalaceae **毒鼠子属** Dichapetalum

海南毒鼠子

Dichapetalum longipetalum (Turcz.) Engl.

| 中 药 名 | 海南毒鼠子（药用部位：茎叶）

| 植物形态 | 攀缘灌木，高 3~4m；小枝被锈色长柔毛，老枝无毛，黑褐色，具散生灰色圆形皮孔。叶片纸质或半革质，长圆形、长圆状椭圆形或椭圆形，长 8~17cm，宽 3~6cm，先端渐尖，基部楔形、阔楔形或略圆形，叶面沿中脉和侧脉被锈色粗伏毛，余无毛，背面被锈色长柔毛，侧脉 6~7 对；叶柄长 4~5mm，被粗毛。聚伞花序腋生，被锈色柔毛；花两性，具短梗；萼片长圆形，长 3~4mm，外面密被灰色短柔毛；花瓣白色，近匙形，长约 5mm，无毛，先端 2 裂；雄蕊长约 5mm；腺体小，近方形，2 浅裂；子房被灰褐色柔毛，花柱长于雄蕊，先端 3 裂。核果偏斜倒心形或偏斜椭圆形，直径约 2cm，密被锈色短柔毛。花期 7 月至翌年 1 月，果期 1~6 月。

海南毒鼠子

分布区域	产于海南三亚、昌江、白沙、保亭、七指岭、万宁、澄迈。亦分布于中国广东、广西。中南半岛、马来半岛也有分布。
资　　源	生于中海拔山地沟谷林中，十分常见。
采收加工	全年皆可采收，鲜用或晒干。
功能主治	用于血吸虫病。

含羞草科　Mimosaceae　金合欢属　Acacia

大叶相思
Acacia auriculiformis A. Cunn. ex Benth

| 中 药 名 | 大叶相思（药用部位：枝叶、芽）

| 植物形态 | 常绿乔木，枝条下垂，树皮平滑，灰白色；小枝无毛，皮孔显著。叶状柄镰状长圆形，长 10~20cm，宽 1.5~4cm，两端渐狭，有显著主脉 3~7。穗状花序长 3.5~8cm，1 至数枝簇生于叶腋或枝顶；花橙黄色；花萼长 0.5~1mm，先端浅齿裂；花瓣长圆形，长 1.5~2mm；花丝长 2.5~4mm。荚果成熟时旋卷，长 5~8cm，宽 8~12mm，果瓣木质，每个果实内有种子约 12；种子黑色，围以折叠的珠柄。

| 分布区域 | 产于海南乐东、万宁、海口等地。中国广东、广西、福建、浙江等地亦有栽培。原产于澳大利亚及新西兰。

| 资　　源 | 栽培，常见。

大叶相思

| 采收加工 |

夏、秋季采收枝叶或嫩芽,鲜用。

| 功能主治 |

同属植物台湾相思有去腐生肌、疗伤等功能,可用于疮疡溃烂、跌打损伤;本种或有类似功能,而且本种容易生长,适合大量栽培,其功能值得深入研究。

| 附　　注 |

澳大利亚用于风湿肿胀。

含羞草科 Mimosaceae 金合欢属 *Acacia*

儿茶 *Acacia catechu* (L. f.) Willd

| **中 药 名** | 孩儿茶（药用部位：心材或去皮枝干煎制而成的干燥浸膏）

| **植物形态** | 落叶小乔木，树皮棕色，常呈条状薄片开裂，但不脱落；小枝被短柔毛。托叶下面常有一对扁平、棕色的钩状刺或无。二回羽状复叶，总叶柄近基部及叶轴顶部数对羽片间有腺体；叶轴被长柔毛；羽片10~30 对；小叶 20~50 对，线形，长 2~6mm，宽 1~1.5mm，被缘毛。穗状花序长 2.5~10cm，1~4 个生于叶腋；花淡黄色或白色；花萼长1.2~1.5cm，钟状，萼齿三角形，被毛；花瓣披针形或倒披针形，长2.5cm，被疏柔毛。荚果带状，长 5~12cm，宽 1~1.8cm，棕色，有光泽，开裂，柄长 3~7mm，先端有喙尖，有 3~10 种子。花期 4~8 月，果期 9 月至翌年 1 月。

儿茶

分布区域

海南乐东、万宁、儋州有栽培。中国广东、广西、福建、台湾、浙江、云南等地亦有栽培。缅甸、印度，以及非洲也有分布。

资　　源

栽培量较少。

采收加工

一般儿茶栽培 10 年以上，即可采伐加工。可在冬季落叶后、春季萌芽抽枝前进行，此时正值旱季，儿茶膏易蒸发干燥。将树砍伐后，除去白色边材，取褐色心材砍成碎片，加水 4 倍，煮沸提取 6 次，每次浸提 1.5 小时，合并 6 次浸提液，浓缩成流浸膏，盛入模具干燥成形，即得商品儿茶膏。

药材性状

本品呈类方形块状或不规则块状，大小不一，表面棕褐色或黑褐色，稍具光泽，平滑或有龟裂纹。质脆，易破碎，断面不整齐，具光泽，有细孔。无臭，味涩、苦后略甜。以黑色略带棕色、不焦不碎、味微苦而涩者为佳。

功能主治

味苦、涩，性凉；无毒；归心、肺经。清热生津，收湿，生肌敛疮。用于痰热咳嗽、口渴、急性扁桃体炎、湿疹、口疮、痔疮、痢疾、肺结核咯血、跌打损伤、外伤出血、烫火伤、水肿、宫颈糜烂、溃疡不敛。

含羞草科 Mimosaceae 金合欢属 *Acacia*

台湾相思
Acacia confusa Merr.

| 中 药 名 | 台湾相思（药用部位：枝叶、嫩芽）

| 植物形态 | 常绿乔木，高 6~15m，无毛；枝灰色或褐色，无刺，小枝纤细。苗期第 1 片真叶为羽状复叶，长大后小叶退化，叶柄变为叶状柄，叶状柄革质，披针形，长 6~10cm，宽 5~13mm，直或微呈弯镰状，两端渐狭，先端略钝，两面无毛，有明显的纵脉 3~5（~8）。头状花序球形，单生或 2~3 个簇生于叶腋，直径约 1cm；总花梗纤弱，长 8~10mm；花金黄色，有微香；花萼长约为花冠之半；花瓣淡绿色，长约 2mm；雄蕊多数，明显超出花冠之外；子房被黄褐色柔毛，花柱长约 4mm。荚果扁平，长 4~9（~12）cm，宽 7~10mm，干时深褐色，有光泽，于种子间微缢缩，先端钝而有凸头，基部楔形；种子 2~8，椭圆形，压扁，长 5~7mm。花期 3~10 月，果期 8~12 月。

台湾相思

| 分布区域 |

产于海南乐东、万宁、文昌、海口。亦分布于中国广东、广西、江西、福建、台湾、浙江、云南、四川。菲律宾也有分布。

| 资　　源 |

生于海拔 1000m 以下的山地路旁、沟边及林荫下。

| 采收加工 |

夏、秋季采收枝叶或嫩芽，鲜用。

| 功能主治 |

味甘、淡，性平。去腐生肌，疗伤。可用于疮疡、跌打损伤。

含羞草科 | Mimosaceae | 金合欢属 | Acacia

金合欢 *Acacia farnesiana* (L.) Willd.

| 中 药 名 | 鸭皂树（药用部位：树皮、根、茎枝干浸膏）

| 植物形态 | 灌木或小乔木，树皮粗糙，褐色，多分枝，小枝常呈"之"字形弯曲，有小皮孔。托叶针刺状，刺长 1~2cm，生于小枝上的较短。二回羽状复叶长 2~7cm，叶轴糟状，被灰白色柔毛，有腺体；羽片 4~8 对，长 1.5~3.5cm；小叶通常 10~20 对，线状长圆形，长 2~6mm，宽 1~1.5mm，无毛。头状花序单生或 2~3 个簇生于叶腋，直径 1~1.5cm；总花梗被毛，长 1~3cm，苞片位于总花梗的先端；花黄色，有香味；花萼长 1.5mm，5 齿裂；花瓣连合呈管状，长约 2.5mm，5 齿裂；雄蕊长约为花冠的 2 倍；子房圆柱状，被微柔毛。荚果膨胀，近圆柱状，长 3~7cm，宽 8~15mm，褐色，无毛，劲直或弯曲；种子多颗，褐色，卵形，长约 6mm。花期 3~6 月，果期 7~11 月。

金合欢

分布区域

产于海南陵水、万宁、儋州、屯昌。中国华南其他区域亦有栽培或逸为野生。原产于美洲热带地区。

资　源

生于阳光充足、土壤肥沃疏松的地方，栽培量不大。

采收加工

全年均可采，剥下树皮，除去杂质，切片，晒干。浸膏做法与儿茶相似，本品可作为儿茶入药。

功能主治

树皮：味酸、涩，性平；归肝经。收敛，止血，止咳。用于遗精、白带、脱肛、外伤出血、慢性咳喘。根：味酸、苦，性寒；归肝、肺经。清热解毒，消痈排脓，祛风除湿。用于疟疾、丹毒、肺结核、结核性脓疡、骨髓炎、风湿性关节炎。煎汁可制儿茶。用于跌打损伤、外伤出血、肺结核、寒性脓肿、风湿性关节炎、疟疾、眼痛。

含羞草科 Mimosaceae 金合欢属 *Acacia*

羽叶金合欢 *Acacia pennata* (L.) Willd.

| 中 药 名 |

蛇藤（药用部位：根、茎、叶）

| 植物形态 |

攀缘、多刺藤本；小枝和叶轴均被锈色短柔毛。羽状复叶，羽片 8~22 对；总叶柄基部及叶轴上部羽片着生处有一突起的腺体；小叶 30~54 对，线形，长 5~10mm，宽 0.5~1.5mm，彼此紧靠，具缘毛，中脉靠近上边缘。头状花序圆球形，直径约 1cm，具 1~2cm 长的总花梗，单生或 2~3 个聚生，排成腋生或顶生的圆锥花序，被暗褐色柔毛；花萼近钟状，长约 1.5mm，5 齿裂；花冠长约 2mm；子房被微柔毛。果实带状，长 9~20cm，宽 2~3.5cm，无毛或幼时有极细柔毛，边缘稍隆起，呈浅波状；种子 8~12，长椭圆形而扁。花期 3~10 月，果期 7 月至翌年 4 月。

| 分布区域 |

产于海南三亚、东方、昌江、白沙、陵水、万宁、琼中、澄迈。亦分布于中国广东、广西、福建、浙江、贵州、云南等地。亚洲、非洲热带地区也有分布。

羽叶金合欢

| 资　　源 |

生于低海拔疏林中，常见。

| 采收加工 |

秋、冬季采收，晒干。

| 药材性状 |

根呈条状，有分枝，表皮黄褐色，具淡黄色横生皮孔，切面中心呈淡黄色。茎部具 5 棱，棱上和叶轴散布有钩刺和锈色短柔毛。

| 功能主治 |

根、茎：味苦、辛、微甘，性温。祛风湿，强筋骨，活血止痛。用于风湿痹痛、腰肌劳伤、跌打损伤、脊椎骨损伤。外用于急性、过敏性、渗出性皮炎。叶：用于难产。

含羞草科 Mimosaceae 金合欢属 Acacia

阿拉伯胶树
Acacia senegal (L.) Willd.

| 中 药 名 | 阿拉伯胶树（药用部位：树胶）

| 植物形态 | 小乔木，树皮呈片状剥落；幼枝被短柔毛，老枝变无毛。托叶 3 刺状，两侧的近直立，中间的下弯；二回羽状复叶，常 3 簇生，叶轴长 2.5~5cm，常有小刺，最上一对羽片着生处及总叶柄上各有 1 腺体；羽片 3~5 对，对生或互生，长 1.2~3cm；小叶 8~15 对，线形，长 2~5mm，宽 1~1.5mm，具疏缘毛。穗状花序长 5~10cm；总花梗长 8~18mm；花白色，芳香；花萼阔钟形，长 1.5~2.5mm，无毛；花冠长约 4mm；雄蕊多数，花丝长 6~7mm。荚果带状，长 5~8cm，宽 1.7~2.5cm，具短柄，先端稍弯，呈喙状；种子 5~6，碟状，长 6~9mm，宽 5~8mm，暗棕色或灰绿色。

阿拉伯胶树

| 分布区域 | 海南万宁、儋州有栽培。中国云南亦有栽培。原产于非洲、阿拉伯国家、印度。

| 资　　源 | 仅有少量引种。

| 采收加工 | 全年可采收，切断晒干。

| 功能主治 | 树胶收敛。用于腹泻、痢疾、发热、呼吸系统疾病、肾脏慢性疾病、子痫、衄血、水蛭咬伤出血不止。外用于发炎创面、乳头疾患、水火烫伤。既可用作刺激缓和剂，又可用作丸剂的润滑剂，亦常用作乳化剂、赋形剂、混悬剂。

含羞草科 | Mimosaceae | 金合欢属 | *Acacia*

藤金合欢
Acacia sinuata (Lour.) Merr.

| 中 药 名 | 藤金合欢（药用部位：全株或枝、叶）

| 植物形态 | 攀缘藤本；小枝、叶轴被灰色短茸毛，有散生、多而小的倒刺。托叶卵状心形，早落。二回羽状复叶，羽片6~10对，长8~12cm；总叶柄近基部及最顶1~2对羽片之间有1腺体；小叶15~25对，线状长圆形，长8~12mm，宽2~3mm，上面淡绿，下面粉白，两面被粗毛或变无毛，具缘毛；中脉偏于上缘。头状花序球形，直径9~12mm，再排成圆锥花序，花序分枝被茸毛；花白色或淡黄色，芳香；花萼漏斗状，长2mm；花冠稍突出。荚果带形，长8~15cm，宽2~3cm，边缘直或微波状，干时褐色，有种子6~10。花期4~6月，果期7~12月。

藤金合欢

| **分布区域** | 产于海南昌江。亦分布于中国广东、广西、福建、江西、湖南、贵州、云南等地。亚洲热带地区也有分布。 |

| **资　　源** | 生于疏林或灌丛中，少见。 |

| **采收加工** | 全年可采，鲜用或晒干备用。 |

| **功能主治** | 全株、枝、叶：味甘、微苦，性凉。清热解毒，散血消肿，生发。用于痈肿疮毒、急剧腹痛、牙痛，亦用作生发剂。 |

含羞草科 Mimosaceae 海红豆属 *Adenanthera*

海红豆
Adenanthera pavonina L. var. *microsperma* (Teijsm. et Binnend.) Nielsen

| 中 药 名 | 海红豆（药用部位：种子、叶）

| 植物形态 | 落叶乔木，嫩枝被微柔毛。二回羽状复叶；叶柄和叶轴被微柔毛，无腺体；羽片3~5对，小叶4~7对，互生，长圆形或卵形，长2.5~3.5cm，宽1.5~2.5cm，两端圆钝，两面均被微柔毛，具短柄。总状花序单生于叶腋或排成圆锥花序，被短柔毛；花小，白色或黄色，有香味，具短梗；花萼长不足1mm，与花梗同被金黄色柔毛；花瓣披针形，长2.5~3mm，无毛，基部稍合生；雄蕊10，与花冠等长或稍长；子房被柔毛，几无柄，花柱丝状，柱头小。荚果狭长圆形，盘旋，长10~20cm，宽1.2~1.4cm，开裂后果瓣旋卷；种子近圆形至椭圆形，长5~8mm，宽4.5~7mm，鲜红色，有光泽。花期4~7月，果期7~10月。

海红豆

分布区域

产于海南三亚、乐东、东方、白沙、屯昌。亦分布于中国广东、广西、福建、台湾、贵州、云南等地。越南、老挝、柬埔寨、泰国、缅甸、马来西亚、印度尼西亚也有分布。

资 源

生于林中、溪边、沟谷，常见。

采收加工

种子：秋季采收成熟的果实，剥取种子。叶：全年可采，晒干。

药材性状

种子呈阔卵形或椭圆形，长 5.5~8mm，表面鲜红色，光亮，一端见种脐。

功能主治

种子：味苦、辛，性微寒；有小毒。疏风清热，燥湿止痒，润肤养颜。用于面部黑头、痤疮、花斑癣。叶：用于痛风、肠及尿道出血。

含羞草科 Mimosaceae 合欢属 *Albizia*

楷 树
Albizia chinensis (Osbeck) Merr.

| 中 药 名 | 楷树（药用部位：树皮）

| 植物形态 | 落叶乔木，小枝被黄色柔毛。托叶大，膜质，心形，先端有小尖头，早落。二回羽状复叶，羽片 6~12 对；总叶柄基部和叶轴上有腺体；小叶 20~35 对，无柄，长椭圆形，长 6~10mm，宽 2~3mm，先端渐尖，基部近平截，具缘毛，下面被长柔毛；中脉紧靠上边缘。头状花序有花 10~20，生于长短不同、密被柔毛的总花梗上，再排成顶生的圆锥花序；花绿白色或淡黄色，密被黄褐色茸毛；花萼漏斗状，长约 3mm，有 5 短齿；花冠长约为花萼的 2 倍，裂片卵状三角形；雄蕊长约 25mm；子房被黄褐色柔毛。荚果扁平，长 10~15cm，宽约 2cm，幼时稍被柔毛，成熟时无毛。花期 3~5 月，果期 6~12 月。

楷树

分布区域	产于海南三亚、东方、昌江、白沙、保亭、琼中、儋州、澄迈、琼海。分布于中国华南其他区域，以及湖南、福建、浙江、贵州、云南、西藏等地。东南亚至南亚也有分布。
资　　源	生于林中或旷野，常见。
采收加工	全年可采，除去杂质，切片，鲜用或晒干。
功能主治	味淡、涩，性平。固涩止泻，收敛生肌。用于肠炎痢疾、泄泻，外用于疮疡溃烂、久不收口、外伤出血。
附　　注	因含有催产素，东非地区用于催产、引产。

含羞草科 Mimosaceae　合欢属 *Albizia*

天香藤
Albizia corniculata (Lour.) Druce

| 中 药 名 | 天香藤（药用部位：木质部）

| 植物形态 | 攀缘灌木或藤本，幼枝稍被柔毛，在叶柄下常有一下弯的粗短刺。托叶小，脱落。二回羽状复叶，羽片 2~6 对；总叶柄近基部有一压扁的腺体；小叶 4~10 对，长圆形或倒卵形，长 12~25mm，宽 7~15mm，先端极钝或有时微缺，或具硬细尖，基部偏斜，上面无毛，下面疏被微柔毛；中脉居中。头状花序有花 6~12，再排成顶生或腋生的圆锥花序；总花梗柔弱，疏被短柔毛，长 5~10mm；花无梗；花萼长不及 1mm，与花冠同被微柔毛；花冠白色，管长约 4mm，裂片长 2mm；花丝长 1cm。荚果带状，长 10~20cm，扁平，无毛；种子 7~11，长圆形，褐色。花期 4~7 月，果期 8~11 月。

天香藤

| 分布区域 | 产于海南三亚、乐东、东方、昌江、五指山、万宁、琼中、陵水、儋州、琼海、海口。亦分布于中国广东、广西、福建等地。越南、老挝、柬埔寨、泰国、印度尼西亚、菲律宾、马来西亚也有分布。 |

| 资　　源 | 生于旷野或疏林中，常见。 |

| 采收加工 | 全年皆可采收，把茎干外面部分去除，只留下木心，切碎，晒干。 |

| 功能主治 | 行气止痛。 |

含羞草科　Mimosaceae　合欢属　Albizia

南洋楹
Albizia falcataria (L.) Fosberg

| 中 药 名 | 南洋楹（药用部位：树皮）

| 植物形态 | 常绿大乔木，树干通直，高可达 45m；嫩枝圆柱状或微有棱，被柔毛。托叶锥形，早落。羽片 6~20 对，上部的通常对生，下部的有时互生；总叶柄基部及叶轴中部以上羽片着生处有腺体；小叶 6~26 对，无柄，菱状长圆形，长 1~1.5cm，宽 3~6mm，先端急尖，基部圆钝或近截形；中脉偏于上边缘。穗状花序腋生，单生或数个组成圆锥花序；花初白色，后变黄；花萼钟状，长 2.5mm；花瓣长 5~7mm，密被短柔毛，仅基部连合。荚果带形，长 10~13cm，宽 1.3~2.3cm，熟时开裂；种子多颗，长约 7mm，宽约 3mm。花期 4~7 月。

| 分布区域 | 海南海口有栽培。中国华南其他区域亦广泛栽培。原产于东南亚。

南洋楹

资　　源	栽培量少。
采收加工	全年可采，除去杂质，切片，鲜用或晒干。
功能主治	味淡、涩，性平。固涩止泻，收敛生肌。用于吐泻、疮疡、溃烂久不收口、外伤出血。
附　　注	在 FOC 中，其学名被修订为 *Falcataria moluccana* (Miq.) Barneby et Grimes。

含羞草科 Mimosaceae 合欢属 Albizia

合 欢 *Albizia julibrissin* Durazz.

| 中 药 名 | 合欢（药用部位：树皮、花、花蕾）

| 植物形态 | 落叶乔木，小枝有棱角，嫩枝、花序和叶轴被绒毛或短柔毛。托叶线状披针形，较小叶小，早落。二回羽状复叶，总叶柄近基部及最顶1对羽片着生处各有1腺体；羽片4~12对，栽培的有时达20对；小叶10~30对，线形至长圆形，长6~12mm，宽1~4mm，向上偏斜，先端有小尖头，有缘毛，有时在下面或仅中脉上有短柔毛；中脉紧靠上边缘。头状花序于枝顶排成圆锥花序；花粉红色；花萼管状，长3mm；花冠长8mm，裂片三角形，长1.5mm，花萼、花冠外均被短柔毛；花丝长2.5cm。荚果带状，长9~15cm，宽1.5~2.5cm，嫩荚有柔毛，老荚无毛。花期6~7月，果期8~10月。

合欢

| 分布区域 | 海南有分布。中国华南其他区域、东北、西南各地也有分布。

| 资　　源 | 生于山坡或栽培。

| 采收加工 | 树皮：夏、秋季间剥皮，切段，晒干。花：在夏季花初开时采收，除去枝叶，晒干。花蕾：夏季花朵盛开前采收，洗净，晒干。

| 药材性状 | 本品呈浅槽状或卷成单筒状，长 40~80mm，厚 1~3mm。外表面灰褐色，稍粗糙，皮孔红棕色，椭圆形。内表面平滑，淡黄白色，有纵直的细纹理。质硬而脆，易折断，折断面裂片状。气微香，味微涩，稍刺舌，而后喉部有不适感。合欢花头状花序皱缩成团。花细长而弯曲，长 0.8~1cm，淡黄棕色或淡黄褐色，具短梗。花萼筒状，先端具 5 小齿，疏生短柔毛；花冠筒长约为萼筒的 2 倍，先端具 5 裂，裂片披针形，疏生短柔毛；雄蕊多数，花丝细长，黄棕色或黄褐色，下部合生，上部分离，伸出冠筒外。体轻易碎。气微香，味淡。花蕾米粒状，青绿色或黄绿色，有毛，下部 1/3 被萼筒包裹。

| 功能主治 | 味甘，性平；归心、肝、脾经。解郁安神，活血消痈。用于心神不安、忧郁失眠、痈疮肿毒、跌打损伤。此外，花或花蕾尚可理气开胃，消风明目，活血止痛，用于风火眼疾、视物不清。

含羞草科 Mimosaceae 合欢属 *Albizia*

黄豆树
Albizia procera (Roxb.) Benth.

| **中 药 名** | 黄豆树（药用部位：种子、树皮）

| **植物形态** | 落叶乔木，无刺；小枝略被短柔毛或近无毛。二回羽状复叶；总叶柄近基部有一长圆形大腺体；羽片 3~5 对，长 15~20cm；小叶 6~12 对，近革质，先端圆钝或微凹，基部偏斜，两面疏被伏贴短柔毛，中脉偏于下缘；叶柄长约 2mm。头状花序在枝顶或叶腋排成圆锥花序；花无梗；花萼长 2~3mm，无毛；花冠黄白色，长约 6mm，裂片披针形，长约 2.5mm，顶部被柔毛；子房近无柄。荚果带形，长 10~15cm，宽 1.5~2.5cm，扁平，无毛，有种子 8~12。花期 5~9 月，果期 9 月至翌年 2 月。

| **分布区域** | 产于海南三亚、乐东、东方、昌江、白沙、五指山、保亭、陵水、琼中、

黄豆树

儋州、澄迈。亦分布于中国广东、广西、台湾、云南等地。东南亚至南亚也有分布。

| 资　　　源 |

生于低海拔林中，常见。

| 采收加工 |

树皮：全年可采，洗净切段，鲜用或晒干。种子：果实成熟后采收，剥去果荚，晒干。

| 功能主治 |

种子：祛风健胃。树皮：毒鱼。

含羞草科 | Mimosaceae | 朱缨花属 | *Calliandra*

朱缨花
Calliandra haematocephala Hassk.

| 中 药 名 |　朱缨花（药用部位：树皮）

| 植物形态 |　落叶灌木或小乔木，小枝圆柱形，褐色。托叶卵状披针形，宿存。二回羽状复叶，总叶柄长 1~2.5cm；羽片 1 对，长 8~13cm；小叶 7~9 对，斜披针形，长 2~4cm，宽 7~15mm，中上部的小叶较大，边缘被疏柔毛；小叶柄长仅 1mm。头状花序腋生，直径约 3cm，有花 25~40，总花梗长 1~3.5cm；花萼钟状，长约 2mm，绿色；花冠管长 3.5~5mm，淡紫红色，先端具 5 裂片，裂片反折，无毛；雄蕊突露于花冠之外，非常显著，雄蕊管长约 6mm，白色，管口内有钻状附属体，上部离生的花丝长约 2cm，深红色。荚果线状倒披针形，长 6~11cm，宽 5~13mm，暗棕色，成熟时由顶至基部沿缝线开裂，果瓣外反；种子 5~6，长圆形，棕色。花期 8~9 月，果期 10~11 月。

朱缨花

| 分布区域 | 产于海南万宁、海口。中国华南其他区域亦有栽培。原产于南美洲。 |

| 资　　源 | 栽培，常见。 |

| 采收加工 | 全年均可采收，洗净切片，晒干。 |

| 功能主治 | 利尿，驱虫。 |

含羞草科 Mimosaceae 榼藤属 Entada

榼 藤
Entada phaseoloides (L.) Merr.

| 中 药 名 | 榼藤（药用部位：种子、藤茎、根、茎皮）

| 植物形态 | 常绿、木质大藤本，茎扭旋，枝无毛。二回羽状复叶，长 10~25cm；羽片通常 2 对，顶生 1 对羽片变为卷须；小叶 2~4 对，对生，革质，长椭圆形或长倒卵形，先端钝、微凹，基部略偏斜，主脉稍弯曲，主脉两侧的叶面不等大，网脉两面明显；叶柄短。穗状花序长 15~25cm，单生或排成圆锥花序式，被疏柔毛；花细小，白色，密集，略有香味；苞片被毛；花萼阔钟状，具 5 齿；花瓣 5，长圆形，长 4mm，先端尖，无毛，基部稍连合；雄蕊稍长于花冠；子房无毛，花柱丝状。荚果长达 1m，宽 8~12cm，弯曲，扁平，木质，成熟时逐节脱落，每节内有 1 种子；种子近圆形，直径 4~6cm，扁平，暗褐色，成熟后种皮木质，有光泽，具网纹。花期 3~6 月，果期 8~11 月。

榼藤

| 分布区域 |

产于海南白沙、琼中、万宁、琼海、儋州、昌江，西沙群岛有分布记录。亦分布于中国广东、广西、台湾、福建、云南、西藏等地。亚洲热带、亚热带地区和大洋洲热带地区也有分布。

| 资　　源 |

生于山涧或山坡混交林中，常见。

| 采收加工 |

种子：冬、春季种子成熟后采收，去外壳，晒干。藤茎、根、茎皮：全年均可采，切片，晒干或鲜用。

| 药材性状 |

种子为扁圆形，直径 4~5cm，厚 10~18mm。表面棕褐色，具光泽，少数两面中央微凹，被棕黄色粉状物，除去后可见细密的网状纹理。种脐长椭圆形，种皮极坚硬，难破碎，破开后，厚 1~2mm，种仁乳白色，子叶 2，甚大，厚 5~7mm，子叶间中央部分常有空腔，近种脐处有细小的胚。气微，味淡，嚼之有豆腥味。茎的块片呈不规则形，大小不等，斜而扭曲，厚 1~2cm。外皮棕褐色或灰棕色，粗糙，有地衣斑，具明显纵纹或沟纹，常有一棱脊状突起。切面皮部深棕色，有红棕色或棕黑色树脂状物，木质部棕色或浅棕色，有多数小孔，可见红棕色树脂状物环绕髓部呈偏心环纹状，髓部常呈小空洞状，偏于有棱脊一侧。质坚硬，不易折断。气微，味微涩。

|功能主治|

藤茎、根：味苦、涩，性平；有毒；归肾经。活血祛风，壮腰固肾。用于风湿关节痛、四肢麻木、跌打损伤、骨折、杀虫灭虱。种子：味涩、甘，性平；归胃、肝、大肠经；无毒。行气止痛，利湿消肿，解热。用于脘腹胀痛、黄疸、脚气水肿、痢疾、痔疮、脱肛、喉痹。茎皮：用于催吐、泄泻。

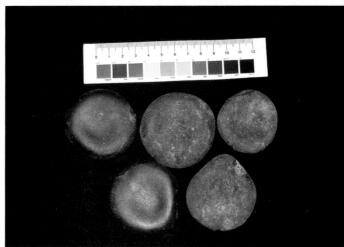

含羞草科 Mimosaceae 格木属 Erythrophleum

格 木

Erythrophleum fordii Oliv.

格木

| 中 药 名 |

格木（药用部位：种子、树皮）

| 植物形态 |

乔木，嫩枝和幼芽被铁锈色短柔毛。叶互生，二回羽状复叶，无毛；羽片通常3对，对生，长20~30cm，每个羽片有小叶8~12；小叶互生，卵形，长5~8cm，宽2.5~4cm，边全缘；小叶柄长2.5~3mm。由穗状花序所排成的圆锥花序长15~20cm；总花梗上被铁锈色柔毛；萼钟状，外面被疏柔毛，裂片长圆形，边缘密被柔毛；花瓣5，淡黄绿色，长于萼裂片，倒披针形，内面和边缘密被柔毛；雄蕊10，无毛，长为花瓣的2倍；子房长圆形，具柄，外面密被黄白色柔毛。荚果长圆形，扁平，长10~18cm，厚革质，有网脉；种子长圆形，稍扁平，长2~2.5cm，宽1.5~2cm，种皮黑褐色。花期5~6月，果期8~10月。

| 分布区域 |

海南万宁有栽培。亦分布于中国华南其他区域，以及福建、台湾、浙江等地。越南也有分布。

| 资　　源 |

栽培量较少。

| 采收加工 |

种子：夏、秋季种子成熟后采收，去外壳，晒干。

树皮：全年均可采，切片，晒干或鲜用。

| 功能主治 |

含强心苷。有强心、益气活血等作用。用于心气不足所致的气虚血瘀之证。

含羞草科 Mimosaceae 银合欢属 Leucaena

银合欢 *Leucaena leucocephala* (Lam.) de Wit

| 中 药 名 | 银合欢（药用部位：全株或种子、树皮、叶）

| 植物形态 | 灌木或小乔木，老枝具褐色皮孔，无刺；托叶三角形。羽片 4~8 对，长 5~9cm，叶轴被柔毛，在最下 1 对羽片着生处有黑色腺体 1；小叶 5~15 对，线状长圆形，长 7~13mm，宽 1.5~3mm，边缘被短柔毛。头状花序通常 1~2 个腋生，直径 2~3cm；苞片紧贴，被毛，早落；总花梗长 2~4cm；花白色；花萼长约 3mm，先端具 5 细齿，外面被柔毛；花瓣狭倒披针形，长约 5mm，背被疏柔毛；雄蕊 10，通常被疏柔毛，长约 7mm；子房具短柄，上部被柔毛，柱头凹下呈杯状。荚果带状，长 10~18cm，宽 1.4~2cm，先端凸尖，基部有柄，纵裂，被微柔毛；种子 6~25，卵形，长约 7.5mm，褐色，扁平，光亮。花期 4~7 月，果期 8~10 月。

银合欢

┃分布区域┃

产于海南三亚、乐东、东方、儋州、临高、屯昌、海口、西沙群岛、南沙群岛。中国广东、广西、福建、台湾、贵州、云南亦有栽培或逸为野生。原产于美洲热带地区。

┃资　　源┃

栽培，常见。

┃采收加工┃

种子：冬、春季种子成熟后采收，去外壳，晒干。全株、叶、树皮：全年均可采，切片，晒干或鲜用。

┃功能主治┃

种子：驱虫，消渴。用于糖尿病和制造淀粉。树皮：用于心悸怔忡、骨折、疥疮。全株：用作饲料。亦用于除去动物尾巴和鬃毛，及制造活性炭、燃料。叶：医疗上用作脱毛剂和用于疮疡。

含羞草科 Mimosaceae 含羞草属 Mimosa

巴西含羞草
Mimosa invisa Mart. ex Colla

| 中 药 名 | 巴西含羞草（药用部位：全草、根）

| 植物形态 | 直立、亚灌木状草本；茎攀缘或平卧，五棱柱状，沿棱上密生钩刺，其余被疏长毛，老时毛脱落。二回羽状复叶，长 10~15cm；总叶柄及叶轴有钩刺 4~5 列；羽片 7~8 对，长 2~4cm；小叶 20~30 对，线状长圆形，长 3~5mm，宽约 1mm，被白色长柔毛。头状花序花时连花丝直径约 1cm，1 或 2 个生于叶腋，总花梗长 5~10mm；花紫红色，花萼极小，4 齿裂；花冠钟状，长 2.5mm，中部以上 4 瓣裂，外面稍被毛；雄蕊 8，花丝长为花冠的数倍；子房圆柱状，花柱细长。荚果长圆形，长 2~2.5cm，宽 4~5mm，边缘及荚节有刺毛。花果期 3~9 月。

巴西含羞草

| 分布区域 |

产于海南东方、三亚及西沙群岛。中国广东、台湾、云南亦有栽培或逸为野生。原产于巴西。

| 资　源 |

生于低海拔荒地或路旁，少见。

| 采收加工 |

全年皆可采收，洗净，切段，鲜用或晒干。

| 功能主治 |

止咳化痰。对多种细菌、甲型流感病毒和鼻病毒均有抑制作用。

含羞草科 Mimosaceae 含羞草属 Mimosa

含羞草 *Mimosa pudica* L.

| **中 药 名** | 含羞草（药用部位：全草或根）

| **植物形态** | 披散、亚灌木状草本，高可达 1m；茎圆柱状，具分枝，有散生、下弯的钩刺及倒生刺毛。托叶披针形，有刚毛。羽片和小叶触之即闭合而下垂；羽片通常 2 对，指状排列于总叶柄之先端，长 3~8cm；小叶 10~20 对，线状长圆形，长 8~13mm，宽 1.5~2.5mm，先端急尖，边缘具刚毛。头状花序圆球形，直径约 1cm，具长总花梗，单生或 2~3 个生于叶腋；花小，淡红色，多数；苞片线形；花萼极小；花冠钟状，裂片 4，外面被短柔毛；雄蕊 4，伸出于花冠之外；子房有短柄，无毛；胚珠 3~4，花柱丝状，柱头小。荚果长圆形，长 1~2cm，宽约 5mm，扁平，稍弯曲，荚缘波状，具刺毛，成熟时荚节脱落，荚缘宿存；种子卵形，长 3.5mm。花期 3~10 月，果期 5~11 月。

含羞草

分布区域

产于海南东方、昌江、万宁、儋州、定安、西沙群岛、南沙群岛。中国华南各地逸为野生。原产于美洲热带地区。

资　　源

生于旷野、荒地，常见。

采收加工

夏季采收全草,夏、秋季采收根,除去泥沙,洗净,鲜用，或扎成把，晒干。

功能主治

全草：味甘、涩、微苦，性微寒；有小毒；归心、肝、胃、大肠经。宁心安神，凉血解毒，清热利湿。用于吐泻、失眠、小儿疳积、感冒、小儿高热、支气管炎、目赤肿痛、急性结膜炎、胃炎、肠炎、泌尿系结石、疟疾、神经衰弱、全身水肿、深部脓肿、带状疱疹。 根：味涩、微苦，性温；有毒。止咳化痰，利湿通络，和胃消积，明目镇静。用于慢性支气管炎、风湿疼痛、慢性胃炎、小儿消化不良、闭经、头痛失眠、眼花。

含羞草科 Mimosaceae 含羞草属 Mimosa

光荚含羞草 *Mimosa sepiaria* Benth.

| **中 药 名** | 光荚含羞草（药用部位：全株或根）

| **植物形态** | 落叶灌木，小枝无刺，密被黄色茸毛。二回羽状复叶，羽片 6~7 对，长 2~6cm，叶轴无刺，被短柔毛，小叶 12~16 对，线形，长 5~7mm，宽 1~1.5mm，革质，先端具小尖头，除边缘疏具缘毛外，余无毛，中脉略偏上缘。头状花序球形；花白色；花萼杯状，极小；花瓣长圆形，长约 2mm，仅基部连合；雄蕊 8，花丝长 4~5mm。荚果带状，劲直，长 3.5~4.5cm，宽约 6mm，无刺毛，褐色，通常有 5~7 荚节，成熟时荚节脱落而残留荚缘。

| **分布区域** | 产于海南东方、保亭、昌江、万宁、海口。中国广东亦有栽培或逸为野生。原产于美洲。

光荚含羞草

| 资 源 |

栽培，常见。

| 采收加工 |

全年均可采收，洗净，鲜用或晒干。

| 功能主治 |

本属多种植物的根、地上部分均可入药，本种或有类似作用。

| 附 注 |

在 FOC 中，其学名被修订为 *Mimosa bimucronata* (DC.) Kuntze。

含羞草科 Mimosaceae 含羞草属 Mimosa

无刺含羞草
Mimosa invisa Mart. ex Colla var. *inermis* Adelh.

| 中 药 名 | 无刺含羞草（药用部位：枝叶、根）

| 植物形态 | 直立、亚灌木状草本；茎攀缘或平卧，长达60cm，五棱柱状，沿棱上密生钩刺，其余被疏长毛，老时毛脱落。二回羽状复叶，长10~15cm；总叶柄及叶轴有钩刺4~5列；羽片（4~）7~8对，长2~4cm；小叶（12~）20~30对，线状长圆形，长3~5mm，宽约1mm，被白色长柔毛。头状花序花时连花丝直径约1cm，1或2个生于叶腋，总花梗长5~10mm；花紫红色，花萼极小，4齿裂；花冠钟状，长2.5mm，中部以上4瓣裂，外面稍被毛；雄蕊8，花丝长为花冠的数倍；子房圆柱状，花柱细长。荚果长圆形，长2~2.5cm，宽4~5mm，边缘及荚节有刺毛。花果期3~9月。

无刺含羞草

分布区域	产于海南东方。中国广东、福建、云南等地亦有栽培或逸为野生。原产于印度尼西亚。
资　　源	生于旷野、荒地，少见。
采收加工	全年均可采收，洗净，鲜用或晒干。
功能主治	枝叶：南美洲民间将其制成膏剂，治疗腺癌。根：止咳化痰。对多种细菌、甲型流感病毒和鼻病毒均有抑制作用。
附　　注	本种全草有毒，牛误食可致死。

含羞草科 Mimosaceae 猴耳环属 Pithecellobium

猴耳环
Pithecellobium clypearia (Jack) Benth.

| **中 药 名** | 猴耳环（药用部位：叶、果实、种子）

| **植物形态** | 乔木，小枝无刺，有明显的棱角，密被黄褐色绒毛。托叶早落；二回羽状复叶；羽片 3~8 对，通常 4~5 对；总叶柄具 4 棱，密被黄褐色柔毛，叶轴上及叶柄近基部处有腺体，最下部的羽片有小叶 3~6 对，最顶部的羽片有小叶 10~12 对，有时可达 16 对；小叶革质，斜菱形，长 1~7cm，宽 0.7~3cm，顶部的最大，往下渐小，上面光亮，两面稍被褐色短柔毛，基部极不等侧，近无柄。花具短梗，数朵聚成小头状花序，再排成顶生和腋生的圆锥花序；花萼钟状，长约 2mm，5 齿裂，与花冠同密被褐色柔毛；花冠白色或淡黄色，长4~5mm，中部以下合生，裂片披针形；雄蕊长约为花冠的 2 倍，下部合生；子房具短柄，有毛。荚果旋卷，宽 1~1.5cm，边缘在种子

猴耳环

间缢缩；种子 4~10，椭圆形，长约 1cm，黑色，种皮皱缩。花期 2~6 月，果期 4~8 月。

| 分布区域 |

产于海南乐东、昌江、万宁。亦分布于中国广东、广西、福建、台湾、浙江、云南等地。亚洲热带地区也有分布。

| 资　源 |

生于山地林中，常见。

| 采收加工 |

叶：全年可采，鲜用或晒干。果实：果实近成熟时采收。种子：成熟采收的果实剥去外壳可得到种子，晒干。

| 功能主治 |

清热解毒，凉血消肿。外用于烫火伤、疮痈疖肿。也可干品研粉调茶涂患处，或鲜品捣烂敷患处。

| 附　注 |

中国植物志电子版（FRPS）将猴耳环属的属名修订为 *Abarema*，将本种学名修订为 *Abarema clypearia* (Jack) Kosterm.；但在 FOC 中，猴耳环属名为 *Archidendron* F. Mueller Fragm.，本种学名为 *Archidendron clypearia* (Jack) I. C. Nielsen Adansonia。

含羞草科 Mimosaceae 猴耳环属 Pithecellobium

牛蹄豆
Pithecellobium dulce (Roxb.) Benth.

中 药 名	牛蹄豆（药用部位：树皮、果实、假种皮）
植物形态	常绿乔木，中等大；枝条通常下垂，小枝有由托叶变成的针状刺。羽片1对，每一羽片只有小叶1对，羽片和小叶着生处各有一突起的腺体；羽片柄及总叶柄均被柔毛；小叶坚纸质，长倒卵形或椭圆形，长2~5cm，宽2~25mm，大小差异甚大，先端钝或凹入，基部略偏斜，无毛；叶脉明显，中脉偏于内侧。头状花序小，于叶腋或枝顶排列成狭圆锥花序式；花萼漏斗状，长1mm，密被长柔毛；花冠白色或淡黄色，长约3mm，密被长柔毛，中部以下合生；花丝长8~10mm。荚果线形，长10~13cm，宽约1cm，膨胀，旋卷，暗红色；种子黑色，包于白色或粉红色的肉质假种皮内。花期3月，果期7月。

牛蹄豆

| 分布区域 | 产于海南万宁、文昌。中国广东、广西、福建、台湾、浙江、云南亦有栽培。原产于美洲。 |

| 资　　源 | 生于林缘或旷野，少见。 |

| 采收加工 | 树皮：全年可采，洗净，切片，鲜用或晒干。果实：果实近成熟时采收。假种皮：成熟采收的果实剥去外壳及种子，留下假种皮，晒干。 |

| 功能主治 | 树皮：清热收敛，含鞣质 30 %，煎服止泻。用于痢疾、堕胎、感冒、糖尿病、月经病。外用于痈疮溃烂久不收口、湿疹。果实：可食，收敛。用于肺病止血。假种皮：墨西哥用于制柠檬水。 |

含羞草科 Mimosaceae 猴耳环属 Pithecellobium

亮叶猴耳环
Pithecellobium lucidum Benth.

| 中 药 名 | 亮叶猴耳环（药用部位：枝、叶）

| 植物形态 | 乔木，高 2~10m；小枝无刺，嫩枝、叶柄和花序均被褐色短茸毛。羽片 1~2 对；总叶柄近基部、每对羽片下和小叶片下的叶轴上均有圆形而凹陷的腺体，下部羽片通常具 2~3 对小叶，上部羽片具 4~5 对小叶；小叶斜卵形或长圆形，顶生的一对最大，对生，余互生且较小，先端渐尖而具钝小尖头，基部略偏斜，两面无毛或仅在叶脉上有微毛，上面光亮，深绿色。头状花序球形，有花 10~20，总花梗长不超过 1.5cm，排成腋生或顶生的圆锥花序；花萼长不及 2mm，与花冠同被褐色短茸毛；花瓣白色，长 4~5mm，中部以下合生；子房具短柄，无毛。荚果旋卷成环状，宽 2~3cm，边缘在种子间缢缩；种子黑色，长约 1.5cm，宽约 1cm。花期 4~6 月，果期 7~12 月。

亮叶猴耳环

| **分布区域** | 产于海南三亚、白沙、保亭、陵水。亦分布于中国广东、广西、福建、台湾、浙江、云南、四川等地。越南、老挝、泰国、缅甸也有分布。

| **资　　源** | 生于疏林中，少见。

| **采收加工** | 全年可采，鲜用或晒干。

| **功能主治** | 性寒。消肿，祛风湿，凉血，消炎生肌。研末用油调敷或煎水洗，用于风湿骨痛、烫火伤、溃疡。

| **附　　注** | 中国植物志电子版（FRPS）将猴耳环属的属名修订为 *Abarema*，将本种学名修订为 *Abarema lucida* (Benth.) Kosterm；但在 FOC 中，猴耳环属名为 *Archidendron* F. Mueller Fragm.，本种学名为 *Archidendron lucidum* (Bentham) I. C. Nielsen Adansonia。

薄叶猴耳环
Pithecellobium utile Chun & F. C. How

薄叶猴耳环

| 中 药 名 |

薄叶猴耳环（药用部位：枝、叶、果实）

| 植物形态 |

灌木，高 1~2m，很少为小乔木；小枝圆柱形，无棱，被棕色短柔毛。羽片 2~3 对，长 10~18cm，总叶柄和先端 1~2 对小叶着生处稍下的叶轴上有腺体；小叶膜质，4~7 对，对生，长方菱形，长 2~9cm，宽 1.5~4cm，顶部的较大，往下渐小，先端钝，有小凸头，基部钝或急尖，上面无毛，下面被短柔毛，具短柄。头状花序直径约 1cm（不连花丝），排成近顶生、疏散、被毛、长约 30cm 的圆锥花序；花无梗，白色，芳香；花萼钟状，长 1.5~2mm，裂齿和花冠外面均有柔毛；花冠长 6~7mm，裂齿卵状长圆形，长不及 2mm；花丝长 12~15mm；子房具短柄，无毛。荚果红褐色，弯卷或镰刀状，长 6~10cm，宽 10~13mm；种子近圆形，长约 10mm，黑色，光亮。花期 3~8 月，果期 4~12 月。

| 分布区域 |

产于海南白沙、五指山、万宁、保亭。亦分布于中国广东、广西、福建、浙江等地。越南也有分布。

| **资　　源** | 生于海拔 200~800m 的密林中，偶见。

| **采收加工** | 全年可采，鲜用或晒干。

| **功能主治** | 同属植物猴耳环、亮叶猴耳环等的枝叶、果实皆可入药，有清热解毒等作用，本种或有类似作用，其功能有待进一步研究。

| 附　注 | 中国植物志电子版（FRPS）将猴耳环属的属名修订为 *Abarema*，将本种学名修订为 *Abarema utile* (Chun et F. C. How) Kosterm；但在 FOC 中，猴耳环属名为 *Archidendron* F. Mueller Fragm，本种学名为 *Archidendron utile* (Chun & F. C. How) I. C. Nielsen Adansonia。